Aus Freude am Lesen

btb

Oliver Hilmes

Witwe im Wahn

Das Leben der
Alma Mahler-Werfel

btb

FSC

Mixed Sources

Product group from well-managed
forests and other controlled sources

Cert no. GFA-COC-1223
www.fsc.org
© 1996 Forest Stewardship Council

Verlagsgruppe Random House FSC-DEU-0100
Das für dieses Buch verwendete FSC-zertifizierte Papier *Munken Print*
liefert Arctic Paper Munkedals AB, Schweden.

4. Auflage
Genehmigte Taschenbuchausgabe November 2005,
btb Verlag in der Verlagsgruppe Random House GmbH, München
Copyright © 2004 Siedler Verlag in der Verlagsgruppe
Random House GmbH, München
Bildredaktion: Ditta Ahmadi, Berlin
Register: Matthias Weichelt, Berlin
Umschlaggestaltung: Design Team München
Umschlagfoto: Österreichische Nationalbibliothek Wien, Bildarchiv
Satz: Ditta Ahmadi
Druck und Einband: Clausen & Bosse, Leck
SR · Herstellung: AW
Printed in Germany
ISBN 978-3-442-73411-5

www.btb-verlag.de

Inhalt

Ich möchte eine große That thun.

ALMA SCHINDLER, 1898

Prolog

Alma Maria, geborene Schindler, verwitwete Mahler, geschiedene Gropius, verwitwete Werfel war von Jugend an eine außergewöhnliche Frau und blieb bis heute äußerst umstritten. Für die einen ist sie Muse der vier Künste, für die anderen schlechterdings eine herrsch- und sexsüchtige Circe, die ihre prominenten Ehemänner nur für die eigenen Zwecke benutzte. Wie kann ein Mensch einerseits ekstatische Liebesraserei und andererseits wahre Hasstiraden auslösen? War sie ihren Partnern eine Muse, eine Inspiratorin deren Werke? So hat sie sich zweifellos gerne gesehen. Aber hält dieses Selbstbildnis einer genauen Überprüfung stand? Der Übersetzer, Autor und Psychoanalytiker Hans Wollschläger forderte 1995 in der »Frankfurter Allgemeinen Zeitung« eine grundlegende Auseinandersetzung mit der Femme fatale von Wien, »damit sie dann endgültig abgelegt werden kann. Viele Gefährtinnen bleiben stumm im Schatten großer Männer, zu Unrecht unscheinbar, zu wenig gewürdigt; diese hier, die eitle, abstoßend vorlaute, sollte endlich hinein.«[1]

Hans Wollschläger konnte bei seinem ablehnenden Urteil über Alma auf nicht minder negative Urteile prominenter Zeitgenossen verweisen. Für Theodor Adorno war sie – wenn auch nur gesprächsweise – »das Monstrum«[2], der Komponist Richard Strauss diagnostizierte bei ihr »Minderwertigkeitskomplexe eines liederlichen Weibes«[3], die Schriftstellerin Claire Goll schrieb, »wer Alma Mahler zur Frau hat, muss sterben«[4], womit sie auf das frühe Dahinscheiden zweier Ehemänner anspielte, Gina Kaus erklärte in einem Interview, »sie war der schlechteste Mensch, den ich gekannt habe«[5], an anderer Stelle fand sie Alma einfach nur »aufgeblasen und dumm«[6], und Elias Canetti erblickte in ihr »eine ziemlich große, allseits überquellende Frau, mit einem süßlichen Lächeln ausgestattet und hellen, weit offenen, glasigen Augen«[7]. Almas Neigung zum Trinken – von Canetti vornehm umschrieben – wurde ebenso von Claire Goll bemerkt: »Um ihre welkenden Reize aufzufrischen, trug sie gigantische Hüte mit Straußenfedern; man wusste nicht, ob sie als Trauerpferd vor einem Leichenwagen oder als neuer d'Artagnan aufzutreten wünschte. Dazu war sie gepudert, geschminkt, parfümiert und volltrunken. Diese aufgequollene Walküre trank wie ein Loch.«[8] Und so war es gewiss kein Wunder, dass die aus der Form gegangene Alma »dank üppiger Schminke und Löckchenpracht« mitunter an einen »majestätischen Transvestiten«[9] erinnerte. Anna Mahler, Alma und Gustav Mahlers Tochter, hatte zeitlebens ein ambivalentes Verhältnis zu ihrer Mutter: »Die Mami war ein großes Tier. Ich habe sie Tiger-Mami genannt. Und hier und da war sie großartig. Und hier und da war sie ganz abscheulich.«[10] Marietta Torberg, Friedrich Torbergs Ehefrau, brachte diesen Zwiespalt auf den Punkt: »Sie war eine große Dame und gleichzeitig eine Kloake.«[11]

Es gehört zu dem Phänomen Alma Mahler-Werfel, dass neben den nicht eben schmeichelhaften Urteilen eine Vielzahl begeisterter, geradezu verzückter Stellungnahmen existiert. Für ihre Verehrer, deren es nicht wenige gab, war die jugendliche Alma Schindler »das schönste Mädchen Wiens«. »Alma ist schön, ist klug, geistreich«, schwärmte Gustav Klimt gegenüber Almas Stiefvater, »sie hat alles was ein anspruchsvoller Mann von einem Weibe verlangen kann, im reichen Maße, ich glaube wo sie hinkommt, hinschaut in die Männerwelt, ist sie Herrin, Gebieterin […].«[12] Oskar Kokoschka, der einige Jahre später in Almas Leben trat, war verzaubert von ihr: »Wie schön sie war, wie verführerisch hinter ihrem Trauerschleier!«[13] Der Biologe Paul Kammerer schrieb Alma liebestrunkene Briefe: »Deine Fehler sind unendliche Güten, Deine

Schwächen sind unbegreifliche Schönheiten, Deine Müdigkeiten sind unauskostbare Süssigkeiten.«[14] Franz Werfel erschien sie kurzerhand als »Lebensspenderin, Hüterin des Feuers«[15], und Werfels Mutter nannte ihre Schwiegertochter angeblich sogar »die einzige wirkliche Königin oder Herrscherin dieser Zeit«[16]. Der greise Schriftsteller Ludwig Karpath versicherte Alma wenige Jahre vor seinem Tod, dass er eines Tages »mit heißester Erinnerung an Dich ins Grab steigen werde«[17]. Carl Zuckmayer und Friedrich Torberg verehrten in Alma jene »verwirrende Mischung aus Patronatsherrin und Patronne eines Maison de Rendezvous – ›eine tolle Madame‹, wie Gerhart Hauptmann sie einmal mit bewunderndem Kopfschütteln genannt hat«[18]. Almas Trinkfestigkeit, für viele abstoßend, nötigte dem nicht minder trinkfesten Erich Maria Remarque hingegen Respekt ab: »Die Frau ein wildes, blondes Weib, gewalttätig, saufend.«[19]

Wer war diese Frau, die jahrzehntelang so viele mehr oder minder berühmte Menschen zu faszinieren oder abzuschrecken vermochte? Die Liste der Zeitgenossen – Ehemänner, Liebhaber, Trabanten und Satelliten –, die in 85 Lebensjahren Alma Mahler-Werfels Wege kreuzten, ist lang und liest sich in Teilen wie ein Prominentenlexikon des zwanzigsten Jahrhunderts. Eine Auswahl: Eugen d'Albert, Pianist und Komponist; Peter Altenberg, Schriftsteller; Gustave O. Arlt, Germanist; Hermann Bahr, Schriftsteller; Ludwig Bemelmans, Maler; Alban Berg, Komponist; Leonard Bernstein, Dirigent und Komponist; Julius Bittner, Komponist; Franz Blei, Schriftsteller; Benjamin Britten, Komponist; Max Burckhard, Theaterintendant; Elias Canetti, Schriftsteller; Erich Cyhlar, Politiker; Franz Theodor Csokor, Schriftsteller; Theodor Däubler, Schriftsteller; Ernst Deutsch, Schauspieler; Engelbert Dollfuß, Politiker; Lion Feuchtwanger, Schriftsteller; Joseph Fraenkel, Arzt; Egon Friedell, Schriftsteller; Wilhelm Furtwängler, Dirigent; Claire Goll, Schriftstellerin; Walter Gropius, Architekt; Willy Haas, Schriftsteller; Anton Hanak, Bildhauer; Gerhart Hauptmann,

Schriftsteller; August Hess, Butler; Josef Hoffmann, Architekt; Hugo von Hofmannsthal, Schriftsteller; Johannes Hollnsteiner, Priester; Paul Kammerer, Biologe; Wassily Kandinsky, Maler; Gina Kaus, Schriftstellerin; Otto Klemperer, Dirigent; Gustav Klimt, Maler; Oskar Kokoschka, Maler; Erich Wolfgang Korngold, Komponist; Ernst Krenek, Komponist; Josef Labor, Komponist; Gustav Mahler, Komponist; Golo Mann, Schriftsteller; Heinrich Mann, Schriftsteller; Thomas Mann, Schriftsteller; Willem Mengelberg, Dirigent; Darius Milhaud, Komponist; Georg Moenius, Priester; Soma Morgenstern, Schriftsteller; Kolo Moser, Maler; Siegfried Ochs, Dirigent; Joseph Maria Olbrich, Architekt; Eugene Ormandy, Dirigent; Hans Pernter, Politiker; Hans Pfitzner, Komponist; Maurice Ravel, Komponist; Max Reinhardt, Regisseur; Erich Maria Remarque, Schriftsteller; Anton Rintelen, Politiker; Richard Schmitz, Politiker; Arthur Schnitzler, Schriftsteller; Arnold Schönberg, Komponist; Franz Schreker, Komponist; Kurt von Schuschnigg, Politiker; Ernst Rüdiger von Starhemberg, Politiker; Richard Strauss, Komponist; Igor Strawinsky, Komponist; Julius Tandler, Mediziner und Politiker; Friedrich Torberg, Schriftsteller; Bruno Walter, Dirigent; Franz Werfel, Schriftsteller; Fritz Wotruba, Bildhauer; Alexander von Zemlinsky, Komponist; Paul von Zsolnay, Verleger; Carl Zuckmayer, Schriftsteller.

Eine Frau, die zeit ihres Lebens mit so vielen bedeutenden Menschen Umgang hatte, die – imponierend genug – so unterschiedlichen Charakteren wie Hans Pfitzner und Arnold Schönberg, Thomas Mann und Erich Maria Remarque oder Walter Gropius und Oskar Kokoschka allem Anschein nach etwas zu geben hatte, musste eine literarische Kultfigur werden. Seit 1996 wird jedes Jahr Joshua Sobols beeindruckendes Polydrama »Alma – A Show Biz ans Ende« in der Regie von Paulus Manker überaus erfolgreich auf die Bühne gebracht. Wien, Venedig und Lissabon waren bislang die Stationen dieser Theaterproduktion, 2004 erobert »Alma« Hollywood, und im Jahr darauf wird Sobols Stück wohl in

New York zu sehen sein. Hilde Berger schrieb über die Beziehung von Alma Mahler und Oskar Kokoschka einen Roman, und Alma-Fans können aus fünf Biographien Hintergrundinformationen beziehen. Es mag zunächst verwundern, dass sich überhaupt so viele Publizistinnen und Publizisten mit dieser Frau beschäftigt haben. Anders als ihre Männer hat Alma keine großen Kunstwerke hinterlassen, die zur Auseinandersetzung anregen würden – keine Sinfonien, keine Gemälde, keine Gebäude, keine Gedichte oder Romane. Wirkung ohne Werke? Zwar hat sie als junges Mädchen einige sehr schöne Lieder komponiert, als Komponistin wird sie erst neuerdings wahrgenommen. »Alma Schindler-Mahler, die Vielbemannte, bleibt nicht ihrer Liedkompositionen halber im Gedächtnis, sondern als Frau und frühe Sonderausgabe des Partyluders«[20], beginnt Eleonore Büning in der »Frankfurter Allgemeinen Zeitung« vom 20. März 2004 ihren Artikel über Frauen in der Musik. Und in dem 450 Seiten starken Buch »Komponistinnen vom Mittelalter bis zur Gegenwart« von Eva Weissweiler wird Almas Name kaum gestreift in der einzigen Erwähnung: »Alexander von Zemlinsky hatte neben der allseits bekannten Alma Mahler eine Kompositionsschülerin namens Johanna Müller-Hermann […].«[21] Mehr nicht. Bekannt war Alma (die übrigens damals noch nicht Mahler hieß) zwar »allseits«, aber eben nicht als Komponistin, sondern nur als Schülerin unter anderen Unbekannten.

Was bleibt von Alma Mahler-Werfel? Ist es ihr spannendes Leben, mit Höhen und Tiefen, Erfolgen und Tragödien, Glanzstunden und Schattenseiten? War Alma eine »Lebens-Künstlerin«, die an ihre eigene Geschichte Hand anlegte und diese zum Kunstwerk erhob? Oder bleibt von ihr nur das »bißchen Unterleib«, wie Hans Wollschläger schmähte? Und warum erscheint – vierzig Jahre nach ihrem Tod – eine weitere, die sechste Biographie? Ist nicht bereits alles über diese Frau gesagt?

Die vorliegenden Alma-Biographien sind sehr unterschiedlich und changieren – ähnlich wie die eingangs zitierten Stellungnahmen prominenter Zeitzeugen – zwischen kritischer Distanz und überschwänglicher Lobhudelei. Die Buchtitel geben die Richtung vor: Für Karen Monson war sie »die unbezähmbare Muse«, Susanne Keegan erblickte in Alma die »Windsbraut«, Françoise Giroud (»Alma Mahler oder die Kunst, geliebt zu werden«) rückte ihre Heldin in die Nähe früher Feministinnen, und für den Hamburger Publizisten Berndt Wilhelm Wessling (»Alma, Gefährtin von Gustav Mahler, Oskar Kokoschka, Walter Gropius, Franz Werfel«) wurde Alma schließlich zur Obsession: »Sie war die zärtlichste Frau dieses Jahrhunderts«, schwärmte er, »noch als Greisin pfirsichwangig, vollbusig und im Geruch von jener sinnesbetäubenden Bienensüße, von der König Salomo im Hohenlied spricht.«[22] Diese bizarre Huldigung ließ bereits 1983 vermuten, was unlängst bekannt wurde: Berndt Wilhelm Wessling war ein Betrüger.[23] Um seine eigene Person baute er potemkinsche Dörfer aus biographischen Details und literarischen Leistungen, bezeichnete sich als Spross einer alten Bremer Patrizier- und Senatorenfamilie, obwohl er der Sohn eines Elektrikers war. Alma machte er schließlich posthum zu seiner Patentante – unnötig zu betonen, dass zwischen beiden niemals Kontakt bestand. Wessling war als Fälscher zweifellos ein besonderes Kaliber: Er lebte in seinen Fiktionen und empfand die selbst geschaffene Irrealität als Wirklichkeit. Die jüngste Alma-Darstellung erschien im Sommer 2001 in der Taschenbuchreihe rororo-Monographie. Astrid Seele zeichnet ein kritisches und überzeugendes Charakterbild, spricht von »verwirrenden Paradoxien«, womit sie beispielsweise Almas Antisemitismus meint, und setzte viele gedruckte Quellen in das richtige Verhältnis zueinander.

Alle Alma-Biographien, so unterschiedlich sie auch sind, haben einen – allerdings entscheidenden – Nachteil: die lückenhafte Quellenbasis. Zwar haben Karen Monson und Susanne Keegan mit Teilen von Almas Nachlass gearbeitet, machten von diesen Schätzen jedoch merkwürdigerweise in nur beschränktem Maße Gebrauch. So mussten sie sich bei der Rekonstruktion wichtiger Ereignisse auf

Almas Memoiren verlassen, die, wie sich herausstellen wird, zur Etablierung von Fakten kaum geeignet sind. Françoise Girouds Lebensbeschreibung fällt hinter die Veröffentlichungen von Monson und Keegan weit zurück. Die besondere Problematik dieser Publikation ergibt sich aus dem Charakter eines persönlichen Essays. Das Buch hat weder ein Inhaltsverzeichnis noch ein Register, geschweige denn ein Quellenverzeichnis. Woher die Autorin ihre Informationen nimmt, bleibt ihr Geheimnis. Almas Papiere hat sie jedenfalls nicht konsultiert, offenbar war die Autobiographie »Mein Leben« Girouds Primärquelle. Nur so lassen sich die vielen schiefen Urteile erklären. Giroud zitiert beispielsweise eine Passage aus »Mein Leben«, die sich auf die Erstürmung des Wiener Justizpalastes im Juli 1927 (damals war es zu bürgerkriegsähnlichen Ausschreitungen gekommen) bezieht. Dort heißt es: *Die Intellektuellen sind Gelehrte, Künstler, Geldmenschen ... aber von der Politik sollen sie ihre Hände lassen. Sie setzen die Welt durch ihre Phantasielosigkeit in Brand! Die Menschen sollten ihnen schon endlich das Handwerk legen, bevor es zu spät ist! Der Intellekt ist in der Politik das schwerste Unglück Europas und Asiens.*[24] Was Giroud offensichtlich nicht wusste: Almas Autobiographien (neben »Mein Leben« existiert auch ein englischsprachiges Erinnerungsbuch mit dem Titel »And the Bridge is Love«) leiten die Leser bewusst in die Irre, wimmeln sie doch von Stilisierungen und plumpen Lügen. In Almas unveröffentlichtem Tagebuch finden wir jedenfalls eine andere Schilderung der Vorgänge in jenen Sommertagen 1927: *Die böse Saat des Judaismus geht auf. Die Juden sind hervorragende Gelehrte, Künstler, Geldmenschen, aber von der Politik sollen sie ihre Hände lassen. Sie setzen die Welt durch ihre Phantasielosigkeit in Brand. Die Menschen sollen ihnen schon endlich das Handwerk legen – bevor es zu spät ist! Der Jude ist in der Politik das schwerste Unglück Europas und Asiens.*[25] Durch Girouds Berufung auf »Mein Leben« entstand ein völlig verzerrtes Bild. Dass Alma ihre Zeitgenossen und die Nachgeborenen stark polarisierte, mehr noch, dass selbst ihre Biographen den Stilisierungen und Retuschen auf den Leim gingen, ist ein nicht zuletzt von ihr selbst kreierter Effekt: Sie schuf in ihren Memoiren einen Dunstkreis aus Dichtung und Wahrheit, der für die bislang vorliegenden Biographien häufig nicht durchschaubar war. Wie kann man nun dieser Frau am besten gerecht werden? – Indem man die intimste Quelle sprudeln lässt, die es gibt: ihre unzensierten Tagebuchnotizen.

Auch am Beginn meiner Auseinandersetzung mit Alma Mahler-Werfel stand zunächst »Mein Leben« – jener Bestseller, der bis heute im Buchhandel erhältlich ist und das Alma-Bild ganzer Generationen prägte. Die Protagonistin erscheint dort als Muse und Freudenspenderin ihrer Männer, die immer mehr zu geben als zu nehmen hatte, die aus weiser Voraussicht auf eine eigene künstlerische Karriere verzichtete und ganz dem Werk ihrer Partner lebte. Wurden die Memoiren bei Erscheinen als hemmungsloses Bekenntniswerk gefeiert, wozu die sexuelle Freizügigkeit der Autorin einiges beitrug, wirkten sie vierzig Jahre später auf mich zusammengestückelt und bisweilen konfus, mehr noch, der Text schien wie auseinander gerissen. Auffallend ist, dass das Buch über keinerlei Kapiteleinteilung verfügt. Außerdem sind manche Episoden mit einem genauen Datum versehen, andere nur mit jahreszeitlichen Angaben wie »Herbst« oder auch »Später in der Zeit«. Der Leser ist also nicht in der Lage, an einer bestimmten Stelle in Almas Leben einzutauchen; Zeit und Raum verschwimmen zu einem diffusen Gesamtbild. Interessant ist auch die Tatsache, dass im Personenregister Einträge zu Adolf Hitler und Benito Mussolini fehlen, obwohl diese im Text mehrfach genannt werden. Hingegen wurden Personen, die nur eine einmalige Erwähnung fanden, in das Personenregister aufgenommen. Ein Versehen? Oder hatte die Autorin möglicherweise etwas zu verbergen? Die Abfolge sprachlich dichter Reflexionen neben völlig banalen Alltagserkenntnissen legt die Vermutung nahe, dass große Teile des Textes nicht für eine Veröffentlichung geschrieben worden waren. Dieser mosaikartige Charakter verleiht dem Buch beim genaueren Hinsehen etwas unfreiwillig Komisches. Alles in allem hatte ich den Eindruck, dass es sich bei Almas Lebensbeichte um ein nachträglich kommentiertes Tagebuch handelte. Sollte »Mein Leben« etwa eine Version ihrer lange Jahre verschollen geglaubten Tagebücher sein?

»Wenn Sie für Ihre Recherchen die Lebenserinnerungen von meiner Mutter als Grundlage verwenden wollen, dann müssen Sie das jetzt gleich wieder vergessen«[26], riet Anna Mahler dem Franz-Werfel-Biographen Peter Stephan Jungk. Das Hauptproblem einer Biographie Alma Mahler-Werfels besteht in der mehr als verwirrenden Quellenlage. Als Alma im Dezember 1964 in New York starb, hinterließ sie gut 5000 an sie gerichtete Briefe, unzählige Postkarten und Fotografien sowie mehrere Manuskripte. Dieser Nachlass ging auf Vermittlung von Franz Werfels langjährigem Freund und Herausgeber Adolf D. Klarmann vier Jahre nach ihrem Tod an die Van-Pelt-Library der University of Pennsylvania in Philadelphia, wo er noch heute – weitgehend unbearbeitet – in 46 Archivkartons verstaut ist. Das dortige Universitätsviertel liegt nur einen Steinwurf von Philadelphia Downtown entfernt in einer parkähnlichen Anlage. Viele der Campusbauten verströmen mit ihrer typischen Landhausarchitektur den Charme längst vergangener Zeiten. Andere, wie die Van-Pelt-Library, sind eher schmucklose, wenig einladende Nutzbauten. Wer in Philadelphia ein geisteswissenschaftliches Studium betreibt, kommt an »Van Pelt« jedenfalls nicht vorbei: Gut 2,5 Millionen Bücher beherbergt die Bibliothek an der Walnut Street, hinzu kommen rund 13 000 aktuelle Zeitungen und Zeitschriften aus aller Herren Länder. Die Suche nach Alma Mahler-Werfel beginnt in der Handschriftenabteilung, deren Einrichtung eigentümlicherweise nicht zum Rest des Hauses passt. Während die Fassaden, der Eingangs- und Katalogbereich sowie die unzähligen Magazingeschosse die kühle Anmut der sechziger Jahre ausstrahlen, prägen schwere altertümliche Holzmöbel das sechste Stockwerk des Gebäudes, wo die so genannten Special Collections aufbewahrt werden. Im Sommer 2000 war ich dort erstmals zu Gast. Ich nahm an einem der Tische im Lesesaal Platz und wartete auf die Kustodin der Mahler-Werfel-Collection. Mir schräg gegenüber entdeckte ich auf einem Schrank die Büste Franz Werfels – eine Arbeit seiner Stieftochter Anna Mahler. Je länger ich das Kunstwerk betrachtete, desto intensiver fühlte ich mich an Elias Canettis nicht gerade schmeichelhafte Beschreibung von Werfels »Froschaugen« erinnert. »Es fiel mir ein«, schrieb Canetti, »dass sein Mund dem eines Karpfen glich und wie sehr sein glotzendes Auge dazu passte.«[27] Nach kurzer Zeit erschien Mrs. Shawcross, die Betreuerin der Sammlung, eine Frau nicht leicht zu beziffernden Alters, freundlich und hilfsbereit und, was mich vor dem Hintergrund ihrer Tätigkeit etwas erstaunte, der deutschen Sprache unkundig. Das Findbuch, warnte mich meine Gesprächspartnerin, sei leider unzuverlässig. Man habe den Bestand vor vielen Jahren ansatzweise verzeichnet, sei darüber allerdings nicht hinausgekommen. Ein erster Blick in jene schwarze Kladde, die Almas Nachlass auflistet, bestätigte Mrs. Shawcross' Warnung. Viele der betippten Blätter sind mit handschriftlichen Ergänzungen und Korrekturen versehen, andere sind fingerfleckig und kaum lesbar, und wiederum andere fallen mittlerweile aus der Heftung. Mir wurde schnell klar, dass dieses Findbuch nur wenig zur Orientierung beitragen kann und dass ich wohl Archivbox für Archivbox durchsehen muss. Dies habe ich insgesamt zweimal getan – im Sommer 2000 sowie drei Jahre später im Sommer 2003. Während dieser mehrwöchigen Aufenthalte in den Special Collections der Van-Pelt-Library, hoch über dem Campus, tauchte ich, von der Werfel-Büste argwöhnisch beäugt, tief in Alma Mahler-Werfels Leben ein. Aufmerksame Aufsichtspersonen, in der Regel Studentinnen und Studenten, brachten mir der Reihe nach jene Pappbehälter, die – Sarkophagen gleich – Almas schriftliche Überreste umschließen. Zahllose Briefe fielen mir in die Hände, darunter Schreiben von Alban Berg, Leonard Bernstein, Lion Feuchtwanger, Wilhelm Furtwängler, Gerhart Hauptmann, Hertha

Pauli, Hans Pfitzner, Arnold Schönberg, Richard Strauss, Bruno Walter, Anton von Webern, um nur einige zu nennen. Walter Gropius' und Oskar Kokoschkas Briefe an Alma sind nur in Abschriften überliefert, die Originale hat die Empfängerin offenbar vernichtet. Gleich mehrere Kartons beinhalten unzählige Fotos, wiederum andere sind voll gestopft mit Memorabilien. Ich entdeckte in einer der Kisten Franz Werfels Brille, einen Reisewecker, einen Brieföffner, Visitenkarten, sentimentale Heiligenbildchen, Kalender, Reisepässe, Taufscheine, ein Telefonverzeichnis und kurioserweise eine von Werfels Zigarettenspitzen inklusive der dazugehörigen Tabakreste.

Im Laufe meiner Recherchen und Ausgrabungsarbeiten konnte ich feststellen, dass insbesondere Alma Mahler-Werfels Briefnachlass nicht mehr vollständig ist. Welche Dokumente fehlen? Und warum? Die Spurensuche beginnt im März 1938, als Alma Wien fluchtartig verlassen musste. Ida Gebauer, Almas langjährige Hausdame und Vertraute, sicherte den Besitz, bis er kurz nach Kriegsende zur Verwahrung in die »Städtischen Sammlungen der Stadt Wien« gelangte; dort wurde er am 27. August 1945 verzeichnet.[28] Diese im Wiener Stadt- und Landesarchiv überlieferte Liste ist für den Biographen ein einzigartiger Glücksfall, kann er sich doch anhand eines amtlichen Dokuments einen detaillierten Überblick über den gesamten Hausstand der Familie Mahler-Werfel verschaffen. Neben zahllosen Gemälden, Zeichnungen und Fotografien ist die komplette Bibliothek des Ehepaares sowie ein versiegeltes Paket mit 22 Tagebüchern der Hausherrin registriert. Darüber hinaus nennt das Verzeichnis jeden Korrespondenzpartner Almas mit der entsprechenden Anzahl der Schriftstücke. Unter Punkt 55 werden beispielsweise 32 Briefe ihres langjährigen Geliebten Johannes Hollnsteiner sowie 19 Korrespondenzstücke des ehemaligen österreichischen Bundeskanzlers Kurt von Schuschnigg erwähnt. Im Nachlass in Philadelphia sind zwar Dokumente jener Personen überliefert, jedoch weniger als in der Liste genannt sind. Schließlich werden auch Schriftstücke des Politikers Hans Pernter aufgezählt, von denen in Philadelphia jede Spur fehlt. Dies kann nur eines bedeuten: Da Alma die Unterlagen nach Kriegsende zurückerhielt, muss der Teil, der sich nicht im Nachlass befindet, zu einem späteren Zeitpunkt herausgelöst oder vernichtet worden sein. Über die Gründe kann nur spekuliert werden. Im Falle Johannes Hollnsteiners ist es wahrscheinlich, dass Alma ihre intime Beziehung zu dem Ordensmann der Nachwelt nicht überliefert sehen wollte. Ähnliches mag überdies für ihre delikaten politischen Beziehungen zu Schuschnigg und dessen Unterrichtsminister Pernter gelten.

Als Grundlage für die Niederschrift ihrer Erinnerungen benutzte Alma ihre über Jahrzehnte geführten Tagebücher, von denen allerdings nur noch ein Bruchteil im Original erhalten ist. Dazu gehören die Tagebuchsuiten 4 bis 25 aus den Jahren 1898 bis 1902, die seit 1997 in einer kritischen Edition vorliegen. Diese 22 Tagebuchsuiten sind höchstwahrscheinlich jene, die sich im August 1945 in Verwahrung der Städtischen Sammlungen befanden und heute Teil des Nachlasses sind. Die Tagebücher der Jahre 1902 bis 1905 und 1911 sind in einer eigenhändigen Abschrift Almas vom August 1924 überliefert. Die Originale der Tagebücher aller anderen Jahre müssen als verschollen gelten.

In Almas Hinterlassenschaft habe ich ein gut 380-seitiges Typoskript entdeckt, das im Juli 1902 beginnt und im Februar 1944 – also noch vor Franz Werfels Tod – endet. Dabei handelt es sich offenbar um eine Abschrift der originalen Tagebücher aus jener Zeit. Diese Annahme lässt sich durch mehrere Indizien untermauern: Einerseits sind alle Eintragungen mit vergleichsweise genauen Datierungen versehen, andererseits schreibt die Autorin mit einer entwaffnenden und rücksichtslosen Ehrlichkeit über ihre Zeitgenossen, so dass man nicht den Eindruck gewinnt, dass in irgendeiner Weise zensiert worden wäre. Und nicht zuletzt ist dieses Typoskript von der deutsch-österreichischen Schreibweise der Jahrhundertwende geprägt (Alma tippte beispielsweise »gieng« statt

»ging«, »hieng« statt »hing« oder »wol« statt »wohl«), es wurde also in Stil und Orthographie nicht überarbeitet. Über den gesamten Text sind zahlreiche Ergänzungen, Streichungen und Kommentare von Almas Hand verteilt, die sich wegen ihrer charakteristischen Handschrift eindeutig identifizieren lassen. Infolgedessen spricht einiges dafür, dass ein erster Zensurvorgang erst nach der Abschrift einsetzte und das Typoskript in der Tat eine Transkription von Almas Tagebuch darstellt. Diese Kopie war wohl irgendwann notwendig geworden, da Alma – im Gegensatz zu beispielsweise Thomas Mann – ihre Notizen auch auf losen Blättern oder diversen Zetteln festgehalten hat. Ihre handschriftliche Anmerkung auf der Titelseite des Konvoluts *von fliegenden Zetteln abgeschrieben* macht deutlich, dass die Anfertigung des Typoskripts eine gewisse Ordnung in ihre Papiere bringen sollte; die Originale wird sie daraufhin vernichtet haben.

Unter dem Titel »Der schimmernde Weg« ist ein zweites Typoskript in der Mahler-Werfel-Collection überliefert. Dieser Text hat einen Umfang von 614 Seiten und stellt zweifellos eine Bearbeitung der Tagebücher dar. Auffällig ist zunächst der erheblich größere Umfang, der mit einer Veränderung in Stil und Anlage einhergeht. Die Form der Tagebuchaufzeichnungen mit genauen Datierungen wurde zugunsten einer verstärkt essayistischen Darstellungsweise aufgegeben. Während Alma ein bestimmtes Ereignis in ihrem Tagebuch auf Tag, Monat und Jahr genau datiert, finden sich in »Der schimmernde Weg« nur noch Monats- und Jahresangaben. Häufig sind auch diese durch allgemeine Formulierungen wie »später in der Zeit« oder auch durch jahreszeitliche Angaben wie »Herbst« ersetzt. Als Einleitung dient nun ein mehrseitiger Essay, der aus der Retrospektive über ihren familiären Hintergrund und ihre Kindheit berichtet und im Tagebuch gänzlich fehlt. Während Alma in den Tagebüchern zuweilen mit verletzender Offenheit über ihre Familie, ihre Männer und zahlreiche Zeitgenossen urteilt (so war für sie beispielsweise Elias Canetti *ein halbverkrüppelter, nihilistischer Jude*), wurden diese despektierlichen Urteile in »Der schimmernde Weg« und später in »Mein Leben« abgeschwächt und gelegentlich sogar ins Gegenteil verkehrt. Anhand eines Erlebnisses in Breslau – Alma und Franz Werfel befanden sich im November/ Dezember 1932 auf einer Lesetour durch Deutschland – lassen sich diese Manipulationen besonders eindrucksvoll nachweisen. Was Alma unter allen Umständen vertuschen wollte, war eine Begegnung mit Adolf Hitler, die sie geradezu elektrisiert hatte: *Ich habe Stundenlang gewartet, um sein Gesicht zu sehen. Ich gieng nicht in den Vortrag Werfels, sondern setzte mich allein in den Speisesaal und trank allein eine Flasche Champagner.* Als Hitler endlich erschien, bewunderte sie dessen *gütige weiche Augen.* In »Der schimmernde Weg« sowie in »Mein Leben« entfällt das französische Luxusgetränk zugunsten eines Romans des englischen Schriftstellers Thomas Hardy. Dass Alma ausgerechnet ein Werk eines Autors gelesen haben will, der in seinen Romanen das Schicksal von Menschen, die machtlos gegen Veranlagung, Milieu und unerbittlich waltende Mächte kämpfen, schildert, mag ein zufälliges Detail sein, kann aber auch als bewusst gesetzter Akzent verstanden werden. Schließlich bekam auch Franz Werfel Hitler im letzten Augenblick zu sehen. Alma: *Als alles vorbei war und Hitler in grossen Sätzen, die Stiege hinauf und oben in einer offen stehenden Tür verschwunden war, frug ich Werfel nach seinem Eindruck. Werfel sagte wörtlich: ›Nicht so unsympatisch!‹*[29] Auch diese Episode aus dem Tagebuch erfuhr eine Überarbeitung; in »Der schimmernde Weg« heißt es vielsagend: *Er antwortete nicht und blickte versonnen drein.*[30] Und in »Mein Leben« verschwand jene Passage sogar vollständig. Alles in allem erweist sich »Der schimmernde Weg« als überarbeitete und kommentierte Version der Tagebücher und stellt die Vorlage der beiden Autobiographien dar. Der Tod Franz Werfels im August 1945 bildet das Ende der Abhandlung – ein weiterer Beweis dafür, dass »Der schimmernde Weg« nach der Abschrift der Tagebücher entstand.

Im Nachlass von Almas Freunden Gustave und Gusti Arlt konnte ich – verwirrend genug – eine weitere Version ausfindig machen. »Meine vielen Leben« ist zwar über weite Strecken mit »Der schimmernde Weg« identisch, beinhaltet aber auch einige wenige Passagen, die dort sowie im Tagebuch fehlen. Aus dem Besitz E. B. Ashtons, dem Ghostwriter von »And the Bridge is Love«, stammt schließlich ein Tagebuchfragment aus den späten vierziger und frühen fünfziger Jahren. Danach scheint Alma – wohl auch krankheitsbedingt – kein Tagebuch mehr geführt zu haben. Diese Schriften – die Tagebücher, »Der schimmernde Weg« sowie »Meine vielen Leben« – stellen die Primärquellen der vorliegenden Biographie dar.

Alma schrieb sich bereits als Backfisch von der Seele, was sie erlebt, gedacht, gesagt, gehört, gefühlt, geträumt, gewünscht hatte. Sie führte jahrzehntelang nicht regelmäßig und nicht in chronologischer Abfolge ein bloß berichtendes Tagebuch, sondern notierte auf losen Blättern, was um sie herum, was mit ihr und vor allem was in ihr geschah. Es handelte sich im Wortsinne um ihr »journal intime«. Wenn man es heute, viele Jahrzehnte später, liest, ist man an vielen Stellen verblüfft über den drastischen Exhibitionismus und nicht selten abgestoßen von der kalten Menschenverachtung. Doch ehe man sich moralisch darüber erhebt, sollte man bedenken, was wir zu lesen bekämen, wenn wir selber mit der gleichen Ehrlichkeit, Rückhaltlosigkeit, ja Rücksichtslosigkeit wie Alma zu Papier brächten, was wir wirklich denken und fühlen. Dem Tagebuch vertraut man ja gerade solche Dinge an, über die man sonst zu keinem Menschen sprechen kann, darf oder will. Von den drastisch-pikanten, verschlüsselten Geheimtagebüchern des barocken Londoners Samuel Pepys bis zu den unter Lebensgefahr geschriebenen Tagebüchern des deutschen Juden Victor Klemperer oder den erschütternden Aufzeichnungen einer »Anonyma« unter Rotarmisten im eroberten Berlin – solche später veröffentlichten Texte fußen stets auf Eintragungen, die einem Selbstgespräch gleichen, die jedenfalls nicht für andere Augen oder Ohren bestimmt waren. Dies gilt auch für Almas Diarien. Wer ein Tagebuch führt, schreibt »persönlich/vertrauliche« Briefe an sich selbst. Das tat schon der römische Kaiser Mark Aurel, wenn er abends in seinem Feldherrnzelt beim Licht eines Öllämpchens seine stoischen »Selbstbetrachtungen« in griechischer Sprache zu Papyrus brachte. Das ist Arbeit am Ich, formende Suche nach Identität anhand der Leitfragen: Wer bin ich? Wer will ich sein?

Im Laufe der Zeit entdeckte ich in österreichischen, deutschen und amerikanischen Archiven weitere – mitunter Aufsehen erregende – Papiere. Der unveröffentlichte Briefwechsel zwischen Alma und Oskar Kokoschka war bislang für die Öffentlichkeit gesperrt und wird hier erstmals ausgewertet. Brisant sind auch viele Dokumente aus den Nachlässen Walter Gropius', Fritz Wotrubas und Anton Rintelens. Einen besonderen Quellenschatz stellen Interviews dar, die der Werfel-Biograph Peter Stephan Jungk Mitte der achtziger Jahre mit Anna Mahler, Marta Feuchtwanger, Ernst Krenek und Gottfried Bermann-Fischer geführt hat. Diese nur teilweise veröffentlichten Gespräche standen mir in voller Länge zur Verfügung. Und nicht zuletzt förderten von mir geführte Interviews mit Zeitzeugen wie etwa Johannes Trentini, der in den zwanziger und dreißiger Jahren bei Alma ein- und ausging, erstaunliche Neuigkeiten zu Tage.

Alma Mahler-Werfels Aufzeichnungen sowie zahlreiche andere unpublizierte Briefe und Dokumente erzählen die Geschichte einer streitbaren und umstrittenen Frau, berichten von schwierigen Familienverhältnissen, vom frühen Tod des geliebten Vaters und von drei im Grunde gescheiterten Ehen. Almas Leben entführt die Leser in das Österreich der Jahrhundertwende, in die Zeit nach dem Ersten Weltkrieg, in die bigotte Atmosphäre des so genannten »Ständestaates« bis hin zur lebensgefährlichen Flucht über Frankreich, Spanien und Portugal in die Vereinigten Staaten. Viele Details dieser 85 Lebensjahre sind noch heute skandalös und grandios, andere berühren und lassen mitfühlen und wiederum andere – etwa die Tragödie um ihre Tochter Manon Gropius – erschrecken und schockieren. Darüber hinaus lässt Alma das Leben ihrer Zeitgenossen, Ehemänner und Geliebten Revue passieren: Von Alban Berg bis Carl Zuckmayer sind große Teile des gesellschaftlichen, künstlerischen und politischen Establishments im Österreich und Deutschland der ersten Hälfte des 20. Jahrhunderts vertreten. Almas Selbstbild als Muse, als »Ermöglicherin« bedeutender Männer, ist ebenso dominant wie ihre wahnhafte politische Radikalisierung in den dreißiger Jahren mit haarsträubenden antisemitischen Borniertheiten. Dass Alma Mahler-Werfel antisemitische Vorurteile hatte, war bekannt. Wie stark der Antisemitismus ihr Weltbild geprägt hat, dass er eine maßgebliche Konstante in ihrem Leben war, wird jedoch erst durch die aufgefundenen Unterlagen sichtbar. So entsteht – fernab aller Klischees – das neue, oft überraschende Porträt einer Persönlichkeit voller Widersprüche, eines äußerst ambivalenten Charakters – einer »Witwe im Wahn«. Derartige Gegensätze nicht zu glätten, sondern sie bestehen zu lassen, gehört zu den Aufgaben eines Biographen.

Oliver Hilmes
Berlin, im März 2004

Alma Schindler, um 1890

Kindheit und Jugend
(1879–1901)

Eine heile Welt?

»Das Arbeitszimmer des Hausherrn ist ein gothischer Rittersaal mit
Panzern, Schilden und Kreuzbannern an den Wänden oder der
Kaufladen eines morgenländischen Bazars mit kurdischen Teppichen, Beduinen-Truhen, circassischen Narghilehs und indischen
Lackschachteln. Neben dem Spiegel des Kamins schneiden japani-
sche Masken wilde oder drollige Gesichter. [...] Das Boudoir der
Hausfrau hat etwas von der Kapelle und etwas vom Haremgemach
an sich. Der Toilettetisch ist als Altar gedacht und dekorirt, ein Bet-
schemel verbürgt die Frömmigkeit der Bewohnerin des Gemachs
und ein breiter Divan mit orgiastisch umhergeworfenen Kissen
scheint zu beruhigen, daß es nicht so schlimm sei.«[1]

Was der Arzt, Journalist und Schriftsteller Max Nordau in seinem 1892 veröffentlichten zweibändigen Werk »Entartung« als unverzeihliche Verirrung des guten Geschmacks – als »Entartung« –
anprangerte, gehörte im Wien der 1870-er Jahre zum großbürgerlichen Selbstverständnis. Wer etwas auf sich hielt und wer es sich
leisten konnte, richtete seine Wohnung im Stil der Zeit ein. Plüsch
und Pomp waren die Stichworte: Exotische Tür- und Wandbe-
hänge, Tapeten, auf denen fremdartige Vögel in üppig wuchernder
tropischer Vegetation zu sehen sind, wuchtige Kronleuchter, unge-
wöhnliche Waffen und seltene Musikinstrumente an den Wänden,
Eisbärenfelle auf dem Boden sowie schwere Sitzmöbel, die auf
gigantischen Teppichen ruhten. Dieser Einrichtungsstil war un-
trennbar mit einem Namen verbunden: Hans Makart. Selten hat ein

Künstler den Stil seiner Zeit so sehr geprägt wie dieser 1840 in Salzburg geborene Maler. Kaiser Franz Joseph I. schätzte Makarts Monumentalbilder und holte den Künstler 1869 nach Wien. Makarts Atelier wurde in der Folgezeit zum beliebten Treffpunkt der feinen Wiener Gesellschaft und bildete die Kulisse für üppige Kostümfeste, bei denen der Hausherr mitunter als Peter Paul Rubens verkleidet auftrat. Aber auch weniger prominente Zeitgenossen konnten an Makarts Inszenierungen teilhaben, war doch das Atelier täglich – gegen Eintrittsgeld – von 15 bis 17 Uhr für Besucher zugänglich. Hans Makart war zweifellos ein talentierter Schauspieler: Er stilisierte seine Person und seine Lebensweise zum Ausdruck einer ganzen Epoche. Die Damen trugen »Makart-Hüte«, »Makart-Rot« war eine beliebte Farbe, und der »Makart-Strauß« – ein Gebinde aus getrockneten Blumen, Straußenfedern, Palmwedeln, Schilfkolben und Gräsern – fehlte in keiner bürgerlichen Wohnung. Anlässlich der silbernen Hochzeit von Kaiser Franz Joseph und der ebenso populären wie unglücklichen Kaiserin Elisabeth organisierte Makart Ende April 1879 einen glanzvoll arrangierten Huldigungsfestzug. Die Festlichkeiten begannen am 24. April mit der Einweihung der von Heinrich Ferstel erbauten Votivkirche. Drei Tage später fand der eigentliche »Makartzug« statt. Rund 14 000 Personen zogen in Kostümen der deutschen Renaissance und flankiert von Wappenherolden und Bannerträgern vom Prater über Wiens neuen Prachtboulevard – die Ringstraße – bis zur Augartenbrücke. Auf dem Festplatz vor dem äußeren Burgtor, gegenüber dem noch unvollendeten Kunsthistorischen Museum, nahm das Kaiserpaar die Huldigungen entgegen.

Zu den engen Freunden Hans Makarts gehörte Emil Jakob Schindler. Der zwei Jahre jüngere Maler entstammte einer Fabrikantenfamilie, die seit dem späten 17. Jahrhundert in Niederösterreich ansässig war. Eigentlich hätte Schindler eine militärische Laufbahn einschlagen sollen, er entschied sich jedoch für die Landschaftsmalerei und wurde Schüler Albert Zimmermanns an der

Akademie der bildenden Künste in Wien. Seine Motive fand er in der Natur: Die Gewässer und Uferlandschaften Österreichs übten einen magischen Reiz auf ihn aus. Aber auch der Wiener Prater sowie die zahlreichen Dampfschiffstationen an der Donau hatten es ihm angetan. Makart war für Schindler ein Vorbild. Mehr noch als das künstlerische Schaffen des Freundes bewunderte er dessen großbürgerlichen Lebensstil. Während Makart – der »Künstlerfürst« – keine finanziellen Sorgen kannte, reichte das Geld im Hause Schindler selten für das Nötigste. Ob Emil Jakob Schindler an jenem Sonntag, an dem sein Freund Tausende über die Ringstraße dirigierte, zu den unzähligen Schaulustigen gehörte, die das Spektakel am Straßenrand verfolgten, oder ob er sich sogar in den »Makartzug« einreihte, ist nicht bekannt. Möglicherweise kümmerte er sich um seine Frau Anna, die im fünften Monat schwanger war. Das junge Paar hatte erst wenige Wochen zuvor – am 4. Februar 1879 – in der Kirche zu den heiligen Schutzengeln, der so genannten Paulanerkirche, geheiratet. Die 21-jährige Anna Sofie Bergen entstammte einer Hamburger Brauereifamilie, die 1871 durch Bankrott ihr gesamtes Vermögen verloren hatte. Nur mit Mühe war es den Bergens gelungen, der musikalischen Tochter Anna eine Gesangsausbildung zu ermöglichen, die sie am Wiener Konservatorium bei der bekannten Gesangslehrerin Adele Passy-Cornet beendete. Die junge Sängerin hatte sich auf das komische Genre konzentriert: Operetten wie Franz Mögeles »Leonardo und Blandine« oder Josef Forsters »Die Wallfahrt der Königin« waren ihre Paradestücke, und erste kleinere Engagements im Künstlerhaus und am Ring-Theater lagen bereits hinter ihr, als sie Emil Jakob Schindler kennen lernte. Auch er liebte die leichte Muse und trat, da er eine schöne Tenorstimme hatte, gelegentlich im Künstlerhaus auf.

Die Ehe begann in beengten Verhältnissen. Schindler hatte Schulden und bewohnte mit seinem 29-jährigen Kollegen Julius Victor Berger eine kleine Junggesellenwohnung in der Mayerhofgasse. Obwohl dieses Zuhause für drei Personen eigentlich viel zu klein war, zog Anna – bereits im dritten Monat schwanger – nach der Hochzeit zu ihrem Mann.

Bei strahlendem Sonnenschein und angenehmen 19 Grad kam am Sonntag, dem 31. August 1879, die Tochter Alma Margaretha Maria zur Welt. Ihr Vater konnte mit dem Säugling zunächst nicht viel anfangen, wie er seinem Tagebuch anvertraute:»Ich sage Anna, um ihr nicht weh zu tun, ich liebe es, ich fühle aber noch gar nichts dabei. Es ist möglich, ja wahrscheinlich, dass sich dies ändern wird, es war auch in Momenten schon anders, und wenn ich genau darüber denke, so weiß ich, dass auch an dieser unnatürlichen Lieblosigkeit nur meine Verhältnisse Schuld sind.«[2] Schindler litt unter Selbstzweifeln und machte sich schwere Vorwürfe, dass er seiner Familie nicht mehr Komfort bieten konnte. Schon wenige Monate nach der Geburt der kleinen Alma erkrankte er lebensgefährlich an Diphtherie, die er zwar überstand, von der er jedoch leichte Lähmungserscheinungen zurückbehielt. Die Ärzte rieten ihm dringend zu einer Kur, um wieder ganz gesund zu werden. Borkum, die größte der Ostfriesischen Inseln, bot wegen der erstklassigen medizinischen Versorgung und des rauen Nordseeklimas die besten Voraussetzungen, und Schindler erholte sich weitgehend. Nach seiner Rückkehr überraschte Anna Schindler ihren Mann mit der Nachricht, erneut schwanger zu sein. Was er nicht wusste: Während seiner Abwesenheit hatte seine Frau eine Affäre mit Julius Victor Berger begonnen. Anna Schindler wollte ihren Seitensprung natürlich vertuschen, aber Schindler schöpfte Verdacht, da sich leicht nachrechnen ließ, dass er im Monat der Zeugung gar nicht in Wien gewesen war. Dennoch spielte er das Theater mit und akzeptierte die kleine Margarethe Julie, die am 16. August 1880 geboren wurde, als seine Tochter.

Als Emil Jakob Schindler im Februar 1881 den mit 1500 Gulden hoch dotierten Reichel-Künstlerpreis erhielt, verbesserten sich seine finanziellen Verhältnisse mit einem Schlag. Er konnte nun die drückenden Schulden begleichen und mit seiner Familie in eine größere Wohnung in die Mariahilferstraße 37 ziehen.

Wie fast jeder Maler erteilte auch Emil Jakob Schindler ausgewählten Schülern Privatunterricht, nicht zuletzt wegen der regelmäßigen Einnahmen. Im Herbst 1881 kam der 20-jährige Carl Moll, aus gutem Elternhaus stammend, zu ihm und wurde schnell sein Lieblingsschüler. Moll begleitete die Schindlers mehrfach in den Urlaub nach Goisern ins Salzkammergut und unternahm mit seinem Lehrer Studienreisen nach Lundenburg und Weißenkirchen. Schon nach kurzer Zeit war Moll aus dem Leben der Familie nicht mehr wegzudenken. Emil Jakob Schindler war froh, einen verlässlichen und talentierten Assistenten an seiner Seite zu haben. Wenn er sich zum Arbeiten zurückzog oder allein auf Reisen ging, glaubte er seine Familie bei dem jungen Moll in guten Händen. Doch darin sah er sich getäuscht. Carl Moll verehrte nicht nur seinen Lehrer, sondern auch dessen Ehefrau, die 23-jährige Anna. Bald waren sie ein Liebespaar. Es stand viel auf dem Spiel – sie mussten unter allen Umständen verhindern, dass der »Meister« Verdacht schöpfte. Offiziell war man per Sie, in verstohlen gewechselten Briefen schlugen Anna und Carl allerdings andere Töne an. »Liebes Mollchen« herzte sie ihn, während er seiner »Meisterin« Gedichte und Blumen schickte. Anna Schindler kokettierte Moll gegenüber sogar mit ihrer vorigen ehelichen Untreue. »Die Kinder sind reizend, Gretel sagte sogar gestern, sie habe den Onkel Carl lieber als den Onkel Julius. Was wollen Sie noch mehr?«[3] Es war eine Atmosphäre der Unehrlichkeit und der unterdrückten Gefühle, in der Alma aufwuchs. Auch wenn sie das volle Ausmaß des Betruges noch nicht begreifen konnte, wie jedes sensible Kind konnte sie die Verlogenheit spüren. Und möglicherweise fühlte sie, die sich später immer wieder als »Vatertochter« stilisierte, sich eben wegen der untergründigen, aber durchaus spürbaren Gefühlsströme, so stark zu ihrem Vater hingezogen.

Nachdem Emil Jakob Schindler es durch seine Kunst zu eini-

Der Vater Emil Jakob Schindler im Park von Schloss Plankenberg.
»Ich war gewohnt gewesen, alles ihm zu Gefallen zu tun.«

gem materiellen Wohlstand gebracht hatte, machte er sich auf die
Suche nach einem geeigneten Wohnsitz, in dem die Familie die
Sommermonate verbringen könnte. Im Winter 1884 stieß er in der
Nähe Wiens, auf halbem Weg zwischen Tulln und Neulengbach,
zufällig auf Schloss Plankenberg. Das Gut lag inmitten einer reiz-
vollen Hügellandschaft, umsäumt von den Ausläufern des Wiener-
waldes und ausgedehnten Weinbergen. Schindler war von dem
schlichten dreigeschossigen Schloss und der großen Parkanlage be-

*Eine heile Welt? Anna Schindler mit den Töchtern Alma
und Gretel*

geistert. Bereits im 13. Jahrhundert hatte das Bistum Passau in der Gegend einen Wirtschaftshof besessen. Der Passauer Bischof Erzherzog Leopold Wilhelm von Österreich schenkte 1622 den Besitz seinem Kammeramtsdirektor Stephan Planckh, der die Schlossanlage neu errichten ließ. In den folgenden Jahrhunderten wurde Plankenberg hauptsächlich als Jagd- und Ernteschloss genutzt. Als Schindler das Gut Ende 1884 für 300 Gulden jährlich anmietete, hatte es seine guten Zeiten längst hinter sich. Insbesondere der knapp 1200 Hektar große Park war verwahrlost und ließ nur noch Spuren einer ehemals stilvollen Anlage erkennen. »Der Winter war von fieberhafter Tätigkeit erfüllt«, erinnerte sich Carl Moll, »um das leere Gebäude in sauberen Zustand zu versetzen und wenigstens einen Großteil der 12 Zimmer wohnlich auszustatten.«[4] Im Frühjahr 1885 konnte die Familie Schloss Plankenberg beziehen.

In diesem »malerischen Eldorado«[5] verbrachten Alma und Gretel große Teile ihrer Kindheit. Die Mädchen spielten im Park, »richteten ihren Puppen in den Jasminlauben Privatzimmer ein, man sieht sie kaum untertags, hört nur ihr Lachen und Singen«[6]. Die weitläufige Schlossanlage mit den geheimnisvollen Grotten und

Kellerverliesen war für die kleinen Schindler-Mädchen *voll Grauen, Legenden und Schönheit. Ein Gespenst ging um … Die Kinder fürchteten sich ganze Nächte davor.*[7]

Emil Jakob Schindler hatte ein besonders enges Verhältnis zu seiner älteren Tochter Alma, möglicherweise aus dem Gefühl heraus, dass wenigstens sie ihn nicht betrog. Stundenlang saß seine Große im Atelier des Vaters und schaute ihm beim Malen zu. Aber auch ihre musikalische Begabung wurde durch ihn gefördert: *Mein Vater war tiefmusikalisch! Er hatte eine wunderbare Singstimme, einen hellen Tenor, und sang mit dem größten Können Schumann-Lieder. Seine Konversation war fesselnd und nie alltäglich.*[8] Und er weckte ihr Interesse für Literatur. Als Alma und Gretel gerade erst lesen konnten, nahm er seine Töchter beiseite und erzählte ihnen Goethes »Faust«. *Als wir nun ganz hingerissen waren, sagte er: ›Das ist das schönste Buch auf der Welt, lest es, behaltet es‹.* Zwischen den Eltern kam es deswegen zu einem heftigen Streit. Anna Schindler hielt es für verantwortungslos, kleinen Mädchen dieses Buch zu überlassen. Wie immer, erinnerte sich Alma, siegte die Mutter, *die Partei der so genannten Vernünftigen. Mir blieb, wie eine fixe Idee: Ich muss den Faust wiedererlangen. Und so war die ganze Jugend. Voll Versuchen und ohne jedes System.*[9] Offenbar übernahm Emil Jakob Schindler bei der Erziehung seiner Kinder eher den musikalisch-künstlerischen Part, während der Mutter die undankbare Rolle der strengen Gouvernante zufiel, die ihren eigenen Töchtern zeitweise Privatunterricht erteilte. Während Vater Schindler sich zum Malen zurückzog, zwang Mutter Anna ihre Töchter zum Lernen. Dabei war sie pädagogisch so ungeschickt, *dass sie uns zum Beispiel aufgab, in einem einzigen Tag das große Einmaleins auswendig zu lernen. Am Schluss […] kam sie in ärztliche Behandlung wegen eines Kehlkopfleidens, das sie sich durch das Schreien mit uns zugezogen hatte.*[10] Anstatt mit der Mutter Rechnen zu pauken, spielte Alma lieber auf einem Pianino, das ihr der Vater besorgt hatte. *Da ich der einzige Musiker im Hause war*, notierte sie später mit einem Seitenhieb auf die Gesangsausbildung ihrer Mutter, *konnte ich das Meine ent-decken, ohne darauf gestoßen worden zu sein.*[11]

Alma war knapp acht Jahre alt, als die Familie zu einer mehr-monatigen Reise nach Dalmatien und Griechenland aufbrach. Kronprinz Rudolf, der einzige Sohn Kaiser Franz Josephs I., hatte Emil Jakob Schindler beauftragt, die Küstenorte in Tuschezeich-nungen oder Aquarellen festzuhalten. Dies war Teil eines großen Projekts unter dem Titel »Die österreichisch-ungarische Monar-chie in Wort und Bild«. Ein im Voraus bezahlter Auftrag eines Wie-ner Bankiers machte es Schindler möglich, seine Familie sowie Carl Moll und ein Hausmädchen mitzunehmen. Im November 1887 schifften sie sich in Triest ein und erreichten nach viertägiger Fahrt Ragusa, heute Dubrovnik. Nach und nach erkundeten die Reisen-den die alte Hafenstadt und ihre Umgebung, besuchten die Insel Lacroma sowie das Breno- und das Omblatal. Als das Wetter zu kalt wurde, zogen die Schindlers weiter südwärts nach Korfu, wo sie den Rest des Winters verbrachten. Dort organisierte Frau Anna einen provisorischen Haushalt. *Sie hatte sogar Petroleumlampen mitgeschleppt*, erinnerte sich Alma. *Unser Hausherr war ein Grieche und seine Primitivität kannte keine Grenzen. Wir Kinder waren einige Male in Lebensgefahr, denn die griechischen Kinder wollten keine Fremden und bewarfen uns mit Steinen, wo sie meine Schwester und mich erwischen konnten.*[12] Im März 1888 übersiedelte die Fami-lie wieder nach Ragusa, und im Mai ging es über Opatija zurück nach Österreich.

Die Reise im Auftrag des Kronprinzen hatte Emil Jakob Schindler berühmt gemacht. Er galt nun als einer der bedeutend-sten Maler der k.u.k.-Monarchie und wurde mit zahlreichen Eh-rungen gewürdigt. Bereits 1887 war er zum Ehrenmitglied der Aka-demie der bildenden Künste in Wien ernannt worden, im folgenden Jahr wurde ihm die Ehrenmitgliedschaft der Münchener Akademie angetragen. Ebenfalls 1888 erhielt er die Silberne Staatsmedaille, 1891 die Goldene Staatsmedaille und eine Große Goldene Medaille in Berlin. Im Frühjahr 1892 stellte der Maler eine Auswahl seiner neuesten Arbeiten der Jahresausstellung des Wiener Künstlerhauses zur Verfügung. Diese Präsentation wurde Schindlers größter künstlerischer und finanzieller Erfolg, sogar Kaiser Franz Joseph erwarb eines seiner Bilder. Auf dem Höhepunkt seines Ruhmes kam es jedoch zur Katastrophe.

Im Sommer 1892 wollten die Schindlers gemeinsam mit Carl Moll, dessen Bruder Rudolf und seiner Familie einen mehrwöchigen Urlaub auf der Nordseeinsel Sylt verbringen. Für Emil Jakob Schindler war es *die erste Vergnügungsreise,* so Alma, *die er sich nach Abzahlen der Schulden leistete.*[13] Am 4. August trafen sie in Westerland ein und bezogen Ferienzimmer im Haus Knudsen.[14] Der Urlaub begann in bester Stimmung, täglich gingen die Schindlers an den Strand oder unternahmen Wanderungen durch die Dünen. »Leider wird der Meister immer unwohler«, erinnerte sich Carl Moll, »ist appetitlos, klagt über Leibschmerzen.«[15] Der örtliche Kurarzt wusste keinen Rat, so dass Moll nach Kiel an den berühmten Chirurgen Professor Friedrich von Esmarch telegrafierte. Als dessen Assistent in Westerland eintraf, war es bereits zu spät. Emil Jakob Schindler starb am 9. August an den Folgen einer verschleppten Blinddarmentzündung. Alma und Gretel saßen zur Todesstunde allein in einem Restaurant. Plötzlich stürzte ein Mann herein, wahrscheinlich Molls Bruder, und forderte die Mädchen auf, ihm sofort zu folgen. Alma: *Ich wusste gefühlsmäßig, dass Papa tot war. Wir rasten im Windsturm über die Dünen, am ganzen Weg schluchzte ich laut. Als wir nach Hause gelangten, kam uns Carl Moll entgegen: ›Kinder, ihr habt keinen Vater mehr.‹*[16] Anna Schindler verbot ihren Töchtern, den toten Vater ein letztes Mal zu sehen. Alma und Gretel schlichen sich trotzdem in den Raum, wo Schindler im offenen Sarg lag. Lange standen sie vor dem Leichnam: *Er war so schön und edel wie ein Grieche, wie ein herrliches Wachsbild, so dass wir kein Grauen verspürten.*[17] Die Nachricht von Schindlers Tod verbreitete sich wie im Flug, die Wiener Zeitungen druckten bereits am nächsten Tag Nachrufe ab. Auch die Sylter Kurzeitung widmete dem berühmten Maler einen Gedenkartikel. *Meine Mutter war fassungslos*, schrieb Alma später, *schrie mit offenem Mund und wollte uns nicht sehn. Mich störte ihre Hemmungslosigkeit und ich glaubt ihr nicht.*[18] Umgehend wurde eine Obduktion durchgeführt, die zum Ergebnis hatte, dass Schindler an einer Blinddarmentzündung gestorben war.

Für Alma war der Tod ihres Vaters ein Schicksalsschlag, der ihr gesamtes weiteres Leben bestimmte. Knapp 13-jährig verlor sie mit dem geliebten Vater nicht nur den Helden ihrer Kindertage, sondern auch jegliche Orientierung. Er war ihr *Führer, ohne dass irgendjemand außer ihm es geahnt hätte. Ich war gewohnt gewesen, alles ihm zu Gefallen zu tun, meine ganze Eitelkeit und Ehrsucht hatte als einzige Befriedigung den Blick seiner verstehenden, blauen Augen gehabt.*[19] Emil Jakob Schindler wurde unter großen Ehrenbekundungen auf dem Wiener Zentralfriedhof beigesetzt. Für die Töchter war die Beerdigung *wie eine Theateraufführung.* Alma: *Und auf dem Friedhof störte mich wieder ein Schreikrampf von Mama.*[20]

Die schwierige Familie

Nach Emil Jakob Schindlers Tod musste Schloss Plankenberg aus finanziellen Gründen aufgegeben werden. Die Familie lebte nun das ganze Jahr hindurch in der Stadtwohnung an der Mariahilferstraße. *Und nun kamen langweilige Jahre*, erinnerte sich Alma später. *Schule, Entwicklung, kleine Verliebtheiten – alles floh wie im Nebelrausch an mir vorüber, ohne rechtes Glück, noch Leid.*[21]

Nachdem Anna Schindler und Carl Moll ihr Liebesverhältnis nach Emil Jakob Schindlers Tod im August 1892 einfach unauffällig fortgesetzt hatten, heirateten sie am 3. November 1895. Moll verklärte in seinen Memoiren die über Jahre sich erstreckende heimliche Affäre. Es sei seine Lebensaufgabe gewesen, schrieb er,

»für die Familie meines Meisters zu sorgen«[22]. Für die 16-jährige Alma war diese Hochzeit ein Verrat am toten Vater; Carl Moll hatte also einen schweren Stand bei ihr: *Er sah aus wie ein mittelalterlicher holzgeschnitzter Hl. Joseph, war ein Alte-Bilder-Monomane und störte meine Kreise in der aufdringlichsten Form.* Obwohl Moll sich ernsthaft um seine Stieftochter bemühte, blieb das Verhältnis angespannt, *denn er war nicht mein Führer*[23].

Nach der Hochzeitsreise zu Anna Molls Mutter nach Hamburg bezog die Familie ein größeres Haus in der Wiener Theresianumgasse. Molls Atelier wurde in der Folgezeit zum Treffpunkt für Schriftsteller, Künstler und Architekten wie Max Burckhard, Gustav Klimt, Joseph Maria Olbrich, Josef Hoffmann, Wilhelm List und Koloman Moser. Es wurde diskutiert, musiziert, gegessen und getrunken – nicht selten bis tief in die Nacht. Obwohl Alma ihrem Stiefvater distanziert gegenüberstand, genoss sie die regelmäßigen Besuche der berühmten Männer. Wie selbstverständlich – und dies sagt einiges aus über die Liberalität des sonst so strengen Elternhauses – saß sie mit am Tisch, wenn Moser oder Olbrich über moderne Kunst und zeitgenössische Architektur diskutierten. Max Burckhard, der Direktor des Wiener Burgtheaters, hatte Alma besonders ins Herz geschlossen. Er schickte dem 25 Jahre jüngeren Mädchen Theaterkarten, besprach mit ihr die gesehenen Stücke und förderte ihr Interesse an klassischer und neuerer Literatur. Einmal brachte er ihr in zwei großen Körben die Basisliteratur der Klassik und Moderne – als Grundstein für ihre eigene Bibliothek. Dieser gesellschaftliche Kontakt wurde noch intensiver, als Moll und einige andere Anfang April 1897 die »Vereinigung bildender Künstler Österreichs (Secession)« gründeten. Gustav Klimt wurde zu deren Präsidenten gewählt und ging nun fast täglich bei seinem Kollegen Carl Moll, der als Vizepräsident amtierte, ein und aus.

Bei diesen häufigen Zusammenkünften wurde Gustav Klimt auf die 17-jährige Alma aufmerksam und fand Gefallen an dem hübschen und intelligenten Mädchen. Alma fühlte sich ihrerseits

Mitglieder der Wiener Secession im von Joseph Maria Olbrich geschaffenen Secessionsgebäude (links sitzend Gustav Klimt, rechts liegend Almas Stiefvater Carl Moll)

angezogen von dem berühmten Maler, obschon er nicht gerade das war, was man damals einen attraktiven Mann nannte. Er trug einen ungepflegten Bart und hüllte sich in lange Gewänder, die seiner Erscheinung etwas Rätselhaftes verliehen. Klimt sprach überdies einen derben Wiener Dialekt, was auf Damen der Gesellschaft ebenso abschreckend wie faszinierend wirkte. Dieses »wilde Mannsbild« zog Alma in seinen Bann.[24] Sie bezeichnete ihre Tändelei mit Klimt Jahrzehnte später sogar als ihre erste große Liebe. Anna und Carl Moll registrierten schnell Almas Begeisterung für den 17 Jahre älteren Künstler. Mit einigem Unbehagen beobachteten sie, wie Klimt der Tochter Komplimente machte und ihr den Kopf verdrehte. Immer wieder versuchten die Eltern, Alma diese Leidenschaft auszureden. *Abends sekierte man mich wieder wahnsinnig mit Klimt*, schrieb Alma Anfang Juli 1898 in ihr Tagebuch. *Ich weiß nicht, woher die Leute das haben.*[25] Ihre Mutter fragte sie sogar, ob sie Klimt liebe. Alma fand diese Vorstellung *drollig*, mehr nicht: *Ich liebe jemanden, so heiß, so innig ward vielleicht kein Mensch noch geliebt, es ist* [Richard] *Wagner. Er ist mir der liebste Mensch auf Erden – ich kanns beschwören.*[26] Als Klimt und Alma einige Monate später nach einer Einladung *in der Nacht bis zum Wagen giengen, sagte er: Alma ist Ihnen noch nie die Idee gekommen, mich im Atelier zu besuchen … Sie ganz allein? Mir gieng ein Schauer über den Körper. Was ich geantwortet habe, weiß ich nicht.*[27] Als wohlerzogenes Mädchen einer trotz aller künstlerischen Extravaganzen bürgerlichen Familie geriet Alma bei solchen Avancen in Zweifel, zumal sie von ihrer Mutter immer wieder Schauergeschichten über Klimts Liebesleben gehört hatte. Er war ein notorischer Frauenheld, hatte ein langjähriges Verhältnis mit der Schwester seiner Schwägerin und schlief überdies mit vielen seiner Modelle. Als Klimt 1918 starb, soll er 14 uneheliche Kinder hinterlassen haben. Trotz ihres Zögerns – eine junge Frau ihrer Schicht hatte zweifellos einen Ruf zu verlieren – war Alma freizügig genug und hatte für diesen *charakterlosen Menschen* Verständnis. *Ein Künstler hat selten Charakter*[28], lautete ihr Fazit. Bereits zu dieser Zeit war die Achtzehnjährige davon überzeugt, dass für ein Genie andere Maßstäbe gelten. An diesem Postulat hat sie ihr Leben lang festgehalten.

War ihr Verhältnis zu Gustav Klimt bislang nicht mehr als ein Flirt gewesen, sollte sich diese Situation bald ändern, als die Familie Ende März 1899 zu einer mehrwöchigen Italienreise aufbrach. Sie besuchten Venedig, Florenz, Neapel, Capri, Pompeji, bestaunten den Vesuv und ließen sich schließlich für längere Zeit in Rom nieder. Carl Moll hatte Gustav Klimt vorgeschlagen, nach Florenz zu fahren, um den Rest der Reise mit der Familie fortzusetzen. Er war »zu bequem und unselbständig, um allein zu reisen«[29], erinnerte sich Carl Moll, der seinem Freund mit dieser Einladung eine Freude machen wollte. Klimt nahm das Angebot dankbar an. *Gestern ist Klimt angekommen*, schrieb Alma am 25. April erregt in ihr

Tagebuch: *Brauche ich mehr zu schreiben?*[30] Obwohl Moll seiner Stieftochter am Vortag vorsichtshalber eingeschärft hatte, das Liebäugeln mit Klimt zu unterlassen, kamen sich die beiden schnell näher. Auf der Bahnfahrt nach Fiesole waren Klimt und Alma allein: *Wie ein Paar, sagte er und schmiegte sich enger an mich. Zurück saß er vis à vis und unsre Knie berührten sich. Die ganze Nacht konnte ich nicht schlafen, so aufgeregt, so physisch aufgeregt war ich.*[31] Klimt ließ nicht locker. Als er und Alma in der Kirche Santa Maria Novella hinter einem Altar Fresken besichtigten, sagte er unvermittelt: *Na, hinter dem Altar stünden wir ja schon.*[32] In Genua, wohin die Gruppe zwei Tage später reiste, kam es schließlich zum Letzten, wie Alma es damals empfand. Sie stand allein in ihrem Zimmer, als Klimt plötzlich eintrat: *Sind Sie allein? Ja. Und, ohne dass ich's wusste, hatte er mich in den Arm genommen und küsste mich. Es war nur 1/10 Secunde, denn nebenan ließ sich ein Geräusch vernehmen, und wir giengen hinunter, doch wird mir dieser Moment ewig im Gedächtnis bleiben.*[33] Das war der erste Kuss ihres Lebens. Als er sie zwei Tage später erneut küsste und sagte, *es ist nicht anders möglich, als ganz ineinander zu gehen*, war dies für Alma zu viel: *Ich wankte ordentlich & musste mich am Stiegengeländer anhalten.*[34]

Was Alma zu diesem Zeitpunkt noch nicht wusste: Anna Moll hatte heimlich in den Tagebüchern ihrer Tochter gelesen und kannte alle Details dieser Liebelei. Carl Moll, von seiner Frau eingeweiht, war über das Verhalten seines Freundes empört. In Venedig – der letzten Reisestation – stellte er zunächst Alma zur Rede. *Carl, ich bitte Dich*, flehte Alma ihn daraufhin an, *sag' ihm nichts, ich werde es ihm selber sagen.*[35] Für die junge Frau war damit eine Welt zusammengebrochen: *Ich kam ins Bett, ich weiß nicht wie … ich lag die ganze Nacht mit offenen Augen und dachte in einem fort darüber nach, das Fenster leise zu öffnen und in die Lagune zu gehen.*[36] In den folgenden zwei Tagen bis zu seiner Abreise gingen sich Klimt und Alma notgedrungen aus dem Weg. Carl und Anna Moll achteten mit Argusaugen darauf, dass die beiden sich nicht zu nahe kamen. Gustav Klimt verließ Venedig am 6. Mai, und auch für Familie Moll ging der Urlaub kurz darauf zu Ende.

Meine Liebe beginnt sich langsam in Hass umzuwandeln, schrieb Alma – nach Wien zurückgekehrt – in ihr Tagebuch. *Carl hat gestern mit Kl. gesprochen: Er hat sich feige zurückgezogen, hat mich verrathen, hat zugegeben, dass er übereilt gehandelt hat, und hat sich als Schwächling erwiesen.* Alma war tief gekränkt. Es war nicht so sehr die Erkenntnis, dass die Leidenschaft für Gustav Klimt keine Zukunft haben konnte, was sie verletzte, sondern die Art, wie er sich aus der Affäre zog. *Er hat mich kampflos hingegeben, er hat mich verrathen.*[37] Am 15. Mai war Klimt für sie gestorben – in ihrem Tagebuch markierte sie das Datum mit einem Kreuz. Alma verstand in ihrem jugendlichen Überschwang freilich nicht, dass sie in Klimts Leben nur eine kleine Rolle spielte. Wahrscheinlich war das Lodern für Alma bei ihm nicht mehr als ein Strohfeuer. Klimts schneller Rückzug hatte aber noch einen anderen Grund: Er wollte es sich mit seinem Freund Moll nicht verscherzen. In einem langen Brief versprach er dem Kollegen, sich in Zukunft von Alma fern zu halten. Zwar hätte sie ihm gefallen, »wie uns Malern eben ein schönes Kind gefällt«, in Venedig wäre ihm allerdings klar geworden, dass man sich seiner Verantwortung zu stellen habe, »dass man ein Leben nicht träumt, sondern offenen Auges leben muss«. Alma, da war er sich sicher, würde es »nicht schwer werden zu vergessen. Hoffen wir auf die eilende heilende Zeit«[38]. Mit dieser Annahme behielt Klimt Recht. Schon am Abend dieses für sie schrecklichen 15. Mai schrieb sie in ihr Tagebuch, *ich lachte, entzückte und amüsierte mich*[39]. Stolz zählt sie nach durchtanzten Nächten die Blumenbouquets auf, die sie von ihren zahlreichen Verehrern erhalten hatte.

Auch wenn Alma ihre italienische Ekstase schnell vergaß, blieb der Groll gegen ihre Eltern unversöhnlich. *Meine so genannte gute Erziehung hatte mein erstes Liebeswunder vernichtet.*[40] Trotz aller Vorbehalte gegen Carl Moll lag die eigentliche Problematik im Verhältnis zu ihrer Mutter. Als Alma Mitte März 1899 erfuhr, dass Anna Moll erneut schwanger war, erlitt sie einen hysterischen *Weinkrampf* und war danach *halb ohnmächtig*[41]. War bereits die Eheschließung mit Carl Moll für Alma ein Verrat, so empfand sie den bevorstehenden Nachwuchs als Verhöhnung ihres toten Vaters. Am 9. August 1899 wurde die Halbschwester Maria geboren – ausgerechnet an Emil Jakob Schindlers siebtem Todestag. *Es liegt eine graue Symbolik drin*[42], lautete Almas Prophezeiung. *Ich kann meine Mutter nicht mehr lieben, denn sie hat uns hingegeben für ein anderes Kind. Wir sind ihr nichts mehr – höchstens im Wege.*[43] Alma fühlte sich vernachlässigt und fremd in der eigenen Familie, wofür sie *das Kind*, wie sie ihre Schwester abstrakt nannte, verantwortlich machte: *Seitdem die Kleine auf der Welt ist, sind wir zwei Familien: Carl, Mama, das Kind || Gretl und ich. – Carl thut alles, um uns diesen Zustand nicht fühlen zu lassen, aber gegen die Naturgesetze kämpfen selbst Götter vergeblich an. Er hat nur mehr Interesse für sein eigenes Kind.*[44] Obwohl Alma gelegentlich notiert, ihre Mutter zu hassen, sehnt sie sich doch auch nach deren Anerkennung und Liebe. In ihren Tagebüchern wünschte Alma sich des Öfteren, ihre Mutter als beste Freundin zu bezeichnen. *Ja das ist alles recht gut und schön*, schränkte sie ein, *aber einer Freundin, die einem alle 5 Minuten eine Ohrfeige annonciert, ob vor Leuten oder nicht, so einer Freundin sagt man denn doch nicht alles, kann man nicht alles sagen, denn man fürchtet sich vor ihr.*[45] Alma wurde noch im Alter von 20 Jahren von ihrer Mutter geschlagen. *Ich werde nur trotzig & störrisch*[46], notierte sie nach einer solchen Lektion. Dabei würde sie *so gerne ordentlich mit ihr reden, und mir gebrichts an Muth*[47]. Bei aller Verklärung des toten Vaters, von dem sie alle positiven Charaktereigenschaften zu haben glaubte, stellte sie bei sich selbst insgeheim auch Ähnlichkeiten mit ihrer Mutter fest: *Mama ist sehr herrschsüchtig, und ich auch.*[48] Was auf die junge Alma prägend wirkte, war die labile Emotionalität ihrer Mutter, ihre Oberflächlichkeit, ihre sexuelle Untreue, ihre Herrschsucht.

Für eine junge Frau am Ende des 19. Jahrhunderts war das Erwachsenwerden mit ganz anderen Problemen verbunden, als sie heutzutage von Mädchen erlebt werden. Regelmäßiger Unterricht, eine mit dem Abitur abgeschlossene Schulausbildung oder gar ein Studium an der Universität waren für Mädchen damals praktisch undenkbar. Das erste Mädchengymnasium in Wien wurde 1892 eingerichtet.[49] Bei Mädchen kam es in erster Linie auf feine Manieren und häusliche Tugenden an. Dieser »fraulichen« Dressur wurde auch Alma unterworfen. Eine konsequente Schulausbildung haben Alma und ihre Schwester Gretel nicht genossen. Noch zu Lebzeiten Emil Jakob Schindlers gingen sie nur in den Wintermonaten, die die Familie vorwiegend in der Wiener Stadtwohnung verbrachte, zur Schule. Sonst wurden sie von *bösen Hauslehrern* oder eben von ihrer Mutter unterrichtet, *ohne jedes System*, wie sich Alma Jahre später erinnerte. *Nervös und gescheit war ich, bis zu einem gewissen Grade – nämlich jener Ariergescheitheit mit dem Lückenhirn.* Schon früh stellte sie bei sich einen Mangel fest, worunter auch ihre späteren Partner erheblich zu leiden hatten: *Ich kann nichts ganz ausdenken!*[50] Almas Sprunghaftigkeit scheint auch in ihrer planlosen Erziehung begründet.

Im Künstlerhaushalt Schindler/Moll kam es mehr auf musische Bildung an als auf regelmäßigen Schulbesuch. Hatte Alma schon früh auf dem Klavier gespielt, gewann die Musik nach dem Tod ihres Vaters im Sommer 1892 an Bedeutung. Sie erhielt nun Klavierunterricht bei Adele Radnitzky-Mandlick, übte täglich mehrere Stunden und erarbeitete sich ein bemerkenswertes Repertoire.[51] Auf dem Notenständer lagen häufig Werke Franz Schuberts oder Robert Schumanns, der Lieblingskomponisten ihres Vaters, aber auch Klavierauszüge der Opern Richard Wagners. Da Alma ausgezeichnet vom Blatt spielen konnte, wurde ihr die Musikwelt des Bayreuther Meisters schnell vertraut. Adele Radnitzky-

Mandlick führte ihre Schülerinnen auch an die Kammermusik heran und veranstaltete Vorspielnachmittage, an denen die jungen Damen mit anderen Musikern zusammentrafen. Alma hasste derartige öffentliche Darbietungen. Für sie war das Musizieren ein sehr persönlicher und intimer Vorgang. Gelegentlich nahm sie an den Schülerkonzerten ihrer Lehrerin teil, meistens erfand sie jedoch Ausreden und drückte sich vor den Auftritten. Einmal, als Frau Adele nicht locker ließ, schreckte sie sogar vor drastischen Mitteln nicht zurück. Alma: *Dann ich in die Küche und schnitt mich so mörderisch tief in den linken Daumen, dass die ganze Küche voll Blut war.*[52]

Doch mit dem virtuosen Spiel, der reinen Interpretation wollte sie sich nicht lange zufrieden geben. Und so wurde der Wiener Organist und Komponist Josef Labor 1895 erster Kompositionslehrer der Sechzehnjährigen. Labor war ein älterer Herr, mehr väterlicher Freund als fordernder Lehrer und kaum in der Lage, ihr Talent in geordnete Bahnen zu lenken. Überdies war er blind. Sein Unterricht war nicht systematisch aufgebaut – hin und wieder unterhielten sie sich ganze Vormittage über allgemeine Fragen der Kunst, über die Maler der Secession, denen der 58-jährige Komponist distanziert gegenüberstand, oder über Almas musikalischen Gott Richard Wagner. Mitunter spielte sie ihrem Lehrer Dutzende von selbst komponierten Liedern und Klavierstücken vor, die er freilich nur nach dem Gehör beurteilen konnte. Almas Komponieren war eine Art Selbstausdruck, etwas Intimes, dem Tagebuchschreiben Ähnliches. Ihre Lieder erinnern an gefühlvolle Improvisationen und sind eher verträumte Selbstgespräche als durchdachte, an musikalischen Gesetzlichkeiten geschulte Kompositionen. Alma hätte bei Josef Labor *nicht allzu viel gelernt,* schrieb sie später in ihr Tagebuch, *aber doch stets einen warmen, anteilnehmenden Freund an ihm gefunden*[53].

Trotz ihrer ausgeprägten Musikalität kam Alma über das talentierte Dilettieren nie hinaus. *Ich möchte eine große That thun. Möchte*

eine wirklich gute Oper componieren, was bei Frauen wohl noch nie der
Fall war. Ja, das möchte ich. Mit einem Wort, ich möchte etwas sein
und werden, und das ist unmöglich – & Warum? Mir fehlte die Bega-
bung nicht, mir – fehlt nur der Ernst [...].[54] Die mangelnde Ernsthaf-
tigkeit ist nicht nur Almas persönliches Manko. Was aus heutiger
Sicht bei ihr wie Disziplinlosigkeit anmutet, geht auf den Mangel
an einem Rollenvorbild zurück. Fanny Mendelssohn oder Clara
Schumann wurden erst viel später als Komponistinnen von Rang
entdeckt. Und in ihrem Urteil, eine *Halbnatur* zu sein, wiederholt
Alma nur ein frauenfeindliches Klischee ihrer Zeit, das man bei
Otto Weininger und Karl Kraus besonders prägnant formuliert findet. Die Neunzehnjährige glaubte, dass Frauen keine Genies sein
können, *weil sie zu wenig geistige Tiefe und philosophische Bildung*
haben[55]. An anderer Stelle wünschte sie: *Ach – nur ein Mann sein!*[56]

Die Prinzessin und der kluge Frosch

Über fünf Jahre ging Alma jeden Dienstag zu Josef Labor in die
Rosengasse 4. Sie schätzte ihren Lehrer als väterlichen Freund, und
er genoss die Besuche der jungen Frau. Allerdings wurde ihr die Be-
grenztheit von Labors Unterricht mehr und mehr bewusst: *Im*
Übrigen mache ich technisch keine Fortschritte, stellte sie Ende Januar
1900 fest, *ich kann halt nicht denken. Mache immer dieselben Fehler,*
dieselben Dummheiten, und ich begreife es sehr gut, dass er die Lust an
mir verliert. – Ich hasse mich, weil ich so gar sehr oberflächlich bin.[57]
Ihr wurde klar, dass sie, wenn sie ihren Dilettantismus überwinden
wollte, einen strengeren Lehrer brauchte. Im Frühjahr 1900 traf die
Zwanzigjährige auf Alexander von Zemlinsky. Der 29-jährige Komponist war seit 1899 Kapellmeister am Carltheater und galt als eine
der großen Hoffnungen der Wiener Musikszene. Als Alma ihn zum
ersten Mal in einem Sinfoniekonzert sah – Zemlinsky dirigierte sein
Werk »Frühlingsbegräbnis« –, notierte sie erschrocken in ihr Tage-

buch: *Eine Carricatur – kinnlos, klein, mit herausquellenden Augen und einem zu verrückten Dirigieren.*[58] Gut zwei Wochen später lernte sie den Komponisten auf einer Soiree persönlich kennen und fand ihn immer noch *furchtbar hässlich, hat fast kein Kinn – und doch gefiel er mir ausnehmend.* Alma und Zemlinsky unterhielten sich an diesem Abend lange über Richard Wagner, insbesondere über den »Tristan«. Als Alma ihm eröffnete, dieses Werk sei ihre Lieblingsoper, war Zemlinsky *so erfreut, dass er nicht wiederzuerkennen war. Er wurde ordentlich hübsch. Jetzt verstanden wir uns. Er gefällt mir sehr – sehr.*[59] Alma hatte fortan nur noch einen Wunsch: *Ich möchte beim Zemlinsky lernen. Wenn Mama's nur erlaubt.*[60] Auch Zemlinsky fand an dieser Vorstellung Gefallen und versprach schließlich, Alma im Winter in seinen Schülerkreis aufzunehmen. Bis dahin sollte sie ihm einige ihrer Kompositionen überlassen, damit er sich ein genaueres Bild von ihrem derzeitigen Wissensstand machen könne. Was er dann vorgelegt bekam, war allerdings für ihn eine herbe Enttäuschung. »Es sind in den drei Liedern so unerhört viele Fehler«, schrieb er an Alma, »dass mir der Kopf brummte.«[61] Alexander von Zemlinsky war ein strenger Lehrer mit einem unbestechlichen Blick. Er kritisierte die Einfälle seiner Schülerin und machte Alma unmissverständlich klar, dass ihre Oberflächlichkeit einem Erfolg als Komponistin im Wege stand. »Entweder Sie componieren«, hielt er ihr einmal entgegen, »oder Sie gehen in Gesellschaften – eines von beiden. Wählen Sie aber lieber das, was Ihnen näher liegt – gehen Sie in Gesellschaften.«[62]

Almas neuer Lehrer rief im Hause Moll *einen wahren Sturm von Entsetzen hervor*[63]. Mutter Anna konnte sich gar nicht beruhigen und wiederholte permanent, dass sie nicht verstehen könne, warum Alma sich mit einem so hässlichen Menschen freiwillig abgebe. Doch die schenkte den Tiraden ihrer Mutter wenig Beachtung. Zwar fand sie Zemlinsky im Frühjahr noch hässlich *bis zum Wahnsinn*[64], aber im Verlauf der Sommermonate 1900 änderte sich ihr Urteil: *Ich finde ihn nicht komisch – und nicht hässlich, denn die*

Die 19-jährige Alma Schindler, »das schönste Mädchen Wiens«

Intelligenz leuchtet ihm aus den Augen – und ein solcher Mensch ist nie hässlich. Für Alma war Zemlinsky *einer der sympathischsten Menschen, den ich kenne*[65], mehr noch, sie fühlte sich durch ihn in einer bislang ungekannten Weise inspiriert. Josef Labor durfte nichts von alledem erfahren. So nahm sie weiterhin Stunden bei ihm, wohl wissend, dass der alte Herr ihr Handeln nicht verstehen konnte.

War Zemlinsky für Alma zunächst nur ein *feiner Kerl*, entwickelte sich bald mehr, sehr viel mehr. *Heute – wir saßen dicht beisammen – wenn er an mich ankam, that es mir physisch weh ... von übergroßer, gespanntester Sinnlichkeit. Mein größter Wunsch, dass er sich recht in mich verbrennen möge, wird leider deshalb nie in Erfüllung gehen, weil er mich zu gut kennt – meine Fehler – meine Schränken – meine Dummheit.*[66] Einige Wochen später kam es, wie es kommen musste: *Ich nahm seinen Kopf zwischen meine Hände, und wir küssten uns, dass die Zähne schmerzten.*[67] Alma geriet in ein Wechselbad der Gefühle; einerseits musste sie ständig an ihn denken, *bei allem schwebt er mir vor – fühle ich ihn*[68], andererseits machte sie sich einen Spaß daraus, Zemlinsky zu demütigen und zu quälen. Immer

48

Alma Schindlers erster Liebhaber Alexander von Zemlinsky. »Eine Carricatur – kinnlos, klein, mit herausquellenden Augen und einem zu verrückten Dirigieren.«

wieder hielt Alma ihm vor, er sei hässlich, sie dagegen könne leicht *10 andere*[69] an seiner Stelle haben. Zemlinsky litt unter Almas Hochmut und bat sie vergeblich, nicht mit seinen Gefühlen zu spielen. Alma war sich über sich selbst und ihre widersprüchlichen Empfindungen nicht im Klaren. *Und ich dachte mir so*, schrieb sie nach der

Rückkehr von einer Hochzeitsfeier in ihr Tagebuch, *wenn ich mit Z. dort am Altar stehen würde – wie lächerlich das doch sein würde ... Er so hässlich – so klein, ich so schön – so groß. Kein Gefühl der Liebe für diesen Menschen könnte in mein Herz kommen, so viel ich mich auch bemühte. Ich will ihn ja lieben, aber ich glaube, bei mir ists schon wieder vorbei.*[70] Rückendeckung erhielt sie von ihren Freunden und ihrer Familie, die für die Liaison mit Zemlinsky ohnehin kein Verständnis hatten. Max Burckhard beschwor Alma geradezu, Alexander von Zemlinsky auf gar keinen Fall zu heiraten:»Verderben Sie nicht die gute Rasse.«[71] Und Anna Moll drohte sogar, den Verehrer ihrer Tochter nicht mehr ins Haus zu lassen. Wieder einmal war Alma hin- und hergerissen: Zum einen begegnete sie der Mutter mit Trotz und Auflehnung, weil sie ihr diesen erneuten Eingriff in ihr Privatleben nicht durchgehen lassen wollte, zum anderen schreckte sie vor dem Gedanken an eine Ehe mit Zemlinsky zurück, denn dann müsste sie ja *kleine, degenerierte Judenkinder zur Welt bringen*[72]. Alma wusste immer weniger, wie sie sich entscheiden sollte. Pathetischen Liebesbekundungen folgten dubiose Unterwerfungsphantasien: *Mich dürstet nach Vergewaltigung! – Wer immer es auch sei!*[73] Ihre sinnlichen Tagträumereien machten selbst vor ihrem wesentlich älteren Mentor Max Burckhard nicht Halt: *Abends merkte ich mit Erstaunen, dass meine Blicke wie festgebannt an der runden Erhöhung auf der linken Seite von B.s Hose hingen. Meine Sinnlichkeit ist grenzenlos. Ich muss heirathen.*[74]

Alexander von Zemlinsky hatte nach knapp einem Jahr genug von Almas Demütigungen. »Endlich empört sich ein wenig mein Stolz«, schrieb er ihr Ende Mai 1901 und sagte ihr das, was »ich lange unterdrückt habe und schon oft aus mir heraus wollte«: »Meine Liebe, Du betonst so oft, so oft Du nur kannst, wie lächerlich wenig ich bin und habe, wie viel mich ungeeignet macht, Dir zu gehören! [...] Hast Du so viel zu geben, so unendlich viel, dass andere Bettler dagegen sind?! Liebe gegen Liebe, sonst kenne ich nichts. [...] Du bist sehr schön, und ich weiß, wie sehr ich diese

Schönheit schätze. Und später? In zwanzig Jahren???«[75] Alma war sich offenbar keiner Schuld bewusst, sie verstand nicht, worum es Zemlinsky ging. *An Alex nicht eine Secunde gedacht*, schrieb sie fast trotzig in ihr Tagebuch. *Wenn er mich nicht so will, wie ich bin, mit all meinen Fehlern, so soll ers lassen.*[76] In einem zweiten Brief wurde Zemlinsky kurze Zeit später noch deutlicher. Er erwarte von seiner Frau nicht in erster Linie Schönheit, sondern Liebe und Vertrauen. Und weiter: »Ich gebe immer mehr, weil ich innerlich reicher bin! Ja, das bin ich – Du lächelst!? Was hast Du von innerem Reichtum, meinst Du! Habe ich denn nicht auch sonst mehr? Ich bin also furchtbar hässlich?! Also angenommen! Ich danke Gott jetzt dafür, dass ich so bin. Und danke Gott, dass es so viele Mädchen gegeben hat, die über meine Hässlichkeit zu meiner Seele gelangt sind und mir nie ein Wort davon gesagt haben, so dass ich weiß, ich bin trotzdem ein Mensch, von dem man nicht gering deshalb sprechen kann, der noch irgend einen Wert hat.«[77] Alma flüchtete sich derweil in eruptive Mädchenphantasien: *Alex – mein Alex. Dein Weihebecken will ich sein. Gieß deinen Überfluss in mich.*[78] Sie inszenierte ihre Beziehung zu Zemlinsky, alles war ein einziger Überschwang, was mitunter bizarre Formen annahm: *Leibeigen will ich ihm sein. Nehmen soll er mich. Hochheilig ist er mir.*[79] An anderer Stelle flehte sie, *an seinen Küssen ersticken*[80] zu wollen. Die bühnenreife Darbietung von Gefühlen verstellte ihr den Blick auf die Tatsache, dass sich die Freundschaft zu Zemlinsky längst überlebt hatte. Dieser war Almas Eskapaden mittlerweile überdrüssig geworden. »Mir schwillt die Galle«, schrieb er ihr, durch ihr oberflächliches Verhalten verletzt: »Kein warmes Wort, dumme Dinge über ein gelbes Bett und gelbes Hemd: Vergnügungen von Cocotten!«[81] Zwei Tage später analysierte er ihr Verhalten so: »Deine rücksichtslosen innigen Zärtlichkeiten bei den letzten Malen unseres Alleinseins entstanden zum größten Teile aus der Sehnsucht, das überhaupt kennen zu lernen. Das Gefühl habe ich! [...] Wie innig und groß was Du schreibst: ›Ich will eine Mutter Deinen Kindern sein‹ – wenn es wahr empfunden wäre! Das ist es nicht! […] Ich überlege fortwährend, ob ich diese Woche überhaupt hinauskommen soll. Vielleicht ist es gut, wenn Du mich länger nicht siehst.«[82]

Hysterie

Alma Schindlers Antisemitismus ist auf den ersten Blick paradox. Sie, die einige jüdische Freunde hatte und von sich behauptete, den jüdischen Komponisten Alexander von Zemlinsky zu lieben, erging sich mitunter in wüsten antisemitischen Beschimpfungen. Viele ihrer Tiraden klingen aufgesetzt, offenbar hatte sie übernommen, was im Wien des Fin de Siècle als gesellschaftlicher Grundkonsens galt und zum guten Ton, zum Klassenbewusstsein des Bürgertums gehörte. An der Spitze der österreichischen Hauptstadt stand von 1897 bis zu seinem Tod 1910 Dr. Karl Lueger. Der als »Herr von Wien« verehrte Bürgermeister verstand es wie kein anderer, »alle Feindbilder seiner Wähler in einer mächtigen Bewegung zusammenzufassen: dem Antisemitismus«. Seine zentrale politische Aussage brachte er auf die Formel: »Der Jud ist schuld.«[83] Der »schöne Karl«, wie Lueger aufgrund seiner Eitelkeit und seines imposanten Äußeren genannt wurde, war ein gewiefter Volkstribun. Bei seinen politischen Auftritten redete er – gerne im Dialekt – den Leuten nach dem Mund, stellte sich problemlos auf das geistige Niveau seiner Zuhörer ein und spielte virtuos auf der Klaviatur antisemitischer Ressentiments. Lueger war ein Meister der Vereinfachung: Seine aufpeitschenden Reden sollten nicht den Verstand mobilisieren, sondern das Gefühl manipulieren. Im privaten Umgang nahm der Bürgermeister es mit der aggressiv proklamierten Judenfeindschaft nicht so genau. »Wer a Jud ist, bestimm i!«, hielt er jenen entgegen, die sich darüber wunderten, dass ein jüdischer Mitbürger sein Wohlwollen genoss.[84] Letztlich ist es unerheblich, ob Lueger ein überzeugter Antisemit war oder ob er den Antisemitismus nur als Mittel zum Zweck benutzte. Seine Politik hatte jedenfalls schlimme Folgen: Das Judentum wurde für zahllose Wiener zur Chiffre für alles, was ihnen missfiel.

Als Wagnerianerin war Alma mit einer weiteren, in der deutschen Geistesgeschichte tief verankerten antisemitischen Strömung in Berührung gekommen: dem Wagnerismus. Der Komponist Richard Wagner galt Ende des 19. Jahrhunderts nicht zuletzt wegen seiner 1850 erstmals veröffentlichten Hetzschrift »Das Judentum in der Musik« als antisemitischer Religionsstifter. Nachdem er die Schrift 1869 ein zweites Mal veröffentlicht hatte, avancierte Wagners Machwerk in deutsch-nationalen Kreisen zum Kultbuch; Houston Stewart Chamberlain – Wagners Schwiegersohn – erkannte darin sogar »das erwachende Gewissen der Nation«[85]. Überall schossen in der Folgezeit Richard-Wagner-Vereine aus dem Boden, die die Gedankenwelt des Komponisten oder das, was dafür gehalten wurde, tief ins Bürgertum transportierten. *Ja, auch der Text ist so famos, so großartig deutsch gedacht*, schrieb Alma nach einer Aufführung des »Siegfried«: *Kein Jude kann jemals Wagner verstehen.*[86] An anderer Stelle schimpfte sie auf *ein eckelhaftes Judenpack*[87] in einem von ihr besuchten Ausflugslokal. Äußerungen wie diese wirken heute abstoßend, ein kohärentes antisemitisches Weltbild belegen sie aber nicht. Alma war keine »ideologische Antisemitin«, interessierte sich nicht für die damals schnell populär werdenden Rassetheorien und las – soweit bekannt – keine antisemitische Literatur. Zwar könnte man, wie häufig geschehen, derartige Ausführungen als das dumme Gerede einer unreifen und selbstgefälligen 21-Jährigen bezeichnen. Diese Erklärung greift aber zu kurz, weil sich Antisemitismus wie ein roter Faden durch ihr gesamtes Leben zieht. Bei Alma diente Judenfeindschaft als ihr hochwirksames Machtinstrument: Im Geiste Karl Luegers lag für sie in der jüdischen Abstammung einer Person die Möglichkeit, dagegen ihre eigene »arische« Überlegenheit auszuspielen. Die »rassische« Herkunft eines Menschen war für Alma dessen wunder Punkt, seine Achillesferse. Hier wird etwas sichtbar, das für Almas ganzes Leben charakteristisch bleibt und in ihren Tagebüchern immer wieder deutlich hervortritt: ihr Wille zur Macht, ihr extrem ausgeprägtes Bedürfnis, andere Menschen, insbesondere Männer, zu unterdrücken und klein zu halten. »Sie wollte geliebt werden«, erinnert sich ein Zeitzeuge, »um Macht über ihre Verehrer zu gewinnen. Das hatte nichts oder fast nichts zu tun mit physischer Liebe. Sie wollte angebetet werden, von allen und jedem.«[88]

Die Wiener Psychoanalytiker Sigmund Freud und Josef Breuer haben dieses herrschsüchtige Verhalten im Jahr 1895 als wesentlichen Bestandteil der Hysterie beschrieben. Die Ursprünge dieses Krankheitskonzeptes liegen allerdings in der Antike. Hippokrates ging davon aus, dass insbesondere bei alten Jungfrauen und Witwen der Uterus (griechisch: hystéra) anschwelle, durch den Körper wandere und alle möglichen Krankheitssymptome hervorrufe. Im Spätmittelalter wurden Hysterikerinnen häufig mit Hexen gleichgesetzt, die einen Bund mit dem Teufel geschlossen hätten. Bis ins ausgehende 18. Jahrhundert hielt sich die Vorstellung von einer rein organischen Erkrankung, deren Ursachen in den weiblichen Fortpflanzungsorganen zu suchen seien. Erst in den Jahrhunderten danach setzte sich allmählich das Bild einer Nervenkrankheit durch. Freud war es schließlich, der die Hysterie in die von ihm neu konzipierte Gruppe der Neurosen einordnete. Jene bahnbrechenden »Studien über Hysterie« wurden zum Ausgangspunkt für zahlreiche wissenschaftliche Forschungsarbeiten.[89] Wie lässt sich eine hysterische Persönlichkeit beschreiben? Die Psychologen Paul Chodoff und Henry Lyons lieferten 1958 eine Definition, die in fast alle späteren Untersuchungen einging: »Der Terminus hysterische Persönlichkeit kann auf Personen angewandt werden, die eitel und egozentrisch sind, die eine labile und reizbare, aber oberflächliche Affektivität zeigen, deren dramatisches, aufmerksamkeitsheischendes und theatralisches Verhalten bis hin zu den Extremen des Lügens und der Pseudologie gehen kann, die von sexuellen Dingen sehr eingenommen sind, sich sexuell provokativ verhalten, jedoch selbst frigide sind und die in den zwischenmenschlichen Beziehungen abhängig und fordernd sind.«[90]

Folgt man diesem Ansatz, dann zeigen sich bereits bei der jungen Alma Schindler viele Züge der Hysterikerin: das ständige Schwanken zwischen emotionaler Kälte und erotischer Überspanntheit, ein Hang zur Koketterie bei gleichzeitiger Ablehnung körperlicher Nähe, die ausgeprägte Vorliebe für theatralische und häufig unangemessene Posen, die starke Neigung zu Oberflächlichkeit und Tagträumereien, das Spielen mit Selbstmordgedanken sowie eine weitgehende Unfähigkeit, Kritik zu ertragen. Die Gründe hierfür liegen in einem Selbstwertkonflikt, in einer gestörten Identität. Alma litt offensichtlich an starken Minderwertigkeitskomplexen. Die Angst, sie könne nicht genügen, überspielte sie mit Herrschsucht, Eifersucht, ausgeprägtem Stolz und theatralischen Auftritten. Diese Hyperemotionalität hinderte Alma an der Wahrnehmung ihrer Ängste. Der Philosoph und Psychologe Karl Jaspers beschrieb jenen Abwehrmechanismus in seiner 1913 erstmals veröffentlichten »Allgemeinen Psychopathologie«: »An Stelle des ursprünglichen, echten Erlebens mit seinem natürlichen Ausdruck tritt ein gemachtes, geschauspielertes, erzwungenes Erleben; aber nicht bewusst ›gemacht‹, sondern mit der Fähigkeit (der eigentlichen hysterischen Begabung), ganz im eigenen Theater zu leben, im Augenblick ganz dabei zu sein, daher mit dem Schein des Echten. [...] Der hysterischen Persönlichkeit ist schließlich gleichsam der Kern ganz verlorengegangen, sie besteht nur noch aus wechselnden Schalen. Ein Schauspiel löst das andere ab.«[91]

Im Mittelpunkt von Almas Inszenierungen standen ihre Forderungen nach Aufmerksamkeit, Liebe und Huldigung. Nach einer durchtanzten Ballnacht notierte sie: *es scharten sich die Männer um mich wie die Mücken um die Lampe. Und ich fühlte mich so recht als Königin. War unnahbar und stolz, sprach mit jedem 3 kühle Worte. [...] Unzählige ließen sich mir vorstellen – es war ein wirklicher Tri-*

umph.[92] Wenn sie allerdings merkte, dass ihr Zauber nicht wirkte, legte sie sich, wie mehrfach belegt ist, tagelang ins Bett und weinte. Anna Mahler, Alma und Gustav Mahlers Tochter, erinnerte sich an einen bezeichnenden Zwischenfall: »In Breitenstein am Semmering war ein Briefträger, jeden Tag, im Sommer, geschwitzt, scheußlich, alt; er hat mal was Unhöfliches zu ihr gesagt – die Mami ist auf drei Tage ins Bett gegangen und hat geheult. So wichtig war ihr das.«[93]

Bereits in der Beziehung zu Alexander von Zemlinsky kommt Almas tiefe Unzufriedenheit mit der eigenen Person zum Ausdruck. Sie demütigte und quälte ihn, um ihr eigenes zu schwaches Selbstwertgefühl zu erhöhen. Und dies sollte ein Muster werden, das viele ihrer Liebesbeziehungen prägte. Anna Mahler: »Sie hat ein ungeheures Talent gehabt, Sklaven zu machen. Und wenn jemand nicht Sklave geworden ist, war er nichts wert.«[94] Alma hatte eine besondere Vorliebe für jüdische, vermeintlich schwache und unattraktive Männer. Ihre viel beschworene erotische Anziehungskraft hatte nichts zu tun mit wirklicher Sinnlichkeit. Sexualität war vielmehr eine Art »Kick«, eine pathetische Inszenierung. Das ist das Terrain der hysterischen Frau: einen Mann ungeheuer anzuziehen, ihm alles zu versprechen, ihn zu betören und ihm dann klar zu machen, dass er jüdisch, unansehnlich oder – wie bei Gustav Mahler geschehen – impotent sei und sie gar nicht verdient habe.

Alma eine Hysterica? Darf man einen Menschen – und auch noch posthum – so abstempeln? Was wird durch eine solche »psychiatrische Etikettierung« gewonnen?

Nachdem ich mich jahrelang durch zehntausende von Seiten von und über Alma Mahler-Werfel hindurchgearbeitet hatte und nun das Grundmuster ihres Wesens und Lebens begreifen, das heißt auf Begriffe bringen wollte, fand ich in den Fallgeschichten und theoretischen Arbeiten der Hysterieforscher von Charcot über Freud bis zu Bräutigam, Mentzos und Christina von Braun die stimmigste Erklärung für das Verwirrende, Widersprüchliche, Abstoßende, aber auch für das Imponierende, für die Stärke und auch für das Leiden dieser Frau.

Ich bin weit davon entfernt, mit dem meist frauenfeindlich gebrauchten Schimpfwort »hysterisch« Alma denunzieren oder gar pathologisieren zu wollen. Alma war nicht krank, ihr Leben ist keine Fallgeschichte. Aber wenn man die wissenschaftliche Literatur über die hysterische Form neurotischen Krankseins liest, stechen wohl jedem die Parallelen bei Alma ins Auge. In dem renommierten »Lexikon der Psychiatrie« heißt es zum Beispiel: »Zur hysterischen Persönlichkeitsstruktur gehört die narzisstische, egozentrische, geltungsbedürftige Einstellung mit Darstellungstendenzen und einem infantilen Bedürfnis nach Anerkennung. Die Hysteriker sind nicht in der Lage, das Sexuelle zu integrieren, sie bleiben unfähig zu einer reifen genitalen Sexualbeziehung und Befriedigung. Hysteriker sind gewöhnlich sehr begabt darin, ihre Konflikte zu verdrängen, ja sie vollkommen vom Bewusstsein abzuspalten.«

Als ich in Philadelphia auf die Urfassung der Aufzeichnungen Almas in ihrem fast lebenslang geführten »journal intime« stieß und las, was sie noch ganz nah an ihren Erlebnissen für notierenswert erachtete und wie sie die Ereignisse reflektierte, wurde sofort klar: »Ihre Konflikte zu verdrängen, ja sie vollkommen vom Bewusstsein abzuspalten«, das gehörte gerade nicht zu ihren Bewältigungsstrategien. An sehr vielen Stellen staunt man über die Klarsicht und Schonungslosigkeit ihrer Selbstbetrachtungen. Das sind Zeugnisse ausgesprochen robuster seelischer Gesundheit. Im »Lexikon der Psychiatrie« schreibt der Direktor der Heidelberger Psychosomatischen Universitätsklinik, Professor Walter Bräutigam, weiter: »Die Bedingung der hysterischen Neurosenstruktur liegt nach psychoanalytischer Auffassung in ödipalen Fixierungen mit Bindung an den gegengeschlechtlichen Elternteil und unbewussten Phantasien sexueller Verführung. Bei Frauen wird die eigene Geschlechtsrolle als demütigend abgelehnt, phallische Züge sind häufig, sie wollen sich wegen ihrer vermeintlichen Unterlegenheit als Frau (›Penislo-sigkeit‹) bestätigen oder sich rächen.« Bei Alma sind die »Phantasien sexueller Verführung« aber keineswegs »unbewusst«, sondern ihr so drastisch klar, dass sie niederschreiben kann: *Mich dürstet nach Vergewaltigung!* Dazu passt, was in Bräutigams Fachartikel so beschrieben wird: »Bei vielen hysterischen Symptomen […] spielt neben einer Sexualisierung das Strafbedürfnis eine große Rolle.«[95] Die Ich-Nähe ihrer Antriebe sorgte dafür, dass Alma eben nicht pathologisch entgleiste und zum psychiatrischen Fall wurde, sondern über enorme innere Ressourcen verfügte, die ihr Vitalität, Energie und sogar Anziehungskraft bis ins Alter gewährten.

Almas hysterische Persönlichkeitsstörung ist wohl auf ihre überaus enge Vaterbindung zurückzuführen. Im Bewusstsein, dass seine Frau ihn betrog, hatte sich Emil Jakob Schindler sehr an seine Älteste geklammert. So wurde Alma zum Ersatz für die untreue Mutter (in der Fachsprache: »Gattensubstitut«), obwohl sie natürlich keineswegs deren Stelle einnehmen konnte. Dieser Zwang, viel zu früh – als ihr Vater starb, war Alma 13 – etwas darstellen zu müssen, was sie gar nicht sein konnte, hat möglicherweise ein Gefühl von Leere, Bedeutungslosigkeit und innerem Ungenügen entstehen lassen, das Alma in den Formen der Hysterie zu überspielen suchte.

Glaubt man ihren Tagebüchern, dann wurde Alma bereits als junge Frau von vielen Männern als »Göttin« und »Herrin« verehrt. Fotografien aus jener Zeit zeigen eine hübsche Wienerin, wenn auch beileibe keine Schönheit. Alma war allerdings davon überzeugt, eine Schönheit zu sein, und diese Überzeugung strahlte mit großer Kraft von ihr aus. Sie wollte angebetet werden, und da sie ihren Anbetern nichts zu geben hatte, begnügten diese sich mit der Suggestion ihrer Schönheit. Was an Alma so unwiderstehlich wirkte, war ihre Fähigkeit, eine Art geistiger Spiegel zu sein. Sie verstand es virtuos, sich mit ihrem Gegenüber zu identifizieren. Alma erfasste schnell, was ein Mann sein wollte, und konnte ihm glaubhaft machen, genau das zu sein. Ihre Verehrer, die häufig wesentlich älter waren, fühlten sich geschmeichelt, dass »das schönste Mädchen Wiens« sich ausgerechnet ihnen zuwandte. Diese Identifizierungsneigung, also die Fähigkeit, die Position eines anderen umgehend zur eigenen zu machen, ist typisch für hysterische Persönlichkeiten.

Alma war sich all dieser Eigenschaften durchaus bewusst. Immer wieder beklagte sie im Tagebuch ihre *Halbnatur*, ihre Flatterhaftigkeit und die weitgehende Unfähigkeit zu tiefen und echten, nicht gespielten Gefühlen. An einer Stelle überführte sie sich sogar selbst als Hysterikerin: *Erst habe ich ihm den Kopf verdreht und dann kümmere ich mich nicht mehr um ihn. Er hat ja recht: ich bin ein ganz gemeines, oberflächliches, gefall- und herrschsüchtiges und egoistisches Weib!*[96] Die Frage ist nur, wie ernst sie es mit dieser Eigenverurteilung meint. Vielleicht spiegelt sich auch in dieser Selbstbezichtigung nur, was sie bei anderen erspürte.

Alma Mahler, um 1902

Mahler
(1901–1911)

Verwirrungen

Am 7. November 1901 dirigierte Alexander von Zemlinsky ein Konzert im Musikvereinssaal mit dem Violinvirtuosen Jan Kubelik und dem Pianisten Rudolf Friml. Obwohl Alma ihn schon fünf Tage nicht gesehen hatte, besuchte sie das Konzert ihres Freundes nicht. Sie hatte eine Einladung Bertha und Emil Zuckerkandls angenommen. Die Zuckerkandls und ihr Salon waren eine Wiener Institution: Sie war die Tochter des angesehenen Journalisten Moritz Szeps und wirkte selbst als einflussreiche Publizistin, er war Inhaber des Lehrstuhls für Anatomie an der Wiener Universität und wurde von seinen Zeitgenossen als bedeutendster Mediziner Österreichs geschätzt. Bertha Zuckerkandls Schwester Sophie lebte in Paris und war mit Paul Clemenceau verheiratet, einem Bruder des späteren französischen Ministerpräsidenten Georges Clemenceau. Zu den regelmäßigen Besuchern ihres Salons zählten Schriftsteller wie Arthur Schnitzler, Hugo von Hofmannsthal, Richard Beer-Hofmann und Hermann Bahr. Da Bertha Zuckerkandl sich zur journalistischen Speerspitze der Secession gemacht hatte, gingen auch Maler und Architekten wie Gustav Klimt, Carl Moll und Joseph Maria Olbrich bei ihr ein und aus. An der Tafel jenes Abends saßen neben Sophie Clemenceau und den Gastgebern Gustav Klimt, Max Burckhard, Carl Moll samt Stieftochter Alma sowie – zur Überraschung aller – Hofoperndirektor Gustav Mahler in Begleitung seiner Schwester Justine. Dass Mahler einer solchen Einladung nachkam, war eine kleine Sensation. Er stand in dem Ruf, an

*In Künstlerkreisen (v.l.n.r.): Gustav Mahler, Max Reinhardt,
Carl Moll und Hans Pfitzner im Garten der Villa Moll, 1905*

derartigen Festlichkeiten keinen Gefallen zu finden; kurzweilige
Unterhaltungen und geselliges Amüsement waren seine Sache nicht.

Nach Tisch zogen sich die Gäste zum gemütlichen Plausch in
ein anderes Zimmer zurück. Alma hatte Mahler an diesem Abend
zunächst nicht weiter beachtet, obschon er ihr nicht unbekannt war.
Anfang Juli 1899, während des Sommerurlaubs der Familie Moll im
Salzkammergut, hatte er der 19-Jährigen zu ihrer Freude auf Veranlassung von Freunden eine Art Autogrammkarte geschickt.[1] Als
sie Mahler einige Tage später in der Nähe Goiserns zufällig auf einer Radtour traf, war ihr die Geschichte allerdings unangenehm.
Ich schwang mich auf mein Rad und fuhr auf und davon.[2] Jetzt, mehr
als zwei Jahre später, wurde die Angelegenheit nicht weiter erwähnt,
und es entspann sich eine angeregte Diskussion, in deren Verlauf
Alma Gustav Mahler vorhielt, dass er ihren Kompositionslehrer
Alexander von Zemlinsky unhöflich behandelt hätte. Dieser hatte
sein Ballett »Triumph der Zeit« bei der Hofoper eingereicht und war

ohne jede Nachricht geblieben. Er könne mit dem Werk nichts anfangen, konterte Mahler, und habe die Komposition überdies gar nicht verstanden. Darauf erwiderte Alma, durchaus selbstsicher in ihrem künstlerischen Urteil: *Ich kann Ihnen das Buch erklären, aber erst müssen Sie mir die Braut von Korea erläutern – eines der dümmsten Ballette das je gegeben wurde.*[3] Wenngleich Mahler von sich aus zugestand, dass Josef Bayers »koreanische Braut« ein schwaches Stück war, beeindruckte ihn das Temperament Almas, mit dem sie ihn, den wesentlich älteren Direktor der Wiener Hofoper, anging. Mahler war plötzlich in bester Laune und lud Sophie Clemenceau, Bertha Zuckerkandl sowie Alma zur Kostümprobe von Jacques Offenbachs »Hoffmanns Erzählungen« am folgenden Tag in die Oper ein. Bevor er sich verabschiedete, bat er Alma sogar, einige ihrer Lieder sehen zu dürfen. *Ich muss sagen, er hat mir ungemein gefallen*, schrieb sie zu Hause gleich in ihr Tagebuch, *allerdings furchtbar nervös. Wie ein Wilder fuhr er herum im Zimmer. Der Kerl besteht nur aus Sauerstoff. Man verbrennt sich, wenn man an ihn ankommt.*[4]

Am nächsten Vormittag, pünktlich um 11 Uhr, erwartete Mahler seine Besucherinnen in der Oper. Er führte die drei Damen persönlich durch das weitläufige Gebäude und bat sie zum Tee in das Direktionszimmer. Dabei trug er – ganz Gentleman – die gesamte Zeit Almas Mantel. Wie sie geschlafen habe, wollte er von Alma wissen. *Ausgezeichnet!*, worauf er erwiderte: »Ich nicht eine Minute die ganze Nacht!«[5] Und Max Burckhard, der nach dem Abend bei den Zuckerkandls Mahler auf seinem Heimweg begleitet hatte, schilderte Alma am folgenden Abend den Eindruck, den sie auf Mahler gemacht hatte. Angeblich sagte er: »Im Anfang war sie mir unsympathisch. Ich dachte, sie sei eine Puppe. Dann aber sah ich, dass sie auch sehr gescheit sei. Wahrscheinlich war das im Anfang so, weil man doch nicht gewöhnt ist, dass ein so hübsches Mädel sich mit etwas ernst beschäftigt.«[6]

Als Alma kurze Zeit später ein anonymes Liebesgedicht erhielt, in dem eine Strophe mit den Worten »Das kam so über Nacht – ich habe sie durchgewacht« begann, ahnte sie wohl, dass der Abend bei den Zuckerkandls ernste Folgen nach sich ziehen würde. Zunächst wehrte sie sich gegen ihre aufkeimenden Gefühle für Mahler, war sie doch immer noch mit Alexander von Zemlinsky verbunden, *aber Mahlers Bild lebt in mir. Ich will dieses giftige Kraut ausjäten.*[7]

Die folgenden Tage kamen einer emotionalen Achterbahnfahrt gleich: ekstatischen Liebesbekundungen für Zemlinsky folgten tiefe Selbstzweifel. Am 28. November überstürzten sich die Ereignisse. *Mahler war da*, jubelte Alma, *ich denke nur an ihn, nur an ihn.* Und weiter: *Eine Wand liegt zwischen uns – Alex. Er kennt sie nicht u. fühlt sie dennoch! Ich weiß nicht, aber ich glaube ich liebe ihn (Mahler)! Ich will aufrichtig sein. In der letzten Zeit empfand ich nichts mehr für Alex.*[8] Vor dem Abendessen hatten Mahler und Alma einen Spaziergang ins nahe Döbling unternommen, wobei er sich ohne Umschweife erklärte: »Es ist nicht so einfach, einen Menschen wie mich zu heiraten. Ich bin ganz frei, muss es sein, kann mich nirgends materiell binden. Meine Stellung in der Oper ist von heut auf morgen.«[9] Alma war zweifellos überrumpelt. Die Tatsache, dass er von oben herab die Hochzeit beschlossen hatte, dass er Alma *seinen Willen, seine Lebensbefehle* diktierte, irritierte sie. Nach Hause zurückgekehrt, gingen beide in Almas Zimmer, und es kam zu einer ersten Umarmung, *ohne es recht eigentlich zu wünschen*[10].

Alma stand – das war ihr klar bewusst – vor einer schwierigen Lebensentscheidung: *Wenn ich jetzt nur wüsste! Den oder – den.* Es fiel ihr sichtlich schwer, sich von Zemlinsky zu trennen. *Alex muss ich langsam entwöhnen*, notierte sie etwa drei Wochen vor ihrer Verlobung mit Mahler. *Wie furchtbar leid ist mir.*[11] Dabei war sie sich gar nicht sicher, ob sie Mahler wirklich liebte. *Ich habe keine Ahnung. Manchmal glaube ich direct – nein.* Vieles störte sie am Hofopterndirektor, *sein Geruch, sein Vorsingen, einiges in seinem Sprechen!*[12] Auch seine Musik – *ein herbes Zeug*[13] – war ihr fremd. Was letztlich den Ausschlag für ihre Entscheidung zu einer Ehe mit Gustav Mahler gegeben hat, bleibt natürlich ihr intimes Geheimnis.

Almas Umgebung gab sich jedenfalls alle Mühe, ihr die Liaison mit Mahler auszureden. Er sei unheilbar krank, stichelten Freunde, viel zu alt und völlig verarmt.[14] Auch Carl und Anna Moll machten sich Sorgen: »Er ist ja nicht gerade das, was ich mir für dich gewünscht hatte«, gab Carl Moll zu bedenken. »Er ist alt, hat Schulden, so viel ich weiß, ist kränklich, seine Stellung an der Oper ist erschüttert [...]. Schön ist er auch nicht. Komponieren tut er auch und es soll nichts dran sein.«[15] Als diese Einschüchterungsversuche nicht fruchteten, behauptete Moll, Mahler sei ein Frauenheld, indem er auf die kursierenden Gerüchte über die Vorliebe des Operndirektors für attraktive Sopranistinnen anspielte, womit die Sängerinnen Anna von Mildenburg, Selma Kurz und Margarete Michalek gemeint waren. Alma schreckten diese Warnungen allerdings nicht ab, ganz im Gegenteil lösten sie offensichtlich in ihr ein starkes Gefühl von Mitleid aus, das zum Grundton ihrer späteren Ehe mit Mahler werden sollte. *Krank ist er*, schrieb sie mitfühlend in ihr Tagebuch, *mein Armer, 63 Kilo wiegt er – viel zu wenig. Wie ein Kind werde ich ihn schonen. Ich liebe ihn mit unendlicher Rührung.* Und weiter*: Ich habe eine solche Angst, dass er mir krank wird – ich kanns nicht sagen. Ich seh ihn ordentlich in seinem Blute liegen.*[16] Dass Alma ihre Liebe auf Rührung, Mitleid und Fürsorglichkeit gründete, über ihren späteren Mann wie über ihr eigenes Kind spricht, tönte von vornherein ihre Ehebeziehung.

Knapp vier Wochen nach dem Kennenlernen im Hause Zuckerkandl fuhr der Hofoperndirektor nach Berlin, wo er eine Aufführung seiner 4. Sinfonie leiten sollte. Von dieser Konzertreise schickte er Alma täglich auch heute noch anrührende Liebesbriefe. »Deine Mama grüße von mir viele, viele Male. Ich bin schon so gewöhnt, sie auch als die Meine anzusehen, daß ich mich nächstens irren, und Mama zu ihr sagen werde.«[17] An anderer Stelle bat er Alma, sie sollte ihrer Mutter alles sagen, damit er Anna Moll nach seiner Rückkehr gleich als Schwiegersohn entgegentreten könne. Mahler schilderte Alma minutiös seine Reiseerlebnisse, ließ sie intensiv an seinem Leben teilhaben und erwartete den gleichen Eifer auch von seiner zukünftigen Frau. Alma hat ihre Briefe an Mahler nach seinem Tod vernichtet. Aus seinen Antworten lässt sich jedoch entnehmen, dass er mit ihren sparsamen Reaktionen alles andere als zufrieden war. Immer wieder forderte er sie auf, sie möge leserlicher und ausführlicher schreiben. Dabei nahm er mitunter die Haltung eines strengen Oberlehrers, eines mahnenden Onkels an, was für eine 22-jährige Frau wie Alma nur schwer erträglich gewesen sein muss. »Wie schön wird es sein«, schrieb er ihr beispielsweise aus Dresden, »wenn wir nächstens zusammen in Deiner Bibliothek herumkramen und Ordnung machen werden.«[18] Mit »Ordnung machen« meinte Mahler das Aussondern derjenigen Werke, die er als Lektüre für seine junge Frau unpassend hielt. Aus Mahlers Sicht galt es, Alma als unbedarftes junges Ding zu sich emporzuziehen. Dieses Gefühl der Überlegenheit klingt in einem Brief Mahlers an seine Schwester Justine deutlich an: »Das liebe Mädel ist jetzt selbst arg aufgewirbelt und befindet sich in einer – für sie doch ungewohnten – Situation, in der ich für uns Beide die Augen offen halten muß. Sie müßte noch sehr heranreifen, wie ich neuerdings wieder deutlich sehe, bevor meinerseits ein so folgenreicher Schritt [die Hochzeit] ins Auge gefasst werden könnte.«[19] Seine zahlreichen Liebesschwüre an Almas Adresse können nicht darüber hinwegtäuschen, dass auch Mahler Heiratszweifel hegte. Ob er das Recht habe, schrieb er seiner Schwester, »den Frühling an den Herbst zu ketten, ihn zu zwingen, den Sommer zu überspringen«[20]. Mahler dachte nicht nur an den beträchtlichen Altersunterschied von 19 Jahren, sondern auch an die ungleichen Ausgangssituationen: auf der einen Seite er, der gefeierte Dirigent, der, aus kleinen Verhältnissen kommend, sich mühsam an die Spitze des bedeutendsten europäischen Opernhauses hochgearbeitet hatte, auf der anderen Seite Alma Schindler, fast noch ein Backfisch, die junge Frau aus wohlbehütetem Elternhaus. »Und wir haben in 2 Wochen unser ganzes Sein entfaltet«[21], schrieb er ihr aus Berlin am Ende seiner

Reise, womit er darauf anspielte, dass Alma nicht mehr im Unklaren sein konnte, worauf sie sich mit der Eheschließung einlassen würde.

Für Alma müssen die Wochen im November und Dezember 1901 eine nervenaufreibende Zeit gewesen sein, zumal ihr die Aussprache mit Alexander von Zemlinsky noch bevorstand. *Du weißt, wie sehr ich Dich geliebt habe*, schrieb sie ihm schließlich am 12. Dezember. *Du hast mich ganz erfüllt. Ebenso plötzlich wie diese Liebe gekommen ist, ist sie auch vergangen – sie wurde verdrängt. Mit erneuter Kraft ist es über mich gekommen!*[22] Hatte Alma sich zunächst vor Zemlinskys Reaktion gefürchtet, konnte sie nun beruhigt aufatmen, weil er ihr Geständnis ohne Vorwürfe aufnahm. *Heute wurde eine schöne, schöne Liebe begraben*, notierte sie in ihr Tagebuch. *Gustav, viel musst Du thun, um sie mir zu ersetzen.*[23] Jedoch kreisten ihre Gedanken in diesen Dezembertagen um ein weiteres Problem – ihre größte Sorge war, *ob Mahler mich zur Arbeit animieren wird, ob er meine Kunst unterstützen wird, ob er sie so lieben wird, wie Alex. Denn der liebt sie direct.*[24] Zweifellos verklärte Alma ihre Studienzeit bei Alexander von Zemlinsky zu einer Erfolgsgeschichte, die sie nicht gewesen ist. Trotz aller Kritik an ihren Kompositionen hatte er sie und ihr Talent jedoch ernst genommen. Umso mehr verletzte es Alma, dass Gustav Mahler an ihren Werken allem Anschein nach überhaupt kein Interesse zeigte. *Wenn wir soweit kommen, und ich werde die Seine, so muss ich schon jetzt mich gehörig rühren, um mir den Platz zu sichern, der mir gebührt … nämlich künstlerisch. Er hält von meiner Kunst gar nichts – von seiner viel – und ich halte von seiner Kunst gar nichts und von meiner viel. So ist es! Nun spricht er fortwährend von dem Behüten seiner Kunst. Das kann ich nicht. Bei Zemlinsky wärs gegangen, denn dessen Kunst empfinde ich mit – das ist ein genialer Kerl. Aber der Gustav ist ja so arm – so furchtbar arm. Wenn er wüsste, wie arm er ist – er würde die Hände vor die Augen geben und sich schämen.*[25] Almas tiefe Zweifel an Mahlers Musik, die sie zeitlebens beibehielt, treten in dieser Tagebuchnotiz vom 19. Dezember

1901 besonders stark hervor. Diese Zeilen, so töricht sie auch klingen, machen deutlich, dass Alma nicht daran dachte, ihr Komponieren kampflos aufzugeben. Als sie am folgenden Tag einen langen Brief ihres Zukünftigen aus Dresden erhielt, wurde ihr jedoch schlagartig bewusst, dass dieser Kampf aussichtslos war. Mahler setzte ihr auf zwanzig Seiten mit radikaler Offenheit auseinander, wie er sich ein gemeinsames Leben vorstellte. Alma sei, begann er, zu jung und unreif, um schon eine echte Persönlichkeit zu besitzen. Sie umgebe sich mit falschen Freunden – er meinte hauptsächlich Max Burckhard und Alexander von Zemlinsky –, die ihr das trügerische Gefühl vermittelten, eine ausgereifte Persönlichkeit zu sein. Alma und ihre Anhänger hätten sich »gegenseitig mit Phrasen berauscht [...] und – weil Du schön bist, und anziehend für Männer, die dann, ohne es zu wissen, der Anmuth unwillkürlich Huldigung leisten«. Kurzum: sie sei »eitel auf das geworden, was diese Leute an Dir zu sehen vermeinen«. Obwohl Mahler dem kritischen Zemlinsky sicherlich unrecht tat, wird man den Scharfblick des Bräutigams unheilvoll finden, mit dem er seine Braut als schöne Projektionsfläche bezeichnet, die nur spiegeln und aus eigener Kraft nichts hervorbringen kann.

Im zweiten Teil des Briefes kommt Mahler auf Almas Komponieren zu sprechen: »Wie stellst Du Dir so ein komponierendes Ehepaar vor? Hast Du eine Ahnung wie lächerlich und später herabziehend vor uns selbst, so ein eigenthümliches Rivalitätsverhältnis werden muß?« Dass Alma glaubte, sie könnte auch nach der Hochzeit weiterhin Kompositionsunterricht bei Zemlinsky nehmen, empfand Mahler als geschmacklos: »Hast Du ihn [Zemlinsky] lieb gehabt? Und kannst Du dann ihm diese traurige Rolle zumuten, Dir jetzt weiter Stunden zu geben? Das kommt Dir männlich und groß vor, daß er, die Spuren seiner Leiden, wortlos und artig Dir gegenüber sitzt und sozusagen ›Ordre parirt‹?! Und Du willst ihn lieb gehabt haben und kannst dies ertragen?« Mahler suchte in seiner Partnerin nicht nur die schöne, vorzeigbare und geistreiche Ehefrau, sondern mehr noch die »Kameradin«, die »Gefährtin«, die sich aus Respekt vor seiner künstlerischen Mission unterordnete und ihm im Alltag den Rücken freihielt: »Aber daß Du so werden mußt, wie ich es brauche, wenn wir glücklich werden sollen, mein Eheweib und nicht mein College – das ist sicher! Bedeutet dies für Dich einen Abbruch Deines Lebens und glaubst Du auf einen Dir unentbehrlichen Höhepunkt des Seins verzichten zu müssen, wenn Du Deine Musik ganz aufgibst, um die Meine zu besitzen, und auch zu sein?« Ohne Rücksicht auf Almas mögliche Konsequenzen formulierte Mahler vor der Eheschließung seine Vorstellungen über eine Partnerschaft und forderte sie auf, ebenso ehrlich zu antworten: »Künde mir erbarmungslos alles, was Du mir zu sagen hast und wisse – viel lieber jetzt noch eine Trennung zwischen uns, als einen Selbstirrthum weitergeführt. Denn, wie ich mich kenne, würde es schließlich für uns Beide eine Katastrophe.«[26] Gustav Mahler stellte seine Zukünftige absichtlich vor diese schwierige Wahl, um sich ganz sicher sein zu können, dass Alma auch wirklich zu ihm passte. Man kann über seine berechnende Überheblichkeit erschrocken sein, hatte er doch im Grunde nichts zu verlieren. Als Alma Schindler in sein Leben trat, hatte er die »Kameradin«, seine emotionale Stütze ja längst gefunden. Justine Mahler, die zweitälteste der drei Schwestern Mahlers, hatte ihrem Bruder bereits in Budapest und Hamburg den Junggesellenhaushalt geführt. Sie war ihm von ganzem Herzen ergeben und »bot ihm den Vorteil weiblicher Fürsorge ohne jene emotionellen Gegenansprüche, die eine Ehepartnerin geltend gemacht hätte«[27].

Wie Alma auf diesen berühmt gewordenen Dresdener Brief wirklich reagierte, was sie Mahlers Bedingungen entgegensetzte, ist nicht zu ermitteln. In ihren »Tagebuchsuiten« hallt das Echo eines ebenso authentisch empfundenen wie vermeintlichen Verlustes »ihrer« Musik nach. Mahlers noch ganz traditionelle Vorstellungen von der Ehe dürfte die junge Frau dennoch als Einengung wahrgenommen haben. *Mir blieb das Herz stehen*, notierte sie in ihr Tagebuch. *Meine Musik hergeben – weggeben – das, wofür ich bis jetzt gelebt. Mein erster Gedanke war – ihm abschreiben. Ich musste weinen – denn da begriff ich, dass ich ihn liebe.* [...] *Ich habe das Gefühl, als hätte man mir mit kalter Faust das Herz aus der Brust genommen.*[28] Almas Aufzeichnungen der folgenden Wochen vermitteln den Eindruck, dass ihre Hoffnungen größer waren als ihre Bedenken. *Ja – er hat recht*, lautet bereits die Eintragung vom nächsten Tag. *Ich muss ihm ganz leben, damit er glücklich wird.*[29] Das war der Stand der Dinge im Dezember 1901. Später setzte Alma – und dies macht es so schwierig, den Wahrheitsgehalt ihrer Aufzeichnungen zu ergründen – die Legende in die Welt, Mahler habe ihr das Komponieren verboten. Dass diese Behauptung haltlos ist, kann man heute dem Dresdener Brief Mahlers entnehmen. Mahler sprach weder ein Verbot aus, noch zwang er sie zu einer Entscheidung, über deren Konsequenzen sie sich nicht im Klaren gewesen wäre. Bezeichnenderweise fand dieser aufschlussreiche Brief keinen Eingang in Almas 1940 erschienene Edition der Briefe Gustav Mahlers – der genaue Wortlaut hätte ihre Selbststilisierung als unterjochte und verhinderte Komponistin entkräftet. Jedenfalls meinte Alma noch Jahrzehnte später, die tiefe Verletzung zu spüren, die Gustav Mahler ihr in jenen Dezembertagen 1901 beigebracht habe: *Irgendwo aber brannte eine Wunde in mir, die niemals ganz verheilt ist.*[30]

Bei Mahlers Rückkehr nach Wien hatte Alma offenbar ihre Wahl getroffen, und alles ging sehr schnell. Am 23. Dezember verlobten sich Gustav Mahler und Alma Schindler – *officiell vor Carl und Mama. Fortan soll nur er mein Herz erfüllen – nur er. Keinen von diesen Mannsbildern will ich mehr einen Blick zuwerfen.*[31] Trotz großer Diskretion erfuhr die »Neue Freie Presse« diese Neuigkeit, die sich nun wie ein Lauffeuer verbreitete. Hatte Mahler zunächst gehofft, sein Privatleben geheim halten zu können, war die Verlobung des Hofoperndirektors nun das Lieblingsthema der Wiener Gesellschaft. Die Blätter der Hauptstadt berichteten ausführlich über das »junge Paar« (er 41, sie 22). Alma: *Überall ist meine Schönheit betont, meine Jugend – u. mein musikalisches Talent. Im Fremdenblatt steht, dass ich geistreich bin. Ach Gott – u. was nicht noch alles!*[32]

Obwohl die bürgerliche Moral vor- oder außerehelichen Sex streng verpönte, war Alma bei der Hochzeit – wie auch schon ihre Mutter – keine Jungfrau mehr. Kurz nach der Verlobung schon schliefen Gustav Mahler und Alma das erste Mal miteinander. *Er gab mir seinen Leib zur Verfügung – u. ich ließ seine Hand gewähren. Steif und in aller Pracht stand sein Leben. Er brachte mich zum Sopha, legte mich liebreich hin und schwang sich über mich. Da – im Moment, wo ich ihn eingehen fühlte, verlor er alle Kraft. Erschlagen lag er an meinem Herzen – er weinte fast vor Scham.*[33] Bei beiden, bei der trotz ihrer Romanzen recht unerfahrenen Braut und dem versierteren Bräutigam, hinterließ dieser Vorfall Scham und ein peinliches Gefühl. *Wenn er das verlieren würde! Mein armer, armer Mann! Ich kann nicht sagen, wie mich das Ganze irritiert hat. Erst das Wühlen in meinem Innersten, dann das Ziel so nahe – und keine Befriedigung. Was ich heute unbewusst gelitten habe, spottet jeder Beschreibung.*[34] Wenige Tage später heißt es im Tagebuch: *Wonne und Glück*[35] beziehungsweise *Wonne über Wonne*[36]. Doch ihre erste körperliche Vereinigung hatten beide in unguter Erinnerung.

Ein weiteres Ereignis sollte sich in der frühen Phase ihrer Beziehung störend zwischen Alma und Gustav Mahler stellen. Es war Mahlers Idee gewesen, in seiner Wohnung in der Auenbruggergasse ein Abendessen zu veranstalten, um seine Braut und deren Familie mit einigen engen Freunden bekannt zu machen. An diesem 5. Januar 1902 waren neben Alma und den Molls unter anderem der Philosoph und Schriftsteller Siegfried Lipiner – Mahlers Jugendfreund – sowie die Sängerin Anna von Mildenburg – Mahlers ehemalige Geliebte – eingeladen. Justine Mahler, die seit geraumer Zeit ein Verhältnis mit Arnold Rosé, dem Konzertmeister des Hofopernorchesters, hatte, nutzte die Gelegenheit, ihn als ihren Verlobten vorzustellen. Obwohl alles in der besten Absicht arrangiert war, lag in diesem Abend der Keim einer lebenslangen, feindseligen Rivalität zwischen Alma und den alten Freunden Mahlers. *Nie werde ich die verlogen feierliche Grandezza dieses Abends vergessen*, erinnerte sich Alma noch Jahrzehnte später. *Niemand sprach, aber böse feindliche Augen maßen jede meiner Bewegungen.* Insbesondere Siegfried Lipiner stand Alma äußerst reserviert gegenüber. Er nannte sie herablassend »Mädchen«, musterte sie und überprüfte ihre Allgemeinbildung, indem er sie beispielsweise über den italienischen Maler Guido Reni ausfragte. Alma hatte diesen Namen noch nie gehört. Sie wehrte sich mit dem Hinweis, sie lese derzeit Platons »Symposion«, und erntete damit nur Lipiners Spott; sie könnte dieses Buch ja doch nicht verstehen. Auch Anna von Mildenburg, die den Kampf um Mahlers Liebe verloren hatte und ihre junge Konkurrentin schon deshalb ablehnte, provozierte Alma mit der Frage, was sie von Gustav Mahlers Musik halte. Almas Antwort war durchaus couragiert: *Ich kenne wenig, aber was ich kenne, gefällt mir nicht.* Mahler soll über diese forsche Entgegnung herzhaft gelacht haben. In Almas Beschämung mischten sich unverkennbar antisemitische Untertöne. *Alles prononcierte Juden*, notierte sie am gleichen Abend zu Hause in ihr Tagebuch: *Ich konnte keine Brücken finden.*[37] Noch viele Jahre später beschrieb sie Siegfried Lipiner als *ein böses, hartes Tier, die Augen viel zu nah beisammen, darüber ein enormer kahler Schädel. Er stieß beim Reden mit der Zunge an. Er goethelte, wenn er schrieb, und mauschelte, wenn er sprach.*[38] Lipiner war über das Zusammentreffen mit Alma Schindler so entsetzt, dass er Mahler einen langen Brief schrieb, in dem er die Verlobte seines Freundes als ungebildet, respektlos und affektiert darstellte. Letztlich war es wohl Eifersucht, die Mahlers Freunde veranlasste, sich derartig gegen Alma zu stellen. Und natürlich ergriff Mahler, so kompromisslos vor die Wahl gestellt, die Partei seiner Verlobten. Alma behauptete später, *Mahler war schon damals so sehr mit mir verbunden, dass alle Quertreibereien wirkungslos blieben*[39]. Allerdings dürfte Mahler seine alten Freundschaften wohl kaum wegen eines missglückten Abends und eines unangenehmen Briefes aufgegeben haben. Dass Mahler einen so radikalen Bruch mit den Menschen, die ihm einst nahe waren, in Kauf nahm, kann als Ausdruck seiner großen Unsicherheit gegenüber seiner Entscheidung für Alma gedeutet werden. Indem er die Bedenkenträger auf das Abstellgleis schob und somit jeder Diskussion aus dem Weg ging, hoffte er möglicherweise, der eigenen Zweifel Herr zu werden.

Am Vormittag des 9. März 1902 heirateten Gustav Mahler und Alma Schindler in der Wiener Karlskirche. Da Mahler, als Jude geboren, sich im Februar 1897 katholisch hatte taufen lassen und die Katholikin Alma im August 1900 in die evangelische Kirche eingetreten war (hauptsächlich ihrer Schwester Gretel zuliebe, die kurze Zeit später einen Protestanten – Wilhelm Legler – geheiratet hatte), galt es, einige kirchenrechtliche Hindernisse zu überwinden. Beim Fürsterzbischöflichen Ordinariat musste die so genannte »Dispensa ab impedimento mixtae religionis« eingeholt werden. Außerdem fiel der 9. März 1902 in die Fastenzeit, in der normalerweise keine Trauungen stattfinden durften, weswegen auch eine Bewilligung »zur nachmittägigen Trauung in der geheiligten Zeit« nötig war. Als all diese Bedingungen erfüllt waren – das Paar musste sich auch verpflichten, seine Kinder katholisch zu erziehen –, stand der Hochzeit nichts mehr im Wege. Die Trauung fand heimlich statt, weil Mahler den gesellschaftlichen Trubel vermeiden wollte, und so waren denn neben dem Hochzeitspaar nur die Trauzeugen Carl Moll und Arnold Rosé, der am folgenden Tag Mahlers Schwester Justine heiratete, sowie die Mitglieder der engsten Familie anwesend.

Was es war, das Alma Schindler und Gustav Mahler miteinander verband, ist schwer auszumachen. Bruno Walter, damals neuer Kapellmeister an der Hofoper und ein enger Vertrauter Mahlers, benannte die Unterschiede in einem Brief an seine Eltern: »Er ist 41 Jahre und sie 22, sie eine gefeierte Schönheit, gewöhnt an ein glänzendes gesellschaftliches Leben, er so weltfern und einsamkeitsliebend; und so könnte man noch eine Menge von Bedenken anführen [...].«[40] Dabei waren es nicht nur die grundverschiedenen

Dispositionen in Temperament oder Lebensform, die ein gemeinsames Leben so kompliziert machten. Schwer wog vor allem, dass sich Alma zumindest in den Anfangsjahren ihrem Mann gegenüber in der Defensive befand. Vermutlich war aber der strikt auf Mahlers Bedürfnisse ausgerichtete Alltag, dessen Routine und Gleichförmigkeit durch keine impulsive und lebenshungrige Ehefrau gestört werden durfte, der banale Grund für keine glückliche Zukunft.

Alltag mit einem Genie

Die Hochzeitsreise führte die Mahlers im März 1902 nach St. Petersburg und war, ein denkbar ungünstiger Beginn eines gemeinsamen Lebens, zugleich eine Konzerttournee. Auf der Hinfahrt hatte Gustav Mahler einen schweren Migräneanfall, der durch das überhitzte Bahncoupé verursacht wurde. Auch Alma fühlte sich nicht recht wohl, sie war bereits im zweiten Monat schwanger, war gereizt und empfand die Schwangerschaft von Anfang an als Quälerei. »Heute ist ein Frühstück beim österreichischen Botschafter«, ließ Mahler seine Schwester wissen. »Die Alma musste bis jetzt überall absagen. Heute hoffe ich, dass sie doch mitkommt.«[41] Nach ihrer Rückkehr nach Wien zog Alma zu ihrem Mann in die Auenbruggergasse. Die mit drei kleineren und drei großen Zimmern sowie mit Küche, Bad und Dienerkammer großzügig geschnittene Wohnung lag im vierten Stock eines Mietshauses, das der bedeutende Architekt Otto Wagner 1891 erbaut hatte.

Die Desillusionierung der jungen Ehefrau, die wie so viele ihrer Generation praktisch unvorbereitet in die Ehe gegangen und bislang mit Fragen der Haushaltsführung, Problemen mit Dienstboten oder dem Thema Kindererziehung noch nicht konfrontiert gewesen war, setzte früh ein. Zieht man Almas abwechslungsreiches und geselliges Leben in Betracht, das sie in ihrem künstlerischen Elternhaus genossen hat, so wird verständlich, dass ihr die Umstellung auf einen auch schon vor ihrer Ehe gut funktionierenden und nur auf die Arbeitsabläufe ihres Mannes zugeschnittenen Alltag schwer gefallen ist. Schnell wurde ihr bewusst, wie viel die noch vor ihrer Verlobung ausgegebene Parole *Ich muss ihm ganz leben, damit er glücklich wird* von ihr abverlangte. Mahlers Tagesablauf hatte sich nach der Eheschließung nicht wesentlich geändert und war minutiös durchgeplant. Er hasste Zeitverschwendung jeder Art, jeder Augenblick musste sinnvoll angefüllt sein, und die gesamte Umgebung Mahlers geriet unweigerlich in den Sog seiner Arbeitswut. Morgens um sieben stand er auf, kleidete sich an, frühstückte und arbeitete bis neun Uhr am Schreibtisch. Danach verließ er die Wohnung und ging in die Oper, wo Proben, Vorsingen und Verwaltungsaufgaben auf ihn warteten. Wenn der Herr Direktor zum Mittagessen die Oper verließ, rief Carl Hassinger, Mahlers Kanzleidiener, bei Alma an. Dann wusste sie, dass ihr Mann in rund 15 Minuten vom Rennweg kommend in die Auenbruggergasse einbiegen würde. Mahler läutete, wenn er unten am Haus angelangt war, was für Alma bedeutete, dass sie die für das Treppensteigen bis in den vierten Stock benötigte Zeit hatte, die dampfende Suppe aufzutragen. Und damit er nicht umständlich nach dem Schlüssel suchen musste, öffnete sie ihm derweil die Tür. Bei Tisch durfte nicht gesprochen werden, da Mahler den Kopf voller Ideen und Probleme hatte. Ablenkung war unerwünscht. Nach der kurzen Mittagspause, in der er und Alma gelegentlich im nahen Belvedere-Garten spazieren gingen, kehrte Mahler wieder in die Oper zurück, wo er häufig am Abend noch zu dirigieren hatte. Wenn er nicht selbst am Pult stand, verfolgte er die Aufführung aus seiner Loge oder arbeitete im Büro. Ein karges Nachtmahl beendete den Tag.

Auch im Urlaub war Almas Leben weitgehend von den Bedürfnissen ihres Mannes geprägt. Da Mahler nur in den Sommerferien zum Komponieren kam, hatte er es sich zur Gewohnheit gemacht, die spielfreien Monate in großer Abgeschiedenheit außerhalb Wiens zu verbringen; zuerst in Steinbach am Attersee, später in

Altaussee, bis er im Juni 1901 in Maiernigg im Kärntnerland sein eigenes Ferienhaus bezog. Die so genannte Villa Mahler stand wie eine Trutzburg direkt am Wörther See und war ein stattliches, wenn auch keineswegs prunkvolles Haus. Von zwei große Veranden, einer offenen und einer geschlossenen, sowie von einem Balkon hatte man einen atemberaubenden Blick auf den See. *So entzückend es gelegen ist*, erinnerte sich Alma später, *so scheußlich war die Einrichtung*, die dem Geschmack des späten 19. Jahrhunderts entsprach und auf eine eingefleischte Secessionistin wie Alma kitschig gewirkt haben muss. *Mahler erwischte mich einmal, als ich gerade auf einem Stuhl stand und von allen Kastenborden die Säulchengalerie abriss.*[42]

Für seine ungestörte Arbeit hatte Mahler im Wald ein kleines Komponierhäuschen erbauen lassen, wobei es sich um einen schlichten Raum handelte, ausgestattet mit Tisch, Sessel, Sofa und einem Klavier. Auch in Maiernigg war der Tagesablauf streng durchorganisiert und diente der kompositorischen Arbeit oder körperlicher Ertüchtigung. Während die erste Tageshälfte ganz der Musik gewidmet war, standen nachmittags Schwimmen und Wandern im Vordergrund. Gustav Mahler war enorm sportlich und verhielt sich beim Schwimmen, Rudern oder Bergwandern genauso diszipliniert wie in seiner Arbeit als Komponist. Die wegen der fortgeschrittenen Schwangerschaft – fünfter Monat – schon recht unbewegliche Alma konnte mit dem Tempo ihres Mannes allerdings kaum mithalten: *Ich musste über Zäune klettern, durch Hecken kriechen. Meine Mutter besuchte uns in dieser Zeit. Sie war entsetzt: Mahler hatte uns auf einen Berg geschleppt, auf den man kaum hinaufkonnte.*[43]

Der erste gemeinsame Sommer verlief also wenig glücklich. Man kann Gustav Mahler in seinem rigiden Festhalten an jener Routine, die er auch schon als Junggeselle gepflegt hatte, eine gewisse hagestolze Halsstarrigkeit nicht absprechen. Offenbar war eine Ehefrau für ihn, der sich einzig auf den ungestörten Ablauf seiner Arbeit konzentrierte, in der Tat nicht mehr als ein Ornament, das sich seinen Wünschen unterzuordnen hatte. Zwar wird man immer wieder darauf zurückkommen, dass sie vor ihrer Ehe von Gustav Mahler gewarnt worden ist, aber zwischen dem theoretischen Wissen und der alltäglichen Erfahrung besteht eben auch in diesem Fall ein großer Unterschied. Und so quälten Alma neben der unangenehmen Schwangerschaft zunehmend heftige Selbstzweifel: *Ich weiß nicht, was ich anfangen soll. So ein unerhörtes Ringen ist in mir!* Ihre Ehe mit Mahler sah sie kritischer. Sie habe für ihren Mann alles aufgegeben und sei *herabgesunken zur Haushälterin*[44]. Kampflos ließ sich Alma allerdings nicht unterwerfen. Wiederholt kam es zwischen den Eheleuten zu Auseinandersetzungen: *Ich war den ganzen Vor- und Nachmittag allein – und wie Gustav herunter kam, noch so voll und glücklich von seiner Arbeit, da konnte ich nicht mit und mir kamen wieder die Tränen. Er wurde ernst – mein Gustav – furchtbar ernst. Und nun zweifelt er an meiner Liebe! Und wie oft habe ich selbst gezweifelt.* Offenbar litt Alma in jenem Sommer 1902 unter heftigen Gefühlsschwankungen, die sie sich selbst nicht erklären konnte. *Jetzt vergehe ich vor Liebe zu ihm – und im nächsten Moment empfinde ich nichts, nichts!* Ihre Zustände, zwischen depressiven Stimmungen und moralischen Selbstbezichtigungen hin- und herschwankend, stehen im Kontrast zum Klischee der glücklichen, noch dazu in guter Hoffnung befindlichen Ehefrau an der Seite eines faszinierenden Künstlers. *Und immer diese Tränen*, seufzte sie in ihrem Tagebuch. *Noch nie habe ich so viel geweint, als jetzt, wo ich doch alles habe, wonach ein Weib nur streben kann.*[45] Auch Mahler hatte gemerkt, dass mit seiner Frau etwas nicht stimmte. Er reagierte auf seine Art, indem er für Alma ein Lied komponierte. Als »ein Privatissimum an Dich« bezeichnete er seine Vertonung des Rückert-Gedichtes »Liebst Du um Schönheit«. Alma freute sich zwar über dieses Geschenk; die grundsätzliche Problematik, die sich auch aus Almas Unzufriedenheit mit sich selbst ergab, wurde dadurch aber nicht gelöst. *Oft fühle ich, wie wenig ich bin und habe im Vergleich zu seinem unermesslichen Reichtum!*[46]

Am 3. November 1902 kam die Tochter Maria Anna zur Welt. Die Eltern folgten dem alten Brauch, das Kind jeweils nach ihren Müttern zu nennen – Maria nach Gustav Mahlers Mutter, Anna nach Anna Moll. Die Entbindung war eine Marter: *Das Kind war, wie der Arzt sagte, durch die Strapazen während der Schwangerschaft verlagert.* Als die fürchterliche und überdies lebensgefährliche Tortur endlich überstanden war und Mahler erfuhr, dass es eine Steißgeburt gewesen war, lachte er angeblich hemmungslos: »Das ist mein Kind, zeigt der Welt gleich den Körperteil, den sie verdient!«[47] Der Vater war von der Kleinen begeistert und gab ihr wegen ihres drolligen Aussehens den Spitznamen »Putzi«. Ganz anders die Wöchnerin, die mit einer postnatalen Depression zu kämpfen hatte. Ihr Kind konnte sie offensichtlich nicht liebevoll annehmen. *Ich habe noch nicht die rechte Liebe dafür*, gestand Alma Ende November ihrem Tagebuch. *Alles, alles in mir gehört meinem Gustav. Ich liebe ihn so, dass alles tot ist neben ihm.*[48] Nur widerwillig fand sie sich in die Mutterrolle hinein. *Mein Kind braucht mich nicht*, notierte sie kühl. *Ich kann auch nicht nur mich damit beschäftigen!* So normal solche Gefühlsdefizite bei sehr vielen Erstgebärenden, wenn sie sich so aufrichtig äußern wie Alma Mahler, auch sind, fest steht, dass es Alma bis zum frühen Tod ihrer ältesten Tochter im Sommer 1907 nicht gelang, eine liebevolle Beziehung zu ihr aufzubauen.

Die neue familiäre Situation konnte also zu einer Beruhigung der Gemüter nichts beitragen. Alma fühlte sich von ihrem Mann nicht gebührend beachtet, und die Frustrationen nahmen weiter zu, bis es Mitte Dezember erneut zu einer heftigen Auseinandersetzung kam. Alma: *Gestern sagte ich meinem Gustav, dass es mich schmerze, dass er so gar kein Interesse für das habe, was in mir vorgeht; dass er noch nie mich bat, dass ich ihm etwas von meinen Sachen vorspiele und dass ihn* [!] *mein Musikwissen nur solange passe, als ich es für ihn verwende.* Mahler reagierte auf diese Vorhaltungen, wie so oft: unsensibel und verletzend ehrlich. »Weil Deine Blütenträume sich nicht erfüllt haben«, rief er Alma zu, »es liegt nur an Dir.« Hatte er sie nicht gewarnt, dass es in der Familie nur einen Komponisten geben könne? *Gott*, notierte Alma bitter, *wenn einem so unbarmherzig alles genommen wird.*[49] Zweifellos war die Beziehung schon nach wenigen Monaten in eine Sackgasse geraten, was sich die Eheleute allerdings nicht eingestanden. Während Mahler das volle Ausmaß der Frustrationen seiner Frau überhaupt nicht erkannte, reagierte Alma mit Neid und Eifersucht. Sie war neidisch auf Mahlers Musik, an der er sie, wie sie glaubte, nicht teilhaben ließ, und blickte eifersüchtig auf die gemeinsame Tochter, die der ganze Stolz des Vaters war und jene Aufmerksamkeit genoss, die er ihr, so Alma, nicht entgegenbrachte. Und sie beobachtete sein Verhalten gegenüber anderen Frauen mit Argwohn, wobei es gelegentlich zu unschönen Szenen kam: *Gustav ließ aus seinem Glase diese Dirnen trinken*, schrieb Alma nach einer Opernprobe erbost in ihr Tagebuch. Mit *Dirnen* waren die Sopranistinnen Anna von Mildenburg und Lucie Weidt gemeint. *Mir graust so vor ihm, dass ich mich fürchte, wenn er nach Hause kommt. Neckisch, lieblich, girrend, wie ein junger Mensch umhüpfte er die Mildenburg, die Weidt. Gott, wenn er doch nie mehr nach Hause käme! Nicht mehr mit ihm leben!*[50] Als Mahler sich ihr am gleichen Abend liebevoll nähern wollte, stieß sie ihn zurück und sagte: *Mir eckelt vor Dir! Weiter kam ich nicht. Wir sprachen nichts miteinander. Am folgenden Tag gab es eine herbe Aussprache im Stadtpark. Er sagte, er fühle deutlich, dass ich ihn nicht liebe. Und er hatte recht – seit dem letzten Geschehnis war alles kalt in mir.* Insgeheim war sich Alma jedoch darüber im Klaren – darauf lassen ihre Tagebucheintragungen vom Januar 1903 schließen –, dass ihre Eifersucht nichts anderes war als eine pathetische Inszenierung. *Nicht in ihm liegt es, wenn ich mich oft nicht glücklich fühle, nur in mir.* Und weiter: *Äußerlich tobe ich, weine, rase – und im Innern ist eine unbrechbare Ruhe, erschreckend! […] Armselige Halbnatur!*[51]

Besonders schmerzlich empfand Alma den Umstand, dass ihr Mann an den von ihr so geliebten geselligen Zusammenkünften und festlichen Abendgesellschaften kein Interesse zeigte und derartige Anlässe als pure Zeitverschwendung sogar verabscheute. Zwar pflegte der Hofoperndirektor durchaus seine Kontakte, beispielsweise zu seinem Jugendfreund Guido Adler, Professor für Musikwissenschaft in Wien, zu dem Schriftsteller Gerhart Hauptmann, zu Alfred Roller, Bühnenbildner an der Hofoper, oder zu seinem Komponistenkollegen Hans Pfitzner, jedoch fühlte er sich nach der Charakterisierung seiner Frau *selten irgendwo wohl. Er verbreitete dann eine Atmosphäre um sich herum, ›als läge eine Leiche unter dem Tisch‹. Ich bin überzeugt, dass die Menschen aufatmeten, wenn wir endlich fortgingen.*[52] Das Leben an der Seite Mahlers langweilte Alma. Sie behauptete später, er habe ihr das Dasein ungenießbar gemacht, *das heißt, er versuchte es: Geld – Tand! Kleider – Tand! Schönheit – Tand! Reisen – Tand! Nur der Geist allein!*[53] In ihrem Tagebuch flehte Alma: *Ach, wenn er doch jünger wäre! Im Genießen jünger.*[54]

In der Anfangszeit der Ehe blieb Alma meistens in Wien, wenn Mahler auf Konzertreisen ging. Sie hätte allein zu Hause sitzen müssen, behauptete sie später, weil sich die junge Familie eine zweite Fahrkarte nicht hätte leisten können. Nach eigenen Angaben hat Alma bei der Hochzeit einen Schuldenberg in Höhe von 50 000 Kronen vorgefunden, den sie Mahlers Geschwistern anlastete. Allen voran Justine habe, so Alma, ihren Bruder regelrecht ausgeplündert.[55] Dabei verkannte sie, dass Mahler nach dem Tod der Eltern zeitweilig vier Geschwister zu ernähren hatte. Den Schulden standen erhebliche Einnahmen gegenüber. Als Alma Gustav Mahler kennen lernte, verfügte er über ein Jahresgehalt von 26 000 Kronen, das entspricht ungefähr 104 000 Euro. Dazu kamen die Honorare für Gastdirigate sowie die Erlöse aus dem Verkauf seiner Werke. So schloss Mahler beispielsweise im Jahr 1903 mit dem renommierten Leipziger Verlagshaus C. F. Peters einen Vertrag, der ihm allein für die 5. Sinfonie 20 000 Kronen einbrachte. Das war eine nicht unbeträchtliche Summe. Alma erhielt, wie sich

Der Stardirigent: Programmheft der Konzerte am 22. und 23. Oktober 1903 unter Leitung von Gustav Mahler im Concertgebouw in Amsterdam.

einer Briefkarte Mahlers vom Juni 1905 entnehmen lässt, ein monatliches Haushaltsgeld von 1000 Kronen, also rund 4000 Euro.[56] In ihrem Buch »Erinnerungen und Briefe« hat sie bezeichnenderweise diese Mitteilung ihres Mannes gestrichen. Die wahre Höhe des Haushaltsgeldes hätte Almas Legende von der knappen Familienkasse entlarvt und außerdem deutlich gemacht, dass sie ihren Mann durchaus hätte begleiten können. Ihre häuslichen Verpflichtungen standen dem kaum entgegen, schließlich hatte sie zwei Dienstmädchen sowie für die Tochter eine englische Gouvernante. Wahrscheinlicher ist, dass Alma einfach kein Interesse daran hatte, mit ihrem Mann zu verreisen. Eifersüchtig blickte sie auf die Erfolge, die Mahler als Dirigent und als Komponist feierte. Im Juni 1902 hatte er im rheinischen Krefeld seine 3. Sinfonie mit einem triumphalen Erfolg uraufgeführt. Der Allgemeine Deutsche Musikverein unter seinem Präsidenten Richard Strauss lud Mahler daraufhin ein, seine 2. Sinfonie beim 39. Tonkünstlerfest in Basel zu dirigieren. Die Konkurrenz konnte sich durchaus sehen lassen: Komponisten wie etwa Richard Strauss, Max Reger oder Max von Schillings stellten ebenfalls ihre Werke vor. Mahlers Auftritt am 15. Juni 1903 im Basler Münster war jedoch der unumstrittene Höhepunkt des Festivals. Die 2. Sinfonie und ihr Schöpfer wurden vom Publikum und von der Presse euphorisch gefeiert. Alma, die ihren Mann in die Schweiz begleitet hatte, erwähnte dieses bedeutende Ereignis in ihrem Tagebuch mit keinem Wort. Am 15. Juni, just jenem Tag, an dem Mahler einen der größten Erfolge seines Lebens feierte, findet man folgende Eintragung: *Ich habe meine Sachen wieder gespielt, ich fühle immer – DAS, DAS, DAS!* Und, wie ein Seitenhieb auf Mahler: *Ich liebe MEINE Kunst! Alles, was ich heute spielte – so vertraut! So tief vertraut.*[57] Jahre später erwähnte sie in ihrem Erinnerungsbuch das Basler Konzert beiläufig, rühmte *die Kirche mit ihrem Lichterglanz, die Höhe des Raumes*[58], für die Musik ihres Mannes hatte sie hingegen kein Wort übrig.

Im September 1903 wurde Alma zum zweiten Mal schwanger.

Zwar verlief die Schwangerschaft komplikationslos, von mütterlicher Vorfreude konnte indes keine Rede sein. *Ich halte es so nicht mehr aus,* klagte Alma Ende Februar 1904, *meine Unzufriedenheit steigert sich von Stunde zu Stunde. [...] Es ist ein Unglück, dass ich keine Freunde mehr habe.* Bei Notizen wie dieser ist allerdings Vorsicht geboten. Sosehr Alma in ihren Tagebüchern oder auch in ihren publizierten Erinnerungen immer wieder ihre große Einsamkeit während ihrer Ehe mit Gustav Mahler hervorhob, so nachprüfbar entspricht dies wohl ihrem Gefühl der Vereinsamung, aber nicht der Realität ihres Lebens als Mahlers Ehefrau. Sie stilisierte sich als das Opfer eines arbeitswütigen, asketischen Genies. *Wenn ich mit Zemlinsky verkehren dürfte*[59], klagte sie an gleicher Stelle. Jedoch genau zu jener Zeit – im Frühjahr 1904 – hatten Alma und ihr ehemaliger Geliebter regen Kontakt, sie musizierten oder führten anregende Gespräche. Gelegentlich beschwerte sich Zemlinsky, dass er Alma nie telefonisch erreichen könne (»Ich wäre sonst längst bei Ihnen gewesen«[60]), was kaum zu dem Bild der einsam zu Hause auf ihren Mann wartenden Frau passt. Alma hatte sogar versucht, Zemlinsky gegen ein entsprechendes Honorar als Lehrer zu engagieren. Der winkte allerdings ab: Er sei gerne bereit, mit ihr »zu musizieren«, habe aber »zu wenig Zeit«, um »eine Stunde für Geld zu geben«. Zemlinsky bevorzugte ein eher unverbindliches, jederzeit lösbares Arrangement. »Also Freitag um $1/2$ 6 und wir reden gar nicht weiter darüber. Übrigens – Sie geben mir als Revanche ab und zu [einen] Sitz in die Oper. Abgemacht?«[61] Alma verhehlte ihrem Mann die regelmäßigen Treffen mit Alexander von Zemlinsky keineswegs, und Gustav Mahler ließ ihr freie Hand. Wie so oft verlor Alma jedoch irgendwann die Lust, und das Musizieren mit Zemlinsky wurde ihr langweilig. Mehr noch: ein Brief Zemlinskys aus dem Jahr 1906 macht ihr Desinteresse deutlich: »Oft dachte ich mir, wie gerne ich mit Ihnen auch von meinen Arbeiten redete, wie gern ich Ihnen alles Neue das ich fertig habe, Ihnen zeigen wollte und doch hab ich eben immer den Eindruck, daß Sie das alles nur wenig mehr interessiere!«[62] Die ständigen Klagen, alleine und einsam zu sein, keine Freunde mehr zu haben, mit Zemlinsky nicht arbeiten zu dürfen, von Mahler unterdrückt zu sein – all das fand sich nicht in der Realität. Alma beleuchtet so die Bühne ihrer Seele, auf der sie die Rolle der geknechteten Ehefrau spielt. Dieses Drama erfüllte zunächst ihr Tagebuch, später ihre veröffentlichten Memoiren. Gustav Mahler fiel dabei der Part des herrschsüchtigen Ehemannes zu.

Als am 15. Juni 1904 die zweite Tochter Anna Justina das Licht der Welt erblickte – ihrer ausdrucksvollen Augen wegen erhielt sie den Spitznamen »Gucki« –, erwähnte Alma in ihrem Tagebuch diese Geburt nicht. Stattdessen war sie im Spätsommer darin befangen, Gustav Klimt nachzutrauern, der, wie sie gehört hatte, kurz vor seiner Heirat stand. Nach ihren Aufzeichnungen waren diese Wochen und Monate eine einzige seelische Qual. *Bruno Walter ist da*, heißt es beispielsweise Anfang September. *Gustav spielt ihm seine Fünfte vor. Er lässt ihn in seine Seele schauen. Ich ging aus dem Zimmer. Walter, all die Menschen, alles ist mir fremd! Selbst die Musik!*[63] Die Entfremdung zwischen den Eheleuten hatte einen Tiefpunkt erreicht. *Gestern sprachen wir über Vergangenes und zufällig sagte ich, dass mir sein Geruch in der ersten Zeit unseres Erkennens unsympathisch gewesen war. Er sagte hierauf: ›Das ist der Schlüssel zu Vielem – Du hast wider Deine Natur gehandelt.‹ Wie Recht er hat, weiß nur ich! Er war mir fremd, vieles ist mir noch immer fremd und – wie ich glaube – für immer.*[64] Zu dieser Zeit, im Frühjahr 1905, begann sich Mahler von Alma auch in körperlicher Hinsicht abzuwenden. *Sehnen könnte ich mich nach einem Mann*, klagte Alma daraufhin, *denn ich habe KEINEN. Aber ich bin zu faul – auch dazu!*[65] Alma schrieb ihrem Mann später – im Juni 1920 – einen sexuellen Komplex zu, sie erklärte, er *fürchtete sich so vor dem Weibe, dass er davon psychisch impotent war. Seine Art, mich zu lieben wurde immer mehr ein mich in der Nacht im Schlaf überfallen.* Und weiter: *Je bedeutender ein Mann, desto kränker seine Sexualität.*[66] In Almas Büchern gibt es zahlreiche Stellen, an denen sie Mahler als prüde und verklemmt hinstellt. Sie blendet dabei die Realität aus, denn schließlich deuten Mahlers erotische Beziehungen, die er vor seiner Ehe zu etlichen Frauen hatte, kaum auf Angst vor dem weiblichen Geschlecht an sich hin. Sein Rückzug von Alma ist angesichts ihrer emotionalen Schwankungen und ihrer vorwurfsvoll ausgesprochenen Unzufriedenheit nicht unverständlich. Während Mahler sich abwandte, ließ Alma die Blicke schweifen und verfiel wieder ins Flirten. Insbesondere Hans Pfitzner hatte es ihr angetan. *Eines nur weiß ich*, schrieb sie nach einer Begegnung mit dem Komponisten im Januar 1905 in ihr Tagebuch, *er trachtete mir nahe zu kommen, berührte mich mit seinen Händen, wo er konnte, und bat mich endlich mit heißer Stimme um eine Photographie. Wir waren allein im Wohnzimmer. Ich liess mirs gefallen – fühlte diesen prickelnden Hautreiz, den ich schon so lange nicht gefühlt habe.* Die Annäherungsversuche Pfitzners waren Alma im Grunde gleichgültig, sie war auch an einer Affäre eigentlich nicht interessiert. Ihr war wichtig, dass sie einen Verehrer in ihren Bann gezogen hatte und bewundert wurde. Als Gustav Mahler das Techtelmechtel mit Pfitzner durchschaut hatte, ging er auf Distanz zu seiner Frau, die dies natürlich registrierte: *Ich war nicht lieb mit ihm, er kehrte um auf unserem Spaziergang und ging ins Theater. Ich ging allein weiter in der Stadt, es wurde finster und ich litt an meiner eigenen Lieblosigkeit, dass ich fast aufgeweint habe. Ein junger Mann verfolgte mich, mit Sehnsucht und Freude merkte ich es. Am Abend war Gustav zugeknöpft und mürrisch. Er sagte: ich stehe immer auf Seiten des Andern. Und er hat Recht. Innerlich sind wir uns jetzt fremd.*[67]

Auffällig ist, dass die erhalten gebliebenen Tagebuchaufzeichnungen aus der Ehe mit Gustav Mahler frei sind von antisemitischen Ressentiments. Hatte Alma einst enormes Selbstbewusstsein daraus gezogen, mit Alexander von Zemlinsky zu spielen, ihn wegen seines Aussehens und seiner jüdischen Abstammung zu quälen, scheinen solche Demütigungen Gustav Mahlers nicht vorgekommen zu sein. Dieser war offenbar nicht bereit, sich dem Machtwillen seiner Frau zu unterwerfen. Und so »schlief« Almas Antisemitismus während der Jahre mit ihm, »weil er von Mahler, in dem sie ihren Meister gefunden hatte, niedergetreten wurde«[68]. Almas Unzufriedenheit, die pathetischen Szenen und ihre vermehrt auftretenden gesundheitlichen Probleme – all diese Symptome einer hysterischen Persönlichkeitsstruktur nahmen zu. Der Konflikt verschärfte sich. Zweifellos: Die Ehe drohte zu scheitern.

Himmel und Hölle

Schwarz angestrichen im Kalender unseres Lebens[69], beschrieb Alma das Jahr 1907, das im Leben der Familie Mahler zum Schreckensjahr wurde. Am 1. Januar begann eine Pressekampagne, die Gustav Mahler über Monate nicht zur Ruhe kommen lassen sollte. Man warf ihm eine Vielzahl von Versäumnissen vor, wie zum Beispiel der Kritiker Richard Wallascheck, der in der Wiener Wochenschrift »Die Zeit« große Lücken in Mahlers Repertoire und mangelnde Qualität der von Mahler engagierten Sänger monierte. Darüber hinaus polemisierte Wallascheck gegen Mahlers Konzertreisen, seinen angeblich zu reichlich bemessenen Urlaub – und überhaupt sei er ein Feind der Oper geworden, schlimmer noch, Mahler würde diese zerstören.[70] In solche Anwürfe mischten sich zunehmend antisemitische Ressentiments. Mahler fühlte sich, ließ er Alma während einer Konzertreise aus Frankfurt wissen, »wie ein gehetztes Tier, hinter dem die Hunde her sind«[71]. Direkte Konsequenzen für das Leben der Mahlers hatte aber erst die so genannte Wiesenthal-Affäre. Bruno Walter und der Bühnenbildner Alfred Roller hatten hinter dem Rücken des Ballettdirektors Josef Hassreiter – aber mit Billigung Mahlers – versucht, für die Inszenierung der Oper von Daniel Auber »Die Stumme von Portici«, deren stumme Titelrolle von einer Tänzerin übernommen wird, die junge Danseuse Grete

Wiesenthal zu engagieren. Hassreiter fühlte sich übergangen, beschwerte sich bei Mahlers Vorgesetztem Alfred Fürst von Montenuovo und bot sogar seinen Rücktritt an. Hatte sich der Fürst in den Jahren zuvor auch bei unpopulären Entscheidungen immer auf Mahlers Seite gestellt, begann sich nun seine schützende Hand zurückzuziehen. Mahlers Position war gefährdet, die Angriffe der Presse nahmen kein Ende. Noch bevor die Mahlers Mitte März nach Rom reisten, wo Gustav Mahler zwei Konzerte dirigieren sollte, kam es zu einer folgenreichen Unterredung mit Montenuovo. Der Fürst hatte erfahren, dass Mahler beabsichtigte, seinen Italienurlaub ohne dienstliche Genehmigung zu verlängern, und konfrontierte seinen Hofoperndirektor mit dieser peinlichen Eigenmächtigkeit, die man vielleicht in anderen Zusammenhängen und ohne die vorausgegangenen Affären als Petitesse abgetan hätte. *Aber das Gespräch spitzte sich so zu*, erinnerte sich Alma, *dass beide übereinkamen, sich Mahlers Demission zu überlegen*.[72] Danach gab es für beide keinen Weg mehr zurück.

Mahlers Entschluss, die Wiener Hofoper zu verlassen, ist allerdings nicht nur auf die Skandale und Intrigen der ersten Jahreshälfte zurückzuführen. Schon länger war ihm bitter klar geworden, dass er wegen der vielen künstlerischen Kompromisse die Wiener Oper – immerhin ein fast täglich spielendes Musiktheater – in keiner Weise auf ein für ihn akzeptables Niveau heben konnte. Darüber hinaus wurde ihm sein eigenes künstlerisches Schaffen immer wichtiger, und er wollte nicht nur in den Sommermonaten komponieren. Die so genannte Salomé-Affäre war schließlich ein weiterer, wichtiger Grund in der Geschichte seiner Demission. Dass es Mahler als Hofoperndirektor nicht gelungen war, Richard Strauss' Oper »Salomé« in Wien durchzusetzen – das Werk wurde von der Theaterzensur aus religiösen und sittlichen Gründen abgelehnt –, hatte ihm eine bittere Enttäuschung zugefügt. Und als am 21. April erstmals bei einer von Mahler geleiteten Vorstellung gepfiffen wurde, an diesem Abend gab es Richard Wagners Oper »Tristan«, reifte in

Alma 1906 mit den Töchtern Maria und Anna. »Ich habe noch nicht die rechte Liebe dafür.«

Mahler wohl endgültig der Entschluss, der Hofoper den Rücken zu kehren. Der alles entscheidende Faktor für Mahlers Demission aber war ein vielversprechendes Angebot aus Amerika.[73]

Nach längeren Verhandlungen hatte der Leiter der Metropolitan Opera in New York, der in Österreich geborene Heinrich Con-

*Vater und Töchter: Gustav Mahler mit
Maria und Anna*

ried, es geschafft, Mahler an sein berühmtes Haus zu verpflichten. Diese Möglichkeit war nicht nur ein Glücksfall für Mahler, sondern auch eine Notwendigkeit für die »Met«, die im Jahr 1906 durch das neu eröffnete Manhattan Opera House unter der Leitung von Oscar Hammerstein eine starke Konkurrenz bekommen hatte. Mit dem Engagement Gustav Mahlers würde sich – so die Annahme Conrieds – die Attraktivität seines Hauses erhöhen. Am 21. Juni war der Vertrag ausgehandelt, und Mahler verpflichtete sich, für eine Laufzeit von vier Jahren jeweils von Ende Januar bis Ende April an der »Met« zu dirigieren. Das Honorar war im Vergleich zu seinem Wiener Gehalt ungeheuer hoch: für eine Saison erhielt er 75 000 Kronen, von 1908 bis 1911 insgesamt also 300 000 Kronen, rund 1,2 Millionen Euro. Obendrein übernahm Conried sämtliche Reise-, Hotel- und Verpflegungskosten.[74]

Vor diesem Hintergrund glänzender Zukunftsaussichten hatten die Mahlers eigentlich einen erholsamen Sommerurlaub in Maiernigg verbringen wollen. Bereits wenige Tage nach der Ankunft nahm das Unheil jedoch seinen Lauf. »Wir haben furchtbares Pech!«, schrieb Gustav Mahler am 4. Juli an seinen Freund Arnold Berliner. »Jetzt hat meine Ältere Scharlach-Diphtherie!«[75] Die jüngere Tochter Anna war schon im Mai an Scharlach erkrankt, hatte sich aber nach einigen Wochen wieder vollständig erholt. Maria hingegen war nun mit der wesentlich gefährlicheren Diphtherie infiziert, die auch heute noch tödlich verlaufen kann. Sie kämpfte zehn Tage ums Überleben. Die Entzündung im Rachenraum verursachte große Schmerzen und heftige Atemnot. Maria wurde immer schwächer und verfiel vor den Augen der Eltern und des behandelnden Arztes Dr. Carl Blumenthal. In der Nacht vom 10. auf den 11. Juli führte der Doktor als letzte Möglichkeit noch einen Luftröhrenschnitt durch, während draußen ein fürchterliches Gewitter tobte und der Himmel sich blutrot verfärbte. Alma hatte es offenbar im Haus nicht mehr ausgehalten: *Ich rannte während der Operation am Strand entlang, laut schreiend, von niemandem gehört.* Und Gustav Mahler hatte sich in sein Zimmer zurückgezogen, *von diesem geliebten Kinde im Innern Abschied nehmend*[76]. Aber der medizinische Eingriff brachte keine Besserung: Maria lag noch einen weiteren Tag mit großen Augen, unter schwerer Atemnot in ihrem Bett und starb unter schrecklichen Qualen am frühen Morgen des 12. Juli.

Die Nachricht vom Tod des Mädchens verbreitete sich schnell, vor allem durch die Wiener Presse, und unzählige Beileidsschreiben trafen in den folgenden Tagen in Maiernigg ein. Alma und Gustav Mahler waren wie paralysiert. Anna Moll kam aus Wien herbeigeeilt, um ihnen beizustehen. Doch als sie auf einem Spaziergang mit Alma mit ansehen musste, wie der Kindersarg aus dem Haus gebracht und abtransportiert wurde, erlitt sie einen Herzkrampf. Alma fiel in Ohnmacht. Der eilig herbeigerufene Dr. Blumenthal *konstatierte große Herzschwäche und verordnete Ruhe und Liegen*[77], wie sich Alma später erinnerte. Auch Gustav Mahler ließ sich, ohne einen besonderen Verdacht zu schöpfen, untersuchen. Blumenthals Urteil versprach nichts Gutes: »Na, auf dieses Herz brauchen Sie aber nicht stolz zu sein!« Ohne Zweifel hat Alma diesen Ausspruch

Urlaubsidyll mit dunklen Flecken: der Sommerwohnsitz der
Familie Mahler in Maiernigg am Wörther See

später dramatisiert und so den Eindruck erweckt, ihr Mann habe in
jener Minute sein Todesurteil erfahren: *Und mit diesem Befund be-*
gann das Ende Mahlers.[78] Medizinisch ist diese Darstellung nicht
begründet. Mahler reiste am 17. Juli nach Wien, um sich von dem
Herzspezialisten Dr. Friedrich Kovacs untersuchen zu lassen, der
einen doppelseitigen, kompensierten Herzklappenfehler feststellte.
Also war die Diagnose alles andere als ein Todesurteil, denn kom-
pensiert ist ein Herzfehler, wenn der Organismus gelernt hat, den
Fehler auszugleichen. Kovacs riet seinem Patienten dennoch, jede
körperliche Anstrengung zu vermeiden, eine Anweisung, die sich
bei einem Energiebündel wie Mahler schädlich auswirkte. Der Ver-
zicht auf Radfahren, Schwimmen und Bergwandern machte ihn
zeitweilig zum sich ständig beobachtenden Hypochonder. Als
Mahler später erkannte, dass die ärztlichen Direktiven es waren, die
ihn krank machten, kehrte er zu seinen alten Gewohnheiten zurück.
Allerdings – und hierin stimmen viele der Biographen Mahlers

überein – war das Zusammentreffen des Todes der kleinen Maria mit der Herzfehler-Diagnose und ihren Konsequenzen für den 47-jährigen Mann eine Zäsur von existenzieller Dimension. »Er ist ganz gebrochen davon«, schrieb Bruno Walter Mitte September an seine Eltern. »Äußerlich kann ihm niemand etwas anmerken, aber wer ihn kennt weiß, dass er innerlich ganz fertig ist.« Und Alma? »Sie scheint es leichter zu tragen, mit Tränen und Philosophieren. Ich weiß überhaupt nicht wie man so etwas tragen kann.«[79]

Im Jahr 1920, also gut 13 Jahre später, beschäftigte sich Alma in ihrem Tagebuch noch einmal mit jenem furchtbaren Sommer 1907. Mit einer Offenheit, die man sich wohl nur im Tagebuch erlaubt, erinnert sie sich an eine Szene, die vor dem Hintergrund des nahen, aber noch nicht absehbaren Todes ihrer Tochter schrecklich erscheint. Gustav Mahler und sie, Alma, seien einmal an ihrem Haus vorbeigefahren und hätten Maria beobachtet, wie sie *den unendlich schönen dunklen Lockenkopf* an die Fensterscheibe drückte. *Gustav winkte verliebt hinauf. War es das? Ich weiß es nicht, aber plötzlich wusste ich: Dieses Kind muss weg. Und sofort. Um Gotteswillen! Weg den Gedanken! Weg das verfluchte Denken. Aber das Kind war tot nach ein paar Monaten.*[80] Der Verdacht ist grauenvoll: Sehnte etwa Alma den Tod ihrer eigenen Tochter herbei? War Alma eifersüchtig auf Maria, schlimmer noch, sollte das Mädchen sterben, weil es der ganze Stolz des Vaters war? Obwohl man vor der Konsequenz dieses Gedankens zurückschreckt, ist auffällig, dass Alma bei der späteren Überarbeitung ihres Tagebuchs über den Halbsatz *aber plötzlich wusste ich* das kleine Wörtchen *wünschte* schrieb. Außerdem ist es vielsagend, dass der Tod der Tochter Alma und Gustav Mahler einander noch weiter entfremdete. Nach Almas Aufzeichnungen schöpfte Mahler intuitiv Verdacht: *Er verargte mir, ohne es zu wissen, den Tod des Kindes.*[81] Maria wurde in Maiernigg beerdigt und nach Mahlers Tod nach Wien überführt, wo sie an der Seite ihres Vaters die letzte Ruhe fand.

Die Wiener Hofoper eröffnete die neue Spielzeit am 18. August, und so blieb den Mahlers nach der Beerdigung der Tochter wenig Zeit für gemeinsames Trauern, zumal Mahler offiziell noch im Dienst war und einige Aufführungen zu dirigieren hatte. Am 15. Oktober stand er bei einer Vorstellung des »Fidelio« zum letzten Mal am Pult der Oper. Danach trat er eine Konzertreise nach St. Petersburg und Helsinki an, während Alma sich zu einer Kur auf den Semmering begab. Mitte November zurückgekehrt, blieben noch knapp vier Wochen, um die Reisevorbereitungen zu treffen und Abschied zu nehmen. Mahler hatte Conried zugesagt, sich am 12. Dezember im französischen Cherbourg einzuschiffen. Die Abreise vom Wiener Westbahnhof wurde für die Mahlers zum triumphalen Ereignis. Etwa zweihundert Menschen hatten sich am 9. Dezember vor 8.30 Uhr am Bahnsteig eingefunden, darunter Arnold Schönberg, Alban Berg, Anton von Webern, Alfred Roller, die Molls, Gustav Klimt, Bruno Walter sowie Arnold Rosé. *Sie standen, als wir ankamen, alle schon da, die Hände voll Blumen, die Augen voll Tränen, stiegen in unser Coupé, bekränzten es, die Sitze, den Boden, alles.*[82] Als sich der Zug in Bewegung setzte, sprach Gustav Klimt aus, was viele dachten: »Vorbei!«[83]

In der Neuen Welt

Nach zwei Tagen Aufenthalt in Paris traten Alma und Gustav Mahler von Cherbourg aus an Bord der »Kaiserin Auguste Viktoria« die achttägige Schiffspassage nach New York an. Heinrich Conried hatte für seinen neuen Dirigenten das Hotel »Majestic« vorbereiten lassen. Das Haus gehörte zu den besten Adressen der Stadt, lag direkt am Central Park West, dort wo die 72. Straße einmündet, und bot den Gästen allen nur denkbaren Komfort. Im 11. Stock hatten die Mahlers eine geräumige Suite zur Verfügung, die sogar mit zwei Flügeln ausgestattet worden war. Während Mahler sich gleich am Ankunftstag euphorisch in die Arbeit stürzte, Conried und andere

Repräsentanten der Metropolitan Opera traf und noch am 23. Dezember die erste Probe abhielt, erkundete Alma die Stadt. Die praktische Straßennummerierung machte es ihr leicht, sich zurechtzufinden, nach dem Weg hätte sie ohnehin nicht fragen können. Alma konnte sich auf Englisch nicht verständigen und hat diese Sprache bis zu ihrem Lebensende nicht richtig beherrscht.

Die anfängliche Begeisterung für New York und das Leben in einer gänzlich neuen Umgebung nahm jedoch bald ab und wich der Gleichförmigkeit des Alltags. Das erste Weihnachtsfest ohne Maria – die kleine Anna war bei ihren Großeltern Moll in Wien geblieben – musste zu einer emotionalen Krise führen. *Mahler wollte nicht daran erinnert sein, dass Christfest sei, und ich war verlassen und einsam und weinte ununterbrochen den ganzen Tag.* Ein Bekannter der Mahlers wollte helfen, indem er die beiden zu sich nach Hause einlud. Aber auch dort hielten sie es nicht lange aus: *Einige Schauspieler und Schauspielerinnen, die nach dem Nachtmahl kamen, vertrieben uns, da die eine, ein verdorbenes Frauenzimmer, ›Putzi‹ genannt wurde.*[84] »Putzi« war ja doch der Kosename der gestorbenen Tochter Maria gewesen. Almas Grundproblem in diesen ersten New Yorker Monaten war – wie so oft in ihrem Leben – Langeweile. Sie, die ihren Mann ja nur begleitete, wusste mit sich und der Welt nichts anzufangen, verbrachte ganze Tage im Bett und weinte viel, wenn man ihr glauben will, sogar tagelang. *Herzschwäche* machte sie für ihren Zustand verantwortlich, die bei der 28-Jährigen allerdings kaum vorgelegen haben dürfte. Es war vielmehr das Gefühl innerer Leere, das sich bei ihrem ersten New Yorker Aufenthalt besonders quälend bemerkbar machte. Ohne ihre Familie fühlte sie sich einsam und litt wohl an Heimweh. Hinzu kam, dass die Mahlers in der Anfangszeit nur wenige gesellschaftliche Kontakte hatten. Erst am Ende der Saison lernten sie Dr. Joseph Fraenkel kennen, der beiden ein enger Freund werden sollte. Er hatte sich in Wien als Neurologe und Psychiater einen Namen gemacht und war einige Jahre vor den Mahlers nach New York gekommen. Alma und Gustav Mahler waren von dem scharfsinnigen, humorvollen, extravaganten und wohl auch etwas kauzigen Doktor äußerst angetan. *Mahler war ihm immer mehr, zuletzt derart verfallen*, erinnerte sich Alma, *dass Fraenkel ihm alles hätte ordinieren können, er hätte es widerspruchslos getan.*[85] Dass der 1867 geborene Fraenkel sich in den folgenden Jahren heftig in Alma verlieben sollte, war die nicht gezeigte Kehrseite der Medaille.

Nachdem Gustav Mahler am 1. Januar 1908 mit der Aufführung von Richard Wagners »Tristan« einen großen ersten Erfolg in New York für sich verbuchen konnte, überstürzten sich im Laufe des Februar und des März die Ereignisse an der »Met«. Heinrich Conried hatte bereits kurz nach Mahlers Ankunft seinen Chefposten räumen müssen, aus gesundheitlichen Gründen, wie es offiziell hieß. Sein Nachfolger wurde der bisherige Direktor der Mailänder Scala Giulio Gatti-Casazza, der den Dirigenten Arturo Toscanini mitbrachte. Hatte sich Gustav Mahler mit Conried ausgezeichnet verstanden, so veränderte sich die Situation nun entscheidend. Toscanini, wie Mahler ein glühender Verehrer der Opern Wagners, wollte sich nicht nur auf die italienische Oper beschränken, sondern auch mit Wagner-Aufführungen Zeichen setzen. Der Zusammenprall der beiden Dirigenten – Mahler und Toscanini – war unvermeidlich. Mahler realisierte schnell, dass seine Bindung an die »Met« nicht von Dauer sein würde, was ihn für Alternativen offen sein ließ. Ein neues Betätigungsfeld rückte in Reichweite, als vermögende New Yorker Bürgerinnen beschlossen, für ihre Stadt ein Orchester zu gründen, das es mit dem berühmten Boston Symphony Orchestra aufnehmen konnte. Allen voran die schwerreiche Bankiersfrau Mrs. George R. Sheldon war davon überzeugt, dass Gustav Mahler die Leitung übernehmen sollte. Bereits ab Herbst 1908 sollte das aus den besten Musikern New Yorks zusammengestellte neue Orchester mit Mahler an der Spitze Festkonzerte in der Carnegie Hall veranstalten. Der erste Aufenthalt in der Neuen Welt ging für Mahler mit dieser vielversprechenden Aussicht zu Ende.

Die Mahlers freuten sich auf die Heimreise, auf Wien und auf das Wiedersehen mit der Familie. *Wir sind mit Freuden von Wien wegge-gangen,* hatte Alma Mitte Februar 1908 an Margarethe Hauptmann geschrieben, *werden aber – glaube ich – ganz gerne dorthin zurück-kehren.*[86]

Kaum in Wien angekommen begab sich Alma mit ihrer Mutter im Frühjahr 1908 auf die Suche nach einer neuen Sommerresidenz. Eingedenk der schrecklichen Ereignisse des Vorjahres war an eine Rückkehr nach Maiernigg nicht mehr zu denken – das Haus wurde verkauft. In Alt-Schluderbach bei Toblach in den Sextener Dolo-miten fanden sie ein großes Bauernhaus, den so genannten Tren-kerhof. In der ersten Etage standen den Feriengästen elf Zimmer, zwei Veranden und zwei Badezimmer zur Verfügung. Dieses Refu-gium war ganz nach ihrem Geschmack und entsprach vor allem Gustav Mahlers Bedürfnissen: Der Trenkerhof garantierte ein Mindestmaß an Komfort, war aber zugleich absolut ruhig gelegen. Und nicht zuletzt lud die zauberhafte Landschaft mit ihren grünen Wiesen, lichten Lärchen- und dunklen Fichtenwäldern zu ausge-dehnten Spaziergängen ein. Unweit des Wohnhauses ließ Mahler nach alter Gewohnheit ein kleines Komponierhäuschen einrichten, wo in den folgenden Sommern sein Spätwerk – »Das Lied von der Erde«, die 9. sowie das Fragment der 10. Sinfonie – entstand. Dieser Urlaub war für Mahler ausgesprochen produktiv, die Arbeit am »Lied von der Erde« machte große Fortschritte. Zu Almas Freude fanden viele Gäste den Weg nach Toblach. Während für den ruhe-liebenden Mahler gelegentlich etwas zu viel Trubel herrschte, war Alma glücklich, alte Freunde und Bekannte wie den Bankier Paul Hammerschlag oder den Kritiker Julius Korngold wieder zu sehen.

Als die Mahlers am 21. November 1908 zur zweiten Spielzeit in New York eintrafen, stand für Gustav Mahler fest, die Metropolitan Opera bald zu verlassen, nicht zuletzt, weil sich – wie von ihm be-fürchtet – die Zusammenarbeit mit Arturo Toscanini sehr uner-freulich anließ. Die verlockenden Pläne, ein neues New Yorker Or-

Gustav Mahlers Komponierhäuschen in Toblach,
in dem die 10. Sinfonie entstand

Partiturseite aus Gustav Mahlers 10. Sinfonie. »Eine ganze
Symphonie – mit allen Schrecken dieser Zeit drin.«

chester unter Mahlers Leitung aufzubauen, mussten aus finanziellen Gründen allerdings wieder aufgegeben werden. Man beschloss nun, das bereits bestehende und eher unbedeutende Orchester der New York Philharmonic Society durch neue Musiker aufzufrischen und Mahler die Leitung anzubieten. Trotz der veränderten und weniger attraktiven Konditionen nahm Mahler das Angebot an und stand am 31. März erstmals am Pult der New Yorker Philharmoniker. Von der »Met« hatte Mahler sich mit einer Aufführung des »Figaro« fünf Tage zuvor verabschiedet.

Nach dem Ende der zweiten Saison in New York ging es ohne Unterbrechung weiter – Mitte April 1909 trafen die Mahlers in Paris ein, wo es galt, eine für das Jahr darauf geplante Aufführung der 2. Sinfonie vorzubereiten. In der Stadt an der Seine verlebten sie *Tage der herrlichsten Ruhe*, wie Alma sich erinnerte, und trafen Freunde wie Sophie und Paul Clemenceau. Carl Moll hatte die Idee gehabt, bei dem berühmten Bildhauer Auguste Rodin eine Büste Mahlers in Auftrag zu geben. Da Mahler daran offenbar zunächst kein Interesse zeigte, behauptete Sophie Clemenceau durchaus listig, es sei Rodins ausdrücklicher Wunsch, den berühmten Dirigenten zu modellieren. *Mahler glaubte es – mit etwas Misstrauen – aber er sagte zu, was er unter anderen Umständen niemals getan hätte, und es begannen die wunderbarsten Sitzungen.*[87]

Im Gegensatz zum Vorjahr war Mahler nun, im Frühjahr und Sommer 1909, in einer wesentlich besseren Stimmung. Er blickte optimistisch in die Zukunft, freute sich auf seine neue Aufgabe und fühlte sich überhaupt wieder freier und jünger, dem Leben zugewandt. Nur Alma war in einer miserablen Verfassung. In ihrem Erinnerungsbuch macht sie dunkle Andeutungen: *Ich war damals hochgradig nervös, und als ich nach Wien zurückgekehrt war, wurde mir ein Aufenthalt in Levico verordnet.*[88] Der Badeort in der Nähe von Trient war für heiße und schwefelhaltige Quellen berühmt, die bei Hautkrankheiten, nervösen Störungen und so genannten Frauenleiden Hilfe versprachen. Wahrscheinlich erholte Alma sich dort von einer Fehlgeburt oder einer Abtreibung, deren nähere Umstände nicht mehr rekonstruiert werden können. Noch im März hatte Mahler aus New York einen andeutungsreichen Brief an seinen Schwiegervater Carl Moll geschrieben: »Alma ist sehr wohl – über ihren Zustand hat sie wohl selbst geschrieben. Sie ist von ihrer Last befreit. Diesmal tut es ihr aber selbst leid.«[89] Demnach – das Wörtchen »diesmal« verrät es – kann man davon ausgehen, dass Alma nicht zum ersten Mal ein Kind verloren hatte. Während Alma in New York und Paris vielfach abgelenkt war, empfand sie nun ihre Einsamkeit als besonders schmerzlich und überließ sich in Levico ihren depressiven Zuständen. *Tief melancholisch saß ich nächtelang auf meinem Balkon, sah weinend auf die lustige, hellgekleidete Menge, deren Lachen mir weh tat, sehnte mich zum Verrücktwerden nach irgend etwas, nach Liebe, nach Leben, nach einem Fenster, heraus aus dieser eiskalten Gletscheratmosphäre.*[90]

Zweifellos hatte in diesem Sommer 1909 die Entfremdung von Alma Mahler zu ihrem Mann einen neuen Tiefpunkt erreicht. Als Gustav Mahler sie von Toblach kommend in Trient traf, fühlte sie sich von ihm regelrecht abgestoßen: *Der Friseur in Toblach hatte ihn vor der Abfahrt, wo er sich besonders schön machen lassen wollte, vollkommen glatt geschoren. Er hatte Zeitung gelesen und es nicht gemerkt. Er war unkenntlich hässlich, wie ein Bagnosträfling, ohne die beiden ausladenden Seitenhaarbüsche, die seinem ungeheuer langen, hageren Gesicht die richtige Formation gaben. Ich konnte mich nicht gewöhnen und mein Fremdheitsgefühl nicht überwinden, so fuhr er nach zwei Tagen betrübt wieder weg.*[91] Dass Alma dieses kleine Malheur nicht mit Humor nahm, dass sie sich über Mahlers Aufmerksamkeit – er war ja ihretwegen extra zum Friseur gegangen – nicht freuen konnte, ließ für die Zukunft Schlimmes befürchten. Es ist fraglich, ob sich Mahler tiefere Gedanken über den Zustand seiner Frau machte. Deren ständige Kurbedürftigkeit, ihre häufigen Unpässlichkeiten, die immer greller hervortretenden Stimmungsschwankungen und nicht zuletzt die Tatsache, dass sie dem Alkohol verstärkt zusprach, waren Ausdruck einer echten Krise. Almas bleibende Neigung zum Trinken datiert sicher aus jener Zeit. Falls Mahler sich den Ernst der Lage bewusst machte, so fand dies zumindest in seinen Briefen keinen Niederschlag. Möglicherweise hatten sich die Eheleute zu diesem Zeitpunkt innerlich schon so weit voneinander entfernt, dass Mahler Almas Problematik nicht ernst genug nahm und sie stillschweigend als Launenhaftigkeit abtat. Mahlers alte Freunde allerdings, allen voran Guido Adler, sahen in Almas Verhalten nichts anderes als krassen Egoismus. Adler fasste seine Kritik wohl Ende 1909 in einem nicht erhaltenen Brief zusammen; Mahlers scharfer Antwort vom Neujahrstag 1910 ist aber zu entnehmen, dass er sich hinter seine Frau stellte. »Du kannst es mir aufs Wort glauben, dass sie nichts anderes im Auge hat als mein Wohl.« Und weiter: »Wann hast Du bei ihr Verschwendungssucht oder Egoismus bemerkt?« Mahlers Versicherung, Alma sei ihm »ein tapferer, an allem Geistigen teilnehmender treuer Genosse« und eine »kluge, besonnene Hausverwalterin«[92], klingt jedoch eigenartig gestelzt und fast geschäftlich. Wahrscheinlich war Mahler von diesem Brief selbst nicht überzeugt, denn er scheint ihn nie abgeschickt zu haben, das Original fand Alma nach seinem Tod in seinen Papieren.

Zurück in das Jahr 1909: Bevor sich die Mahlers Mitte Oktober in Cherbourg zum dritten Mal nach New York einschifften, lösten sie die Wohnung in der Auenbruggergasse auf. Es war absehbar, dass sie auch in Zukunft die Sommermonate in Toblach verbringen würden, und in Wien ließ sich Quartier bei den Schwiegereltern beziehen. *Ich verpackte alle Möbel und Bücher, und unser ganzer beweglicher Besitz wanderte ins Depot.*[93] In New York stürzte sich Mahler voller Elan in seine erste Saison als Chef des neu zusammengeführten New York Philharmonic Orchestra. Obwohl gut die Hälfte der Musiker ausgetauscht worden war, blieb Mahler nicht völlig zufrieden. An Bruno Walter schrieb er Mitte Dezember: »Mein Orchester hier ist das richtige amerikanische Orchester. Talentlos und phlegmatisch. Man steht am kürzeren Hebel.« Für das

Publikum fand er indes warme Worte: »Das Publikum hier ist sehr lieb und verhältnismäßig viel anständiger als in Wien. Sie hören aufmerksam und wohlwollend zu.«[94] Es verwundert nicht, dass er seine Zukunft nicht in Amerika sah – offensichtlich wollte er nach den Erfahrungen in New York nur genug Geld verdienen, um sich irgendwo in der Nähe von Wien zur Ruhe zu setzen.

Der Sommer 1910

Am 12. April 1910 trafen die Mahlers von Cherbourg kommend in Paris ein. Nur fünf Tage später hatte Gustav Mahler die lange geplante Aufführung der 2. Sinfonie im Théâtre du Châtelet zu leiten, außerdem standen Ende April zwei Konzerte in Rom (ein drittes wurde wegen Unvermögen des Orchesters abgesagt) auf dem Programm. Auch in Wien, wo sie am 3. Mai eintrafen, gab es kaum einen Ruhepunkt. Die Uraufführung der 8. Sinfonie war für den 12. September in München angesetzt worden. Bis dahin galt es mit Hilfe vieler Hände das Orchester, die Chöre sowie die Drucklegung des Klavierauszuges und der Chorstimmen vorzubereiten. Rastlos eilte Mahler im Mai und Juni zwischen Wien, München und Leipzig hin und her, hielt Einzelproben und Besprechungen mit Musikern und Solisten ab. Angesichts dieser aufreibenden Geschäftigkeit war Alma, obschon sie den Winter in New York genossen zu haben schien, am Ende ihrer Kräfte: *Ich war sehr krank und konnte einfach nicht weiter – von dem ewig währenden Hetztreiben, das ein solcher Riesenmotor wie Mahlers Geist bedingt, völlig aufgerieben.*[95] Ein Arzt empfahl ihr eine gut sechswöchige Kur in Tobelbad, wo sie Geist und Körper kurieren sollte. Der kleine Ort in der Steiermark, wenige Kilometer südlich von Graz, war damals groß in Mode gekommen, nicht zuletzt weil das dortige Wildbad-Sanatorium den ganzheitlichen Ansatz des Dresdner Naturarztes Dr. Heinrich Lahmann eingeführt hatte. Es waren die einfachen Dinge, auf die man in Tobelbad setzte: auf ausgewogene Ernährung, Luft-, Dampf- und Lichtbäder, Gymnastik und Freiübungen sowie auf die heilende Kraft des Wassers. Mahler brachte Alma, die knapp 6-jährige Anna und deren englische Gouvernante am 1. Juni 1910 nach Tobelbad und kehrte am nächsten Tag in die Hauptstadt zurück. Obwohl Alma Gesellschaft hatte, fühlte sie sich *so einsam und melancholisch, dass der Leiter der Anstalt, besorgt um meinen Zustand, mir junge Leute vorstellte, die mich auf meinen Spaziergängen begleiten sollten*[96].

Auch wenn die Ereignisse des Sommers 1910 in den Darstellungen Almas subjektiv verzerrt oder völlig ausgespart werden, kann man sich aufgrund erhaltener Briefe ein ziemlich genaues Bild von den Vorgängen in Tobelbad und Toblach machen. Da ist zunächst die 30-jährige, in mehrfacher Hinsicht unbefriedigte Ehefrau, die nach neun Jahren Ehe an der Seite eines vorwiegend für die Musik lebenden Genies schwer unter ihrer inneren und äußeren Unerfülltheit leidet. Ihre Beziehung zu Mahler hat sich trotz gelegentlicher Aufhellung auf ein mehr oder weniger gleichgültiges Nebeneinander eingependelt, das fast nur noch – und darin ist diese Verbindung typisch für die bürgerliche Ehe des beginnenden 20. Jahrhunderts – der äußeren Repräsentation dient. Von erotischer Spannung oder sexueller Erfüllung ist wohl, nach vermutlich mehreren Fehlgeburten oder Abtreibungen und Gustav Mahlers enttäuschter Abkehr, keine Rede mehr. Auf Fotografien dieser Zeit bildet Alma als korpulente, schnell gealterte Matrone einen seltsamen Kontrast zu ihrem trotz seiner Herzkrankheit und des großen Altersunterschieds jungenhaft wirkenden Mann. Auf die so vielfach enttäuschte Frau trifft nun der 27 Jahre alte deutsche Architekt Walter Gropius, der sich nach seinem Studium bei dem berühmten Peter Behrens vor kurzem in seiner Heimatstadt Berlin selbstständig gemacht hat und in Tobelbad ebenfalls Erholung sucht.[97] Als Alma den groß gewachsenen und äußerst attraktiven Gropius am 4. Juni 1910 kennen lernt, fühlt sie sich sofort von seiner männlichen Erscheinung angezogen. Und ebenso muss sie ihn mit ihrer Ausstrahlung als weltläufige und erfahrene Dame ungeheuer fasziniert haben. Nach kurzer Zeit sind sie ein Liebespaar.

Gustav Mahler scheint von alledem keine Ahnung gehabt zu haben. Aus Wien, Leipzig und München schickte er unermüdlich Briefe und Telegramme in Richtung Tobelbad, in denen er Alma – wie gewohnt – an seinem Alltag teilhaben ließ. Voller Enthusiasmus entwarf er ein Bild des gemeinsamen Lebens nach der kommenden, letzten Saison in New York, über die Aussicht, vom Zwang zum schnöden Gelderwerb befreit zu sein. Und zu Almas bevorstehendem Geburtstag ließ er über seinen Schwiegervater Carl Moll bei dem berühmten Wiener Architekten und Designer Josef Hoffmann ein Diadem anfertigen. Als die Briefe seiner Frau immer spärlicher wurden und sogar zeitweise ganz aussetzten, wurde Mahler nervös. Im Brief vom 21. Juni fragte er sie unumwunden: »Verbirgst Du mir etwas? Denn ich glaube immer etwas zwischen den Zeilen herauszufühlen.«[98] Alma war allem Anschein nach nicht in der Lage, Mahler zu beruhigen, denn fünf Tage später hakte er in einem Telegramm nach: »Warum keine Nachrichten bin sehr besorgt bitte Express Antworten.«[99] Mahler spürte wohl, dass irgendetwas geschehen war. An seine Schwiegermutter schrieb er: »Ich bin so beunruhigt durch die Briefe der Almschi, die einen so eigentümlichen Ton haben. Was geht denn da vor?«[100] Voller Sorgen reiste Mahler am 30. Juni von Wien nach Tobelbad, wo er zwei Tage bei Frau und Kind verbrachte. Es ist nicht bekannt, wie dieses Treffen verlief. Offenbar konnte Alma ihren Mann beschwichtigen und seine Bedenken zerstreuen, wie ein Brief Mahlers an Anna Moll bezeugt: »Nur in wenigen Worten, dass ich Almschi viel frischer und fester angetroffen habe und der festen Überzeugung bin, dass ihr die Kur hier sehr gut anschlägt.«[101]

Nach Mahlers Abreise – er bezog am 4. Juli 1910 vorerst allein den Trenkerhof, um dort die ersehnte Arbeit an der 10. Sinfonie, seinem letzten Werk, zu beginnen – setzte Alma ihr heimliches Verhältnis zu Gropius fort. Als sie Mitte Juli in Toblach eintraf, war das Liebespaar fest entschlossen, die Beziehung mit aller Vorsicht, schließlich durfte Mahler von alledem nichts erfahren, fortzuführen. Dazu hatten sie verabredet, dass Gropius seine Briefe postlagernd nach Toblach schicken sollte, was einige Zeit reibungslos funktionierte – bis zum 29. Juli 1910. An diesem Freitag kam es zur Katastrophe. Mahler saß wie immer am Klavier und studierte die Post. Unter den Briefen, die der Postbote an jenem Tag am Trenkerhof abgegeben hatte, war auch ein an Alma gerichtetes Schreiben von Walter Gropius, das allerdings »An Herrn Direktor Mahler« adressiert war. Dieser Brief, der nicht erhalten geblieben ist, muss voller heißer Liebesschwüre und intimer Andeutungen gewesen sein. Mahler hatte nach wenigen Zeilen genug, wie sich Alma erinnerte, *rief mit erstickter Stimme: »Was ist das?« und reichte mir den Brief.*[102] Zwei Tage später schrieb die völlig konsternierte Alma an Gropius: *Da es quasi durch Zufall herausgekommen ist u. nicht durch ein offenes Geständnis von meiner Seite – hat er jedes Vertrauen, jeden Glauben an mich verloren! [...] Bedenke – der Brief, in dem Du offen von allen Geheimnissen unsrer Liebesnächte schreibst – war an: Herrn Gustav Mahler – Toblach – Tirol addressirt. Wolltest Du das wirklich?*[103] Bis heute gibt diese falsche Adressierung Rätsel auf. Hatte Gropius den Brief absichtlich an Gustav Mahler geschickt, möglicherweise um eine Entscheidung zu provozieren? Oder handelte es sich dabei nur um ein, wie Gropius es später gegenüber dem Mahler-Forscher Henry-Louis de La Grange formulierte, »Versehen«?

Alma war verunsichert, zumal Mahler ihr keine Vorwürfe machte – ganz im Gegenteil, es scheint, dass er ihr vermutlich zum ersten Mal nach Jahren aufmerksam zugehört hat: *Was jetzt kam, ist unsagbar! Endlich durfte ich alles aussprechen: Wie ich mich jahrelang nach seiner Liebe gesehnt hatte und wie er, in seinem ungeheuren Missionsgefühl, mich einfach übersehen hatte.*[104] Mehr noch als die plötzliche Entdeckung der Liebesaffäre war es die Art ihrer Vorhaltungen, die Mahler in tiefe Verzweiflung stürzte. Er hatte Angst, seine Frau zu verlieren. Und Alma befand sich im Grunde in einer aussichtslosen Situation. Einerseits hatte sie in Walter Gropius einen Mann gefunden, der ihr neben rauschhaften Nächten und großer Verliebtheit die lange entbehrte Aufmerksamkeit entgegenbrachte, der ein gemeinsames Zukunftsglück versprach. Andererseits konnte sie Gustav Mahler nicht verlassen. Mitleid *(Gustav ist wie ein krankes, herrliches Kind)* war es vor allem, das sie an ihren Mann band, spürte sie doch, dass ihr *Bleiben – trotz allem, was geschehen ist – ihm Leben – und mein Scheiden – ihm – Tod – sein* [105] würde. Eine saubere Lösung dieses Dilemmas hat Alma nicht gefunden.

Wie um die peinliche Verwirrung aller Beteiligten komplett zu machen, kam Walter Gropius auf die abwegige Idee, sich vor Mahler zu rechtfertigen. Alma hat später vorgegeben, sie hätte von diesem Vorhaben nichts gewusst und Gropius in Toblach zufällig unter einer Brücke stehen sehen, woraufhin Mahler ihn geholt hätte. Dies ist allerdings eine glatte Entstellung des Geschehenen. In Wahrheit hatte Gropius seinen Besuch Alma gegenüber angekündigt. [106] Was versprach sich Gropius von jenem bizarren Zusammentreffen? Dachte er etwa, er könnte bei Gustav Mahler um die Hand seiner Frau anhalten? Almas Erinnerungen zufolge zog sich Mahler in sein Zimmer zurück und ließ die beiden allein: *Mahler ging im Zimmer auf und ab. Zwei Kerzen brannten auf seinem Tisch. Er las in der Heiligen Schrift. Er sagte: ›Was du tust, wird recht getan sein. Entscheide dich!‹ Aber ich hatte ja keine Wahl!* [107] Wenn Alma später behauptete, sie hätte sich – aus Verantwortungsgefühl – in dieser Nacht für Gustav Mahler entschieden und einer glücklichen Zukunft mit Walter Gropius entsagt, so handelt es sich dabei um eine taktierende Ausflucht aus ihrer damaligen Verwirrung und völligen Desorientiertheit. Im Grunde ist sie der klaren Entscheidung ausgewichen, oder anders ausgedrückt: sie hat sich für beide Männer entschieden und damit für eine in praktischer Hinsicht zwar schwierige und nervenaufreibende, in Hinsicht auf ihren labilen Gefühlshaushalt aber vorteilhafte Variante. Sie gab ihrem völlig verzweifelten und verstörten Ehemann das trügerische Gefühl, er könne sie zurückgewinnen, und gegenüber ihrem Geliebten ließ sie keine Zweifel aufkommen, wem ihr Herz gehörte. Die Briefe, die Alma in jenen Sommertagen an Walter Gropius schrieb, sind eindeutig: *Du musst wissen, dass ich Dich liebe – dass Du mein einziger Gedanke bei Tag u. Nacht bist – dass ich für meine Zukunft nichts anderes ersehne, als Dein zu werden u. zu bleiben.* Sie hielt ihn sogar an, fleißig zu sein und energisch seine Karriere voranzutreiben, *denn je mehr Du bist und leistest, desto mehr wirst Du mir sein!!*[108] Und am 11. August hieß es: *fühle Dich als meinen Verlobten*[109].

Eine besonders zweifelhafte Rolle sollte Almas Mutter zukommen, die am 9. August nach Toblach reiste. Mahler hing sehr an seinen Schwiegereltern, gehörten sie doch der gleichen Generation wie er an. Während er Carl Moll als Gesprächspartner und Ratgeber schätzte, empfand er für seine Schwiegermutter eine tiefe Zuneigung. Mahler vertraute der »liebsten Mama« offensichtlich grenzenlos – zu Unrecht, wie sich herausstellen sollte. Anna Moll, von Alma wahrscheinlich bereits in Tobelbad eingeweiht, war, was eheliche Untreue anbelangte, eine erfahrene Frau. Sie selbst hatte Emil Jakob Schindler jahrelang mit Carl Moll betrogen, und es scheint fast, dass sie ihrer Tochter nun entsprechende Ratschläge gab. Jedenfalls empfand sie keine Skrupel dabei, ihren Schwiegersohn zu trösten und gleichzeitig dessen Nebenbuhler herzliche Briefe zu schreiben, verbunden mit der Hoffnung, er möge dereinst ihr Kind glücklich machen. Annas Schreiben an den »lieben Walter« – »Sie stehen meinem Herzen so nahe, dass ich keine andere Aufschrift finde«[110] – lassen keinen Zweifel an ihrer zwielichtigen Haltung: »Eines steht fest: Alma kann Gustav vorläufig nicht verlassen«, redete sie Gropius Mitte August ins Gewissen. »Daran ist nicht zu denken! Ihr könntet unmöglich glücklich werden. Also was tun? Ihr müsst selbst die Kraft in Euch finden und stark sein! Ihr seid ja Beide noch so jung, Ihr könnt noch warten!« Mitunter nahmen die

Briefe den Ton von heimlich zugesteckten Kassibern an: »Mit dem Briefschreiben müssen wir es jetzt anders machen, Gustav leidet immer so entsetzlich wenn ein Brief von Ihnen kommt – er selbst übernimmt immer die Post. Sie dürfen daher nach Toblach auch nicht mehr direkt an mich schreiben, – es ist ein Zufall, dass er gestern Ihre Handschrift nicht erkannt hat.« Wem ihre Sympathien galten, war klar: »Wie sehr ich mit Ihnen und Alma fühle – wie sehr ich mit Ihnen leide, kann ich nicht sagen, das müssen Sie fühlen [...].«[111] Angesichts derartiger Beschwörungen – das als Trost gemeinte »Ihr könnt noch warten!« klingt mit dem heutigen Wissen um das Ende der Geschichte wie eine zynische Beschwichtigung – liegt die Vermutung nahe, dass Mahlers eigene Familie im Sommer 1910 nur noch auf sein Ende wartete. Inwiefern die Untreue Almas und die grauenvollen Tage im August wirklich zu seinem Tod im Mai 1911 beitrugen, kann nicht befriedigend beantwortet werden. Man kann jedoch davon ausgehen, dass die Angina, mit der sich Mahler in ebenjenen Tagen bei Annas Gouvernante ansteckte, auf einen vor allem psychisch unter Druck stehenden Mann traf. Ungeachtet dieser medizinischen Mutmaßungen lässt Almas späteres Geständnis auch heute noch innehalten: *Gustavs Tod auch – habe ich gewollt*, schrieb sie im Juli 1920 in ihr Tagebuch. *Ich liebte einst einen Andern und er war die Mauer, über die ich nicht steigen konnte.*[112]

Gustav Mahler war, was die wesentlichen Dinge angeht, ahnungslos und hinsichtlich seiner Ehe voller Hoffnung. Geradezu wahnhaft überschüttete er seine Frau mit pathetischen Liebesbeweisen. Die 8. Sinfonie, deren Drucklegung er in jenen Krisenwochen vorbereitete, widmete er Alma. Und wie mit schlechtem Gewissen nahm er sich plötzlich ihrer Jugendkompositionen an und schlug sogar eine gemeinsame Überarbeitung vor.[113] Noch im selben Jahr ließ er fünf Lieder drucken und in Wien und New York uraufführen. Auch scheinbare Kleinigkeiten im alltäglichen Miteinander änderten sich. In den nebeneinander liegenden Schlafzimmern mussten nun immer die Türen offen stehen, denn er wollte Alma atmen hören. Mehrfach stand er nachts wie ein Geist vor dem Bett seiner Frau, deren Schlaf er bewachte. Und in seinem Komponierhäuschen lag Mahler oft auf dem Boden und weinte bitterlich, erinnerte sich Alma, wenn sie ihn zum Mittagessen abholte.[114] Sie selbst nahm all das nicht ohne innere Befriedigung hin, wie sie Mitte August an Walter Gropius schrieb: *Jetzt erst werde ich wirklich etwas von G. haben – er will mit mir schwere Werke lesen – musiziren tut er schon. Kurz, der Mensch ist ein andrer – durch diese paar Leidenstage [...], nur für mich leben wollend, das ›papierne‹ Leben, (wie er sein strenges Musikerdasein nennt), verlassend – obwohl er gerade jetzt eine ganze Symphonie gemacht hat – mit allen Schrecken dieser Zeit drin.*[115] Auffällig in diesen Zeilen ist nicht nur, dass Alma sich selbst entlastet, indem sie die wohl schwerste Krise in Mahlers Leben als ein *paar Leidenstage* verharmlost, sondern auch die unterschwellige Genugtuung, mit der sie ihren Mann erfolglos um ihre Liebe werben sah. Vielleicht ahnte Mahler, dass sein Kampf aussichtslos war. Die handschriftliche Partitur seiner 10. Sinfonie, die in jenen Sommermonaten entstand, ist mit zahlreichen wie im Wahn notierten Randbemerkungen versehen – insofern ist Almas Diktum von den *Schrecken dieser Zeit* durchaus zutreffend.[116] Kommentare wie »Erbarmen! O Gott! O Gott! Warum hast Du mich verlassen! Dein Wille geschehe« oder auch »Der Teufel tanzt es mit mir! Wahnsinn, faß mich an, Verfluchter! Vernichte mich, daß ich vergesse, daß ich bin!« beschreiben seine an Wahnsinn grenzende Verzweiflung. Nahezu täglich schrieb er Alma kleine Briefe, in denen er Erlösung durch ihre Liebe erflehte. »Komm, banne die finstern Geister, sie umklammern mich, sie schleudern mich zu Boden. Bleib mir, mein Stab, komm bald heute, damit ich mich erheben kann. Ich liege darnieder und warte, und frage stumm, ob ich noch erlöst werden kann, oder ob ich verdammt bin.«[117] An anderer Stelle hieß es: »Mit Wollust fühl' ich mich gefangen und ewge Sklaverei ist mein Verlangen!«[118]

Die exaltierten Liebesbekundungen eines Mannes, den sie im Verlauf ihrer Ehe eigentlich nur als Vorbild für Disziplin und Askese erlebt hatte, mussten Alma befremden. Sie befürchtete sogar, wie sie Walter Gropius gestand, dass sich bei Mahler eine Geisteskrankheit entwickeln könnte, *denn diese abgöttische Liebe und Verehrung – die er mir jetzt zollt – ist kaum mehr normal zu nennen*[119]. Obwohl ihre Befürchtungen sicherlich übertrieben waren, ist evident, dass Mahler Ende August 1910 einem seelischen Zusammenbruch nahe war. Und nachdem er sich bei der Gouvernante mit einer schweren Halsentzündung angesteckt hatte, erlitt er in der Nacht zum 23. August schließlich *einen Kollaps, dass Mama und ich von 3ʰ ab [...] um ihn waren – und fast das Ärgste fürchteten*[120]. Hilfe war dringend nötig. Ob es der Wiener Psychoanalytiker Richard Nepalleck, ein entfernter Verwandter Almas, oder Bruno Walter war, der Mahler riet, Sigmund Freud zu konsultieren, lässt sich nicht mehr klären. Jedenfalls machte er sich trotz der heftigen Angina am 25. August auf den Weg ins holländische Leiden, um Freud an seinem Urlaubsort aufzusuchen. Freud selbst hat sich Anfang 1935 über jenen Nachmittag mit Gustav Mahler geäußert: »Sein Besuch erschien ihm notwendig, weil seine Frau sich damals gegen die Abwendung seiner Libido von ihr auflehnte. Wir haben in höchst interessanten Streifzügen durch sein Leben seine Liebesbedingungen, insbesondere seinen Marienkomplex (Mutterbindung), aufgedeckt; ich hatte Anlass, die geniale Verständnisfähigkeit des Mannes zu bewundern. Auf die symptomatische Fassade seiner Zwangsneurose fiel kein Licht. Es war, wie wenn man einen einzigen tiefen Schacht durch ein rätselhaftes Bauwerk graben würde.«[121] Alma betont in ihrem Erinnerungsbuch eine andere Nuance, angeblich habe Freud Mahler *die heftigsten Vorwürfe gemacht: ›Wie kann man in einem solchen Zustand ein junges Weib an sich ketten?‹, so fragte er. Zum Schluss sagte er: ›Ich kenne Ihre Frau. Sie liebte ihren Vater und kann nur den Typus suchen und lieben. Ihr Alter, das Sie so fürchten, ist gerade das, was Sie Ihrer Frau anziehend macht.‹*[122] Es gibt aller-

Gustav Mahler und Bruno Walter anlässlich der Uraufführung der
8. Sinfonie in München, 1910

dings keinerlei Hinweise, dass Sigmund Freud und Alma Mahler sich jemals begegnet sind. Dass Freud gesagt haben soll, er kenne Alma, jedenfalls so gut, dass er Aussagen über ihre enge Bindung zu Emil Jakob Schindler hätte machen können, ist äußerst unwahrscheinlich. Darüber hinaus ist kaum vorstellbar, dass Freud einem Patienten wie Mahler, den er während eines rund vierstündigen Spaziergangs in einer holländischen Provinzstadt analysierte, *heftigste Vorwürfe* gemacht habe. Wie auch immer das Treffen mit Freud verlaufen ist – Mahler scheint das Gespräch wenigstens teilweise geholfen zu haben. »Unterredung interessant«, kabelte er am 27. August an Alma, »aus strohhalm balken geworden.«[123]

Aus Leiden zurückgekehrt, verbrachte Mahler einige Tage in Toblach, bevor er am 3. September nach München aufbrach, um die letzten Proben zur Uraufführung der 8. Sinfonie zu leiten. Plötzlich rächte es sich, dass er die Angina nicht auskuriert hatte;

Mahler erlitt einen schweren Rückfall, der ihn förmlich nieder-schmetterte. Er legte sich sofort ins Bett, galt es doch unter keinen Umständen die Konzerte zu gefährden, ließ einen Arzt kommen und machte eine mehrstündige Schwitzkur, die ihm schon bei früheren fiebrigen Infekten geholfen hatte. Nur notdürftig wieder-hergestellt, konnte er am 5. September mit der Probenarbeit begin-nen. Freunde, die ihm in jenen Tagen begegneten, waren angesichts seines Zustands zutiefst erschüttert: bleich, ausgemergelt und ver-braucht sah er aus. Alma traf am 6. September in München ein. *Mahler hatte ein schönes Appartement im Hotel Continental gemietet, alle Zimmer hatte er mit einer Unzahl von Rosen geschmückt.*[124] Viel gemeinsame Zeit blieb den Eheleuten nicht, was Alma allerdings ganz recht gewesen sein dürfte. Während ihr Mann von Probe zu Probe hetzte, verabredete sie sich heimlich mit Walter Gropius in dessen Hotel. Wiederum war es Anna Moll, die als Komplizin ihrer Tochter fungierte. Bereits im August hatte sie an Gropius geschrie-ben: »Anfang Sept. wird ein Zusammentreffen möglich sein, früher glaube ich kaum – ich werde helfen, wo ich kann. Halten Sie nur den Kopf hoch – Sie haben ja ein schönes Ziel vor sich.«[125]

Die Uraufführung der 8. Sinfonie am 12. September und die Wiederholung des Konzerts am folgenden Tag waren für Mahler triumphale Erfolge. Als der letzte Ton des Werkes verklungen war, wollte der begeisterte Applaus nicht enden; er soll über eine halbe Stunde gedauert haben. Nach den Aufführungen in München reis-ten die Mahlers nach Wien, wo sie bei Carl und Anna Moll Quartier bezogen. Bis zur Abreise nach New York blieben noch gut vier Wo-chen Zeit, in denen Mahler die Druckfahnen der 8. Sinfonie über-arbeitete und sich auf die neue – seine letzte – Saison vorbereitete. Schließlich verwirklichte er noch mit Hilfe seines Schwiegervaters den schon längere Zeit gehegten Plan, außerhalb Wiens ein Grund-stück zu erwerben, um dort eine Art Alterssitz errichten zu lassen. In Breitenstein am Semmering wurden sie fündig: »Der Mahler hat zugehört, der Moll hat es ausgesucht«, erinnerte sich Anna Mahler.

Der Dirigent Gustav Mahler, Karikatur von Hans Boehler

»Er hat gesagt: Das ist die Luft für ihn, und sie haben das Grundstück gekauft.«[126] Erst zwei Jahre nach Mahlers Tod ließ Alma dort ein Ferienhaus errichten – die so genannte Villa Mahler, die bis 1938 ihr zweiter Wohnsitz war.

Während Alma nach außen hin die sorgende Ehefrau an der Seite ihres Mannes darstellte, malte sie in den Briefen an ihren Geliebten die gemeinsame Zukunft aus: *Mein Walter, von Dir will ich ein Kind*, schwärmte sie am 19. September, *und will es hegen und pflegen – bis der Tag erscheint, an dem wir ohne Reue mit Sicherheit und Ruhe – uns lächelnd und für immer in die Arme sinken.*[127] Auf dem Extrempunkt der Entfremdung von Mahler traf Alma schließlich eine Entscheidung, die bezeichnender nicht hätte gewesen sein können: Am 8. Oktober 1910 ließ sie ihre 6-jährige Tochter zum evangelischen Glauben konvertieren – angeblich wegen einer katholischen Freundin, die furchtbar verzweifelt gewesen sein soll, weil sie sich nicht habe scheiden lassen können. Anna Mahler: »Am nächsten Tag hat mich die Mami bei der Hand genommen, und ich bin übergetreten zum Protestantismus. Wie gescheit! Das ist doch nett, nicht?«[128] Die kleine Anna verstand natürlich nicht, dass Mamas ominöse Freundin wahrscheinlich nie existiert hat, mehr noch, dass sich ihre Mutter wahrscheinlich hinter jener unglücklich verheirateten Frau versteckte. Almas Bedürfnis, der Tochter das eigene »Schicksal« ersparen zu wollen, war zugleich das Eingeständnis, mit Mahler definitiv abgeschlossen zu haben. Eine Scheidung von Gustav Mahler kam für Alma jedoch auch aus anderen Gründen nicht in Frage; nicht nur, weil sie kein Interesse daran haben konnte, dass ihre eheliche Untreue während des Gerichtsverfahrens ans Licht gekommen wäre, sondern weil sie als Geschiedene zwangsläufig ihren Status verloren hätte. Abgesehen davon, dass geschiedene Frauen in den großbürgerlichen Kreisen, denen Alma Mahler angehörte, an den Rand gedrängt und zuweilen wie Aussätzige behandelt wurden, ging es wohl auch um Geld. Mahler war spätestens seit seinen Engagements in Amerika ein wohlhabender Mann, der seiner Frau ein sorgenfreies Leben garantieren konnte. Hätte sie nun die Auflösung der Ehe betrieben, wäre sie als spätere Erbin des Vermögens und der Pensionsansprüche zweifellos ausgeschieden. Und gegen wen hätte sie ihren berühmten Gatten und den großbürgerlichen Komfort eingetauscht? Walter Gropius war zu diesem Zeitpunkt noch ein weitgehend unbekannter Architekt. Almas bereits zitierte Avance, *je mehr Du bist und leistest, desto mehr wirst Du mir sein*, klingt vor diesem Hintergrund unmissverständlich. Mit anderen Worten: Eine Scheidung war ausgeschlossen, Alma musste zumindest offiziell bei ihrem Mann bleiben.

Kurz vor der Abreise nach New York dachte Alma voller Wehmut an die aufregende Zeit in München zurück, an die romantischen Stunden, die sie mit Walter Gropius verbracht hatte. Jetzt – vier Wochen später – stand dem Liebespaar eine lange Trennung bevor. Mit Phantasie und Energie hatte Alma sich überlegt, wie sie Gropius vor der Überfahrt noch einmal treffen konnte. Während Mahler nach Berlin reiste, um sich von seinen dortigen Anhängern zu verabschieden, hatte Alma zwei Tage zuvor Wien in Richtung Paris verlassen, ebenfalls um Freunde zu treffen, wie es offiziell hieß. In Wirklichkeit hatte sie unter geradezu konspirativen Umständen ein Stelldichein mit ihrem Geliebten organisiert: *Ich reise Freitag den 14ten Oktober um 11.55 vormittags mit dem Orientexpress von hier ab. Mein Coupée-Bett No. 13 ist im IIten Wagon – Schlafwagen. Ich war noch nicht in der Stadt und weiß noch Deine*

Antwort nicht. Ich schreibe hoffend ins Blaue hinein. Ich würde Dir raten (wenn Du fährst) Dein Schlafwagenbillet auf den Namen Walter Groh aus Berlin ausstellen zu lassen – da G. 2 Tage später fährt und sich vielleicht die Liste zeigen läst.[129] Der Plan funktionierte.

Der Abschied

Am 25. Oktober 1910 trafen die Mahlers an Bord der »Kaiser Wilhelm II.« in New York ein. Gustav Mahler war sofort in seiner Arbeit versunken, galt es doch bis zum Ende der Saison mit 65 Konzerten ein enormes Programm zu bewältigen. Bereits zwei Tage nach der Ankunft schrieb Alma an Gropius: *Vergeude nicht Deine liebe Jugend, die mir gehört. – Mir ward ganz schwindlig, als ich das wieder sah und fühlte, was mich so unendlich und allein glücklich gemacht hat. Ich liebe Dich! So sicher, so legitim, möchte ich sagen – so als ob ich Dein Weib sei – verreist sei – und eben – auf Dich warte.* Und schließlich: *Halte Dich gesund für mich. – Du weißt warum.*[130] Almas Sehnsucht muss ungeheuer groß gewesen sein, umso schwerer lastete die Trennung. Postwege von gut 14 Tagen ließen die Distanz zwischen Europa und der Neuen Welt schier unüberbrückbar erscheinen. Und wieder war es Anna Moll, die als Vermittlerin in Erscheinung trat und den Liebenden Hoffnung machte. Mitte November wandte sie sich an ihren zukünftigen Schwiegersohn: »Es ist ja das traurigste, dass man selbst jetzt gar nichts tun kann, – man muss alles der Zeit überlassen und ich glaube fest, dass bei Euch Beiden Eure Liebe alles überdauern wird.«[131] Angesichts des nahen Endes von Gustav Mahler – ihm blieb noch ein gutes halbes Jahr – wirken solche Zeilen, die mit seinem Ableben kokettieren, in ihrer Kaltblütigkeit erschreckend. Man muss Anna Moll jedoch zugute halten, dass der Tod Mahlers durchaus nicht abzusehen war. Zunächst war es Alma, die kränkelte. »Mir geht es recht gut«, schrieb Mahler am 21. November an seinen Vertrauten Emil Freund, »habe rasend zu tun und vertrage alle Arbeit sehr gut. Alma und Gucki laborieren leider an ihrer Gesundheit.«[132] Wahrscheinlich hatten sich Mutter und Tochter in diesem extrem kalten Winter eine hartnäckige Erkältung zugezogen, die sie aber zu Weihnachten überstanden hatten. Zu Almas Erstaunen hatte ihr Mann es sich nicht nehmen lassen, in diesem Jahr die Geschenke einzukaufen. Am Heiligabend schmückten er und die kleine Anna das Wohnzimmer: *Nach einer Weile kam das Kind und verlangte für den Papa eine Spitzendecke. Ich wunderte mich, gab aber das Verlangte. Auf einmal ging die Türe auf, und Vater und Tochter luden mich Arm in Arm ein, ihnen zu folgen.*[133] Ganz gegen seine sonst auf Sparsamkeit bedachte Art schenkte er Alma Gutscheine für einen opulenten Einkauf sowie für einen Solitär im Wert von 1000 Dollar – Luxusartikel, die er im Grunde für überflüssig hielt. Überhaupt schien Gustav Mahler im letzten Winter seines Lebens wie ausgewechselt. Er überschüttete nicht nur Alma mit Liebesbeweisen, auch um seine kleine Tochter kümmerte er sich so intensiv wie selten zuvor. Im verschneiten Central Park gingen Mahler und Anna häufig spazieren und machten gelegentlich sogar Schneeballschlachten.

Am Morgen des 20. Februar 1911 erwachte Gustav Mahler, der am Vortag in der Carnegie Hall ein Konzert mit Werken von Weber, Beethoven, Mendelssohn und Liszt dirigiert hatte, mit Halsschmerzen und Fieber. Zunächst sah alles nach einer gewöhnlichen Angina aus, wie sie Mahler schon oft befallen hatte. Sein Freund und Arzt Joseph Fraenkel bat ihn, das für den folgenden Abend geplante Konzert abzusagen, was Mahler jedoch vehement ablehnte. Er habe schon oft mit Fieber dirigiert, hielt er dem Doktor entgegen, der notgedrungen nachgab. Während der Aufführung wurde Mahler immer schwächer, klagte über Kopfschmerzen und Schüttelfrost, aber er dirigierte weiter. In den folgenden Tagen besserte sich sein Zustand vorübergehend, die Attacke schien überwunden, bis das Fieber mit bis dahin unbekannter Stärke zurückkehrte. Fraenkel, dem dieser Krankheitsverlauf nicht geheuer war, ließ seinen Patienten von Dr. Emanuel Libman, einem Fachmann für Herzkrankheiten, untersuchen. Die Diagnose stand schnell fest: subakute Endocarditis lenta – eine langsam fortschreitende Herzinnenhautentzündung. Aber erst durch das Anlegen einer Blutkultur kam die furchtbare Gewissheit an den Tag. Dr. George Baehr, der diese Untersuchung vornahm, erinnerte sich: »Nach einer Inkubationszeit von 4 bis 5 Tagen ließen die Petri-Platten zahlreiche Bakterienkolonien erkennen, und alle Bouillonbehälter enthielten eine Reinkultur jener Organismen, die dann als Streptococcus viridans identifiziert werden konnten.«[134] Damit war Gustav Mahlers qualvolles Schicksal besiegelt: Die Streptokokken befallen das vorgeschädigte Herz, und die Herzklappen versagen zunehmend ihren Dienst, am Ende steht der Tod durch multiples Organversagen. Mahler bestand darauf, die ganze Wahrheit zu erfahren, die man ihm allem Anschein nach aber vorenthielt. Die Ärzte gaben dem Patienten vielmehr das trügerische Gefühl, man könne gegen diese Erkrankung etwas unternehmen. Die zahlreichen Blutabnahmen und Kollargoleinläufe, denen man Mahler unterzog, waren somit nichts anderes als Scheinbehandlungen. Penicillin hätte geholfen, das Wundermittel wurde aber erst 1928 entdeckt.

Gustav geht es etwas besser, schrieb Alma am 25. März an Walter Gropius. *Es ist eine recurrierende Endocarditis – also eine schwere Krankheit und bei seinem Herzen sehr gefährlich.* Bedenkt man den besorgniserregenden Zustand Gustav Mahlers, so erscheinen die sich anschließenden Ermunterungen Almas als eine unverzeihliche Geschmacklosigkeit: *Mein lieber Walter – ich beschwöre Dich, werde auch Du ein ganz gesunder, kräftiger und physisch junger Mensch, damit wir, wenn wir uns wieder sehen, eine unendliche Freude an uns und an unserer Liebe haben können.* Doch damit nicht genug: *Ich will Dich!!! Aber Du? – Du auch mich? Deine Braut Alma.*[135] Etwa zu dieser Zeit traf Anna Moll in New York ein, um ihrer Tochter bei der Pflege des Todkranken zu helfen. Obwohl sie wenig Hoffnung hatten, drängten die Ärzte Mahler, europäische Bakteriologen wie den berühmten André Chantemesse vom Pariser Institut Pasteur zu konsultieren. Vielleicht war dies auch nur ein Vorwand, um Mahler, solange er noch reisefähig war, nach Europa zu bringen. Am 8. April verließen die Mahlers, Anna Moll sowie die englische Gouvernante auf der »Amerika« den New Yorker Hafen. Die Überfahrt muss für alle schwer gewesen sein: *An Bord stand er fast täglich auf, und wir führten oder trugen ihn vielmehr auf das Sonnendeck, wo der Kapitän ein großes Stück für Mahler hatte abgrenzen lassen, ungesehen von allen übrigen Passagieren.*[136] Nach der Ankunft in Cherbourg wurde Mahler mühsam durch die Fenster in ein Eisenbahncoupé gehievt. Carl Moll, der aus Wien herbeigeeilt war, stieg in Brest zu. Im Zustand völliger körperlicher und seelischer Erschöpfung bezog die Familie am 17. April in Paris das Hotel »Élysée«. Dort bäumte sich ein letztes Mal Mahlers schier unbezwingbarer Wille auf. *Morgens erwachte ich; es war sieben Uhr. Mahler saß auf dem Balkon. Vollständig angezogen und rasiert und läutete nach dem Frühstück.*[137] Die Szenerie war gespenstisch: Noch kurz zuvor war Mahler nicht in der Lage gewesen, allein zu essen, jetzt verordnete er sich und seiner Familie sogar einen Ausflug in den Bois de Boulogne. Aber nach kurzer Zeit kollabierte er. André Chantemesse verfügte Mahlers Überführung in ein Sanatorium, wo er den berühmten Patienten untersuchte und eine Blutkultur anlegte. Der Bakteriologe konnte die Diagnose des New Yorker Kollegen lediglich bestätigen. Eine Serumtherapie schlug nicht an, Mahlers Zustand verschlechterte sich nun von Stunde zu Stunde. Seinen Schwiegervater bat er flehentlich um Gift, da er die Kopfschmerzen nicht mehr aushalten konnte.[138] In ihrer Hilflosigkeit ließ Alma am 11. Mai den Wiener Internisten Franz Chvostek kommen, der freilich nicht helfen konnte, aber Mahler mit seiner burschikosen Art aufmunterte. In einem Gespräch unter vier Augen beschwor er Alma, sie solle ihren Mann, solange er noch transportfähig war, so schnell wie möglich nach Wien bringen lassen. Sie packten hastig und erreichten noch den Nachtzug. Die Rückreise glich der eines sterbenden Königs.

Auguste Rodins Büste von Gustav Mahler im Foyer der Wiener Staatsoper

Bei jedem Zwischenstopp traten Journalisten an den Zug und erkundigten sich nach Mahlers Befinden. Ärztliche Bulletins wurden nach Wien gekabelt und von den dortigen Zeitungen mit sentimentalen Anekdoten angereichert abgedruckt. Das Sterben als ein öffentliches Ereignis. Am Abend des 12. Mai erreichte der Mahler-Kondukt den Wiener Westbahnhof, von dort ging es in das Sanatorium Loew. Mahler war noch bei Bewusstsein und freute sich über die unzähligen Blumenkörbe und Sträuße, die Verehrer an der Klinikpforte abgaben.

Gustav Mahler muss unsäglich gelitten haben – die nun einsetzende letzte Phase des Todeskampfes dauerte sechs lange Tage. Arnold Berliner kam aus Berlin und verabschiedete sich von seinem Freund, der immer wieder sein Bewusstsein verlor. Am 14. Mai setzte eine Lungenentzündung ein, und am 17. fiel er ins Koma. Die Augen weiteten sich riesenhaft, ein sardonisches Lächeln zuckte gespenstisch über Mahlers abgemagertes Gesicht, und seine Finger zitterten auf der Bettdecke. Die letzten Stunden waren entsetzlich: Während draußen ein orkanartiger Sturm wütete, sintflutartige Regengüsse niedergingen und die Welt unterzugehen schien, setzte das Todesrasseln ein. Alma durfte nicht bei ihrem Mann bleiben und wurde in ein Nebenzimmer geschickt. Am 18. Mai 1911, kurz nach 23 Uhr, verstummte plötzlich alles Röcheln – Gustav Mahler war tot.

Alma und Anna Mahler, um 1912

Exzesse
(1911–1915)

Jung, reich – und Witwe

Als sich am Nachmittag des 22. Mai 1911 rund fünfhundert Trauergäste auf dem kleinen Grinzinger Friedhof versammelten, um von Gustav Mahler Abschied zu nehmen, lag Alma krank im Bett. *Meine Lunge war angegriffen – ich war ernstlich krank*, erinnerte sie sich später: *Ich wollte ihm nachsterben!*[1] In der Tat ging es ihr nicht gut, nach all den Strapazen kein Wunder. War noch vor wenigen Monaten die Freiheit ihr sehnlichster Wunsch gewesen, wusste sie nun nichts damit anzufangen. Sie war verzweifelt und orientierungslos und musste sich eingestehen, Mahlers Tod war doch ein bitterer Verlust für sie. Dass er ausgerechnet an Walter Gropius' 28. Geburtstag starb, hatte sie zunächst als Wink des Schicksals und hoffnungsvolles Zukunftszeichen gedeutet. Aber obwohl nun beide – Alma und Gropius – eigentlich nichts mehr trennte, mischten sich bald bislang unbekannte Misstöne in ihre Beziehung. Alma spricht in diesem Zusammenhang vage von einer langen *Zeit der geistigen und seelischen Pein*[2], womit sie wohl auf ihr schlechtes Gewissen anspielt, Mahler in seinem letzten Lebensjahr so viel Leid zugefügt zu haben. Die Vergangenheit holte Alma Mahler und Walter Gropius ein: Sie verband ein Geheimnis, das sie nun offenbar davon abhielt, ihre Beziehung nach Ablauf von Almas Trauerzeit offiziell zu machen. Darüber hinaus war Gropius seit dem Tod seines Vaters Mitte Februar 1911 in einer eigenartig unentschlossenen Stimmung. Er fühlte sich manchmal kraftlos, verzagt, wenn nicht sogar deprimiert. Entsprechend angespannt war die Situation, als

Gropius und Alma sich im August 1911 nach fast einem Jahr in Wien wieder sahen. Als Alma ihrem Liebhaber auch noch erzählte, sie habe ihren todkranken Mann nicht nur selbstlos gepflegt, sondern sei ebenso uneigennützig Mahlers angeblichem Bedürfnis nach Zärtlichkeit noch auf dem Sterbebett – ein bis heute waberndes Gerücht[3] – nachgekommen, verlor Gropius die Fassung. Was auch immer an Handgreiflichem geschehen war, Walter Gropius hatte dafür kein Verständnis. Dass Alma – seine »Braut« – im letzten Lebensjahr ihres Mannes wieder ihre so genannten ehelichen Pflichten erfüllt haben könnte, war für ihn eine unerträgliche Vorstellung. Noch in seinem Wiener Hotelzimmer schrieb er ihr einen vorwurfsvollen Brief: »Mein Keuschheitsgefühl habe ich als etwas so unerhört starkes kennen gelernt – es sträuben sich mir die Haare, wenn ich an das entsetzliche denke, ich hasse es für Dich u. mich u. ich weiß mit aller Bestimmtheit, dass ich für Jahre Dir treu bleiben muß. Aber diese Verdammnis ist nicht das schlimmste für mich, sondern dass mir die Begeisterung, der Glaube an mich selbst genommen ist.« Er fühlte sich hintergangen, benutzt und zum ewigen Liebhaber degradiert – ein betrogener Betrüger. »Der einzige Trost, an den ich mich zu klammern suche, ist der, dass ich zwei herrliche Menschen wie Euch in ihrem Leben weitergebracht habe.«[4] Das klang bereits wie ein Abschiedsbrief. Gut vier Wochen später stand das Thema für Walter Gropius immer noch im Vordergrund. Seit seiner Abreise von Wien, ließ er Alma wissen, »steigt eine heiße Scham in mir auf, die mich Dich meiden heißt«[5]. Ein Wiedersehen, das für Ende September 1911 in Berlin geplant war, sagte er kurzerhand ab, und man bekommt den Eindruck, dass er Alma bewusst aus dem Weg ging.

Und Alma? *Ich aber baute meine innere Unabhängigkeit wieder in mir auf*, heißt es hochgemut in ihrem schon für die Publikation überarbeiteten Tagebuch. Wie sie wirklich auf die Abwendung von Gropius reagierte, kann nicht mehr rekonstruiert werden. *Jetzt nun war ich allein – und ohne, dass ich es ahnte, lag das Leben verlockend vor mir.*[6] Nach der unglücklichen und sie einengenden Ehe mit Gustav Mahler genoss sie – aus ihrer Sicht verständlich – ihre neue Ungebundenheit. Und möglicherweise kam ihr die Distanz, die Gropius sie spüren ließ, in ihrer neuen Lage nicht ungelegen: Sie war erst 32, außerordentlich attraktiv und durch die Witwenpension der Hofoper und das Erbe Mahlers mit einem beträchtlichen Vermögen ausgestattet. Als die Beziehung zu Walter Gropius zu kompliziert zu werden drohte, waren es alte und neue Männerbekanntschaften, die Almas Lebensfreude weckten. Den Kontakt mit ihm hielt sie zwar über die Entfernung zwischen Wien und Berlin aufrecht, ergötzte sich aber an ihrer Virtuosität im unverbindlichen Flirten.

Als einer der ersten trat im Herbst 1911 der österreichische Komponist Franz Schreker für kurze Zeit in Almas Blickfeld. *Er spielte in meinem Leben keine Rolle*, schrieb sie Jahre später, *ich ging eine kurze Wegstrecke neben ihm und verließ ihn zur rechten Zeit*. Vielleicht lag es daran, dass sie mit seiner Musik nichts anfangen konnte *(zu viel und oft Billiges*[7]*)* – der ein Jahr ältere Schreker war für Alma jedenfalls nicht mehr als ein kurzweiliger Flirt. Ganz ähnlich verhielt es sich mit Joseph Fraenkel, Mahlers ehemaligem Arzt und Freund in New York. *Nach Mahlers Tod kam er nach Wien und wollte mich nach schicklicher Frist heiraten, denn er liebte mich sehr. Ich aber wollte mich nicht an ihn binden.* Die Leser ihrer Autobiographie ließ Alma über die Gründe für ihr Desinteresse im Unklaren, im Tagebuch bezog sie indes eindeutig Stellung: *Fraenkel war in Amerika ein Held, ein großer berühmter Arzt, Präsident der neurologischen Gesellschaft etc. etc. – in Europa ein armes, krankes, ältliches Männlein, recht unheldisch und nur mit seiner schweren Darmkrankheit beschäftigt.*[8] Von kranken Männern hatte Alma offensichtlich genug, zu frisch waren die Erinnerungen an Gustav Mahlers Siechtum. Dass sie Fraenkel als *unheldisch* bezeichnet und ihn als jämmerliche Existenz darstellt, zeigt, wie sehr sie sich in dieser Lebensphase zu starken Männern, zu »Helden« mit genialischem Anstrich hingezogen fühlte. Im Oktober trat schließlich Paul Kammerer in ihr Leben.

Der 1880 in Wien geborene Kammerer war neben seiner Tätigkeit als promovierter Zoologe in einem Wiener Institut ein großer Musikliebhaber, spielte hervorragend Klavier und hatte sogar einige Lieder komponiert, die im renommierten Simrock-Verlag veröffentlicht worden waren.[9] Kammerer war für Alma kein Unbekannter; einige Jahre zuvor hatte er Gustav Mahler, den er geradezu abgöttisch verehrte, und sie in Toblach besucht, ohne allerdings einen positiven Eindruck hinterlassen zu haben. Damals hatte er sich sogar angeboten, als Mahlers Diener zu arbeiten, nur um in dessen Nähe zu sein. Mahler war diese fast hündische Ergebenheit allerdings nicht geheuer, *so dass der Besuch seine natürliche Abkürzung fand*[10]. Mahlers Tod hatte Kammerer tief getroffen, wie er Alma am 31.Oktober 1911 gestand: »Aber hier weiß ich, dass der Verlust unersetzlich ist. Es ist unbegreiflich, wie man jemanden ohne sexuelle Unterströmung, ohne verwandtschaftliche und eigentlich sogar ohne äußerlich ausgesprochene freundschaftliche Bande so lieb haben kann wie ich Mahler. Denn das war und ist nicht nur Verehrung, Begeisterung für Kunst und Person, das ist Liebe!« Jetzt – nach Mahlers Tod – übertrug Kammerer seine Liebe auf die Witwe des Komponisten. Alma gehöre – so der Biologe – zu »dem seltenen Typus der genialen Wienerin«, mehr noch, er sei sich sicher, »dass es auch der Verdienst dieser außerordentlichen Frau gewesen sein musste, was Ma. hochkommen ließ.«[11] Komplimente wie diese waren ganz nach Almas Geschmack, und Kammerer erfüllte ihr Bedürfnis nach Huldigung und Verehrung in geradezu exzessiver Weise. Nach der Uraufführung des »Lieds von der Erde« am 20. November 1911 in München, wohin er Alma begleitet hatte, schlug er ihr auf der Rückfahrt vor, seine Assistentin zu werden. Zwar kannte sich Alma in der Biologie überhaupt nicht aus – ihre Schulbildung war, wie beschrieben, auch in dieser Hinsicht mangelhaft –, das Angebot nahm sie aber dennoch an. Sie war an einem Punkt angelangt, an dem sie ihr Leben sozusagen vom Kopf auf die Füße stellen wollte. Als wohlhabende Witwe ging es Alma dabei nicht so sehr um das Geldverdienen, vielmehr um eine sinnvolle Tätigkeit, möglicherweise sogar um so etwas wie einen eigenen Beruf. Dieser Neuanfang, wozu auch der Umzug in eine neue Wohnung gehörte, erschien ihr als Chance, mit der Vergangenheit ins Reine zu kommen. Seit der Rückkehr nach Wien hatten Alma und ihre Tochter Anna bei Carl und Anna Moll gewohnt. Dass es sich hierbei nur um ein Provisorium handeln konnte, war allen Beteiligten klar, zumal Almas Verhältnis zu ihrer Familie nach wie vor zwischen Distanz und Nähe schwankte. In der Pokornygasse Nummer 23, unweit des so genannten »Eroica-Hauses«, wo Ludwig van Beethoven 1803/04 an seiner 3. Sinfonie gearbeitet hatte, bezogen Alma und Anna Mahler Anfang Dezember eine eigene Wohnung. Etwa zur gleichen Zeit besuchte Alma erstmals Paul Kammerers biologische Versuchsanstalt im Wiener Prater. *Nun übergab er mir einen mnemotechnischen Versuch mit Gottesanbeterinnen zu bearbeiten. Er wollte es herausbringen, ob diese Tiere durch die Häutung ihr Gedächtnis verlieren oder ob dieser Akt nur eine oberflächliche Hautreaktion ist. Zu diesem Behuf sollte ich ihnen eine Gewohnheit beibringen. Es misslang insofern, als diesen Viechern nichts recht beizubringen war. Ich musste sie unten im Käfig füttern, da sie a priori immer in der Höhe und im Licht fressen. Der Käfig war unten verdunkelt. Sie waren nicht dazu zu bringen, ihre schöne Gewohnheit, Kammerer zu Liebe, aufzugeben.* Alma musste die Tiere mit Mehlwürmern füttern, *und mir grauste etwas vor dieser Riesenkiste voll sich schlängelnder Würmer. Er sah es, nahm eine Handvoll und steckte die Viecher in den Mund. Er fraß sie laut schmatzend.*[12] Wie intensiv Alma ihre biologischen Studien betrieb, ist unklar. Angeblich besuchte sie über mehrere Monate regelmäßig Kammerers Institut, wobei der Biologe und seine Assistentin sich schnell näher kamen. Alma zufolge verliebte sich der verheiratete Kammerer in sie und drohte mehrfach, sich am Grab Gustav Mahlers zu erschießen, sollte sie seine Liebe nicht erwidern. *Seine Leidenschaft zu mir*, schrieb sie Jahre später, *machte ihn zum Clown meines ganzen Kreises.*[13] Paul Kammerer war in Almas

Entourage eine lächerliche Figur: *Wenn ich von einem Sessel aufstand, kniete er nieder und beroch und streichelte den Sesselplatz, auf dem ich gesessen war. Es war ihm dabei ganz egal, ob Fremde im Raume waren, oder nicht. Er war auch durch nichts von solchen Extravaganzen, deren er in Fülle hatte, abzuhalten.*[14] Irgendwann im Jahr 1912 wurde Alma Kammerers Tollheiten überdrüssig, und sie beendete ihre Tätigkeit im Institut. Der exzentrische Biologe war für Alma wohl nicht mehr als eine Episode. Sie blieben aber Freunde und verloren sich erst nach Almas Hochzeit mit Walter Gropius im Jahre 1915 aus den Augen.

Kammerers Bedeutung als Biologe ist bis heute umstritten; für die einen war er ein Genie, für die anderen ein Scharlatan. Mit seinen Experimenten an Geburtshelferkröten und Salamandern wagte er sich an eines der größten Rätsel der Wissenschaftsgeschichte: die Vererbung erworbener Eigenschaften. Alma behauptete Jahre nach Kammerers Tod, dass es bei der Auswertung der Experimente zu Unregelmäßigkeiten gekommen sei: *er wünschte die Ergebnisse seiner Forschungen so glühend herbei, dass er unbewusst von der Wahrheit abweichen konnte.*[15] 1926 geriet Kammerer in arge Bedrängnis, da britische Biologen behaupteten, er habe seine Untersuchungen manipuliert. Ob er wirklich ein Fälscher war oder ob er – wofür einiges spricht – das Opfer eines Komplotts missgünstiger Kollegen geworden ist, lässt sich nur mutmaßen. Finanziell am Ende, persönlich enttäuscht und wissenschaftlich ruiniert, schoss er sich Ende September 1926 eine Kugel in den Kopf.

Nachdem Alma die ersten sechs Monate dieses so aufwühlenden Jahres 1911 überstanden hatte, war nun Ruhe eingetreten, und sie konnte zuversichtlich in die Zukunft blicken. Nur ihre Beziehung zu Walter Gropius entwickelte sich zu einer großen Enttäuschung. Im Dezember besuchte Alma ihn in Berlin, wobei es zwischen ihr und seiner Mutter zu Spannungen kam. Alma hielt Manon Gropius für dumm und ungebildet und machte gegenüber Gropius aus ihrer Abneigung keinen Hehl. Dieser Besuch scheint

Alma und Anna Mahler. »Sie ist mir artfremd. Kühl – überlegend und jüdisch.«

die ehemals heiß Verliebten weiter entfremdet zu haben. Zwar riss der Briefkontakt auch jetzt nicht ganz ab, die Abkühlung der Gefühle macht sich in der Korrespondenz jedoch deutlich bemerkbar.

Das erste Weihnachtsfest ohne Gustav Mahler war für Alma und die nun 7-jährige Anna eine Zeit traurigen Erinnerns. Ausgerechnet am Heiligabend ereignete sich ein Vorfall, der die ohnehin trübe Stimmung vollends verdarb: Almas Halbschwester Gretel wurde in das Sanatorium Purkersdorf eingeliefert, weil man eine Geisteskrankheit vermutete. Da sie nach der Einweisung permanent ruhig gestellt werden musste, erfolgte zwei Tage später die Überstellung in die Wiener Privatheilanstalt von Professor Obersteiner in der Billrothstraße, unweit der Hohen Warte, wo Carl und Anna Moll wohnten. Obwohl der Kontakt zwischen den Schwestern in den zurückliegenden Jahren immer sporadischer geworden war – Gretel hatte im Sommer 1900 den Maler Wilhelm Legler geheiratet und war mit ihrem Mann und dem 1902 geborenen Sohn Willi für einige Zeit nach Stuttgart übergesiedelt –, nahm Alma Anteil an ihrem Schicksal. Die Krankenakte, die hier erstmals ausgewertet wird, ist in verschiedener Hinsicht ein bedrückendes Dokument. Zunächst die Krankengeschichte: »Im ersten Lebensjahre heftiger Keuchhusten. Körperlich und geistig gut entwickelt. Lernte gut in der Schule, war von jeher etwas eigensinnig, vergesslich, zerstreut, unschlüssig, schweigsam, zurückhaltend und scheu, aber intelligent und kunstverständig. Verlobte sich mit 17 Jahren, wollte sich damals umbringen aus dem Gefühl heraus, sie könne ihrem Mann nichts sein, sie sei nicht wert geliebt zu werden. Kaufte sich eine Pistole und setzte sich auf einen menschenleeren Platz, um sich zu erschiessen, tat es aber dann doch nicht.« Gretel litt unter Verfolgungswahn, hörte Stimmen, die sie wüst beschimpften, und fühlte sich von ihrer Familie, die ein Komplott gegen sie angestiftet habe, bedroht: »Ebenso habe sie Angst, der Mann oder Stiefvater würden kommen, sie hauen oder sonst etwas Schreckliches mit ihr machen.« Zustände völliger Apathie folgten auf Raserei und wildes Schreien. Die Ärzte in Obersteiners Privatheilanstalt verordneten starke Narkotika und Schlafmittel wie Opium, Veronal und Adamol – konnten der 31-jährigen Frau jedoch nicht helfen. Ende Februar 1912 wurde Gretel in die Heil- und Pflegeanstalt Illenau zwischen Baden-Baden und Offenburg überstellt, wo sie mehrfach versuchte, sich das Leben zu nehmen. Sie verspüre einen Zwang, gestand Gretel den Ärzten, sich umbringen zu müssen. Häufig schlug sie Fensterscheiben ein und versuchte sich mit den Scherben zu verletzen. Anfang August 1912 stürzte sie sich schließlich bei einem Besuch in Obersasbach aus dem zweiten Stock eines Hauses, erlitt aber nur geringfügige Verletzungen.

Die medizinische Bestandsaufnahme war im Frühjahr 1913 wenig optimistisch: »paranoide Form der Dementia praecox (chronische Verrücktheit bei Jugendverblödung). Prognostisch musste der Fall als ungünstig inbezug auf Wiederherstellung der geistigen Gesundheit angesehen werden. Scheinbare Besserungen stellten sich meist nachträglich als Simulation der Kranken heraus, die damit ein bestimmtes Ziel in ihrer Krankheit zu erreichen bezweckte. Die Wahrscheinlichkeit, dass die Patientin über erneute Erregungszustände in dauerndes geistiges Siechtum (Verblödung) verfalle, war gross.«[16] Für Gretel begann nun ein jahrzehntelanger Aufenthalt in psychiatrischen Anstalten und Sanatorien; Illenau, Rekawinkel, Baden und Tulln waren die Stationen ihres Leidens, bis sie am 15. März 1940 in die Landesanstalt Großschweidnitz bei Dresden verlegt wurde. Zahlreiche Patienten dieses Instituts wurden im Zuge der nationalsozialistischen »Euthanasie«-Projekte ermordet. Allem Anschein nach blieb ihr dieses Schicksal erspart, und sie starb am 4. Dezember 1942 eines natürlichen Todes.[17]

Ob Gretel tatsächlich an Dementia praecox litt, lässt sich heute nicht mehr mit Gewissheit sagen, gleichwohl ist zu vermuten, dass die Ursachen für ihre Krankheit in ihrer Kindheit und Jugend zu finden sind. Bereits die Illenauer Ärzte wurden misstrauisch, als sie sich näher mit den Familienverhältnissen der Kranken beschäftigten. »Ihre [Gretels] Zurückhaltung und Befürchtungen sind übrigens teilweise entschieden durch Vorgänge in ihrer Familie vor und zu Beginn des akuten Anfalles bedingt.«[18] Was immer sich hinter dieser geheimnisvollen Andeutung verbarg, irgendetwas stimmte nicht im Hause Moll-Legler. Carl Moll erwähnte in seiner unveröffentlichten Autobiographie eine »naturgemäße Bevorzugung der Erstgeborenen durch die Mutter«. Und weiter: »Die um kaum ein Jahr jüngere Schwester konnte diese Bevorzugung nicht fühlen, denn sie liebte selbst ihre Schwester restlos.«[19] Möglicherweise war die Beziehung zur älteren, schönen Schwester tief ambivalent – auf der einen Seite von großer Zuneigung, auf der anderen Seite wegen der Bevorzugung Almas von nicht eingestandener Eifersucht geprägt. Wilhelm Legler betrachtete die Beziehung zwischen seiner Frau und ihrer Mutter durchaus kritisch, wie er an den Direktor der Heilanstalt Illenau schrieb: »Eins will ich noch sagen; im Hause meiner Schwiegermutter war meine Frau neben ihrer Schwester Alma immer etwas zurückgesetzt, ich will damit nicht sagen, meine Schwiegereltern hätten sie bewusst zurückgesetzt, meine Frau hat sich sicher selbst so gestellt und meine Schwägerin, die sehr hübsch war und von allen umworben, abgöttisch verehrt, so dass sie von mir z. B. nur Geschenke annahm, wenn ich meiner Schwägerin auch etwas schenkte.« Anna Moll gab ihrer jüngeren Tochter offenbar unterschwellig das Gefühl, kein vollwertiges Familienmitglied zu sein. Denn möglicherweise erinnerte sie Gretel an jenen Seitensprung mit Julius Victor Berger, den es unter allen Umständen zu vertuschen galt. Der natürlich nie ausgesprochene Vorwurf, nur ein »Bastard« zu sein, ließ bei Gretel schwere Minderwertigkeitskomplexe entstehen. Gleichzeitig stellte Anna Moll ihre »wahre Tochter« Alma als ein – für Gretel – unerreichbares Ideal dar. Wilhelm Legler ärgerte sich jahrelang darüber, »dass man, für die Schwester meiner Frau und meinen Schwager Mahler so viel für mein Gefühl übertriebene Liebe und Fürsorge verwendete, wo ich das Gefühl hatte, dass meine unselbständige nicht so gesund egoistisch und lebensfähige Frau mehr Anspruch darauf hatte, von Seiten meiner Schwiegermutter sich ihr etwas zu widmen und den Haushalt in Ordnung zu bringen.«[20]

Alma erwähnte die Krankheit ihrer Schwester in ihren Memoiren mit keinem Wort. Es sind auch keine Briefe bekannt, in denen sie sich über Gretel geäußert hätte. Das kam nicht von ungefähr: Als Alma ihre Schwester Weihnachten 1925 in der Bonvicini'schen Heilanstalt in Tulln besuchte, wurde ihr plötzlich klar, dass Gretel gar kein Kind Emil Jakob Schindlers und somit nur ihre Halbschwester war. *Da erhob sich aus den Kissen ein abgehärmter brauner Kopf – und ich erkannte mit voller Bestimmtheit das Gesicht und die Kopfform des Malers Julius Berger.*[21] Aus Tulln zurückgekehrt, stellte Alma ihre Mutter zur Rede. Nach langem Hin und Her gestand Anna Moll, mit Julius Victor Berger ein Verhältnis gehabt zu haben, während Emil Jakob Schindler seine Diphtherieinfektion im Seebad Borkum kurierte. Einmal mehr flammte der alte Hass gegen Anna Moll auf, die – wie Alma nun sicher war – nicht nur ihren Mann betrogen, sondern auch nach seinem Tod immer wieder behauptet hatte, seine Diphtherie wäre die Ursache von Gretels Geisteskrankheit. Obwohl man dieses Gerede auch damals schon als medizinischen Unsinn hätte entlarven können, hatte Alma dem Märchen ihrer Mutter zunächst Glauben geschenkt: *Jahrelang also habe ich gezittert, dass auch ich wahnsinnig werden könne, jahrelang habe ich es ertragen, dass die Schuld an Gretls Erkrankung meinem armen Vater in die Schuhe geschoben wurde, bis ich selbst die Wolkenbank zerriss [...].* Almas Erkenntnis, dass Gretel kein Kind Emil Jakob Schindlers war, mehr noch, dass nur sie das besondere, gesunde Erbteil des geliebten Vaters in sich trug, versetzte Alma regelrecht in Begeisterung. Sie sei *beseeligt* und *wie neugeboren*[22] gewesen, notierte sie später in ihr Tagebuch. Damit war Gretel für Alma schon vor ihrer Zeit gestorben; im Tagebuch taucht die Halbschwester nicht wieder auf.

Masochismus

Am Abend des 12. April 1912 war der 26-jährige Maler Oskar Kokoschka zu Gast im Hause Moll. Carl Moll hatte den jungen Expressionisten im Vorjahr anlässlich einer Ausstellung kennen gelernt und wollte nun seine Stieftochter Alma von ihm malen lassen. Dieser Porträtauftrag war mehr als eine freundliche Geste – er bewies durchaus Courage. Kokoschka muss auf seine Zeitgenossen verwirrend und abschreckend gewirkt haben: Er galt als Revolutionär, Exzentriker, Provokateur und zugleich als genialer Maler, dem die feine Wiener Gesellschaft verständnislos gegenüberstand.[23] *Oskar Kokoschka ist als Mann und Mensch ein höchst seltsames Gemisch*, erinnerte sich Alma Jahrzehnte später. *Schön angelegt, als Gestalt, stört etwas hoffnungslos Proletarisches in der Struktur. Er ist groß und schlank, aber seine Hände sind rot und schwellen oft an. Die Fingerspitzen sind so kongestioniert, dass, wenn er sich die Nägel schneidet und etwas ritzt, das Blut im Bogen wegschießt. Seine Ohren, obwohl klein und fein ziseliert, stehen vom Kopfe ab. Seine Nase ist etwas breit und schwillt leicht an. Der Mund groß und der untere Teil und das Kinn vorgebaut. Die Augen etwas schief stehend, wodurch der Ausdruck lauernd wird. Aber als solche sind die Augen schön. Das Gesicht trägt er sehr erhoben. Der Gang ist schlampig und sich nach vor werfend.*[24] Nach dem Essen gingen Alma und Kokoschka in ein Nebenzimmer, wo sie ihm inbrünstig »Isoldes Liebestod« auf dem Klavier vorspielte und dazu sang. »Wie schön sie war«, erinnerte sich Kokoschka, »wie verführerisch hinter ihrem Trauerschleier! Ich war verzaubert von ihr! Und ich hatte den Eindruck, dass ich ihr auch nicht ganz einerlei war.«[25] Alma behauptete hingegen, Kokoschka sei vorgeprescht und habe sie plötzlich stürmisch umarmt: *Diese Art der Umarmung aber war mir fremd ... Ich erwiderte sie in keiner Weise und gerade das schien auf ihn gewirkt zu haben.*[26] Wie auch immer – bereits drei Tage später hielt sie seinen ersten Liebesbrief in den Händen; es sollten insgesamt etwa vierhundert Briefe werden.

*Alma Mahler und Oskar Kokoschka. Zeichnung von
Oskar Kokoschka, 1913*

Was jetzt begann, war eine ekstatische und qualvolle Amour fou,
von der zahlreiche Zeichnungen, Gemälde und nicht zuletzt sieben
bemalte Fächer zeugen. Alma erschien Kokoschka als strenge Herrin und Inspirationsquelle zugleich, die Lob und Tadel austeilte.
»Ich weiß, dass ich verloren bin«, schrieb Kokoschka am 15. April,
»wenn ich meine jetzige Lebensunklarheit weiter behalte, ich weiß,
dass ich so meine Fähigkeiten verlieren werde, die ich auf ein außer
mir liegendes, Ihnen und mir heiliges Ziel wenden sollte.« Alma sei
die einzige Frau, die ihn vor der »Verwilderung« bewahren könne:
»Wenn Sie mir als stärkendes Weib so aus der geistigen Verwirrung
helfen, wird das Schöne jenseits unserer Erkenntnis, das wir vereh-

ren, Dich und mich mit Glück segnen.«[27] Kokoschka war in seinen Gefühlsausbrüchen unberechenbar, unbezähmbar, er liebte Alma leidenschaftlich und bedingungslos, »wie ein Heide, der zu seinem Stern betet«[28]. An anderer Stelle flehte er: »Ich muss Dich bald zur Frau haben, sonst geht meine große Begabung elend zu Grunde. Du musst mich in der Nacht wie ein Zaubertrank neu beleben [...].«[29] Alma muss ihre heftige Leidenschaft ähnlich empfunden haben, wenngleich sie sich in der Rückschau gelassen gibt. *Die drei Jahre mit ihm waren ein heftiger Liebeskampf. Niemals zuvor habe ich so viel Krampf, so viel Hölle, so viel Paradies gekostet.*[30] Alma litt von Anfang an unter Kokoschkas hemmungsloser Eifersucht, er konnte es kaum ertragen, dass sie mit anderen Menschen – insbesondere Männern – gesellschaftliche Kontakte pflegte. »Du darfst mir nicht auch nur für einen Augenblick entgleiten«, schrieb er ihr Anfang Mai 1912 in den holländischen Kurort Scheveningen, »Deine Augen müssen immer, ob Du bei mir bist oder nicht, auf mich gerichtet sein, wo Du auch seist.«[31] Nicht selten beschimpfte und beleidigte Kokoschka Almas Besucher, oder er lauerte ihr auf und schirmte sie von allem anderen ab. *Er ging des Abends spät weg, aber nicht etwa nach Hause, sondern er ging unter meinem Fenster auf und ab ... und gegen zwei, manchmal erst um vier Uhr in der Früh pfiff er und das war das von mir ersehnte Zeichen, dass er endlich fortgegangen war. Er entfernte sich mit dem tröstlichen Bewusstsein, dass kein ›Kerl‹, wie er sich zart ausdrückte, zu mir gekommen war.*[32] Hatte sie dennoch einmal Besuch empfangen, machte Kokoschka ihr eine fürchterliche Szene: »Alma, ich bin um 10 Uhr vor Deinem Haus vorbeigekommen, zufällig, und hätte vor Zorn weinen können, weil Du es aushältst, Dich mit Satelliten zu umgeben, und ich wieder in den schmutzigen Winkel zurückgehe. Und wenn ich jede einzelne von den fremden, mir zuwiderlaufenden Vorstellungen aus Deinem Gehirn mit einem Messer herauskratzen müsste, würde ich es tun, bevor ich mit Dir eine erlösende Freude teile – eher verhungere ich – und Du. Ich dulde keine fremden Götter neben mir.«[33]

Kokoschkas Eifersucht war grenzenlos und richtete sich nicht nur gegen Almas Freunde und Bekannte, sondern insbesondere gegen ihren verstorbenen Ehemann. Vor der Uraufführung von Gustav Mahlers 9. Sinfonie am 26. Juni 1912 in Wien kam es zwischen Alma und Kokoschka zu einer heftigen Auseinandersetzung. »Alma, ich kann nicht in Dir zum Frieden kommen«, schrieb er ihr nach einem Probenbesuch, »solange ich einen Fremden, ob tot oder lebendig, in Dir weiß. Warum hast Du mich zu einem Totentanz eingeladen und willst, dass ich stumm stundenlang Dir zusehe, wie Du, geistiger Sklave, dem Rhythmus des Mannes gehorchst, der Dir fremd war und sein muss und mir, und wissen, dass jede Silbe des Werkes Dich aushöhlt, geistig und körperlich.«[34] Kokoschkas Eifersucht nahm mitunter bizarre Formen an. Nach einem Tobsuchtsanfall, der wieder einmal durch Mahler beziehungsweise durch die Bedeutung, die er immer noch in Almas Leben hatte, verursacht worden war, nahm er die im Zimmer herumstehenden Fotografien des Komponisten in die Hand und küsste jedes einzelne Bild. *Er meinte, es wäre weiße Magie, und er wolle dadurch seinen eifersüchtigen Hass in Liebe verkehren.*[35]

Anfang Juli reiste Alma mit ihrer Tochter erneut nach Scheveningen, zum Ärger Oskar Kokoschkas, der bereits nach zwei Tagen ohne seine Angebetete geradezu »apathisch«[36] war. Alma wurde von der 1875 geborenen Henriette Amalie Lieser, genannt Lilly, begleitet. Die beiden Frauen kannten sich bereits seit geraumer Zeit, Gustav Mahler hatte im Juli 1910 in einem Brief an Alma eine Frau Lieser erwähnt[37], offensichtlich waren sie sich aber erst nach seinem Tod näher gekommen. Alma und Lilly hatten einige Gemeinsamkeiten: Beide waren wohlhabend, reisten gerne und schätzten ein mondänes Leben. Lilly war die Tochter der schwerreichen Eheleute Albert und Fanny Landau und hatte im November 1896 den Unternehmer Justus Lieser geheiratet. Ihre beiden Töchter Helene und Annie waren nur wenig älter als Almas Anna – auch das verband. Gelegentlich bat Alma Lilly um finanzielle Hilfe – nicht für sich selbst, sondern für Freunde und Bekannte aus ihrem Künstlerkreis. So unterstützte Lilly beispielsweise über mehrere Jahre hinweg den Komponisten Arnold Schönberg, kaufte ihm ein Harmonium oder ließ ihn in ihrem Haus in der Gloriettegasse im vornehmen Stadtteil Hietzing wohnen.[38] Erst als Alma 1915 merkte, dass Lilly lesbische Neigungen hatte und offensichtlich um sie warb, kühlte die Freundschaft ab. Lilly verschwand ebenso plötzlich aus Almas Leben, wie sie zuvor aufgetaucht war. In den zwanziger und dreißiger Jahren war der Kontakt anscheinend völlig abgerissen, obwohl beide nach wie vor in Wien lebten. Nach Hitlers Einmarsch in Österreich wurde Lilly Liesers Vermögen »arisiert«, wie es im NS-Sprachgebrauch hieß, sie musste ihre Aktien und Immobilien verkaufen und in eine kleine Wohnung ziehen. Während ihren Töchtern die Flucht nach England und Amerika gelang, kam für Lilly jede Hilfe zu spät: Sie wurde am 11. Januar 1942 nach Riga deportiert und starb am 3. Dezember 1943 im Konzentrationslager Auschwitz.[39] Lilly Lieser – so viel ist klar – ist eine der wenigen Frauen gewesen, die man als engere Freundin Almas bezeichnen kann.

Bei ihrem Aufenthalt in Scheveningen im Sommer 1912 traf Alma mit Joseph Fraenkel zusammen, der ihr nach wie vor den Hof machte. *Ich fühlte dies nicht als Untreue, weil er schon weit weg in mir war. Ich wollte es mir nur ein letztes Mal klar machen, dass es aus war.*[40] Kokoschka wusste nichts von diesem Treffen, zwar deutete Alma gewisse Aufregungen an, gleichwohl ließ sie ihn im Unklaren. Für diese Geheimniskrämerei gab es gute Gründe. Fraenkel war für Kokoschka das rote Tuch, seine Eifersucht nahm geradezu pathologische Dimensionen an. Selbst in den intimsten Augenblicken spielte Fraenkel eine Rolle, wie sich Alma im Juni 1920 erinnerte: *Oskar Kokoschka konnte nur mit den furchtbarsten Vorstellungen lieben. Da ich mich weigerte, ihn während der Liebesstunden zu schlagen, begann er damit, die entsetzlichsten Mordbilder in seinem Hirn zu ersinnen und leise vor sich hin zu flüstern. So erinnere ich mich, dass er einmal Fraenkel auf diese Weise beschwor und ich musste an einem scheußlichen Phantasiemord teilnehmen. Als er sich befriedigt wähnte, sagte er: ›Wenn's ihn auch nicht umgebracht haben dürfte, einen kleinen Herzklaps wird er schon davongetragen haben.‹*[41] Die Sexualität Oskar Kokoschkas äußerte sich nicht nur in abnormen phantastischen Ausschweifungen, sondern auch in der Neigung zu sadomasochistischen Praktiken, wie zum Beispiel die folgende Briefstelle nahe legt. Gelegentlich bat er Alma, streng und ungnädig mit ihm zu sein: »Ich möchte so gerne, dass Du wenigstens mit mir unzufrieden bist, aber doch bei mir und mit Deinem schönen lieben Handerl auf mich schlägst!«[42] Kokoschka empfand offenbar schon als Kind eine masochistische Freude an körperlicher Züchtigung. »Mit Absicht habe ich öfter etwas angestellt«, schrieb er in seinen Memoiren, »worauf die Lehrerin mich aus der Bank holte und übers Knie legte, um mich zu bestrafen.« Und weiter: »Wahrscheinlich war ich in die Lehrerin verliebt!«[43] Auch Alma gegenüber bezeichnete er sich gelegentlich als »Buben«, der von seiner strengen Herrin »maltraitiert«[44] werden muss. Kokoschkas exaltierte Sexualität war Alma fremd und musste ihr fremd bleiben, da das körperliche Ausleben erotischer oder sadomasochistischer Phantasien wohl nicht ihrer inneren Disposition entsprach. Möglicherweise ist es ihre Neigung zur hysterischen Inszenierung gewesen, die sie von gemeinsamen sexuellen Exzessen abgehalten hat. Demütigung auf Verlangen war für Alma jedenfalls uninteressant.

Im Sommer 1912 geriet die Beziehung von Alma Mahler und Oskar Kokoschka in eine erste Krise. Da war in erster Linie Kokoschkas Eifersucht, mit der Alma sich immer weniger abfinden konnte. Er verlangte von ihr, vollkommen zurückgezogen zu leben, alle gesellschaftlichen Verpflichtungen aufzugeben und nur für ihn da zu sein. Das konnte bei einer Frau wie Alma auf Dauer nicht gut gehen. Und so gab Alma ihm immer wieder Gründe, sich zurückgesetzt zu fühlen. Nicht selten spielte sie mit seiner Eifersucht, quälte ihn mit Liebesentzug oder ließ andere Menschen bewusst in ihre

Nähe, was er als Demütigung empfand. Ende Juli 1912 klagte er in einem Brief: »Auch dass Du in erster Linie nicht daran denkst, dass unser Wiedersehen von der Beendigung meiner Arbeiten und der mir dadurch ermöglichten finanziellen Freiheit abhängt, sondern von der Gefälligkeit einer Freundin von Dir, wann sie abreisen wird, dass ich mich bereithalten soll, einzuspringen, wenn eine Lücke eintritt, ist mir furchtbar weh.«[45]

Ähnlich wie Gustav Mahler und später Walter Gropius sowie Franz Werfel musste auch Oskar Kokoschka seine Beziehung zu Alma gegenüber seiner Familie und seinen Freunden verteidigen. Die Liaison des jungen Malers mit der stadtbekannten Witwe wurde von Außenstehenden äußerst skeptisch betrachtet. Freunde Kokoschkas wie etwa der Architekt Adolf Loos warnten ihn vor Almas angeblich schlechtem Einfluss und sahen ein schreckliches Ende voraus. Auch Kokoschkas Mutter war entschieden gegen die Verbindung; an ein Familienmitglied schrieb sie: »Wie ich diese Person hasse, das glaubt mir kein Mensch. So ein altes Weib, die schon ein elfjähriges Familienleben hinter sich hat, hängt sich an so einen jungen Buben ...«[46] Für Romana Kokoschka war Alma nur die »Circe«, wie sie sich abfällig ausdrückte, eine anrüchige Kokotte, die ihren Sohn verderben würde. Einige Jahre später drohte sie sogar, Alma zu erschießen, falls sie sich ihm erneut nähern sollte. Einmal promenierte sie »einige Stunden lang vor Alma Mahlers Haus, die Hand verdächtig in der Manteltasche bewegend«[47], während die »Circe« ängstlich aus dem Fenster schaute. Zweifellos: Der Hass saß tief und war wechselseitiger Natur. Gelegentlich warf Alma Kokoschka vor, er habe sich seiner Mutter gegenüber »unmännlich« (sprich: zu nachgiebig) verhalten. Kokoschka, der zeitlebens ein enges Verhältnis zu seiner Familie hatte und sie auch finanziell unterstützte, reagierte gereizt auf derartige Vorhaltungen: »Die Erledigung mit meiner Mutter ist nicht unmännlich, sondern einfach die geeignete für eine Frau, die die Wahrheit nicht mehr einfach verträgt, weil ihre Gesundheit durch lebenslange Sorgen und Aufregungen jeder Art ruiniert ist.«[48] Die Tatsache, dass sich Alma und Kokoschkas Familie und Freunde unversöhnlich gegenüberstanden, trug nicht unwesentlich zum Scheitern dieser Verbindung bei.

Im Sommer 1912 überstürzten sich die Ereignisse. Alma vermutete, dass sie wieder schwanger war, wie sich einem Brief Kokoschkas vom 27. Juli entnehmen lässt: »Sollst Du ein liebes Kind haben von mir, so ist die große gute Natur barmherzig und löscht alles Schreckliche aus und reißt uns nie mehr auseinander, da wir aufeinander ruhen und gestützt sind. Du wirst jetzt an mir gesund und ich habe meinen Frieden in Dir, Liebliche, gefunden. Wir finden jetzt das Heilige der Familie, Du wirst Mutter werden […].«[49] Alma, die sich über ihr Verhältnis zu Kokoschka nicht im Klaren war, ging das alles viel zu schnell, zumal er nun darauf drängte, sie endlich zu heiraten. In Mürren, einem Kurort im Berner Oberland, wohin das Paar mit Anna Moll und Almas Halbschwester Maria Anfang August gereist war, begann Kokoschka heimlich mit den Hochzeitsvorbereitungen. Unter dem Vorwand, neue Personaldokumente beantragen zu müssen, bat er seine Mutter, ihm den Tauf- und Heimatschein sowie das Befreiungszeugnis vom Militärdienst sofort in die Schweiz zu schicken. Während er mehrfach in das benachbarte Interlaken fuhr, um die Gegebenheiten für eine Hochzeit zu erkunden, war Alma von der Idee einer neuen Ehe überhaupt nicht angetan: *Ich zitterte oben im Hotel vor einem etwaigen Gelingen.*[50] Offenbar waren die bürokratischen Hürden aber so hoch, dass Kokoschka seinen Plan aufschob.

Mitte September brachen beide nach Baden-Baden auf, wo Alma ihre *Schwester im Irrenhause zu besuchen hatte, weil man sich einen wohltätigen Einfluss auf ihr Gemüt davon erwartete*[51]. Dort bestätigte sich ihre Befürchtung: Sie war von Oskar Kokoschka schwanger. Über München reiste Alma schließlich am 18. September nach Österreich zurück: *Ich kam am Abend in Wien an – fuhr in die Wohnung – allein mit dem Kind – und in dieser Wohnung fühlte ich auf einmal: Ich bin nicht Oskar's Frau! Die Totenmaske von Gustav war in meiner Abwesenheit angekommen und in mein Wohnzimmer gestellt worden – dieser Anblick brachte mich fast von Sinnen.*[52] In ihr Tagebuch notierte sie in jener Zeit einen Alptraum, dessen Bildlichkeit nicht weiter entschlüsselt werden muss: *Enge Schiffskajüte – auf dem unteren Bett mit Leinwand zugedeckt der Sterbende* [Gustav Mahler] *– Oskar und ich ruhig dabei – Tod – im selben Moment selige Umarmung knapp neben dem Verschiedenen. – Der Arzt kommt – Lilly* [Lieser]: *Hoffentlich bemerkt er nichts!!? – der Arzt untersucht und sagt – gehen Sie in die nächsten Cabinen – die Enge und Hitze hier – der Leichnam dürfte bald riechen – wir wandern – und kommen zurück und das Bett ist leer – alles Grauen – vorüber entkraftet – so auch in mir – für immer.*[53] Man braucht kein psychoanalytisches Instrumentarium heranzuziehen, um festzustellen, dass Alma mit ihrem schlechten Gewissen zu kämpfen hatte. Sie litt unter der Vorstellung, dass Kokoschkas Kind irgendetwas mit dem toten Mahler zu tun haben könnte, und wollte es wohl vor allem deswegen nicht haben. Nach schmerzhaften Auseinandersetzungen willigte Kokoschka in eine Abtreibung ein, die Mitte Oktober vorgenommen wurde. Alma: *Im Sanatorium nahm er die erste blutige Watte von mir weg und trug sie nach Hause. ›Das ist mein einziges Kind und wird es bleiben –‹ Diese alte vertrocknete Watte hatte er später immer bei sich …*[54] Oskar Kokoschka hat Alma diese Abtreibung nie verziehen. Noch Jahrzehnte später erinnerte er sich an jene dramatischen Oktobertage 1912: »Warum mein Verhältnis bereits vor dem Krieg zu Ende gegangen ist, daran war diese Operation in der Klinik in Wien schuld, die ich Alma Mahler nicht verzeihen wollte. Man darf aus Lässigkeit das Werden eines Lebewesens nicht absichtlich verhindern. Es war ein Eingriff auch in meine Entwicklung, das ist doch einleuchtend.«[55] Kokoschka verarbeitete seine Gewissenskonflikte im Jahr 1913 in mehreren grausigen Kreidezeichnungen wie »Alma Mahler mit Kind und Tod« und »Alma Mahler spinnt mit Kokoschkas Gedärmen«.

Trotz der Abtreibung, die die Krise zwischen Kokoschka und

Doppelbildnis Oskar Kokoschka und Alma Mahler. »Du sollst mein Weib werden und ich Dein einziger Mann.« (Kokoschka)

Alma verschärfte, erreichte Kokoschkas Heiratseifer Ende 1912 einen vorläufigen Höhepunkt. »Ich freue mich wirklich auf die schöne, heitere Welt«, schrieb er Alma im Dezember, »wenn Du meine Frau sein wirst und nicht mehr getrennt bist von mir.«[56] Bereits im Oktober hatte er mit Carl Moll gesprochen, »und er hat seine Einwilligung zu unserer Ehe gegeben, ohne besondere Schwierigkeiten«[57]. In dieser Zeit arbeitete Kokoschka an einem Doppelbildnis, das ihn und Alma zeigt. Sie trägt auf diesem Ölgemälde einen roten Schlafanzug, der für Kokoschka eine Art Fetisch war. *Ich bekam einst einen feuerfarbenen Pyjama geschenkt*, erinnert sie sich. *Er gefiel mir nicht wegen seiner penetranten Farbe. Oskar Kokoschka nahm ihn mir sofort weg und ging von da ab nur mehr damit bekleidet in seinem Atelier herum. Er empfing darin die erschreckten*

*Besucher und war mehr vor dem Spiegel als vor seiner Staffelei zu fin-
den.*[58] Unverkennbar stellt das Bild ein Liebespaar dar: Oskar Kokoschka und Alma halten sich eng umschlungen und reichen sich –
wie zu einer Verlobung – die Hände. Das erkannte wohl auch Walter
Gropius, der eben jenes Doppelbildnis im Frühjahr 1913 auf der
26. Ausstellung der Berliner Secession zu sehen bekam.[59] Die Aussage war unmissverständlich und muss ihn tief getroffen haben, zumal Alma ihm in ihren Briefen das bereits über ein Jahr währende
Verhältnis mit Kokoschka stets verheimlicht hatte. Warum hatte sie
Gropius nicht die Wahrheit gesagt? Glaubte sie etwa, im Falle eines
Bruches mit Kokoschka zu ihrem ehemaligen Liebhaber zurück-
kehren zu können? Gropius wollte sich aber verständlicherweise
nicht auf ein zweigleisiges Spiel einlassen. Waren seine Empfindungen für Alma bereits deutlich abgekühlt, wurden nun auch seine
Briefe an sie immer seltener, bis die Korrespondenz im Laufe des
Jahres 1913 schließlich ganz aussetzte.

Kokoschka war allem Anschein nach weder über das volle Ausmaß von Almas Verbindung zu Gropius orientiert, noch wusste er,
dass sie mit ihm in Briefkontakt stand. Während Alma und Lilly
Lieser im Mai 1913 für einige Wochen nach Paris reisten, nahmen
Kokoschkas Hochzeitspläne deutliche Konturen an. »Du sollst mein
Weib werden und ich Dein einziger Mann«, schrieb er nach Paris,
philosophierte über »verschiedene Formen des Zusammenlebens«
und bezeichnete Alma kurzerhand als seine »liebe Braut«[60]. Und
Anfang Juli bestellte er ohne Almas Wissen und Einverständnis im
Döblinger Gemeindehaus das Aufgebot. Als Alma zufällig davon
erfuhr, flüchtete sie mit Anna in den westböhmischen Kurort Franzensbad *und blieb dort so lange, bis der Termin für die Hochzeit verfallen war.* In ihren Memoiren behauptete Alma später, sie habe
Oskar versprochen, *dass ich zurückkomme und ihn sofort heiraten
werde, wenn er ein Meisterwerk geschaffen habe*[61]. Dies war sicherlich
nicht mehr als ein Hinhalten, eigentlich wusste Alma selbst nicht,
was sie wollte. Sie verlegte sich aufs Lavieren. Statt sich eindeutig

für oder gegen eine Hochzeit mit Kokoschka zu entscheiden, nahm sie nach einer längeren Phase des Schweigens wieder Kontakt mit Walter Gropius auf. Ende Juli schrieb sie ihm einen vielsagenden Brief: *Ich werde vielleicht heiraten – Oskar Kokoschka, ein unseren Seelen vertrauter, mit Dir aber bleibe ich durch alle Ewigkeit verbunden. Schreibe mir, ob Du lebst – und ob dieses Leben des Lebens wert ist.*[62] Das Pathos abgezogen, klingen diese Zeilen, was die Annoncierung einer eventuellen Heirat betrifft, wenig überzeugend. Wie Walter Gropius auf diesen Brief reagierte, ob er überhaupt antwortete, bleibt im Ungewissen.

Als Kokoschka Alma Mitte Juli unangemeldet in Franzensbad besuchte, kam es zu einer heftigen Auseinandersetzung: *Er fand mich nicht zu Hause und als ich endlich kam, hing sein Porträt, das er mir zum ›Schutz‹ mitgegeben hatte, nicht an der Wand des Hotelzimmers, wie er dies apodiktisch befohlen hatte. Ein Sturm brach los und unversöhnt reiste er ab.*[63] In den folgenden Wochen nahmen die Spannungen weiter zu. Dabei war es nicht allein Alma, die unter der Eifersucht ihres Partners litt, auch Kokoschka musste sich ihr Misstrauen gefallen lassen. »Dein heutiger Brief hagelt wieder von Grobheiten, und ich habe Dich so lieb und weiß nicht, warum Du auf mich bös bist.« Den erhaltenen Briefen Kokoschkas kann man entnehmen, dass sie ihn wegen offensichtlicher Nichtigkeiten als »Schlappschwanz«[64] beschimpfte oder ihm vorwarf, »verjudet«[65] zu sein. Almas Argwohn richtete sich sogar gegen ihre knapp 14-jährige Halbschwester Maria Moll, die von Oskar gelegentlich Zeichenunterricht bekam. »Ich habe heute der Maria keine Stunde gegeben«, versicherte er ihr, »damit Du Dich nicht unnötig kränkst.«[66]

Nach der Rückkehr von Franzensbad hielt sich Alma nur kurze Zeit in Wien auf und reiste bald weiter nach Tre Croci in die Dolomiten. Man gewinnt den Eindruck, dass sie Kokoschka absichtlich mied und vor den heimischen Verhältnissen flüchtete. »Endlich Dein erster Brief«, jubelte Kokoschka am 21. August: »Ich habe nicht gewusst, dass Du so weit weg bist.«[67] Zögernd und beunruhigt

reiste er seiner Geliebten kurze Zeit später nach. Trotz der emotionalen Spannungen, die das Frühjahr belastet hatten, verliefen die
spätsommerlichen Wochen in den italienischen Bergen offenbar in
großer Harmonie. Morgens gingen sie in die dichten Wälder und
beobachteten junge Pferde, die auf einer Lichtung grasten. Oskar
hielt diese Naturerlebnisse in mehreren Kreide- und Kohlezeich-
nungen fest.

Nachlassendes Interesse

Gut zwei Bahnstunden von Wien entfernt liegt das Semmering-
gebiet. Diese romantische Gebirgslandschaft mit ihren steilen
Kalkwänden, zerklüfteten Felsen, breiten Bergrücken und waldrei-
chen Tälern war aufgrund der ruhigen und nebelfreien Lage, der
gesunden Luft und der guten Erreichbarkeit bereits in der zweiten
Hälfte des 19. Jahrhunderts ein beliebtes Erholungsgebiet. 1882
entstand das mondäne Südbahnhotel, das rasch zum bevorzugten
Feriendomizil für Prominente aus Politik, Wissenschaft und Kultur
wurde. Außerhalb der kleinen Gemeinde Breitenstein ließ Alma im
Sommer und Herbst 1913 ein Ferienhaus auf jenem Grundstück errichten, das Gustav Mahler im November 1910 erworben hatte. Die
Lage war einmalig; am Kreuzbergrücken – einer sanft gekrümmten
Erhebung zwischen dem Semmeringpass und dem felsigen Rax-
Gebirge – hatte man einen freien Blick auf den gut 2000 Meter
hohen Schneeberg. Das Ferienhaus war ungewöhnlich: *Ich hatte
dem Baumeister gesagt, ›Bauen Sie mir ein Haus um einen Riesen-
kamin‹. Er nahm es wörtlich – und brach die größten Blöcke aus unseren Bergen dort und formte einen übergroßen Kamin, der mit der
Steinwandung die ganze Langseite des Zimmers ausfüllte.*[68] Die bau-
lichen Proportionen sowie das tief heruntergezogene Dach mit
einer Lärchen-Schindel-Deckung verliehen der zweigeschossigen
Villa Mahler den klobigen Charme einer amerikanischen Farm, die

Das »Haus Mahler« in Breitenstein am Semmering war von 1913 bis 1938 Almas zweites Zuhause.

man eher in Texas als in den kühlen Höhen der österreichischen Alpen erwartet hätte. Der Komponist Ernst Krenek, Almas späterer Schwiegersohn, erinnerte sich: »Es hatte ringsherum große Veranden, die zum Schattenbaden einluden, zu diesem Zweck aber kaum brauchbar waren. Ihre hauptsächliche Wirkung bestand darin, dass sie die angrenzenden Räume dunkel und trübsinnig machten.«[69] Bevor Alma ihr neues Refugium im Dezember bezog, malte Oskar ein vier Meter breites Fresko über den Kamin, *mich zeigend, wie ich in gespensterhafter Helligkeit zum Himmel weise, während er in der Hölle stehend von Tod und Schlangen umwuchert schien. Das Ganze ist auf der Idee der Flammenfortsetzung vom Kamin gedacht. Mein kleines Gucki stand daneben und sagte: ›Ja, kannst Du denn gar nichts andres malen als die Mami?‹* Die ersten Wochen in Breitenstein waren *wolkenlos schön*, wie sich Alma erinnerte, *in jedem Zimmer wurde gearbeitet, Vorhänge auf der Maschine genäht und aufgehängt etc. Meine Mutter kochte in der Küche, am Abend saß man um den Kamin, las vor oder musizierte – kurz, es war die reine Zeit eines Aufbaues.*[70] Oskar Kokoschka behauptete in seinen Memoiren, Alma Mahler sei zu dieser Zeit wieder schwanger gewesen.[71] In ihren Aufzeichnungen finden sich allerdings keine Hinweise darauf. Sollte dies tatsächlich der Fall gewesen sein, dann hatte sie sich möglicherweise wiederum für eine Abtreibung entschieden. Wahrscheinlich aber hat Kokoschka die Schwangerschaft des Jahres 1912 zeitlich falsch eingeordnet.

Im Frühjahr 1914 – das kann man anhand der Korrespondenz verfolgen – nahmen die Spannungen zwischen Alma und Kokoschka wieder zu, vor allem weil sich seine pathologische Eifersucht ins Unerträgliche steigerte. Immer wieder machte er ihr schwere Vorwürfe, sie umgebe sich mit falschen Freunden – »Gestaltungen, die sich verändern, wenn sie warm an Dich schleichen.«[72] Alma zog sich mehr und mehr von Kokoschka zurück. Anfang März flüchtete sie erneut mit Lilly Lieser nach Paris, die knapp 10-jährige Anna blieb unterdessen – wie so oft – bei den Großeltern in Wien.

Auf Dauer konnte diese Beziehung nicht funktionieren. Kokoschka suchte seinen »mütterlichen Genius« und erwartete – trotz aller rauschhaften Ausschweifungen – Fürsorglichkeit und liebende Hingabe: »Und Du hast Dich gewundert, dass ich in Deiner fertigen Welt keinen Boden finden wollte. Du musst ein neues Herz haben für mich. Ich wusste nicht, dass eine Frau von einem Rang in der Welt nicht mehr heruntersteigt, sich keine Mühe gibt, für meinen inneren Rang nicht den Tausch wagt, weil es Mühe macht, mir auf den Wert zu kommen.« Wie schon Alexander von Zemlinsky und auch Gustav Mahler kritisierte Kokoschka Almas Oberflächlichkeit und ihre innere Leere – letztlich ihr Schwanken zwischen den Extremen. »Almi, man kann nicht nach Belieben einmal töricht und einmal weise sein. Man verliert sonst beide Glücksmöglichkeiten. Und Du wirst eine Sphinx, die nicht leben noch sterben kann, aber den Mann umbringt, der sie liebt und der zu moralisch ist, diese Liebe zurückzunehmen oder zu betrügen für sein Wohl.« Diese Vorwürfe wogen schwer, zumal Kokoschka sie beschuldigte, »nicht die Geduld der Liebe«[73] aufzubringen. Die Adressatin jener

Oskar Kokoschka, Die Windsbraut, 1914. »Nun versprach ich ihm, dass ich zurückkomme und ihn sofort heiraten werde, wenn er ein Meisterwerk geschaffen habe.«

Zeilen reagierte ebenso deutlich. *So – auch das wäre vorüber*, notierte Alma kühl in ihr Tagebuch. *Etwas, das ich für dauernd wähnte! Oskar ist mir abhanden gekommen. Ich finde ihn nicht mehr in mir – er ist mir ein unersehnt Fremder geworden.* Und weiter: *Ich WILL ihn vergessen! Wir haben uns nicht gefördert, sondern uns gegenseitig gemein gemacht.*[74] Und so war es sicherlich kein Zufall, dass Alma im Mai 1914 nach längerer Pause wieder Briefkontakt mit Walter Gropius aufnahm. In einer Zeit, in der ihr das Verhältnis zu Kokoschka lästig wurde, versicherte sie ihrem ehemaligen Geliebten, dass sie reifer und freier geworden sei und den großen Wunsch habe, mit ihm zu sprechen. *Dein Bild ist lieb und rein in mir – und Menschen, die so Seltsames und Schönes miteinander erlebt haben, dürfen sich nicht verlieren. Komm – wenn Du Zeit und Freude daran hast – komm her. Es ist keine Resignation, die mich all dies schreiben lässt, sondern erhellter neugeklärter Blick.*[75] Wenige Wochen später schrieb sie ihm erneut, sie würde sich einsam fühlen und ihn gerne wieder sehen. Es ist fraglich, ob Kokoschka ahnte, was sich hinter seinem Rücken abspielte, ob er sich darüber im Klaren war, dass Alma ihn innerlich längst aufgegeben hatte. Nach außen hin setzte sie die Beziehung jedenfalls fort und gab ihm das trügerische Gefühl, eine gemeinsame Zukunft zu haben. Deutlich verunsichert versprach er ihr, an sich zu arbeiten und sich verändern zu wollen. »Aber es wird Wochen und Monate dauern, bis ich mich geändert habe wie Du mich brauchen kannst.«[76] Dazu war es – aus Almas Sicht – indes zu spät. *Was soll ich mit all dem ›Werden‹, mit all diesen ›Vielleichts‹ von diesem Menschen anfangen?* Und schließlich: *Liebe ich diesen Menschen noch? Oder hasse ich ihn bereits?!*[77]

Mit Ausbruch des Weltkrieges in den ersten Augusttagen 1914 begann die letzte Phase der Beziehung zwischen Oskar Kokoschka und Alma Mahler. Alma hatte bereits im Mai ihre Wiener Wohnung in der Pokornygasse aufgelöst und sich in ihr Haus nach Breitenstein zurückgezogen. Dort, in der Abgeschiedenheit der österreichischen Berge, überfiel sie quälende Langeweile. *Ich bilde mir manchmal ein*, schrieb sie in ihr Tagebuch, *ich habe diesen ganzen Weltbrand entfacht, um irgend eine Entwicklung oder Bereicherung zu erfahren – und wäre es auch der Tod.*[78] Auch wenn der Erste Weltkrieg von vielen Zeitgenossen als Katharsis, als schmerzvolle, aber notwendige Reinigung des Abgelebten mystifiziert wurde, nehmen Almas Phantasien denkwürdige Formen an. Der Weltkrieg erscheint hier nicht so sehr als der Untergang des Abendlandes, sondern dient als theatralische Ablenkung von persönlichem Überdruss und geistiger Eintönigkeit. Obwohl Kokoschka ihr riet, um Wien einen Bogen zu machen und »mit der Lieser in die Schweiz zu gehen, solange es noch leicht wegzukommen ist«[79], reiste Alma in die Hauptstadt der noch existierenden k.u.k.-Monarchie. So schön das Haus am Semmering auch war – Alma entbehrte die Großstadt. In der

Elisabethstraße Nummer 22 mietete sie Anfang August 1914 am südlichen Ende des I. Bezirks im 4. Stock eines feudalen Hauses eine 10-Zimmer-Wohnung. Das pulsierende Leben einer Weltstadt lag gewissermaßen vor Almas Haustür; die Hofoper, der Pavillon der Secession oder die mondäne Kärntnerstraße waren nur einen Steinwurf weit entfernt. Dieser Umzug in das quirlige Stadtzentrum war zugleich Ausdruck ihrer Entfremdung von Oskar Kokoschka, hatte dieser doch immer darauf bestanden, dass sie sich von alledem fernhalten möge. In ihrem Tagebuch häufen sich nun die verächtlichen Kommentare über den Maler. *Mit Oskar möchte ich abrechnen. Er taugt nicht mehr in mein Leben. Er reißt mich zurück ins Triebhafte. Ich kann damit nichts mehr anfangen. Und so lieb und hilflos dieses große Kind ist, so unverlässlich ja verräterisch ist er als Mann. Ich muss ihn aus meinem Herzen reißen! Der Pfahl steckt tief im Fleisch. Ich weiß, dass ich durch ihn krank bin – seit Jahren krank – und konnte mich nicht losreißen. Jetzt ist der Moment da. Weg mit ihm!*[80] Und Kokoschka? Noch Ende September 1914 sprach er in einem Brief an Alma von Heiratsplänen: »Ich freue mich furchtbar, wenn wir immer unsere Betterln nebeneinander haben werden! […] Wenn ich einmal mit Dir zusammen lebe, kannst Du auch abends in Gesellschaft gehen; weil Du wieder zu mir zurückkommst, macht es mir nichts mehr.«[81]

Wie so viele andere war auch Alma Mahler vom nationalen Taumel der ersten Kriegswochen erfasst worden. Als deutsche Truppen Anfang September Paris bedrohten, griff sie begeistert zum Klavierauszug von Richard Wagners Oper »Die Meistersinger von Nürnberg« und spielte einen ganzen Abend lang daraus. *Dieser verfluchte Krieg muss uns unsere Meister wieder lieben lehren. Er wird die faule Saat ersticken!*[82] An Walter Gropius, der seit Anfang August in einem Husarenregiment diente und bereits durch besondere Tapferkeit aufgefallen war, schrieb sie enthusiastisch: *Ich werde nach Berlin kommen, wenn die Deutschen in Paris einmarschieren!*[83] Es sollte allerdings anders kommen. Mit dem Scheitern der deutschen Offensive an der Marne erstarrte die Westfront für fast vier Jahre im Stellungs- und Grabenkrieg. Die Schuldigen waren schnell benannt: liberale Journalisten und Sozialdemokraten, die Alma mit »den Juden« gleichsetzte. An Joseph Fraenkel, der es ihr gegenüber gewagt hatte, jüdische Errungenschaften zu verteidigen, schrieb sie am 12. November einen empörten Brief: *Was soll die Judenfrage jetzt? Sie haben in Europa mehr bekommen, als gegeben. Der Geist der Analytik, der Sozialdemokratismus, der Liberalismus, all dieser ›Aufkläricht‹ ist durch die Juden in die Welt gekommen. Heute bist Du ein Anderer. Ohne mich aber wärst Du nie der Mensch geworden – und so Ihr alle!*[84] In Almas Zeilen macht sich eine Tendenz bemerkbar, die mit dem Ende der Beziehung zu Kokoschka zunehmen wird. Es spricht nicht nur ein diffuses antijüdisches Ressentiment daraus; ihr Antisemitismus erhält nun eine Funktion: Sie war davon überzeugt, eine Mission erfüllen zu müssen, die darin bestand, Juden von ihrem Judentum zu befreien. Ideologische Rückendeckung erhielt sie dabei von Freunden wie dem angesehenen Kunsthistoriker Josef Strzygowski. Alma *bebte vor Freude*, wie sie in ihr Tagebuch schrieb, als der Professor ihr bestätigte, sie habe Gustav Mahler »heller gemacht« und vom Judentum weggeführt: *Das hatte ich immer gefühlt, aber glücklich war ich doch, dass ich das Wort endlich von außen gehört habe! Heller habe ich ihn gemacht! So war mein Dasein mit ihm doch eine erfüllte Mission?! Das allein – was ich wollte, solange ich lebe! Hellermachen!*[85] Allerdings musste sie sich eingestehen, dass sie ihren Auftrag bei Oskar Kokoschka nicht ausführen konnte. *Er behält die Oberhand, verübelt mir dies und kommt nicht vorwärts.*[86] So töricht derartige Sätze auch anmuten – sie spiegeln auf sehr interessante Weise Almas Innenwelt. Indem sie jüdische Männer »heller machte«, was für die Betroffenen mit Demütigungen und Quälereien einherging, steigerte sie ihr Selbstwertgefühl, wies sich selbst eine Aufgabe zu und erhöhte sich so zur »arischen Muse« von weltbedeutendem Rang. Kokoschka war nicht nur kein Jude, er hatte auch eine zu starke Persönlichkeit, als dass dieser Mechanismus hätte greifen können – also musste die Beziehung scheitern, wie Alma schließlich feststellte. *Oskar Kokoschka ist der böse Geist meines Lebens*, notierte sie Ende Oktober 1914. *Er allein will meine Vernichtung. Rein kann man nicht machen, was schmutzig ist – und als er mich das erste mal umarmte, warnte mich alles in mir, mich vor seinem bösen Blick, aber ich wollte ihn gut machen – und wäre über ihn fast selber böse geworden. Oh – über diese böse Faszination! Meine Nerven sind ruiniert – meine Phantasie verdorben. Welcher Unhold hat mir den gesandt?*[87] Mit dieser Erkenntnis waren alle Hemmungen gefallen, sie fühlte sich in keiner Weise mehr an Kokoschka gebunden. Ob es nun der Großindustrielle Carl Reininghaus war oder der Komponist Hans Pfitzner – Alma verfiel wieder in unverbindliches Flirten. Während sie in Reininghaus – *ein alter wackliger Greis*[88] – eine bemitleidenswerte Existenz erblickte, verband sie mit Pfitzner dessen *männliche Musik und Dichtung*. Alma beschreibt ein Zusammensein mit dem Komponisten und genießt ganz offensichtlich ihre neu errungene Position: *Am Abend saßen wir auf dem Sopha, er nahm meine Füße auf seinen Schoß und streichelte sie. Dies der erste Abend. Am zweiten Abend: Hinüberlegen seines Kopfes auf meine Brust. Ich streichelte seine Haare – was sollte ich sonst tun? Er wollte ›geküsst‹ sein. Ich tat es endlich aus Rührung (nur auf die Stirn) für diesen armen Menschen! Er wollte mehr – da begann ich ihm mit großer Überlegenheit den Weg einer reinen Empfindung zu zeigen. Da – dieser feine Dichter und Musiker sagte wörtlich: ›Was sollen wir jetzt tun? Soll ich Dich nun besitzen – oder nicht?‹ Er war mir nur komisch in diesem Moment. Ich ließ ihn noch eine kurze Weile bei dem ›wir‹, aber jämmerlich kam mir dieses grobklotzige, kleine, schwache Nervenbündel vor! Das sind die Künstler. Wenns ans Leben geht – werden sie Dilettanten!*[89]

Alma Mahler-Gropius, 1915

Ehe auf Distanz
(1915–1917)

Selbstbetrug

Anfang Dezember 1914 erfuhr Oskar Kokoschka von seiner bevorstehenden Einberufung zum Militär. »Da ich wehrpflichtig war«, erinnert er sich, »war es angezeigt, dass ich mich als Kriegsfreiwilliger meldete, bevor ich gezwungen wurde, mitzutun.«[1] Das war die offizielle Version. Anna Mahler wusste zu berichten, dass ihre Mutter an seiner Entscheidung nicht ganz unbeteiligt war: »Die Alma hat den Kokoschka so lange einen Feigling genannt, bis er sich schließlich ›freiwillig‹ zum Kriegsdienst gemeldet hat. [...] Kokoschka wollte keinesfalls in den Krieg, sie aber hatte schon genug von ihm, er war ihr schon zu anstrengend geworden.«[2] Kokoschka muss zu diesem Zeitpunkt sehr verzweifelt gewesen sein, wenn er die Schlachtfelder des Ersten Weltkriegs als einzigen Ausweg aus seiner hoffnungslosen Verbindung zu Alma sah. Er wollte »solange im Feuer sein«, schrieb er ihr, »bis alles böse von mir heruntergegangen ist«[3]. Auf Vermittlung seines Freundes Adolf Loos wurde Kokoschka im Dragonerregiment Nr. 15, dem vornehmsten Reiterregiment der Monarchie, untergebracht.[4] Dass er das für diese Elitetruppe benötigte Pferd ausgerechnet durch den Verkauf seiner »Windsbraut« erwarb, just jenes Gemäldes, das ihn und Alma eng umschlungen darstellt, verleiht der Geschichte einen ironischen Unterton.

Den Jahreswechsel verbrachten Alma und Kokoschka trotz aller Differenzen gemeinsam in Breitenstein am Semmering. Offensichtlich hatten sie nach längerer Zeit wieder einmal in der Silvesternacht miteinander geschlafen – in einem Brief bedankte sich Kokoschka zwei Tage später dafür, dass sie ihn »unvergesslich schön und unvergesslich erhaben«[5] in ihr Bett gezogen habe. Aber die Annäherung war, zumindest von Almas Seite aus, nicht echt, denn noch in der gleichen Nacht schrieb sie einen sehnsuchtsvollen Brief an Walter Gropius. *Ich wünsche Dir, dass Du wohl aus der Schlacht zurückkehrst, alles andere wird Dir Deine liebe schöne Natur selber anziehen, da brauche ich nicht weiter zu wünschen.* Möglicherweise schlief Oskar gerade in ihrem Bett, als sie über ihre Einsamkeit klagte. *Wird die Zeit kommen, in der ich Dich hierher führen darf – hierher, wo Du mit Deinen Schritten mir den Boden abgemessen hast. Ich drücke Deine Hände. Alma.*[6] Kokoschka, der am 3. Januar 1915 seinen Militärdienst in Wiener Neustadt beginnen sollte, hatte durch die Erlebnisse in der Silvesternacht neue Hoffnung geschöpft. Bereits nach drei Tagen in der Kaserne bat er seinen vorgesetzten Major um Urlaub, der ihm aber nicht gewährt wurde. Seine Hochstimmung hielt nicht lange an. Als Kokoschka merkte, dass Alma sich nicht geändert hatte und weiterhin mit anderen Männern flirtete, war seine Geduld erschöpft. Sein Hass richtete sich vor allem gegen Almas Freunde wie Paul Kammerer, Arnold Berliner und Josef Strzygowski: »Besonders diesem albernen ›kabinetts‹ frosch (cabinet siehe cabine = kleinste Kammer), aber alle sind inbegriffen, ob sie Wiener, Berliner oder Budapester heißen mögen. Auch die Pfäffischen, die ›modernisiert‹ sind und um das bisschen Grütze und Despotismus gekommen sind das sie aus der Renaissance hatten. Und wenn Du mich noch eine Zeit kalt stellst, so steche ich irgendeinen Tobby ab.«[7] Alma wusste sich in ihren leider nicht erhaltenen Briefen zu wehren und hielt ihm offenbar sogar vor, dass er es verdiene, betrogen zu werden.[8] »Du hast mich jetzt täglich so zusammengescholten«, klagte er Ende Januar, »dass ich fast erstaunt war über den Reichtum Deiner Verwünschungen.«[9] Aber sie überschüttete ihn nicht nur mit wütenden Beschimpfungen, sondern schickte ihm auch innige Briefe in die Kaserne. Dieser schnelle Wechsel verunsicherte ihn: »Deine Briefe sind ebenso selten als ungleich, so dass ich nicht weiß, was Du wirklich willst und was Verdruss Dich zu meinen aneifert.«[10] Kokoschka kannte die Gründe für Almas Lavieren nicht, ihm war nicht bewusst, dass sie im Frühjahr 1915 vor einer wichtigen Entscheidung stand.

Mitte Februar war sie in Begleitung von Lilly Lieser zu Walter Gropius nach Berlin gereist – *mit der schmählichen Absicht, mir diesen bürgerlichen Musensohn wieder beizubiegen.* Nach Klärung der Verhältnisse – Gropius stellte sie wegen der Liaison mit Oskar Kokoschka zur Rede – flammte die alte Liebe rasch wieder auf. *Ich brachte ihn auf die Bahn – dort übermannte ihn aber die Liebe derart, dass er mich kurzerhand in den schon abgefahrenen Zug zog und ich nun wohl oder übel mit nach Hannover fahren musste. Ohne Nachthemd, ohne die geringsten Bequemlichkeiten und Hilfsmittel wurde ich so, ziemlich gewaltsam, die Beute dieses Mannes. Ich muss sagen, es gefiel mir nicht übel.* Einige Tage später kam Gropius nach Berlin zurück: *Er hatte plötzlich Ehemannsmanieren – tat alles, um mich in die Hoffnung zu bringen und ich zittere noch jetzt, dass es geschehen sei. Dann reiste er wolgemut und stolz wie nach irgend einer getanen Tat ins Feld zurück.*[11] Die Zeit in der deutschen Reichshauptstadt hatte Almas Gefühlshaushalt gehörig durcheinander gebracht. Nicht nur Gropius' forsches Vorgehen verwirrte sie, sondern auch die Erkenntnis, dass ihre Freundin Lilly lesbisch war und ihr den Hof machte. *Mein Grauen vor perversen Personen war immer sehr groß gewesen*[12], notierte sie damals in ihr Tagebuch. Nach Wien zurückgekehrt, stürzte sie sich in das gesellschaftliche Leben. In ihrem »roten Musiksalon«, dem Herzstück der Wohnung in der Elisabethstraße, empfing sie alte Freunde und Bekannte wie Richard Specht, Gerhart Hauptmann und Hans Pfitzner, der erneut um ihre Liebe warb. Über dessen ungelenke Annäherungsversuche konnte sie nur lächeln: *Alle Katzen fallen auf vier Füße – die Männer auf … drei!* Hauptmann und Pfitzner brannten *vor Kriegsbegeisterung*, wie Alma zustimmend feststellte, als jedoch Olga Schnitzler,

Arthur Schnitzlers Ehefrau, zufällig vorbeikam, war die nationale Euphorie dahin. Alma: *Sie ist eine lärmende, dumme Jüdin.*[13]

Nach den Berliner Tagen hatte Alma an Walter Gropius geschrieben: *Klar steht vor mir – als Lebenswunsch – Dein Eigentum für immer, Deine Gattin zu werden.*[14] Auch wenn diese Zeilen eine feste Überzeugung auszudrücken scheinen, sicher in ihrer Entscheidung für eine Ehe mit Gropius war Alma durchaus nicht. Paul Kammerer, der von ihr ins Vertrauen gezogen worden war, benannte ihr eigentliches Problem in einem Brief. »Du hast heute während meines improvisierten Besuches nach Tisch die Frage, ob Du heiraten sollst, erneuert und dringlicher begründet mit der Notwendigkeit, Dein junges Leben doch noch seiner natürlich-physiologischen Bestimmung nach auszuleben. Ich habe darauf nicht so geantwortet, wie ich musste. Du machst die volle Hingabe abhängig von einer Überzeugung Deinerseits, dass der Mann ausschließlich und verlässlich, der Zeit wie der Intensität nach, Dein eigen sei, dass er kein ›Flirt‹ und ›Spirifankerl‹ sei. Da fehlt aber noch eine Komponente, die Du zu selbstverständlich fandest, um sie eigens anzuführen: es ist doch wohl noch dazu notwendig, dass Du den Mann lieb hast. Diese Bedingung ist doch aber, wenn ich recht verstanden habe und mich nicht vieles trügt, nicht erfüllt dem Manne gegenüber, an den Du bei Deinen Erwägungen, Dich als Gattin zu verschenken, jetzt denkst. Schon deshalb also muss mein Rat, bei reiflichstem Nachdenken, ein ›Nein!‹ sein.« Kammerers Analyse war bestechend: Nachdem sich die Beziehung zu Oskar Kokoschka überlebt hatte, war es nicht so sehr ein inneres Bedürfnis, das Alma glauben ließ, Walter Gropius heiraten zu müssen. Vielmehr waren es gesellschaftliche, in jedem Fall äußerliche Konventionen, die sie auf den Gedanken an eine weitere Ehe gebracht hatten – heute würde man von Torschlusspanik sprechen. Liebe war also trotz manch rauschhafter Nacht nicht im Spiel, und man gewinnt den Eindruck, Alma habe Gropius auf sein attraktives Äußeres reduziert, das ihrer »natürlich-physiologischen Bestimmung«

entsprach. Es gehört zu den kuriosen Wendungen dieser Geschichte, dass Paul Kammerer im gleichen Brief schließlich sich selbst als aussichtsreichsten Kandidaten ins Spiel brachte und behauptete, »dass in meiner Person die erforderlichen Bedingungen besser erfüllt sind«[15]. Alma wird darüber gelacht haben, ebenso wie sie die zudringlichen Liebesbekundungen des 56-jährigen Dirigenten Siegfried Ochs nicht ernst nahm: *Mir grauste vor seiner etwas dickflüssigen Begehrlichkeit.*[16]

Diese unterschiedlichen Avancen, die Alma zur gleichen Zeit erreichten, schmeichelten zwar ihrer Eitelkeit, führten aber letztlich nur zu Irritation und depressiven Grübeleien. *Gar nichts verstehe ich*, notierte sie Anfang April. *Es muss mir recht schlecht gehen, denn ich empfinde, als ob ich alle Glücksmöglichkeiten für immer verloren habe.*[17] Und so verwundert es kaum, dass ihr Verhalten gegenüber Walter Gropius von großer Unentschlossenheit geprägt war. Am 6. April schrieb sie in ihr Tagebuch: *Ich weiß genau, was mir ist – ich liebe W. G., habe seit 14 Tagen nichts von ihm gehört und bin darum krank vor Sehnsucht.*[18] Diese Leidenschaft schlug nur zwei Tage später in kühle Distanz um: *Heute habe ich von W. G. einen direkten, bösen Brief bekommen. Ich war tief erregt – und tief erschrocken – aber immer mehr fühle ich, dass dieser Mensch nicht mein Leben bedeutet. Seine Eifersucht auf O. K. ist grenzenlos! So viel arische Rücksichtslosigkeit könnte sich höchstens in meiner Nähe mit Magie paaren, um ertragen werden zu können; aber gepaart mit Philistertum entbehrt sie jeglicher Begründung. O. K. darf rücksichtslos sein. Dieser Mensch nicht, dieser kleine gewöhnliche Mensch! Auf die Knie vor mir, wenn ich bitten darf!*[19] Und weitere 24 Stunden später hieß es sogar: *Gott – gib mir Kraft dazu und sende ihm einen Blitzstrahl – der ihn versängt, so, dass meine Schmach ihr Ende hätte! Vernichtung ihm, der mir eine so böse Wunde schlug. Ich hasse seine Existenz! Ich liebe … hasse … liebe … hasse …*[20] Welcher schlimmen Verfehlung Walter Gropius sich auch immer schuldig gemacht hatte – das Schwanken zwischen geradezu kindisch-trotziger Arroganz und

schwärmerischer Überspanntheit bestimmte Almas innere Ge-
fühlslage im Frühjahr 1915. Und so ist es auch bezeichnend, dass
die endgültige Trennung von Oskar Kokoschka nicht auf eine innerlich gereifte Entscheidung Almas zurückzuführen ist, sondern
dass es am Ende eines äußeren Anlasses bedurfte. Die ohnehin
schon angespannte Situation spitzte sich weiter zu, als der Wiener
Schriftsteller Peter Altenberg sein neuestes Werk veröffentlichte.
Alma hätte dieser »Fechsung«, einer kleinen Sammlung von Prosa-
skizzen und ironischen Aphorismen aus dem Alltag der Großstadt,
wohl kaum Aufmerksamkeit gewidmet, wenn Altenberg nicht auch
sie porträtiert hätte, wie sie »in tiefer Trauerkleidung im Goldenen
Prunksaale« einer Aufführung der »Kindertotenlieder« Gustav Mahlers beiwohnte. Altenberg beschreibt mit der Rücksichtslosigkeit des
Satirikers die Verlogenheit, die falsche Grandezza der Szene und
entlarvt die Posenhaftigkeit, mit der Alma sich als trauernde Witwe
präsentierte. »Man markierte Ergriffenheit. Die Dame in Trauerkleidung saß da und verbarg ihr Leid vor den Menschen – – –. Man
markierte ›Totenweihe‹. Wenn jemand sich räusperte, sagte man:
Pst! Sie dachte vielleicht an die Ufer des Wörthersees, wo ihr Kind
und ihr Gatte im Sonnenlichte sich gebräunt hatten – – –. Neben ihr
saß einer, der wollte ihr so sehr gerne die Last abnehmen – – –. Er
war aber ganz hilflos. Er dachte nur: ›Wie hilflos sind wir Hilfberei-
ten!‹ Dann bot er ihr Kuglerbonbons an, ›Crème de Mokka‹ – – –.
›Ich kann das Stanniolpapier nicht herunternehmen wegen meiner
Handschuhe‹, sagte sie leise. Da wurde er ganz rot, ihr den Dienst
leisten zu dürfen – – –. Er tat es so ängstlich behutsam, daß sie
lächeln mußte. Ja, sie lächelte. Das dritte Kindertotenlied weinte:
›T à dǎ tà, tà dǎ tà, tà dǎ t à dǎ tà dǎ t à‹ – – –.«[21] Zweifellos richtet
sich Altenbergs Sarkasmus vor allem gegen Alma und ihre inszenierte Trauer. Er persiflierte sogar ihre Manierismen, indem er –
wie sie häufig in ihren Briefen – die Satzenden durch drei Gedan-
kenstriche ins Unendliche verlängerte. Dass ein Mokkabonbon ihre
Aufmerksamkeit stärker zu fesseln vermochte als die »Kindertoten-

lieder«, war wohl der satirische Höhepunkt dieser Anekdote. Alma war nach der Lektüre des Textes außer sich und wollte sich gegen die Bloßstellung ihrer Person wehren. Paul Kammerer, den sie zu Rate gezogen hatte, schlug vor, mit Hilfe befreundeter Journalisten eine Pressekampagne gegen Peter Altenberg zu starten.[22] So weit sollte es aber nicht kommen. Der Berliner S. Fischer Verlag erklärte sich bereit, in späteren Auflagen auf das despektierliche Porträt zu verzichten.

Almas Wut entlud sich nun über Oskar Kokoschka. *Altenberg hat mich in seinem letzten Buch angenagelt, ich hab es eben gelesen. Von A bis Z vollkommen verlogen.* Und weiter: *Droh ihm mit ein paar Ohrfeigen oder sonst irgend etwas, und Deinen Freund Loos züchtige auch.*[23] Kokoschka fühlte sich zu Unrecht angegriffen und versicherte ihr, »dass ich den alten Juden [Altenberg] seit 4–5 Jahren nicht mehr gesehen und auch vorher nicht zu meinen Freunden gezählt habe, wir sind uns vielmehr beide ausgewichen! Es muss also nicht meine Schuld sein, dass jemand Dich in seinem Buche nennt, sondern es kann die Geschmacklosigkeit des Autors allein vollständig genügen, Dich als im Konzertleben Wiens bekannte Frau mit einer Anstrudelung zu beglücken.«[24] Dass Alma ihn augenscheinlich für alles verantwortlich machte, was in ihrem Leben schief lief, war der Tropfen, der das Fass zum Überlaufen brachte. Im gleichen Brief teilte Oskar ihr mit, er habe sich gerade – am 24. April 1915 – freiwillig zum Fronteinsatz gemeldet. Den eigenen Tod bewusst einkalkulierend, sah Kokoschka in diesem schicksalhaften Schritt vermutlich die letzte Möglichkeit, seiner pathologischen Beziehung zu Alma Mahler Herr zu werden. Wie Alma auf diese Nachricht reagierte, bleibt unklar; ihrem weiteren Verhalten zufolge hat sie sich möglicherweise von ihm befreit gefühlt.

Alma hatte sich zur Jahresmitte vollends *in die Idee Walter G. verrannt. Werde schon wieder herausfinden – und wenn ich dabei verkommen sollte!* Mit bemerkenswerter Klarsicht bezeichnete sie ihre Schwärmerei für Gropius als ein »Verrennen«, als eine Art Selbstbetrug: *Ich fühle mich heute schon wieder etwas befreiter, dabei ist er ja gut gegen mich, nur lau und ich bin heiß – so geht es eben nicht. Jetzt im Moment habe ich einen Brief von ihm bekommen, aber er wirkt nicht auf mich.*[25] Indem sie Walter Gropius als *lau* und sich selbst als *heiß* charakterisiert, benennt sie die unterschiedlichen Temperamente, an denen ihre Beziehung nicht zuletzt scheitern sollte. Der gebildete, vornehme und wohl auch etwas steife Preuße aus gutem Elternhaus war Alma einfach zu langweilig. Anna Mahler erinnerte sich Jahrzehnte später daran, dass ihre Mutter immer gesagt habe, Walter Gropius sei ja »so fad«[26] gewesen. Intuitiv und nicht erst seit dem Gespräch mit Paul Kammerer wird Alma gewusst haben, dass das Verhältnis zu Gropius nicht glücklich werden würde. Dennoch drängte sie auf eine baldige Hochzeit. *Wenn Du Urlaub bekommst,* schrieb sie im Juni an Gropius, *gehe ich dorthin – wo Du mich am schnellsten siehst – ich bringe meine Papiere mit und wir heiraten … ohne dass es ein Mensch erfährt.*[27] Für dieses im Grunde widersinnige Verhalten gibt es eigentlich nur eine Erklärung: Seit der Trennung von Kokoschka litt Alma unter ihrer Desorientiertheit, die sie durch die Eheschließung mit dem attraktiven – wenn auch in ihren Augen etwas drögen – Architekten kompensieren wollte. *Mir ist elend,* klagte sie beispielsweise am 18. Juni. *Ich bin vollkommen entwurzelt. Was ist denn geschehen? Ich begreife gar nichts mehr. Ich liege im Bett und weine und Gucki ist fassungslos, sie weiß ja nicht, was sie denken soll. Dieses Kind ist mein Segen.* Wieder machte sich bei ihr das Gefühl gähnender Leere quälend bemerkbar: *Was bleibt mir – ein entsetzlich leerer Abgrund!*[28] Betrachtet man Almas Gemütsverfassung in jenen Wochen, so fällt es nicht schwer, eine Parallele zum Endstadium ihrer Beziehung zu Alexander von Zemlinsky zu ziehen. Obwohl diese Freundschaft längst schon zu Ende war, hatte Alma immer wieder mit pathetischen Inszenierungen und theatralischen Posen versucht, ihre Gefühle für ihn wiederzubeleben. Auch jetzt – 14 Jahre später – waren ihre Briefe an Gropius ein einziger Überschwang. *Ich zittere vor unserer Wildheit,* schrieb sie ihm,

Titelseite der 1915 erschienenen »Vier Lieder« mit einer Lithographie von Oskar Kokoschka

ihrem Mann, dem sie – seine Frau – versicherte, ständig an ihn zu denken *(nicht eine Secunde weg*[29]*)*. Gelegentlich unterzeichnete sie als Maria Gropius: *Geküsster, geliebter Name! Meines Herrn Name.*[30]

Trotz derartig hysterisch-hymnischer Bekundungen war nicht zu übersehen, dass die Ehe mit Gropius schon vor ihrem Beginn am Ende war. Über Walter Gropius' Gründe, trotz dieser perspektivlosen Ausgangssituation in eine Hochzeit einzuwilligen, kann nur spekuliert werden. Es spricht einiges dafür, dass er die Irrungen und Wirrungen der vergangenen Jahre vergessen hatte und Alma wirklich liebte. Vielleicht wollte er auch sein durch den Krieg aus den Fugen geratenes Leben in bürgerliche Bahnen lenken, hoffend, dass das große europäische Schlachten nicht zu lange dauern würde, um dann mit seiner Frau eine Familie zu gründen. Wie auch immer: beiden – Alma und Gropius – war wohl bewusst, dass sie zunächst eine Ehe auf Distanz führen mussten.

Die Vermählung von Walter Gropius und Alma Mahler fand am 18. August 1915 heimlich in Berlin statt. Die äußeren Umstände waren prosaisch. Als die Brautleute sich an jenem Mittwoch im Standesamt III in der Parochialstraße das Jawort gaben, waren offensichtlich keine Familienangehörigen anwesend. Die Trauzeugen stammten im wahrsten Sinne des Wortes von der Straße: Der 28-jährige Maurer Richard Munske und der 21 Jahre alte Pionier Erich Subke dürften zufällige Passanten gewesen sein.[31] Der Bräutigam hatte nur zwei Tage Sonderurlaub erhalten und musste danach wieder an die Front zurück, an romantische Flitterwochen war also nicht zu denken. *Gestern habe ich geheiratet*, schrieb Alma am 19. August nüchtern in ihr Tagebuch, *bin gelandet. Nichts soll mich fortan aus meiner Bahn schleudern – rein und klar ist mein Wollen, nichts will ich, als diesen edlen Menschen glücklich machen! Ich bin befreit, selig, ruhig erregt – wie noch nie! Gott erhalte mir meine Liebe!*[32]

Nach Wien zurückgekehrt, begann für Alma ein Eheleben ohne Ehemann. Offiziell hieß sie nun Frau Gropius, hin und wieder nannte sie sich aber auch Alma Gropius-Mahler oder Mahler-Gropius. Davon abgesehen hatte sich durch die Heirat nicht viel verändert. Sie war nach wie vor allein.

Das leidenschaftliche Verhältnis zu Oskar Kokoschka sollte noch ein unrühmliches Nachspiel haben, in dem Alma nicht den besten Part übernahm. Am 29. August wurde Oskar Kokoschka in einem Gefecht in der Nähe der ukrainischen Kleinstadt Wladimir-Wolynski schwer verwundet. Sein Freund Adolf Loos hat in einem Brief an den Schriftsteller und Kunstkritiker Herwarth Walden die fast unglaubliche Geschichte detailliert geschildert: »OK wurde vor Luck, nachdem er ein Monat im Felde war, am 29. 8. bei einer Attaque in die Schläfe geschossen. Das Geschoss durchbohrte den Gehörgang und gieng beim Genick heraus. Sein Pferd fiel gleichfalls. Er gerieth unter vier tote Pferde, krappelt sich heraus, ein Kosak stösst ihm seine Lanze durch die Brust. (Lunge) Wird von den Russen verbunden, gefangen und abtransportiert. Bei einer Station besticht er seine Wärter mit 100 Rubel, dass sie ihn aus dem Zug hinaus tragen. Liegt jetzt unter Aufsicht der Russen in der Station. Nach zwei Tagen wird diese von den Österreichern angegriffen. Mauern stürzen, OK bleibt heil! Die Österreicher nehmen das Haus und OK kann die übrigen Russen als ›seine‹ Gefangenen übergeben.«[33] In Wien kursierte das Gerücht, Kokoschka hätte diesen Angriff nicht überlebt. Ein Beerdigungsinstitut nahm sogar Kontakt mit seiner Mutter auf und machte ihr ein günstiges Angebot für die Überführung des für tot geglaubten Sohnes in die Heimat. Auch Alma ging vom Tod ihres ehemaligen Geliebten aus. »Da hat es Alma Mahler nicht verdrossen«, schrieb Kokoschka mit einiger Erbitterung in seiner Autobiographie, »sofort aus meinem Atelier, wozu sie den Schlüssel hatte, Säcke voll ihrer Briefe abholen zu lassen. Der Krieg macht Menschen hart. Das fand ich zu kaltblütig und ihrem passionierten Charakter nicht gemäß.« Alma nahm auch Entwürfe und Skizzen an sich, die er in seinem Atelier zurückgelassen hatte, und soll »solche Zeichnungen an junge Maler verschenkt haben, die diese leider verstümmelten, indem sie sie vervollständigten, um sie verkäuflich zu machen. Vielleicht hat sie damit Gewissensregungen abreagieren wollen. Bilanz einer verfehlten Mission!«[34] Über Adolf Loos bat Kokoschka Alma, ihn einmal am Krankenbett zu besuchen. Zu spät. »Ich wusste zuvor, dass jeder Versuch, das Gestern in ein Morgen zu wenden, vergeblich sein musste.«[35] Alma hatte mit ihm abgeschlossen. An ihren Mann schrieb sie in jenen Tagen über Oskar Kokoschka: *Es geht mir aber alles nicht nahe. Seine Verwundungen glaube ich nicht recht. Ich glaube diesem Menschen überhaupt nicht mehr.*[36]

Zweifrontenkrieg

Bin nun über einen Monat verheiratet, hieß es am 26. September im Tagebuch. *Es ist sicher die merkwürdigste Ehe, die sich denken lässt. So unverheiratet, so frei und so ungebunden. Niemand gefällt mir. Mir sind heute die Weiber fast lieber, weil sie wenigstens nicht so aggressif sind. Aber endlich möchte ich schon in meinen Hafen einlaufen.*[37] Was Alma wenige Wochen nach der Hochzeit noch als Vorzug gepriesen hatte, nämlich ihre Unabhängigkeit, entwickelte sich im Laufe des ersten Ehejahres zur Belastung. Zwar verbrachte Gropius die wenigen Fronturlaube, die ihm zustanden, meistens bei seiner Frau in Wien oder in Breitenstein, nichtsdestoweniger litt das Paar unter den langen Trennungen. *Ich hasse den Krieg! Gott – lasse, dass der Krieg bald aus ist. Es ist rein nicht mehr zum Aushalten.*[38] Als eine weitere Hypothek stellte sich bald das von Beginn an schlechte Verhältnis Almas zu ihrer Schwiegermutter heraus. Manon Gropius, die Witwe eines preußischen Geheimrats, und Alma, die glamouröse Witwe eines überall gefeierten Komponisten, hatten sich nichts zu sagen. Die beiden Frauen entstammten nicht nur unterschiedlichen Generationen – sie repräsentierten verschiedene Welten. Sie standen sich von Anfang an – gelinde gesagt – skeptisch gegenüber. Noch im Frühjahr 1915 hatte Manon Gropius ihren Sohn vor Alma gewarnt, jetzt – wenige Monate später – eskalierte dieser Konflikt. Alma begriff die Ehe mit dem zu diesem Zeitpunkt noch weitgehend unbekannten Architekten als einen sozialen Abstieg, und sie besaß die Taktlosigkeit, in ihren zwar an ihn adressierten, aber an ihre Schwiegermutter gerichteten Briefen klar zu machen, *daß die Thüren der ganzen Welt, die dem Namen Mahler offenstehen, zufliegen vor dem gänzlich unbekannten Namen Gropius. Ob sie vielleicht einmal daran gedacht hat, was ich mit aufgab.* Doch damit nicht genug: *Sie soll sich einmal eine Symphonie anhören, dann wird sie schon – vielleicht mehr begreifen – obwohl ich ihrem Urtheil wenig zutraue. Ich stehe über dem allen – da aber sie es nicht thut – wäre es*

Walter Gropius. »Mein Mann muss erstrangig sein.«

Ein Werk ersten Ranges: die Fagus-Werke, erbaut 1911/12 von Walter Gropius und Adolf Meyer

an der Zeit ihr einmal mitzutheilen, wie 10000weise die Geheimräte herumspazieren – daß es aber nur einen Gustav Mahler gegeben hat und daß es auch nur eine – Alma – gibt.[39] An anderer Stelle hielt sie Gropius vor: *Ich bin etwas müde – und Deine Mutter ist ein fremder Mensch für mich. Ihre Enge ist unüberbrückbar.* Und überhaupt habe sie *keine Ahnung, was ein Mensch ist*[40]. Dabei bemühte sich Manon Gropius redlich um Alma, was von ihr indes abschätzig quittiert wurde. *Diesen entsetzlich langweiligen Brief bekam ich wieder von Deiner Mutter. Da ist nichts zu machen. Ihre Scheinexistenz bringt einem nur Aufregung – keinen Gewinn.*[41] Mitunter musste sich Gropius harsche Belehrungen über seine Mutter gefallen lassen. *Sie muss erst wissen*, betonte Alma arrogant, *wo ich herkomme, was ich aufgebe, um zu wissen, wer ich bin und wie sie sich mir gegenüber zu benehmen hat.* Als Manon Gropius sich offensichtlich bei ihrem Sohn beschwerte, Alma sei zu einem Mahler-Konzert in Berlin gewesen, ohne sich bei ihr gemeldet zu haben, antwortete die Schwiegertochter unversöhnlich: *Sage ihr, wenn ich zu einem Mahlerkonzert nach Berlin gekommen wäre, so hätte sie es rechtzeitig aus der Zeitung erfahren.* Der Schluss des Briefes konnte Gropius wohl kaum trösten: *Bitte sei nicht böse – Deine Mutter ist eine fixe Idee von mir geworden – und wird es bleiben, mein lebelang.*[42] Auch Walters Schwester geriet in Almas Fadenkreuz: *Der Brief Deiner Schwester ist die Äußerung eines kaltschnäutzigen Philisters.*[43]

Vor dem Hintergrund des Krieges, dessen Massenschlachten Walter Gropius Tag für Tag ausgesetzt war, erscheinen die Briefe, in denen sich Alma um ihren vermeintlichen sozialen Abstieg sorgte oder sich über ihre Schwiegermutter mokierte, lächerlich. Alma war offensichtlich nicht fähig, die Situation ihres Mannes, der jeden Augenblick sein Leben riskierte, nachzuvollziehen. Und so hatte Walter Gropius in den Kampfpausen alle Hände voll zu tun, die absurden Streitereien zu schlichten. Wie schon Gustav Mahler und Oskar Kokoschka musste auch er Alma gegenüber seiner Familie und seinen Freunden verteidigen. Immer wieder fühlte er sich gedrängt, Almas Vorzüge herauszustreichen. Noch fiel ihm dies leicht, zumal nicht in allen Briefen aus Wien die Vorwürfe überwogen. Es gehörte zu den Besonderheiten dieser Ehe auf Distanz, dass Beschwörungen ekstatischer Liebe auf bittere Klagen und den Austausch alltäglicher Belanglosigkeiten folgten. Und so bedachte Alma ihren Mann mit erotischen Phantasien, die in ihrer Intimität eine andere, sinnliche Frau zeigen, die sich nach lang entbehrter sexueller Erfüllung sehnt. *Das erste mal, wenn wir uns wieder sehen, werde ich an Dir zu Boden sinken, auf Knien bleiben, kniend Dich bitten mir mit Deinen Händen das heilige Glied in den Mund zu stecken und alle meine Feinheiten, alles Raffinement, das ich an Dir erlernt habe will ich anwenden um Dir eine rasende [unleserlich] zu geben.* […] *Dann wirst Du wild werden, mich aufreißen, mit aller Sorgfalt auf ein Bett legen, das so breit ist, wie wir Beide lang sind – Blumen sind im Zimmer und Kerzen brennen und dort lege mich hin und quäle mich, indem Du mich warten lässt, immer warten lässt – bis ich weine und flehe! Bitte!!*[44] An anderer Stelle bat sie ihn: *Wenn dieser Brief Dich verleitet, mit der erlauchten Hand Dein süßes Glied zu berühren, dann schicke mir wenigstens was mir gehört davon und ich gebe es in mich – so ist es nicht verloren.*[45] Nachdrücklich verlangte sie von ihrem Mann, auch er solle seine sexuellen Phantasien aufschreiben und ihr zuschicken, nicht ohne zugleich scheinbar drohend den Zeigefinger zu heben: *Du hilfst mir – nein uns, wenn Du meiner entfachten Sinnlichkeit entgegenkommst, ich weiß sonst nicht was ich thue!*[46]

Aus ihrer Ehe mit Walter Gropius machte Alma über längere Zeit ein Geheimnis. *Ich bin seit Monaten mit dem Architecten Walter Gropius verheiratet*, schrieb sie erst Anfang Februar 1916 an Margarethe Hauptmann. *Da dieser ausgezeichnete Mensch und Künstler aber seit Anfang des Krieges an der Vogesenfront ist und ich seit unserer Kriegstrauung wieder einsam und allein lebe, blieb ich meinem alten, lieben Namen einstweilen treu – um den Winter über ruhig hier weiter existieren zu können.*[47] Dass sie ihr Schweigen nun, nach einem halben Jahr brach, hing wohl mit der Gewissheit zusammen, schwanger zu sein. Sie dachte sogar zeitweilig darüber nach, nach Berlin zu übersiedeln – ein Vorhaben, von dem sie allerdings schnell wieder Abstand nahm. Solange Gropius im Krieg stand, wollte Alma in Österreich bleiben und ihr gewohntes Leben fortsetzen. Sie besuchte weiterhin Konzerte und traf mit Musikern, Dirigenten, Wissenschaftlern und Künstlern zusammen, die ihr als Witwe Mahlers ehrerbietig die Aufwartung machten. Hin und wieder schloss sie neue Freundschaften wie etwa mit dem Juristen und Schriftsteller Albert von Trentini. Bei einem Besuch in Almas Salon fiel der 37-jährige Trentini plötzlich vor ihr auf die Knie, *legte seinen Kopf in meinen Schoß und weinte. Er sagte: ›Seit ich Sie kenne, habe ich jedes Mal dasselbe Gefühl. Wenn ich Sie anschaue, treten mir Tränen in die Augen.‹ Dieser Mensch ist vollkommen rein – fast etwas Heiliges umschwebt ihn. Ich fühle mich glücklich in seiner Nähe.*[48] Der Spross einer alten Tridentiner Adelsfamilie hatte es der 36-jährigen Alma angetan, und sie schien sich sogar etwas in ihn verliebt zu haben. Als Trentini Anfang März eingezogen wurde, fühlte sie sich *wie befreit*, denn *Walter war in jener Zeit verblasst in mir*[49].

Ihre Schwangerschaft empfand Alma zunächst als eine *herrliche Zeit*: *Nun sehne ich mich nach der Entbindung*, notierte sie Mitte Juni, *sie wird mir neuen Aufschluss geben.*[50] Der Krieg machte sich jedoch zunehmend auch im Alltag der Zivilbevölkerung bemerkbar, und für Alma war die fortgeschrittene Schwangerschaft sicherlich mit Beschwerden verbunden, zumal sie ganz auf sich gestellt war, neben ihren gesellschaftlichen Verpflichtungen und der Betreuung ihrer Tochter Anna zwei Haushalte, in Wien und am Semmering, zu versorgen hatte. Und so verwundert es kaum, dass die Bewältigung der Pflichten – ohne Ehemann und in Kriegszeiten – Alma zuweilen niederdrückte. Als Walter Gropius sie einmal arglos in einem Brief fragte, wie es um den Ausbau der Veranda in Breitenstein bestellt sei, wofür er Entwürfe angefertigt hatte, reagierte sie völlig überzogen. *Dies schreibt ein ›Architect‹ oder einer der es gerne vorstel-*

len möchte seiner schwangeren Frau – während des Krieges – deren Haus 1000 m hoch liegt. Da steht mir der Verstand still. [...] So lieb Deine Briefe waren – hat mich das doch so empört, dass ich respectlos an Dich denken muß. Diese Besonnenheit ist etwas was ich von Dir verlange! Sonst hätte ich ja gleich einen deutschen Lyriker heiraten können, so ein Wolkenschaf. – Schreibe mir, ob ich nicht noch wieder eine Taglöhnerarbeit für Dich verrichten darf? – Vielleicht den Umbau des Hausmeisterhauses???[51] So instinktlos Gropius' Nachfrage gewesen sein mag, Almas wütenden Brief wird er wohl als ungerecht empfunden haben. Mehrfach war er im Schützengraben unter direkten Beschuss geraten, hatte sich aber jedes Mal bis auf ein paar äußere Blessuren retten können. Von den unheroischen Seiten des Krieges, dem Blut und dem Sterben berichtete er seiner Frau nichts – sie sollte davon verschont bleiben. Die zwei Jahre an der Front aber hatten Walter Gropius geprägt und zermürbt – was es bedeutete, jeden Tag mit dem sinnlosen Abschlachten von Feind oder Freund konfrontiert zu sein, blieb Alma verborgen. Hin und wieder machte sie ihm postalisch eine Szene, so auch, als sie fünf Tage lang keinen Brief von ihm erhalten hatte. *Wenn Du mich betrügst – so thue ich es wieder – merk Dir das! – Und ich finde immer Menschen! Nur hatte ich in der letzten Zeit keine Lust. – Sei lieb mit mir.*[52]

In der Hundeschule

Als im September 1916 Almas Niederkunft bevorstand, erhielt Walter Gropius einen zweiwöchigen Sonderurlaub, um seiner Frau beistehen zu können. Beide waren nach den zurückliegenden Monaten der Trennung voll freudiger Erwartung. Das Kind hielt sich allerdings weder an ärztliche Vorhersagen noch an Gropius' Urlaubsplan, wie Alma enttäuscht in ihrem Tagebuch feststellte: *Seit 14 Tagen warte ich nun auf mein Kind. Walter war da und ist wieder fort –*

traurig und einsamst; er und ich. Ich hatte mich so gesehnt, ihm sein Kind in den Arm zu legen.[53] Der Abschied war für beide hart. Gropius kehrte tief deprimiert zu seinem Regiment zurück, während Alma weitere zwei Wochen auf die Entbindung warten musste. Am 5. Oktober war es endlich so weit. An jenem Donnerstag *ist mir ein neues, süßes Mädel geboren. Unter den grausamsten Schmerzen – aber nun sie da ist, bin ich froh. Ich bin verliebt in dieses Wesen!*[54] Als der stolze Vater seine bildhübsche Tochter zum ersten Mal zu Gesicht bekam, war er hingerissen und schwärmte gegenüber seiner Mutter von »langen schmalen Aristokratenfingern« und großen Augen, »die schon bewusst in die Welt schauen«[55]. Die evangelische Taufe der kleinen Manon Alma Anna Justine Caroline Gropius fand am Weihnachtsfest 1916 in Wien statt. Almas Verhältnis zu ihrer Schwiegermutter hatte sich kurzzeitig gebessert. Da die Großmutter Manon Gropius nicht zur Taufe aus Berlin anreisen konnte, schickte sie ein Päckchen. *Du hast keine Ahnung, was für eine Freude Du mir gemacht hast*, bedankte sich Alma artig und fügte hinzu, sie sei sich nun sicher, *dass Du mich doch ein bissel lieb hast.*[56] Auch Walter Gropius war nicht mit leeren Händen gekommen – er schenkte seiner Frau das Gemälde »Sommernacht am Strand« des norwegischen Expressionisten Edvard Munch.

Trotz des Krieges und der unwirklichen Situation, eine Fernehe führen zu müssen, versuchten Alma und Gropius wenigstens für einige Wochen wie eine ganz normale Familie zu leben. Doch der Schein trog. Zwar hatte Alma Mitte November in einem Brief an Margarethe Hauptmann angekündigt, nach Kriegsende nach Berlin zu ziehen, doch glaubte sie daran insgeheim wohl selbst nicht mehr.[57] In ihrem Tagebuch ließ sie ihren Zweifeln freien Lauf: *Er ist im Feld – wir sind lang – über ein Jahr verheiratet … wir haben uns nicht und manchmal habe ich Angst, dass wir einander fremd werden. Dieses Zukunftsleben habe ich nun bald satt. Immer Provisorium!* An Oskar Kokoschka, der sich von seinen schweren Kriegsverletzungen in einem Dresdner Sanatorium erholte, dachte sie nicht mehr,

*Walter, Alma und die Tochter Manon Gropius, um 1917. »Ich bin
verliebt in dieses Wesen!«*

er *ist mir ein fremder hässlicher Schatten geworden – nichts interessiert
mich mehr an seinem Leben.* Alma war sich ihrer Gefühle sicher, sie
bemerkte, *dass meine Sinne schweigen – dass ich Walter so sicher treu
bleiben kann. Denn ich liebe ihn und will ihn nicht verlieren.*[58] Allerdings war ein Ende des fürchterlichen Krieges nicht in Sicht. Mit
der Wiederaufnahme des so genannten uneingeschränkten U-Boot-
Krieges im Februar 1917 provozierte das Deutsche Reich den
Kriegseintritt der USA zwei Monate später. Damit rückte der Frieden in weite Ferne.

Walter Gropius war inzwischen in die belgische Stadt Namur versetzt worden, wo er in einer Heeresschule für das Nachrichtenwesen unter anderem für die Ausbildung von Kriegshunden verantwortlich war. Obwohl es sich um eine ehrenvolle Tätigkeit handelte – schließlich wurden im Ersten Weltkrieg zehntausende Vierbeiner als Sanitäts-, Posten-, Melde- und Ziehhunde eingesetzt –, mag sich der Regimentsadjutant Gropius darüber amüsiert haben, dass er nun offiziell eine Hundeschule leitete. Nicht jedoch Alma. *Noch immer kann ich mich mit dem Gedanken nicht versöhnen*, schrieb sie ihm, *Dich in einer Dir unwürdigen Stellung zu sehen. Es ist zu hässlich für Dich – und für mich.*[59] Sie schämte sich für ihren Mann: *Hunde sind unreine Tiere. Die Idee, Du schaust ihnen ins Maul mit Deinen Händen – davor graust mir. Und außerdem empfinde ich es als subalterne Stellung. Dressier artig.* Dieser Brief schloss mit einer unmissverständlichen Forderung: *Mein Mann muss erstrangig sein.*[60] Die nun 13-jährige Anna hatte in dieser Hinsicht keine Berührungsängste; an ihren Stiefvater schrieb sie: »Ich habe von der Mami erfahren, dass Du Kriegshundeschulleiter geworden bist. Wie gefällt Dir der Beruf? Mami ist sehr erbost darüber.«[61] Dass Walter Gropius dank seiner neuen Aufgabe vorerst von lebensgefährlichen Fronteinsätzen verschont blieb, schien Alma nicht zu interessieren. Sie sorgte sich vielmehr um ihren »guten Namen« und wollte keinesfalls die Ehefrau eines »Hundedresseurs« sein.

Die Geburt der kleinen Manon war entgegen allen Hoffnungen kein Wendepunkt in der Ehe von Alma und Walter Gropius. Die beiden fanden auch über ihr gemeinsames Kind nicht wirklich zueinander. Alma: *Ich wollte noch einmal wissen, was das heißt: ein Kind von einem geliebten Manne tragen – bekommen – besitzen, aber dieses Problem ist erschöpft. Meine sporadische Verliebtheit in Walter, wenn er bei mir ist – ist mir nachher manchmal ein Ärgernis!*[62] Aufgrund derartiger Resümees gewinnt man den Eindruck, dass Walter Gropius in Almas Leben vor allem eine Funktion hatte, nämlich mit ihr ein Kind zu zeugen. Scheiterte die Ehe mit Walter Gropius also, weil der Nachwuchs nun da war und der Erzeuger seine Pflicht erfüllt hatte? Dass die Beziehung im Herbst 1917 vor dem Aus stand, hatte mehrere Gründe. An erster Stelle: die unterschiedlichen Temperamente. Dass Alma ihren Mann als *lau* und *fad* empfand, wurde bereits erwähnt. Umgekehrt wird er ihren unberechenbaren Stimmungen und ihrer Neigung zu hysterischen Inszenierungen immer weniger Verständnis entgegengebracht haben. Seine Leidenschaft für die Architektur teilte sie ohnehin nicht, während er als musikalischer Laie, wenngleich interessiert, ihr in der Musik kein gleichwertiger Partner sein konnte. Und nicht zuletzt erwiesen sich die ständigen Streitereien zwischen Alma und ihrer Schwiegermutter als ein weiteres, wesentliches Hemmnis. Am Ende war es der Weltkrieg, der dieser von vornherein zum Scheitern verurteilten Ehe auf Distanz den Todesstoß versetzte. Die Trennung machte ein normales Familienleben unmöglich, es herrschte der permanente Ausnahmezustand. *Die kurze Heilung, die ich durch Walter erfahren hatte, weicht durch stetes Alleinsein: vielmehr getrennt sein von ihm, so dass ich mir ein Zusammenleben mit ihm fast nicht mehr vorstellen kann. Ich bin irritiert – alles kränkt mich – sehr traurig. Eine große Freude täte mir Not!* Und schließlich: *Der ›Mann‹ hat keine Bedeutung mehr für mich. Walter ist zu spät gekommen!*[63]

Alma Mahler-Werfel

Hassliebe
(1917–1930)

Entscheidungen

Im Herbst 1917 hatte die Kriegsehe von Alma und Walter Gropius trotz allen Lamentos ein für Alma erträgliches Niveau gefunden. Offenbar hatte die 38-Jährige sich an die permanente Abwesenheit ihres vier Jahre jüngeren Mannes gewöhnt. In ihrem roten Salon in der Elisabethstraße herrschte reger gesellschaftlicher Verkehr – Komponisten, Schriftsteller, Maler, Wissenschaftler, Dirigenten oder Schauspieler und Sänger versammelten sich immer häufiger bei ihr. Man kann sagen, dass sie in dieser Zeit zu ihrer eigentlichen Statur fand, an die sich die Nachwelt erinnern sollte: die üppige, damals hätte man gesagt: »junonische« Alma, ihr Blick auf den Fotografien ist immer noch durchdringend und herausfordernd, inmitten der Elite der Geistesmenschen, die von ihr inspiriert, gefördert oder kritisiert werden. So hat sie sich selbst gerne gesehen und immer wieder neu entworfen. Kurz vor dem Zusammenbruch der k.u.k.-Monarchie begann für sie ein mondänes Leben in Wien, das die folgenden zwei Dekaden anhielt.

Diese Woche war wieder schön und reich, schwärmte Alma Mitte November 1917 in ihrem Tagebuch. Nach längerer Zeit hatte sie Paul Kammerer wieder gesehen, sich mit Josef Strzygowski getroffen, und am 14. November besuchte sie Helene von Nostitz, die Ehefrau des sächsischen Gesandten in Wien. Als Alma an jenem Mittwochabend nach Hause kam, wurde sie bereits von ihrem Freund, dem Schriftsteller Franz Blei, und dessen 27-jährigen Kollegen Franz Werfel erwartet. Werfel war kein Unbekannter für

Alma, hatte sie doch zwei Jahre zuvor sein Gedicht »Der Erkennende« vertont.[1] Später gesellten sich weitere Freunde und Bekannte wie Hans und Erika Tietze sowie der Maler Johannes Itten hinzu. Alma wusste zunächst nicht, was sie von dem Neuling in der Runde halten sollte. *Werfel verzapfte erst einen furchtbaren Socialdemokratismus und wurde im Laufe des Abends immer größer, freier und reiner.* Auch sein Äußeres sagte ihr anfangs gar nicht zu: *Werfel ist ein O-beiniger, fetter Jude mit wülstigen Lippen und schwimmenden Schlitzaugen! Aber er gewinnt, je mehr er sich gibt.*[2] Noch Jahrzehnte später erinnerte sich Anna Mahler an Werfels unattraktive Erscheinung, insbesondere an seine Zähne, die durch übermäßiges Rauchen und Kaffeetrinken sehr verfärbt, fast schwarz waren. »Schön war er nicht. Er war klein und dick, was erstaunlich war, denn die Mami hat eigentlich große, schöngewachsene Leute gerne gehabt. Aber irgendein Zusammenhang war sofort da – und zwar musikalisch. Die Mami hat wirklich sehr schön Klavier gespielt, und hat lernen müssen, Verdi zu spielen, statt nur Wagner. Denn Werfel hatte eine wunderschöne Stimme – Tenor, keinen Heldentenor, Gott sei Dank, sondern einen weichen Tenor.«[3] Werfel war in den folgenden Wochen immer häufiger zu Gast in der Elisabethstraße, nicht nur wegen des gemeinsamen Musizierens. Schnell hatten sie sich ineinander verliebt, und Alma stand wieder einmal zwischen zwei Männern, wie sie gegensätzlicher kaum vorstellbar sind. Auf der einen Seite der distinguierte Walter Gropius, der sich nicht zuletzt wegen seiner traumatischen Kriegserfahrungen immer mehr in sich zurückgezogen hatte, auf der anderen Seite Franz Werfel, der vor Witz und Esprit geradezu überzusprudeln schien. Vor die Wahl gestellt, sich für einen der beiden zu entscheiden, lavierte sie und kam kurzzeitig sogar auf die bizarre Idee, die erst 13-jährige Anna mit ihrer Neuentdeckung zu verkuppeln: *Aber Werfel gefällt mir. Den möchte ich für Gucki zum Mann. Er ist einer der feinsten Köpfe, die ich kenne – und so unendlich frei und vornehm. Ein großer Künstler!*[4] Almas Unentschlossenheit bekam auch ihr Mann zu spüren, der Anfang Dezember an die Front nach Italien versetzt wurde, um dort die österreichischen Kameraden über seine Erfahrungen beim Einsatz von Kriegshunden zu unterrichten. Ihre Verachtung für Walters unheldische Position nahm skurrile Formen an. *Seit ich weiß, dass ich nicht auf die Adresse schreiben muß Leiter einer Hundeschule – kann ich wieder schreiben. Ich hatte auch einen Menschen mit Namen Kohn nicht geheiratet. Und ich bitte Dich – wenn Du irgendwo ein unreines Tier berührt hast, mir lieber nicht zu schreiben, wenn Du nicht die Möglichkeit hattest, Dich vorher gründlich zu waschen. – Denn mir graust so vor den Thieren in Deiner Nähe.*[5] Angesichts derartiger hysterischer Ausbrüche konnte Gropius nicht übersehen, dass mit Alma etwas nicht stimmte. Der zunehmend aggressive Ton in manchen Briefen ließ sich nicht mehr mit ihrer Launenhaftigkeit erklären. Als Gropius am 15. Dezember 1917 zum Weihnachtsurlaub in Wien eintraf, kam es zwischen den Eheleuten schon nach kurzer Zeit zu heftigen Auseinandersetzungen. Während ihr einst Gropius' Ruhe und Ausgeglichenheit sowie seine höflichen, wenngleich etwas steifen Umgangsformen imponiert hatten, war ihr seine Gegenwart nun unangenehm. Und wenn er *den Mund aufmachte, um zu sprechen, dann schämte ich mich seiner!* Der völlig konsternierte Gropius wunderte sich über das kühle und manchmal feindselige Verhalten seiner Frau, konnte aber natürlich nicht wissen, dass sie sich wenige Wochen zuvor in einen anderen Mann verliebt hatte und sich in einer argen Gefühlsverwirrung befand. Jeden Tag sehnte sie die Abreise ihres Mannes herbei. Am 29. Dezember war es so weit: *Ich hatte den letzten Rest von Wärme rausgeholt*, erinnerte sich Alma, *um bis zum Schluss das Scheinbild einer guten Beziehung aufrecht zu halten.* Um Gropius die Rückkehr an die Front zu erleichtern, setzte sie ihr *bestes Lächeln aufs Gesicht*, während ihr *Herz jubelte.* Durch einen unglücklichen Zufall verpasste er allerdings den Zug und musste einen weiteren Tag in Wien bleiben. *Dieses Zurückkommen hatte mir die volle Erkenntnis gegeben, dass meine Liebe zu Walter Gropius für im-*

mer verschwunden war. Ja – mehr noch – meine jetzigen Gefühle gli-
chen einem gelangweilten Hass.[6]

Nach Gropius' Abreise stürzte sich Alma in die schillernde
Welt des gesellschaftlichen Lebens. Den Silvesterabend verbrachte
sie mit Anna im vornehmen Hotel »Bristol«, wo sie bis vier Uhr früh
mit dem holländischen Dirigenten Willem Mengelberg und zahlreichen Freunden feierten. Zu Mengelbergs Ehren gab Alma am Neujahrstag einen großen Empfang. Auf der Gästeliste standen neben
etlichen Vertretern des Hochadels zum Beispiel die Komponisten
Franz Schreker, Julius Bittner und Alban Berg, der Bankier Paul
Hammerschlag, der Maler Johannes Itten, der Musikkritiker Ludwig Karpath, Lilly Lieser, Franz Blei sowie Franz Werfel. *Der Abend
scheint mir wirklich gelungen*, notierte sie stolz. *Meine Glücksmo-
mente waren die, wenn ich unbemerkt irgendwie mit Werfel sprechen
konnte. Ich muss mein Herz sehr festhalten, sonst fliegt es fort.*[7] Als
Alma und Werfel Anfang Januar an einer Aufführung von Mahlers
4. Sinfonie teilnahmen, warfen sie einander schwärmerische Blicke
zu. In der Pause nahm sie ihn heimlich mit nach Hause. *Es konnte ja
nicht anders kommen*, hieß es am nächsten Tag, *dass er meine Hand
ergriff und küsste und dass sich unsere Lippen fanden und dass er Worte
stammelte ohne Sinn und Zusammenhang und doch so absolut wahre
Worte.* Alma empfand eine *tiefe seelische Verwandtschaft mit Werfel*,
sprach gar von einem *Gotterlebnis*[8].

Der Liebestaumel fand ein jähes Ende, als Werfel seinen Dienst
im österreichischen Kriegspressequartier fortsetzen musste. Im
K.P.Q., wie diese Institution kurz hieß, arbeiteten namhafte österreichische Schriftsteller wie Robert Musil, Stefan Zweig oder Hugo
von Hofmannsthal für die zumeist verhasste Kriegsmaschinerie,
belieferten die Presse mit Durchhalteartikeln oder entwarfen sentimentale Soldatenmärchen. Auch Franz Werfel musste sich mit
Kriegsbüchern für Kinder und mit Soldatenliedern beschäftigen.[9]
Mitte Januar 1918 reiste er im Auftrag des Pressequartiers in die
vom Krieg völlig unberührte Schweiz, wo er kurioserweise Propa-

gandareden halten sollte. Werfel verstand es, diesen Aufenthalt für sich zu nutzen, indem er bis Mitte März über ein Dutzend Vorträge hielt und immer wieder aus eigenen Werken las. Jene Veranstaltungen sowie die Premiere seiner Übertragung der »Troerinnen des Euripides« im Zürcher Stadttheater machten den jungen Dichter schnell bekannt. Als er allerdings in der Kleinstadt Davos vor einer Arbeiterversammlung scharfe Angriffe auf das Bürgertum und den Militarismus formulierte, war er zu weit gegangen. Franz Werfel erhielt den Befehl, die Vortragsreise unverzüglich abzubrechen und in das K.P.Q. nach Wien zurückzukehren.

Doppelspiel

Als Werfel Ende März 1918 in Wien eintraf, war Alma bereits im dritten Monat schwanger. Zunächst wusste sie nicht genau, wer der Vater des Kindes war. Sie hoffte, dass die Zeugung in jener Januarnacht nach dem Mahler-Konzert stattgefunden hätte und nicht Ende Dezember, als Walter Gropius seinen Weihnachtsurlaub bei ihr verbracht hatte. Die ohnehin vertrackte Situation wurde noch komplizierter, als sich Gropius nach einer schweren Verwundung in ein Kriegslazarett nach Wien verlegen ließ und somit in die Nähe seiner schwangeren Frau rückte. Alma war also, da sie ihre Untreue weiterhin verheimlichen wollte, gezwungen, Gropius das Gefühl zu geben, das Kind sei von ihm. Die Schwangerschaft verlief problemlos, in Breitenstein, wohin Alma, Anna und Manon im Sommer übersiedelten, machte sich allerdings die kriegsbedingte Mangelwirtschaft bemerkbar. Außer alten Saatkartoffeln, Polenta, billigem Fleischersatz und verschiedenen Pilzen gab es nichts zu essen. Ende Juli reiste Franz Werfel auf den Semmering: *Werfel und ich lebten unseren Rausch weiter und kümmerten uns leider wenig um das Werdende in mir. Vollkommen leichtfertig und besoffen lebten wir dahin.*[10] Doch ihre Ungestörtheit wurde bald beendet. Emmy Redlich, die reiche Ehefrau des Zuckerfabrikanten Fritz Redlich, und ihre 18-jährige Tochter hatten ebenfalls ihren Besuch angekündigt, und so war das Liebespaar auf Diskretion bedacht. In der Nacht vom 27. zum 28. Juli 1918 kam es zur Katastrophe. Nachdem Alma und Anna der lästigen Besucherin am Abend fast den gesamten zweiten Teil von Mahlers 8. Sinfonie auf dem Harmonium vorgespielt hatten, musste Alma Emmy Redlich noch bis tief in die Nacht unterhalten. Nachdem sie sich zur Ruhe begeben hatten, schlich Werfel zu seiner Geliebten. »Wir liebten uns!«, schrieb er wenige Tage später in sein Tagebuch. »Ich schonte sie nicht. Gegen Morgen ging ich in mein Zimmer zurück.«[11] Bei Tagesanbruch wachte Alma auf und fühlte sich unwohl: *Ich machte mit zitternden Händen Licht und sah, dass ich in einem Blutsee stand.*[12] Sofort läutete sie Sturm. Anna, Emmy und Maude, Almas englische Zofe, eilten herbei und fanden das Schlafzimmer wie nach einem furchtbaren Gemetzel vor. Franz Werfel wurde von Maude geweckt und gebeten, so schnell wie möglich einen Arzt zu holen. Er ahnte, was geschehen war. Der leidenschaftliche Liebesakt hatte bei der schwangeren Alma heftige Blutungen ausgelöst. Noch völlig benommen rannte er über regennasse Felder und Wiesen zu einem Sanatorium, wo er den diensthabenden Arzt aus dem Schlaf riss. Da der Doktor an Tuberkulose litt, konnte er nur sehr langsam gehen. Unterwegs trafen die Männer auf Anna, die ins Dorf lief, um Walter Gropius telefonisch zu benachrichtigen. Werfel schloss sich ihr an, während der Mediziner in der Villa Mahler eine eigenwillige Patientin vorfand. *Ich sah seine Fleischhauerhände*, notierte Alma, *und verbat mir jede Berührung.*[13] Werfel machte sich schwerste Vorwürfe und wollte bereits am Nachmittag Breitenstein verlassen. Auf dem Bahnhof beobachtete er unbemerkt, wie Walter Gropius in Begleitung eines bekannten Gynäkologieprofessors einem Militärzug entstieg. Nach einigem Hin und Her wurde Alma am 31. Juli nach Wien transportiert. Der Krieg machte die Überführung zu einem mühsamen Unternehmen, das letzte Stück musste die Kranke sogar in einem

Leichenwagen zurücklegen. Im Sanatorium Löw angekommen, ausgerechnet dort, wo Gustav Mahler gestorben war, handelten die Ärzte schnell. Kind und Mutter konnten nur durch die Einleitung der Geburt gerettet werden. In der Nacht vom 1. zum 2. August brachte Alma unter größten Schmerzen einen Jungen zur Welt. Walter Gropius war die ganze Zeit bei ihr, wähnte er sich doch als der Vater des Kindes. Franz Werfel war von den Sorgen um Alma und das Kind überwältigt. Als er endlich vom positiven Ausgang der Operation erfuhr, pries er Gott und schrieb seiner Geliebten einen hymnischen Brief. »Heilige Mutter Du! Du bist das Herrlichste, das stärkste, mystischste, Göttinnenhafteste, das mir im Leben begegnet ist. In jedem Augenblick, in jeder Prüfung Deines Lebens bist Du Vollkommenheit.«[14] Nachdem sie sich von den Strapazen der Entbindung etwas erholt hatte, schrieben sich Alma und Franz täglich, die Briefe wurden von Boten befördert. In ihren sehnsüchtigen Schreiben sprach sie ihn mit *Mein geliebter Mann* an und unterschrieb als *Alma Maria Werfel.* Mittlerweile litt sie unter der Maskerade gegenüber ihrem Mann. *Mein Schwerstes ist jetzt mein Zusammensein mit W.*[15], ließ sie Franz Werfel wissen. An anderer Stelle schrieb sie: *Der arme W. leidet wahnsinnig. Er fühlt, dass jedes Wort, das er spricht mich irritiert, fasst meine Kälte nicht, weiß nicht was er tun soll. Ich kann aber nicht etwas vortäuschen, was ich nicht fühle – ich kann nicht. Er weiß, dass ich ihn nicht mehr liebe, er zerbricht sich den Kopf, wie er es ändern könnte – ich weiß keinen Rat.*[16] Während der betrogene Ehemann weiterhin im Dunkeln tappte, tauschten sich Alma und Werfel in ihren Briefen über einen Namen für ihr Kind aus. Sie schwankten zwischen Gabriel, Daniel, Martin, Matthias, Albrecht, Gerhart, Lukas und Benvenuto. Alma favorisierte Gerhart: *Es ist ein alter Wunsch. Ach dürfte ich ihn Gerhart Franz nennen.*[17] Werfel war von dieser Idee wenig angetan und scheute vielleicht auch die Assoziation mit Gerhart Hauptmann. Er schlug vor, sich mit der Namenssuche Zeit zu lassen.

Als Alma am 25. August mit Franz Werfel am Telefon turtelte

und Walter Gropius unbemerkt das Zimmer betrat, nahm das Versteckspiel ein jähes Ende. Er stellte seine Frau zur Rede, die ihm daraufhin alles beichtete. Es kam zu Auseinandersetzungen, die insbesondere Franz Werfel sehr mitnahmen. »Was wird nur jetzt werden? Er wird sich wehren! Er wird um Dich kämpfen, er wird Dich nicht in Wien allein lassen.«[18] Diese Befürchtungen waren nicht ganz unbegründet. Zwar reagierte Walter Gropius fortan weitgehend ruhig und gefasst, empfand paradoxerweise sogar freundschaftliche Gefühle für seinen Nebenbuhler, auf Alma ganz verzichten mochte er allerdings nicht. Und Alma wusste nicht, wie sie sich entscheiden sollte – sie sah sich starken Gefühlsschwankungen ausgesetzt, die sie sehr verunsicherten. *Heute habe ich eine Todsünde begangen*, beichtete sie Ende Oktober ihrem Tagebuch. *Ich gab mich aus Mitleid und ohne geringstes Gefühl von Erregung meinem Manne* [Gropius] *hin*.[19] Walter Gropius den Laufpass zu geben, fiel ihr trotz der abgeflauten Gefühle schwer. Und Franz Werfel hatte inzwischen einiges von seiner Faszination für sie verloren. Selbst Kleinigkeiten störten sie nun: *Er wohnt in einer Möbellüge, wie ich selten so etwas gesehen habe.* Alma empfand die Einrichtung nicht nur billig und geschmacklos, sie hatte das Gefühl, *in das Zimmer der Maitresse eines Kunsthändlers gekommen zu sein.* Enttäuscht und verunsichert verließ sie Werfels Wohnung. *Wird das so werden? Ich könnte sicher mit einem so laxen Menschen nicht leben! Ich weiß weniger denn je, was zu geschehen hat.*[20]

Kurze Zeit später kam es zum ersten großen Streit zwischen Alma und Franz Werfel. Österreich-Ungarn schloss am 3. November einen Waffenstillstand mit den Alliierten. Am 9. November dankte Kaiser Wilhelm II. ab, und die deutsche Republik wurde ausgerufen, zwei Tage später endete der Weltkrieg mit der Unterzeichnung des Vertrags über den Waffenstillstand zwischen den Alliierten und Deutschland im nordfranzösischen Compiègne. Und am 12. November, einen Tag nach der Abdankung Kaiser Karls I. von Österreich, proklamierte die Provisorische Nationalversammlung die Republik »Deutschösterreich«. An jenem Dienstag erschien Franz Werfel – aufgeregt und voller Tatendrang – in Almas Wohnung. Er wollte sich in das Wiener Parlamentsviertel durchschlagen, wo sich Hunderttausende versammelt hatten. Seine Freunde von den Roten Garden, einer kurz zuvor nach bolschewistischem Vorbild gegründeten Organisation, warteten auf ihn. Zuvor bat er Alma um ihren Segen: Er würde nicht eher gehen, beschwor er sie, bevor sie ihn mit einem Kuss entlasse. Alma tat ihm den Gefallen, und er stürzte sich ins Getümmel. Als er am späten Abend zu ihr zurückkehrte, war sie entsetzt: *Seine Augen schwammen in Rot, sein Gesicht war gedunsen und starrte vor Schmutz, seine Hände, seine Montur – alles war zerstört.*[21] Alma wandte sich angewidert von ihm ab und schickte ihn fort. Der Besuch in Werfels Wohnung sowie seine Beteiligung an den revolutionären Ereignissen im November hatten zu einer Desillusionierung geführt, die die Verbindung von Alma und Franz Werfel sehr verändern sollte. Das zukünftige Kräfteverhältnis wurde in diesen Tagen festgelegt. Alma oblag es, der Beziehung eine Richtung zu geben, Distanz und Nähe zu bestimmen, und sie übernahm den dominanten Part. Franz Werfel, noch unfertig und leicht beeinflussbar, übernahm die Rolle des Schwächeren und ließ sich, höchstwahrscheinlich nicht ungern, von ihr lenken. Und so war Alma fest entschlossen, dem unsteten Kaffeehausleben Werfels ein Ende zu bereiten. Bei nächster Gelegenheit sollte er sich, wie sie entschied, für einen längeren Zeitraum allein nach Breitenstein in ihr Haus zurückziehen, um zu schreiben.

Gehirnerweichung

Obwohl Almas Sohn eine Frühgeburt war, hatte er die dramatischen Umstände der Entbindung überraschend gut überstanden. Plötzlich kam es jedoch zu unerwarteten Komplikationen. Eine schwere Gehirnwassersucht machte sich bemerkbar, die den Schädel des Säuglings stark anschwellen ließ. Die Ärzte beobachteten das Fortschreiten der Krankheit mit großer Skepsis. Ende Januar 1919 rieten sie den besorgten Eltern, eine Punktion durchführen zu lassen. Dieser Eingriff sei für das Kind zwar sehr schmerzhaft, aber die einzige Möglichkeit, bleibende Schäden zu verhindern. *Wenn nur unser Kind gesund wird*, flehte Alma vier Tage nach der Operation, *dann ist alles gut*.[22] Die qualvolle Prozedur führte allerdings nicht zum gewünschten Erfolg, so dass weitere Punktionen vorgenommen werden mussten. Es half alles nichts: Der Kopf des kleinen Jungen wuchs monströs an. Obwohl Werfel sich rührend um Alma kümmerte, zog sie sich von ihm zurück. *Die plötzliche Erkenntnis, dass Werfel aus meinem Leben verschwinden muss*, hieß es am 14. Februar, *dass er Quelle alles meines Unglücks ist*.[23] Schließlich machte sie die angebliche Minderwertigkeit seiner Rasse und seinen »verkommene[n] Samen« für die Erkrankung des Kindes verantwortlich, wie sich ein Zeitzeuge erinnerte.[24] *Höchste Zeit zur Umkehr*, lautete Almas Fazit: *Ich habe ihn auf den Semmering arbeiten geschickt, und dort soll er nun bleiben. Ich habe keine Sehnsucht, ihn je wieder zu sehen*.[25]

Die behandelnden Ärzte teilten Alma mit, der kleine Junge werde nicht mehr lange leben. Eilig ließ sie das Kind auf den Namen Martin Carl Johannes taufen. Da Alma mit der häuslichen Pflege überfordert war, gab sie den Sohn in ein Krankenhaus. Franz Werfel hielt sie weiterhin auf Distanz. Zwar durfte er sie im März 1919 in Wien besuchen, Alma hatte jedoch den Eindruck, *als ob Franz nicht der Richtige für mein physisches Stadium ist*[26]. Nach wie vor schwankte sie zwischen zwei Männern: Zwar liebte sie Franz Werfel, gleichzeitig achtete sie aber auch Walter Gropius' *ausgezeichneten Charakter*. Sie fürchtete sich vor Werfel und hatte zugleich Angst *vor dem grau in grau einer Existenz mit Gropius*[27]. Als sich Ende März Oskar Kokoschka zu Wort meldete, geriet Almas Gefühlshaushalt gänzlich aus den Fugen. Der Maler ließ sie über Baron Victor von Dirsztay wissen, dass er sie nach wie vor liebe,

Oskar taucht wieder auf: Oskar Kokoschka (sitzend) und Ernst Krenek (Mitte) anlässlich der Uraufführung von Kreneks Oper »Orpheus und Eurydike«, zu der Kokoschka das Libretto schrieb

*Oskar Kokoschkas Ölgemälde »Maler mit Puppe«, 1922. »Ich
wollte eine lebensgroße Nachbildung von Alma!« (Kokoschka)*

*ärger, glühender denn je – sein ganzes Sinnen und Trachten sei auf
meine Wiedererlangung gerichtet* [28]. Alma war verwirrt: *Seit ich wieder
Nachricht von OK habe, bin ich voll Sehnsucht nach ihm, wünsche mir
alle Hindernisse, die ja zum Schluss nur in mir liegen, beseitigt, um mit
ihm das Leben zu Ende zu leben.* [29]

Franz Werfel stand Almas emotionalen Eskapaden verständnislos gegenüber. Er verlangte Klarheit von ihr und hoffte, sie würde
sich für ihn entscheiden. Innerlich war Alma klar, dass eine erneute
Verbindung zu Kokoschka keine Zukunft haben konnte, zumal man
sich in Wien über ihn Geschichten erzählte, die Alma sehr befrem-
deten. Kokoschka sei verrückt geworden – hieß es – und lebe nun
mit einer Puppe zusammen. In der Tat hatte er bereits im Sommer
1918 bei der angesehenen Münchener Puppenmacherin Hermine
Moos eine lebensgroße Puppe in Auftrag gegeben. Mit zahlreichen
Detailzeichnungen hatte er die Schneiderin über das Aussehen des
Fetischs instruiert. »Bitte machen Sie es dem Tastgefühl möglich,

sich an den Stellen zu erfreuen, wo die Fett- und Muskelschichten plötzlich einer sehnigen Hautdecke weichen«, wies er sie an: »Es handelt sich mir um ein Erlebnis, das ich umarmen muß!«[30] Als die Puppe Ende Februar 1919 bei Kokoschka in Dresden eintraf, war die Enttäuschung groß, vergeblich versuchte er in dem Gegenstand aus Stoff und Holzwolle seine Alma Mahler zu erkennen. »Die äußere Hülle ist ein Eisbärenfell, das für eine Nachahmung eines zottigen Bettvorlegerbären geeignet wäre, aber nie für die Geschmeidigkeit und Sanftheit einer Weiberhaut«[31], wie er Hermine Moos vorhielt. Die Puppe war verständlicherweise nicht geeignet, Kokoschkas sexuelle Bedürfnisse zu erfüllen. Nichtsdestoweniger verewigte er »Die stille Frau«, wie die misslungene Kopie nun hieß, in zahlreichen Tuschezeichnungen und Gemälden. Er kleidete sie in teure Kostüme und Dessous aus den besten Pariser Modesalons und ließ über seine Kammerzofe das Gerücht verbreiten, er habe einen Fiaker gemietet, »um sie an sonnigen Tagen ins Freie zu fahren, eine Loge in der Oper, um sie herzuzeigen«[32]. Die Geschichte fand ein plötzliches Ende, als Kokoschka der Puppe bei einem Gartenfest im Rausch den Kopf abhackte und eine Flasche Rotwein darüber zerschlug. Mit der Ermordung der »stillen Frau« hoffte er offenbar, Alma in sich überwinden zu können. »Früh am nächsten Morgen, als das wilde Fest fast vergessen war, schellte die Polizei am Haustor. Die Schupos hatten einen dringenden Verdacht zu klären: Man habe gemeldet, im Garten liege eine Leiche.«[33] Als Kokoschka das Missverständnis aufgeklärt hatte, entsorgte die Müllabfuhr die Reste einer exaltierten Beziehung. Es waren wohl sonderbare Geschichten wie diese, die Almas gedankliches Flirten mit Kokoschka schnell wieder beendeten. *Alles Unsinn*, schrieb sie am 1. Mai in ihr Tagebuch: *Tief verbunden bin ich mit Franz. Wir lieben uns furchtbar stark, hassen leidenschaftlich. Wir quälen uns auch, sind aber doch glücklich.*[34]

Im Frühjahr 1919 reiste Alma mit ihrer Manon zu Walter Gropius nach Berlin und Weimar, wo er Ende April das Bauhaus gegründet hatte und damit der Architektur, dem Kunstgewerbe und Design des 20. Jahrhunderts eine neue Richtung gab. Franz Werfel machte sich große Sorgen, Alma könnte sich während dieser Zeit wieder für Gropius entscheiden. Während ihrer Abwesenheit starb der kleine Martin am 15. Mai 1919 an den Folgen seiner schweren Erkrankung. Werfel erfuhr vom Tod seines Sohnes merkwürdigerweise nicht durch Alma, sondern durch einen Brief von Bertha Zuckerkandl. »Ich denke an nichts anderes, als das Kind«, ließ er Alma wissen, »obgleich ich doch schon zu lange weiß, wie unabänderlich dieses Schicksal war.«[35] Er flehte Alma an, sofort nach Wien zu kommen – vergeblich: Sie brach ihre Deutschland-Reise nicht ab, erst Mitte Juni kehrte sie nach Österreich zurück. Obwohl sich Alma, wie bereits am Beispiel ihres Verhältnisses zu ihrer ältesten, früh verstorbenen Tochter Maria gezeigt, wohl nie mit ihrer Mutterrolle identifizieren konnte, ist ihr völliger Mangel an Reaktion auf den Tod des Sohnes schwer nachvollziehbar, auch wenn man berücksichtigt, dass damals Behinderungen anders als heute gesehen und Missbildungen (»Missgeburten«) stärker tabuisiert wurden. Alma hat, soweit wir wissen können, ihren Sohn nach seinem Tod jedenfalls weder in ihrem Tagebuch noch in Briefen erwähnt. Unter welchen Umständen das Kind beigesetzt wurde, ist nicht überliefert.

Nach ihrer Ankunft in Wien ging Alma nicht etwa auf Distanz zu Werfel, wie dieser zunächst befürchtet hatte. Vielmehr wollte sie nun offiziell ihre Ehe mit Walter Gropius beenden. *Was geht mich der elegante Herr mit den hellen Gamaschen an, der mir zufällig angetraut ist?* Und: *Ich bin nicht Gropius und so kann ich auch nicht Gropius heißen. Mein Name ist Mahler in alle Ewigkeit.*[36] Mitte Juli 1919 bat sie ihren Mann schriftlich um die Scheidung. Gropius willigte zwei Wochen später ein, ohne allerdings auf Manon zu verzichten, was Alma erneut in Zweifel stürzte: *Was soll ich nun tun?*[37] In dieser Situation machte sie ihrem Mann sogar das absurde Angebot, die eine Hälfte des Jahres mit ihm, die andere Hälfte mit Werfel zu verbringen, was Gropius verständlicherweise weit von sich wies. Die Ungewissheit, was mit Manon geschehen würde, brachte Alma in existenzielle Nöte. *Du sagst: »Gib mir unser Kind!« Weißt Du nicht, was das für mich bedeutet? Du kannst mir getrost auch dann den geladenen Revolver daneben legen!*[38] Gleichzeitig wünschte sie sich ein weiteres Kind von Franz Werfel. *Es ist merkwürdig*, rätselte sie Mitte September, *dass sich dieses Gefühl in zwei Jahren stärkster körperlicher Gemeinschaft nicht verringert, sondern nur vermehrt hat.*[39] Dabei war ihr Werfels Sexualität nicht geheuer. Zwar hatte sie in den Orgien mit Oskar einiges erlebt, die sexuellen Vorlieben ihres neuen Freundes verlangten ihr indes Unbekanntes ab, wie sie Mitte September ihrem Tagebuch anvertraute: *Franz hat mir seine Perversität erst gestanden und dann ganz geschickt als Phobie eingesetzt. Ich konnte heute Nacht nicht schlafen vor Erregung, sah immer Krüppel und ihn und berauschte mich daran. Eine einbeinige Person – liegend. Er und ich. Ich als Zuschauer, grenzenlos erregt, so stark, dass ich Hand an mich legen musste. Jetzt liege ich und male mir so eine Situation aus.* Dass Alma sogar überlegte, *wie ich ihm eine solche Situation schaffen könne, um uns beiden eine Freude zu machen*[40], wirft ein bezeichnendes Licht auf ihr Selbstverständnis als Muse.

Franz Werfels Sexualität war noch in anderer Hinsicht zu dieser Zeit ein vordringliches Thema in Almas Tagebuch. Als er im Herbst 1919 in einer Schaffenskrise steckte, sich ausgebrannt und kraftlos fühlte, glaubte Alma die Ursache für seinen desolaten Zustand zu kennen: *Er hat sich sicher etwas zu Grunde gerichtet durch wahnsinniges Onanieren – bis er mich kennen lernte. Von seinem 10. Jahre an war es täglich bis zu drei malen geschehen. Dadurch ist er auch vielfach müde und zerschlagen und seine Zellen sind morbid.*[41] In der Tradierung dieses Mythos aus dem prüden 19. Jahrhundert wahrlich nicht die Einzige, befürchtete Alma, dass er an *Gehirnerweichung* erkranken könnte, und verbot ihm kurzerhand jegliche Selbstbefriedigung. Franz Werfel – Almas *Mannkind* – nahm auch diesen Befehl sehr ernst; wenn er einmal schwach wurde, gestand er ihr umgehend seine Verfehlung und gelobte Besserung. Für Alma, deren Sexualmoral sicherlich wesentlich offener war als die ihrer Zeitgenossen, stand jedoch fest: *Je bedeutender ein Mann, desto kränker seine Sexualität*.[42]

Kämpfe

Ende Februar 1920 reiste Alma mit der dreieinhalbjährigen Manon erneut nach Weimar. Zunächst bezogen sie ein Zimmer im Hotel »Zum Elephanten«, bevor sie schließlich in Gropius' neue Wohnung übersiedelten. Zwischen den Eheleuten kam es zu lautstarken Streitereien um das Sorgerecht für Manon. *Eben habe ich die Bestie Mensch in ihrer scheußlichsten Blüte gesehen*, notierte Alma am 5. März. *Gropius mit bösem, hässlichem Gesicht will das Kind – zur Hälfte. Dann muss ich sie ihm ganz lassen, denn teilen kann ich nicht!*[43] Die Vorstellung, bis Ende März in Weimar bleiben zu müssen, schreckte Alma: *Wie soll ich das ertragen?*[44] Die angespannte Situation sollte sich noch durch die politischen Entwicklungen verschärfen, als am 13. März in Berlin ein bewaffneter Putschversuch unternommen wurde. General Walter Freiherr von Lüttwitz und der ostpreußische Generallandschaftsdirektor Wolfgang Kapp nahmen eine Anordnung der Reichsregierung zur Auflösung von Freikorpsverbänden zum Anlass für einen lange geplanten Putsch gegen die ungeliebte Republik. Der dilettantisch organisierte Aufstand konnte nur durch einen Generalstreik niedergeschlagen werden. In zahlreichen deutschen Städten kämpften bewaffnete Arbeiter gegen die rechten Aufrührer, so auch in Weimar, wo Alma die Vorgänge von ihrem Hotelfenster aus beobachten konnte. Sie kannte zwar nicht die genauen Hintergründe, die zu dem Aufstand geführt hatten, allein ihr fanatischer Hass auf die so genannte Arbeiterklasse ließ sie Partei für Kapps Leute ergreifen.

Franz Werfel machte sich größte Sorgen um Alma und die

kleine Manon, zumal er auch eine Woche nach Ende der Kämpfe keine Nachricht von ihnen hatte. »Mein Leben!«, schrieb er: »Ich bin sehr gequält, Dich dort zu wissen!«[45] Erneut befürchtete er, dass es zu einer Wiederannäherung zwischen Alma und Gropius kommen könnte. »Es geht doch nicht an«, klagte Werfel in einem Brief, »dieses Interim ewig fortzuführen. Es demoralisiert. Was will er? Bist Du ganz aufrichtig?«[46] Etwa zur gleichen Zeit erhielt er ein Telegramm von Max Reinhardt, der ihn einlud, Mitte April in Berlin aus seinem Neuling »Spiegelmensch« vorzulesen. Allein dieses Angebot des Direktors des Deutschen Theaters war für Werfel ein großer Erfolg. Begeistert bat er Alma, ihn in Berlin zu besuchen, und engagierte sogar für Manon ein Kindermädchen. Kurze Zeit später stand Franz Werfel nach schmerzlichen Wochen der Trennung seiner Angebeteten in Dresden gegenüber. Hatte er sich zuvor noch Gedanken über Almas mögliche Rückkehr zu Walter Gropius gemacht, bekannte sie sich in Berlin zu ihm. Freimütig zeigte sie sich mit Werfel in der Öffentlichkeit, begleitete ihn in die Cafés und Restaurants der Reichshauptstadt und war wie selbstverständlich an seiner Seite.[47]

Ich habe in Dresden eine junge Rote-Kreuzschwester aufgenommen, schrieb Alma Ende März an Gropius, *die rührend lieb mit Mutzi ist.* Die 25-jährige Agnes Ida Gebauer hatte Manons Herz im Nu gewonnen. Als Alma erfuhr, dass die junge Frau familiär nicht gebunden war, kam ihr die Idee, sie mit nach Wien zu nehmen: *Ich werde mir ihre Adresse geben lassen – und mit ihr alle Eventualitäten besprechen.*[48] Schulli, wie Ida Gebauer von allen genannt wurde, blieb mit einigen Unterbrechungen bis 1964 in Almas Diensten.

Nach Wien zurückgekehrt, stand schon wenige Tage später die nächste Trennung von Werfel bevor. Alma und ihre beiden Töchter brachen am 7. Mai in Richtung Amsterdam auf, wo Willem Mengelberg aus Anlass seines 25. Dirigentenjubiläums ein großes Mahler-Festival organisiert hatte, zu dem die Witwe und die Tochter des Komponisten als Ehrengäste erwartet wurden. Franz Werfel brachte die drei schweren Herzens zur Bahn, während an der deutschen Grenze Walter Gropius bereitstand, um seine Tochter in Empfang zu nehmen. Sie hatten vereinbart, dass Manon einige Wochen bei ihrem Vater in Weimar verbringen sollte. Die Tage in der holländischen Hafenstadt wurden zu einem großen Erfolg – nicht nur für Mengelberg und das Werk Gustav Mahlers, sondern auch für Alma, die von allen hofiert wurde. Ihr Hotelzimmer glich einem Blumenmeer, und zahlreiche Freunde und Bekannte machten ihr die Aufwartung. Dabei ging Alma der Rummel um ihren verstorbenen Mann etwas zu weit. Am 13. Mai – Gustav Mahlers Todestag – schrieb sie in ihr Tagebuch: *Mahler fehlt mir nicht und ich wollte mich in eine Trauer versetzen, was mir absolut misslang. […] Außerdem bin ich mit seiner Musik keineswegs so vollkommen einverstanden. Sie ist mir oft fremd, manchmal sogar unsympathisch.*[49] Auf der Rückreise holte Alma ihre Tochter in Weimar ab. Walter Gropius war erschrocken, wie er seiner Noch-Frau gestand, da sie einen *erschreckend lasterhaften Zug* bekommen habe. Alma nahm diesen Hinweis sehr ernst und wusste sofort, was er meinte: *Meine Phantasie ist aus Liebe zu Franz voll der perversesten Krüppelbilder und Verkrüppelungssüchte. In den glücklichsten Momenten habe ich immer und immer mehr hässliche Vorstellungen, die ihn erregten, eingeschmolzen. Ich liebe ihn und darum werde ich ihn zurückführen, nicht mich herunterreißen. Dank Walter – Dank!*[50]

Nach ihrer Heimkehr kam langsam etwas mehr Ruhe in Almas Leben. Sie hatte sich in der Zwischenzeit mit Walter Gropius auf die Modalitäten der Scheidung geeinigt. Das Verfahren wurde für Anfang Oktober 1920 beim Landgericht III in Berlin anberaumt. Walter Gropius erwies sich als Gentleman: Er nahm alle Schuld auf sich und ließ es sogar zu, dass Alma als Klägerin gegen ihn auftrat. Um die angebliche Untreue des Ehegatten nachzuweisen, wurde eine bühnenreife Posse konstruiert: ein Hotelzimmer mit Privatdetektiven, Walter Gropius und eine Prostituierte, ein in flagranti erwischtes Paar, Zeugenvernehmungen und eidesstattliche Versi-

Alma Mahler und Franz Werfel in Trahütten, Steiermark,
um 1920

cherungen.[51] Am Ende stand die totale Verdrehung der Tatsachen. Nicht Alma, sondern Walter Gropius wurde der ehelichen Untreue überführt. Da die Faktenlage eindeutig war, wurde die Ehe von Alma Mahler-Gropius und Walter Gropius am 11. Oktober 1920 ohne größere Komplikationen geschieden. Und, was für Alma das Wichtigste war: Sie erhielt das Sorgerecht für die gemeinsame Tochter. Die Scheidung von seiner Frau war für Walter Gropius offenbar wie eine Erlösung. Nur so lässt sich verstehen, dass er sich zum Hauptdarsteller einer Theaterklamotte machen ließ. Und noch einer freute sich über die Trennung: »Ich könnte ununterbrochen weinen«[52], schrieb Franz Werfel aus Prag, wo er seine Familie auf Almas ersten Besuch vorbereitete. Nachdem sie immer wieder erfolgreich einen Bogen um Werfels Geburtsstadt gemacht hatte, konnte sie als frisch geschiedene Frau nicht mehr ausweichen. Da Alma mit den Angehörigen ihrer Männer und Geliebten immer

Probleme hatte, blickte sie der Reise zunächst mit einiger Skepsis entgegen. Rudolf und Albine Werfel waren ehrlich bemüht, der Geliebten ihres Sohnes einen warmen und herzlichen Empfang zu bereiten. »Du hast eine Glorie von Begeisterung zurückgelassen«, versicherte Werfel Alma nach ihrer Abreise. »Meine Eltern lieben Dich«, schwärmte er, »sie verehren Dich tief!« Albine Werfel nannte Alma angeblich sogar »die einzige wirkliche Königin oder Herrscherin dieser Zeit«[53].

Im Affenzirkus

Das neue Jahr begann mit einer schlechten Nachricht. *Anna ist von ihrem Mann fort*, schrieb Alma am 21. Februar 1922 in ihr Tagebuch, *lebt in Berlin und ich bin seelenruhig und sehne mich gar nicht nach ihr. Was für ein höllisches Auf und ab!*[54] Anna hatte Anfang November 1920 den damals 24-jährigen Dirigenten Rupert Koller geheiratet und ihren Mann schon nach wenigen Monaten wieder verlassen. Rückblickend scheint das Scheitern dieser Ehe geradezu programmiert: Anna war mit knapp 17 Jahren im Grunde noch ein Kind gewesen, als sie den »Bund fürs Leben« einging. Nach der Hochzeit hatte sich das Paar in Elberfeld im Ruhrgebiet niedergelassen, wo Rupert Koller Dirigent am Städtischen Opernhaus war. Bereits nach kurzer Zeit war Anna jedoch der Verhältnisse überdrüssig und trennte sich überstürzt von ihrem Mann. Die Heirat mit Rupert Koller war eine Flucht vor der immer komplizierter werdenden Beziehung zu ihrer Mutter. Vor allem Almas antisemitische Ressentiments – sie war davon überzeugt, Anna trage das jüdische Erbteil Gustav Mahlers in sich – führten zu erheblichen Spannungen. *Sie ist mir artfremd*, hieß es beispielsweise Ende Juli 1920 im Tagebuch. *Kühl – überlegend und jüdisch.*[55] Eine weitere Schwierigkeit mag in Almas Lebenswandel gelegen haben. Anna wuchs nach dem Tod ihres Vaters in einer Atmosphäre auf, die – vornehm ausgedrückt – stark sexuell aufgeladen war. Als kleines Mädchen konnte sie aus nächster Nähe beobachten, wie Alma mit ihren zahlreichen Verehrern oder Liebhabern umging, mit ihnen flirtete oder sie demütigte. »Fast noch im Kindesalter schien Anna die Gewohnheit entwickelt zu haben«, so Annas zweiter Ehemann Ernst Krenek in seinen Erinnerungen, »sich in die Liebhaber ihrer Mutter zu verlieben, deren es nicht wenige gab. Aufgrund dieser Erfahrungen hatte sie einen Komplex aus Frustration und Hass entwickelt und nahm die erste Gelegenheit wahr, der Hölle dieses Hauses zu entfliehen.«[56] Alma spürte, dass Anna sich ihr entzog. »Sie hat mich verachtet«, erinnerte sich Anna Mahler Jahrzehnte später. »Erstens war ich ein Mädel, zweitens, habe ich mich nicht verliebt wegen bekannt oder berühmt oder bedeutend, sondern weil mir jemand gefallen hat. Entsetzlich. Sie hat mich verachtet, ich habe keinen Erfolg gehabt, kein Geld … Und ich weiß, sie hat mich geliebt.«[57]

In der deutschen Reichshauptstadt, wohin Anna nach dem Scheitern der Ehe mit Rupert Koller geflüchtet war, stürzte sie sich Hals über Kopf in das quirlige Leben einer aufstrebenden Metropole mit über vier Millionen Einwohnern. Anna empfand Berlin als die Stadt der Moderne. An der Kunstakademie in Charlottenburg studierte sie offiziell Malerei, wobei die junge Frau – darin durchaus ihrer Mutter ähnlich – sich mehr dem geselligen Treiben hingab, so auch Ende Februar 1922, als die Musikhochschule einen Faschingsball veranstaltete. Dort lernte sie den 21-jährigen Komponisten Ernst Krenek kennen, der kurz zuvor sein Studium bei Franz Schreker abgeschlossen hatte. Eigentlich mochte Krenek keine lärmenden und ausgelassenen Feste, ließ sich an jenem Abend jedoch von Freunden überreden, in das bunte Narrentreiben einzutauchen. Von Anna war er sofort begeistert. »Sie ist sehr musikalisch und äußerst intelligent«, schrieb er kurze Zeit später an seine Eltern, »so dass wir uns sehr gut unterhalten haben.«[58] In den folgenden Wochen verbrachten sie viel Zeit miteinander, und Krenek war fest entschlossen, »ernsthaft um sie zu werben«[59].

Alma war auch bei dem neuen Partner ihrer Tochter zunächst zurückhaltend. *Anna lebt mit irgendeinem Kerl da draußen in Berlin. Es ist der hochbegabte Menschenfresser Ernst Krenek.*[60] Nichtsdestoweniger war sie neugierig, zumal Krenek, wie Anna schwärmte, ein vielversprechender junger Komponist sei, der eine große Zukunft habe. Und so nahm sich Alma vor, während ihres etwa zweiwöchigen Aufenthalts in Weimar, den sie ihrer Tochter Manon zuliebe geplant hatte, für einen kurzen Abstecher nach Berlin zu kommen. Als Ernst Krenek der berühmten Alma Mahler erstmals gegenüberstand, war er so aufgeregt, dass der sonst sehr selbstbewusste junge Mann gehemmt wirkte. Von spontaner gegenseitiger Sympathie konnte nicht die Rede sein. »Im übrigen glaube ich, dass sie mich genauso wenig mochte wie ich sie, und sie meinte vielleicht, den Grund für ihre Abneigung zu kennen, war ich doch potentiell einer der Kerle, die ihr ihre Tochter für immer entfremden konnten.« Er hatte viel von Almas legendärer Schönheit gehört und stand nun einer Frau gegenüber, die ihn an »ein prächtig aufgetakeltes Schlachtschiff« erinnerte: »Sie war es gewohnt, lange, fließende Gewänder zu tragen, um ihre Beine nicht zu zeigen, die vielleicht ein weniger bemerkenswertes Detail ihres Körperbaus waren. Ihr Stil war der von Wagners Brünhilde, transportiert in die Atmosphäre der Fledermaus.«[61] Die Zeit, die das verliebte Paar mit der prominenten Besucherin verbrachte, verging wie im Rausch: »Sie hatte tatsächlich das Zeug dazu, das Leben zu einem schwindelerregenden Karussell zu machen.« Alma lud Anna und Ernst Krenek in die besten Restaurants Berlins ein, wo sie »raffinierte, komplizierte und sichtlich teure Speisen und vor allem reichlich schwere Getränke aller Art« orderte. Bei diesen Anlässen bemerkte Krenek, dass Essen und Trinken die Grundelemente ihrer Strategie waren, Menschen »zu hilflosen Untertanen ihrer Macht zu machen«. Sie betörte und bezauberte ihre Gäste und war in Hochform, »wenn Sinne und Verstand ihres Gefolges gleichzeitig benebelt und erregt waren«[62].

Es ist nicht bekannt, welchen Eindruck Ernst Krenek bei Alma

Eingang zur »Casa Mahler« in Venedig, von 1922 bis 1935 Almas drittes Domizil.

hinterließ. Offensichtlich war er nicht so schlecht, wie Krenek vermutete, denn Alma lud die jungen Leute ein, die Sommermonate mit ihr und Franz Werfel in Breitenstein zu verbringen. In der Villa Mahler herrschte wie so oft hektische Betriebsamkeit, und Almas zahlreiche Freunde und Bekannte machten dort vorübergehend Station. »Eine ziemlich bunte Gestalt war ein Italiener namens Balboni«, erinnerte sich Krenek, »der wie ein Gauner aussah und mit einer ganzen Schar von Frauen erschien, die, soviel ich weiß, durchaus eine Art Harem gewesen sein können.«[63] Dieser Besuch stand im Zusammenhang mit Almas Entschluss, in Venedig – ihrer

Ernst Krenek und Anna Mahler 1922 im Garten der »Casa Mahler«
in Venedig

und Werfels großer Liebe – einen kleinen Palazzo zu kaufen. Möglicherweise war Balboni Immobilienmakler, vielleicht gehörte ihm aber auch das Anwesen unweit des Canal Grande, das Alma nun erwarb. Die »Casa Mahler«, wie der Palazzo fortan hieß, war ein zweistöckiges Gebäude, lag an einem der schönsten Plätze der Stadt und verfügte sogar über einen kleinen Garten. Bis 1935 hatte die Familie ihren dritten Wohnsitz in Venedig.

Aber Krenek hatte noch häufiger Gelegenheit, Alma und ihre Eigenarten zu erleben. Im Winter 1922 tauchte er auf ihre Einladung in das aufregende Leben im roten Salon in der Elisabethstraße ein. Da Anna allerdings nicht bei ihrer Mutter wohnen wollte, zogen die jungen Leute zu Kreneks Eltern. Dennoch verbrachten sie »viel Zeit in Almas Affenzirkus, in dem es wie immer hoch herging«[64]. Dabei konnte Ernst Krenek interessante Beobachtungen anstellen: »Alma war eine große Feinschmeckerin und sehr gefräßig, da sie aber wusste, dass die Nahrungsmengen, die sie zu sich nahm, ihre Figur ruinieren würden, griff sie zuweilen auf den alten römischen Brauch des künstlich herbeigeführten Erbrechens zurück und begann dann noch einmal von vorn mit ihrer Mahlzeit.« Noch mehr als Almas Essgewohnheiten irritierte ihn jedoch die sinnlich höchst gespannte Atmosphäre des Hauses. »Sex war das Hauptgesprächsthema, und meistens wurden lärmend die sexuellen Gewohnheiten von Freunden und Feinden analysiert, wobei Werfel eine ernste und intellektuelle Note einzubringen versuchte, indem er sich feierlich über die Weltrevolution verbreitete.«[65] Ernst Krenek stand der sexuellen Betriebsamkeit in Almas Umgebung zunächst verständlicherweise reserviert gegenüber. Als Almas Halbschwester Maria (»eine nicht unattraktive Person mit ausgeprägtem Geschäftssinn und ziemlich ordinärem Benehmen«[66]) sich jedoch anbot, Anna mit Liebhabern zu versorgen, »die bereit seien, beträchtliche Summen für ihre Dienste zu zahlen«[67], war für ihn die Grenze des Erträglichen überschritten. Nach Hause gekommen, wurde er »so wütend über den Sumpf, in den ich geraten war, dass ich eine schreckliche Szene machte und einen Schrank oder etwas ähnliches zerschlug«[68].

Anna Mahler und Ernst Krenek heirateten am 15. Januar 1924 im Wiener Rathaus. Bereits wenige Monate später stand auch diese Beziehung Annas vor dem Aus. Im September 1924 teilte sie ihrer Mutter mit, dass sie ihren Mann verlassen und nach Rom ziehen würde, um bei Giorgio de Chirico Malerei zu studieren. Die

Gründe für das plötzliche Ende der Verbindung lagen zunächst in der Unreife der Partner. Im späteren Scheidungsverfahren – die Ehe wurde am 28. August 1926 gerichtlich getrennt – klagte Anna über Kreneks stark ausgeprägte sexuelle Bedürfnisse, während er von der angeblichen Frigidität seiner Frau sprach. Dieser Konflikt, der »mit Naturnotwendigkeit zu einer völligen Entfremdung der Ehegatten«[69] führen musste, wie es im Scheidungsurteil hieß, hatte tiefer liegende Ursachen. So sehr Anna Mahler sich einerseits von Alma distanzieren wollte, so sehr war sie andererseits von den Verhaltensmustern ihrer Mutter geprägt. Ernst Krenek glaubte, dass Annas Amouren (sie war fünf Mal verheiratet) nur ein Ziel hatten, nämlich »dem bedrückenden Einflussbereich ihrer Mutter« zu entfliehen. »Die Folge war, dass es ihr nicht gelingen konnte, eine dieser Eskapaden in eine dauerhafte eigene Lebensform umzuwandeln, ein Versagen, das ihre Mutter geschickt ausnützte, um sie immer wieder in die alte Sklaverei zurückzuholen.«[70]

Intrigen

Anfang Januar 1923 fand die Uraufführung von Franz Werfels Drama »Schweiger« am Neuen Deutschen Theater in Prag statt. Während sich alte Freunde wie Franz Kafka ablehnend über das Drama äußerten, wurden die Vorstellungen in Werfels Heimatstadt sowie die deutsche Erstaufführung in Stuttgart wenige Tage später zu großen Publikumserfolgen. Die Presse saß über das Stück allerdings schonungslos zu Gericht. Die meisten Rezensenten zerrissen das Trauerspiel um den Protagonisten Franz Schweiger und bezeichneten es als peinlich und trivial.[71] Nervös und verunsichert zog sich Werfel Ende Januar nach Breitenstein zurück. Meterhohe Schneewehen schnitten das Bergdorf vom Rest der Welt ab und machten aus der Villa Mahler einen Ort freiwilliger Verbannung. Lustlos skizzierte er ein neues Theaterstück, das er aber bald wieder beiseite schob. Er konnte sich nicht konzentrieren, woran Alma, die in Wien blieb, nicht ganz unschuldig war. Sie hatte nämlich ihren Freund Richard Specht ebenfalls auf den Semmering geschickt, um den umfangreichen Briefnachlass Gustav Mahlers zu sichten und zu ordnen. Der Musikwissenschaftler ging Werfel entsetzlich auf die Nerven, so dass Letzterer seinen Aufenthalt vorzeitig beendete. »Meine Alma, erschrick nicht«, bat er sie, »Freitag komme ich zurück.« Er machte sich Sorgen, wie Alma auf seine fluchtartige Heimkehr reagieren würde. »Ich habe Angst vor Dir«, gestand er ihr, »vor dem nach Wien Kommen.«[72] Offensichtlich waren seine Befürchtungen nicht ganz unbegründet, denn Alma scheint sich zu diesem Zeitpunkt emotional von ihm zurückgezogen zu haben. *Werfel lieb aber gleichgültig. Manchmal plötzlich sinnestoll auf mich zu – aber nicht zärtlich. Das kennt er nicht. Das weiß er nicht.*[73] Und einige Wochen später schrieb sie in ihr Tagebuch: *Ach, ich liebe Werfel nicht mehr. Es ist entsetzlich diese Erkenntnis zu haben, ›verheiratet‹ zu sein, zusammen zu wohnen, zu leben. Gewohnheitsrechte – ja, Zwänge von beiden Seiten her. Ich bin sehr, sehr traurig.*[74]

Es kommt nicht von ungefähr, dass Alma just in dieser Situation der Unzufriedenheit, im April 1923, eine ihrer Intrigen einfädelte. Im Mittelpunkt der Verwicklungen standen der russische Maler Wassily Kandinsky und Almas langjähriger Freund Arnold Schönberg. Beide Künstler kannten sich seit vielen Jahren und waren miteinander befreundet. Kandinsky lebte seit Juni 1922 in Weimar, wo er am Bauhaus unterrichtete. Als an der dortigen Musikhochschule die Stelle des Direktors neu zu besetzen war, dachte er sogleich an Schönberg. »Schreiben Sie mir doch möglichst gleich«, bat Kandinsky am 15. April 1923 seinen Freund in Mödling bei Wien, »ob Sie nur im Prinzip einverstanden wären. Wenn ja, dann werden wir uns gleich ins Zeug legen.«[75] Da Arnold Schönberg nicht viel über das Bauhaus und Weimar wusste, bat er Alma nicht zuletzt wegen ihrer Verbindung zu Gropius um Rat. Allerdings wusste er nicht, dass Alma mit Kandinsky noch eine alte Rechnung zu begleichen hatte. Sie setzte nun das Gerücht in die Welt, Wassily Kandinsky und Walter Gropius seien wüste Antisemiten. Er – Schönberg – müsse sich genau überlegen, ob er in diesen Kreisen arbeiten wollte. Schönberg hatte genug. Am 19. April sandte er eine Absage in Richtung Weimar. »Denn was ich im letzten Jahre zu lernen gezwungen wurde, habe ich nun endlich kapiert und werde es nicht wieder vergessen. Dass ich nämlich kein Deutscher, kein Europäer, ja vielleicht kaum ein Mensch bin (wenigstens ziehen die Europäer die schlechtesten ihrer Rasse mir vor), sondern, dass ich Jude bin.« In seinem Brief an Kandinsky fuhr er fort: »Ich habe gehört, dass auch ein Kandinsky in den Handlungen der Juden nur Schlechtes und in ihren schlechten Handlungen nur das Jüdische sieht, und da gebe ich die Hoffnung auf Verständigung auf. Es war ein Traum. Wir sind zweierlei Menschen. Definitiv!«[76] Kandinsky war erschüttert und konnte sich nicht vorstellen, wie Schönberg auf die Idee kommen konnte, er sei ein Antisemit. »Ich weiß nicht«, erwiderte er am 24. April, »wer und warum jemand Interesse hatte, unsere, wie ich sicher dachte, feste, rein menschliche Beziehung zu erschüttern und vielleicht definitiv zu vernichten. Sie schreiben ›definitiv!‹ Wem soll es nutzen?«[77] Kandinsky fragte sich immer wieder, wer dieses Gerücht in die Welt gesetzt hatte, und befürchtete sogar, wie sich seine Frau Nina erinnerte, »Schönberg leide unter Verfolgungswahn«. Die Urheberin dieses Ränkespiels wurde schließlich entlarvt, als Kandinsky seinem Kollegen Gropius den Brief Schönbergs zeigte. »Gropius wurde blass und sagte spontan: ›Das ist Alma‹. Er begriff sofort, dass seine Frau die Geschichte inszeniert hatte.«[78] Als Nina Kandinsky von Walter Gropius' Reaktion erfuhr, erinnerte sie sich plötzlich an einen Zwischenfall im Vorjahr. Damals hatte sie dieser Begebenheit keine Aufmerksamkeit geschenkt, jetzt war es möglicherweise eine Erklärung für Almas Verhalten. Bei einem ihrer Besuche in Weimar hatte Alma die Kandinskys kennen gelernt, und schnell ergab sich damals ein charmantes Geplänkel, bei dem Alma angeblich sehr bemüht war, Kandinsky zu gefallen, mit ihm zu flirten. Als Nina Kandinsky ihr Gegenüber fragte, wann sie das nächste Mal nach Weimar kommen würde, antwortete Alma kühl, dass das ganz von ihr abhänge. »Ich begriff zunächst nicht, was sie damit sagen wollte. Doch dann ging mir ein Licht auf: Sie interessierte sich für Kandinsky!« Seine markante männliche Erscheinung gefiel Alma, und sie bezirzte den Maler nach allen Regeln der Kunst. Er widerstand jedoch: »Kandinsky liebte mich zu sehr, als dass er Interesse für andere Frauen, eingeschlossen Alma, gehabt hätte.«[79] In Almas Weltbild waren Männer entweder Verehrer oder Feinde. Was dazwischen lag, war ihrer Beachtung nicht wert. Sie wollte bewundert und angebetet werden, und als Kandinsky dazu nicht bereit war, verlor Alma nicht nur das Interesse an ihrem Gegenüber, sondern sie sann auf Rache. Dass sie mit ihrer Intrige eine langjährige Freundschaft zerstörte, war ihr offensichtlich gleichgültig. Arnold Schönberg hatte von seiner Rolle in Almas zwielichtigem Spiel keine Ahnung. Am 11. Mai 1923 schrieb er ihr, »dass du Kandinsky und Gropius nicht sagen solltest, dass ich durch dich erfahren habe, wessen geistige Brüder sie heute sind. Es wäre das bequemste für beide, statt ein Schuldbekenntnis abzulegen, eine Anklage zu erheben, gegen dich!«[80]

Geldbeschaffungsprogramme

Durch den Kauf des Palazzo in Venedig, der Casa Mahler, war Alma an die Grenzen ihrer finanziellen Möglichkeiten gekommen. Noch bevor die Familie im Frühjahr 1924 das Haus beziehen konnte, wurden dort einige Umbaumaßnahmen notwendig, die die Kosten zusätzlich in die Höhe trieben. Und nicht zuletzt schlugen die häufigen Reisen zwischen den drei Wohnsitzen in Wien, Breitenstein und neuerdings Venedig nachhaltig zu Buche. Dass Alma sich diesen kostspieligen Lebenswandel im Grunde nicht leisten konnte, war ihr wohl bewusst, als sie ihre pekuniäre Situation Ende September 1923 mit *wenig Geld – viel Bedürfnisse*[81] beschrieb. Außerdem machte die Inflation in Deutschland und Österreich jedes Planen unmöglich. Die rapide Entwertung des Geldes schien im Laufe des Jahres durch nichts mehr aufzuhalten zu sein. Hatte 1 US-Dollar im Mai 1923 an der Berliner Börse noch 47 670 Mark gekostet, waren es im Oktober bereits 25 260 000 000 Mark.[82] Für einen Zentner Briketts musste man Ende Oktober Milliardenbeträge aufbringen – wie sollte man da den Winter überstehen? Auch Ernst Krenek wunderte sich, »woher das Geld kam, um diesen aufwendigen Haushalt zu führen«[83]. Von Gustav Mahlers Erbe war am Ende des Ersten Weltkrieges nur ein Bruchteil übrig geblieben. Der Bankier Paul Hammerschlag hatte Alma 1914 geraten, das Geld in Kriegsanleihen zu investieren, wie Anna Mahler sich erinnerte: »Sie hat es natürlich getan, weil das so ein berühmter, großer Mann war. Gott sei Dank ist ein bissel was geblieben.«[84] Darüber hinaus gehörten Mahlers Sinfonien in den 20-er Jahren keineswegs zum Standardrepertoire europäischer Bühnen, so dass auch die Tantiemenzahlungen bescheiden ausfielen. In ihren Briefen an die Wiener Universal Edition, Mahlers Hauptverlegerin, beschwerte sich Alma immer wieder über die geringen Erlöse und klagte nicht selten, *dass ich in so kleinen, precären Verhältnissen leben muss*[85]. Nun mag dieser Seufzer Ausdruck einer geschäftstüchtigen Koketterie gewesen sein, denn in kleinen oder gar prekären Verhältnissen lebte Alma sicherlich nicht. Tatsache war allerdings, dass die Einnahmen nicht mehr ausreichten, den mittlerweile üppigen Lebensstil zu finanzieren. In dieser Situation entwarf Alma ein Geldbeschaffungsprogramm, in dessen Mittelpunkt die geschickte Vermarktung Gustav Mahlers und die Entwicklung Franz Werfels zum Bestsellerautor standen.

Im Hochsommer 1923 trafen Anna Mahler und Ernst Krenek aus Wien kommend in Breitenstein ein. Kurz zuvor hatten sie ihre Berliner Wohnung aufgegeben, um die zweite Jahreshälfte in Österreich zu verbringen. Da die jungen Leute knapp bei Kasse waren,

Die schwierige Familie. Carl Moll, Franz Werfel, Alma Mahler und Anna Moll um 1925 in Venedig

bot sich die Villa Mahler als Sommerrefugium zunächst an. Es war wohl in jenen Wochen, dass Alma Ernst Krenek auf ein Vorhaben aufmerksam machte, das ihm »wenig Befriedigung und viel Ärger bereiten sollte«[86]. Er spielt damit auf Gustav Mahlers unveröffentlichte 10. Sinfonie an, die Alma – einem Rat Bruno Walters folgend – bislang vor der Öffentlichkeit verborgen gehalten hatte. Nach Walters Ansicht war das Werk zu persönlich gefärbt, um es dem Publikum übergeben zu können. Jetzt – zwölf Jahre nach Mahlers Tod – wich Alma von ihrer damaligen Entscheidung ab. Als gewiefte Geschäftsfrau habe sie die Idee gehabt, erinnert sich Ernst Krenek, »Mahlers neun Symphonien eine zehnte hinzuzufügen, denn es schien ein einfaches Rechenexempel zu sein, dass zehn Symphonien in den Konzertprogrammen mehr bringen würden als neun«[87]. Bis heute ist allerdings die Frage ungeklärt, wer Alma auf die Möglichkeit aufmerksam machte, Mahlers letztes Werk zu verwerten. Möglicherweise war es der Musikwissenschaftler Richard Specht, der sich Anfang 1923 in Breitenstein mit Mahlers Briefnachlass beschäftigt, bei dieser Gelegenheit das Werk zu Gesicht bekommen und erkannt hatte, dass sich daraus etwas machen ließe. Alma entschied jedenfalls, dass Ernst Krenek aus dem Fragment eine in sich abgeschlossene Sinfonie erarbeiten sollte. Dieser fand das Projekt »damals schon widerwärtig«, fühlte sich jedoch so sehr »an den goldenen Käfig gekettet«[88], dass er nicht Nein sagen konnte. Die Sinfonie sollte ursprünglich, wie Krenek feststellen konnte, fünf Sätze haben. Er entschied, dass er die Teile »Adagio« und »Purgatorio« edieren könne, die restlichen drei jedoch nicht anrühren würde: »Es hätte der schamlosen Kühnheit eines unsäglichen Barbaren bedurft, um den Versuch zu wagen, dieses leidenschaftliche Gekritzel eines sterbenden Genies zu orchestrieren. Alma war zutiefst enttäuscht und verstimmt, als ich ihr diesen Stand der Dinge erklärte. Ich freue mich, dass ich hart blieb und nicht einmal im Traum daran dachte, bei einer abscheulichen Betrügerei behilflich zu sein.«[89]

Während Krenek in Breitenstein die Arbeit aufnahm, schrieb Franz Werfel dort unter höchster Anspannung an der Vollendung seines ersten großen Romans. Bereits im Vorjahr hatte er den lange gehegten Plan ins Auge gefasst, dem von ihm seit Kindheitstagen verehrten Giuseppe Verdi ein Buch zu widmen. Wie im Rausch feilte Werfel bis zu zwölf Stunden täglich an der Geschichte seines Lieblingskomponisten.[90] Alma unterstützte ihn in seinem Vorhaben und gab ihm regelmäßig Hinweise, »die darauf hinausliefen, dass das Buch so gut sein müsse, wie nur irgendeiner von ›diesen Klassikern‹, sich aber zugleich zum Verkauf an den Zeitungsständen der Bahnhöfe eignen solle«[91]. Alma war schon seit geraumer

Zeit mit den Erträgen aus Werfels literarischer Arbeit unzufrieden. Zielsicher hatte sie erkannt, dass sich mit einem populären Roman mehr Geld verdienen lasse als mit expressionistischen Gedichten, Novellen und Erzählungen. Nun musste nur noch ein finanzkräftiger Partner gefunden werden, denn Kurt Wolff, Werfels Leipziger Verleger, konnte mit Almas Vorstellungen nicht mithalten. Dass auch Wolffs Privatvermögen im Zuge der Inflation dahinschmolz und er deshalb keine Gewinne mehr auszahlen konnte, ignorierte sie. Und so kam es ihr überaus gelegen, dass sich gerade jetzt ein junger Mann in Wien anschickte, einen neuen Verlag zu gründen. Der 28-jährige Paul von Zsolnay war der älteste Sohn eines schwerreichen Großindustriellen. Die Familie hatte viel Geld im Tabakgeschäft verdient und gehörte zum Establishment der österreichischen Gesellschaft. Pauls Mutter Amanda (genannt Andy) war eine kunstsinnige Frau, die mit zahlreichen Künstlern und Intellektuellen verkehrte.[92] Die Idee zu einem neuen Verlag entstand zufällig im Herbst 1923 bei einer Abendgesellschaft im Hause Zsolnay. Paul von Zsolnay war zunächst skeptisch, da er als studierter Kunstgärtner im Verlagsgeschäft völlig unerfahren war. Als Alma ihm jedoch kurzerhand den Verdi-Roman Franz Werfels anbot, schlug er ein. Werfels erster Roman wurde somit zum Grundstein des »Paul Zsolnay Verlages«. Der junge Verleger war voller Tatendrang und hatte insbesondere für Alma stets ein offenes Ohr, so auch für ihren Vorschlag, eine Ausgabe mit Briefen Gustav Mahlers in das erste Verlagsprogramm aufzunehmen. Zwischen Weihnachten und Neujahr fuhren Alma und Franz Werfel auf das Zsolnaysche Familiengut, um die nötigen Details zu besprechen. Die frisch gebackene Herausgeberin, die vertragsgemäß vom Verleger persönlich betreut wurde, kam in den Genuss großzügiger Sonderrechte. Bei einem berechneten Ladenpreis von 140 000 Kronen erhielt sie 20 000 Kronen, also gut 14 Prozent pro Buch. Selbst bei einer deutlichen Senkung des Preises stand ihr derselbe Betrag zu.[93] Doch damit nicht genug: Sie überredete Zsolnay sogar, Mahlers 10. Sinfonie in einer Faksimileausgabe auf den Markt zu bringen. Dabei dachte sie nicht nur an die beiden Sätze, die Krenek überarbeitet hatte, sondern an das gesamte Werk. Für Ernst Krenek war dies zuviel des Guten: »Ich fand es jedoch äußerst geschmacklos, die Faksimiles der letzten drei Sätze zu publizieren, denn die Seiten waren über und über mit Randbemerkungen bedeckt, Ausbrüchen einer verzweifelten Leidenschaft, die an Alma gerichtet waren, wahnsinnigen Äußerungen eines Mannes, der mit dem Tode rang und dem kaum bewusst war, worauf er schrieb. Es war mir peinlich genug, diese Aufschreie einer gequälten Seele zu lesen, und mir graute bei dem Gedanken, dass sie der Öffentlichkeit zugänglich gemacht werden sollten, während der Gegenstand dieser vertraulichen Monologe eines Genies noch lebte und bereit war, aus der Sensation, die so aus dem ordinären Beweggrund gewöhnlicher Habgier geschaffen worden war, Kapital zu schlagen.«[94] Moralische Einwände wie jene verpufften indes vor Almas Geschäftssinn: Die Editionen der Briefe und der Sinfonie wurden für Mitte Oktober 1924 angekündigt.

Trotz der erfreulichen Entwicklungen der zurückliegenden Monate war Alma mit ihrem Leben nicht zufrieden. *Ich liebe ihn nicht mehr*, klagte sie Ende Januar 1924 und meinte Franz Werfel: *Mein Leben hängt innerlich nicht mehr mit dem Seinen zusammen. Er ist wieder zusammengeschrumpft zu dem kleinen, hässlichen, verfetteten Juden des ersten Eindrucks.*[95] Die Ursachen für diese Ernüchterung sind unbekannt. Möglicherweise war der Tagebucheintrag auch nur Ausdruck ihrer emotionalen Unausgeglichenheit, die sich schnell wieder gelegt haben mag. Als der Verdi-Roman am 4. April 1924 im Zsolnay-Verlag erschien, hatte Alma jedenfalls allen Grund, auf ihren Werfel stolz zu sein. Die erste Auflage von 20 000 Exemplaren war innerhalb weniger Monate vergriffen, und es zeichnete sich ein beachtlicher Erfolg ab.[96]

Während Alma Anfang Juli Werfel erneut nach Breitenstein schickte, wo er in der Abgeschiedenheit der Berge ein neues Buch beginnen sollte, traf sie sich in Wien mit etlichen Musikern, Verlegern und Journalisten. Im Mittelpunkt dieser Betriebsamkeit stand eine geschickt lancierte Aktion. Die Uraufführung der beiden von Krenek edierten Sätze aus Mahlers 10. Sinfonie war für den 12. Oktober unter der Leitung von Franz Schalk in der Staatsoper geplant.[97] Der 60-jährige Dirigent war zwar umstritten und galt keineswegs als Spezialist für das Werk Mahlers, aber da Bruno Walter wegen seiner ablehnenden Haltung gegenüber einer Aufführung der 10. Sinfonie nicht in Frage kam und Willem Mengelberg nicht rechtzeitig zur Verfügung stand, führte kein Weg an ihm vorbei. Darüber hinaus war Schalk als Operndirektor Hausherr am Ring und konnte schon deshalb nicht übergangen werden. Mit ihrem Freund Mengelberg hatte Alma andere Pläne, sollte er doch die Erstaufführungen in Amsterdam und New York leiten und dort für sie *eine ordentliche Summe in Dollars*[98] verlangen. Die Publikationen des Faksimiles der 10. Sinfonie sowie der Mahler-Briefe waren für den 13. beziehungsweise 17. Oktober bei Zsolnay angekündigt. Ferner hatte Alma sich entschieden, im Wiener Weinberger-Verlag ein Heft mit fünf eigenen »Gesängen« zu veröffentlichen. Bei der Durchsicht älterer Unterlagen waren ihr diese Stücke wieder in die Hände gefallen. Vier der fünf Lieder waren noch zu Lebzeiten Mahlers entstanden, das Werfel-Gedicht »Der Erkennende« wurde 1915 von ihr vertont. Ein Heft mit eigenen Kompositionen wäre, so Almas Überlegung, eine perfekte Ergänzung dieses konzertierten Geldbeschaffungsprogramms. Darüber hinaus erklärte sich die Universal Edition bereit, die bereits im Mai 1915 veröffentlichten »Vier Lieder« am 30. Oktober 1924 in einer zweiten Auflage auf den Markt zu bringen. Die Stückzahl von 96 Exemplaren machte allerdings deutlich, dass der Verlag nur einen bescheidenen Absatz erwartete. Dessen ungeachtet war die Positionierung der »Fünf Gesänge« sowie die Neuauflage der »Vier Lieder« im Dunstkreis der 10. Sinfonie und der Mahler-Briefe eine geschickte Werbemaßnahme.

Noch bevor das Buch mit den Mahler-Briefen erschienen war,

arbeitete Alma bereits an einer zweiten Veröffentlichung über ihren verstorbenen Mann. »Mein Leben mit Gustav Mahler« sollte die Geschichte einer jungen Frau an der Seite eines egozentrischen Genies erzählen. Im Sommer 1924 stand dieses Projekt kurz vor dem Abschluss, als sich plötzlich ein dramatischer Zwischenfall ereignete. *Auf einmal ein furchtbarer Druck im Gehirn, nach vorne große Schmerzen, ich fiel im Sessel zurück und verlor das Bewusstsein. Ich kam bald zu mir, das Zimmer aber blieb schwarz und wurde erst viel später grün und noch viel später gefärbt. Gehirnlähmung.* Franz Werfel ließ umgehend einen Arzt kommen. Als der Doktor endlich den Weg zur Villa Mahler gefunden hatte, ging es Alma schon wieder besser. Nach eingehender Untersuchung diagnostizierte der Mediziner einen Schwächeanfall. *Der Arzt verbot mir jegliche Arbeit, aber in der Nacht holte ich mir die Ursache meiner Krankheit, meine Aufschreibungen über Mahler, die mich die letzten Wochen bis zum Wahnsinn aufgeregt hatten.*[99] Die Beschäftigung mit ihrem Leben an der Seite Gustav Mahlers hatte sie wohl stärker in Anspruch genommen, als sie vermutet hatte. In ihrem Manuskript schimpfte sie über Gustav Mahlers Familie und Freunde. Ihr war wohl bewusst, dass sie sich mit ihrer bisweilen einseitigen Darstellung angreifbar machte, dass es dreizehn Jahre nach Mahlers Tod zahlreiche Zeitzeugen gab, die heftigen Einspruch gegen ihre Version eingelegt hätten. Freimütig gestand sie ein, es sei *schwer, objektiv sein zu müssen, wo man so subjektiv eingestellt ist!*[100] Nicht ganz zu Unrecht befürchtete der Verlag ein gerichtliches Nachspiel, wenn Almas zweites Buch ohne starke Überarbeitung herauskäme. Zu einer Redaktion war Alma allerdings nicht bereit. Das Manuskript wanderte vorerst in den Giftschrank; erst sechzehn Jahre später übergab sie dieses Buch der Öffentlichkeit.

Hatte Alma sich zunächst Sorgen gemacht, ob die Uraufführung der 10. Sinfonie den erhofften Triumph bringen würde, so erwiesen sich ihre Befürchtungen als unbegründet. Die Premiere am 12. Oktober 1924 wurde ein großer Erfolg, Publikum und Presse reagierten begeistert auf das unbekannte Mahler-Werk, und mancher Rezensent forderte sogar, die übrigen Sätze zu komplettieren und aufzuführen.[101] Nur eine Stimme passte nicht in den Jubelchor. Ernst Decsey mokierte sich am folgenden Tag im »Neuen 8 Uhr-Blatt« über die Machenschaften der umtriebigen Mahler-Witwe und bezeichnete das Konzert als Selbstinszenierung Almas: »Aber es geschah der Wille Alma Marias, einer faszinierenden Frau, die über den lebendigen wie den toten Mahler gebot.«[102] Aber auch Decsey musste zugeben, dass Almas Rechnung aufgegangen war. Sie konnte mit dem zu Ende gehenden Geschäftsjahr sehr zufrieden sein: Franz Werfels Werke standen nun an der Spitze eines finanzstarken Verlages, und die 10. Sinfonie sowie die Briefe ihres verstorbenen Mannes brachten erstaunlich viel Geld in die Haushaltskasse.

Feindesland

Das neue Jahr brachte für Alma die Erfüllung eines lange gehegten Wunsches: Am 15. Januar 1925 brach sie mit Franz Werfel zu einer Reise in den »Vorderen Orient« auf. *Noch einmal im Leben im Tempel von Karnak stehen!*[103] Werfel war gegenüber dieser Reise zunächst skeptisch. Als er sich aber an Bord des Dampfers »Vienna« eingerichtet hatte, schlug seine Reserviertheit in Begeisterung um. Über Brindisi erreichten sie die ägyptische Hafenstadt Alexandria. Die ersten drei Wochen verbrachten sie in Unter- und Oberägypten, besuchten die Städte Kairo, Heliopolis und Memphis, sahen die Tempel von Luxor und Karnak sowie die Königsgräber von Theben. Ein Höhepunkt in diesen Wochen war eine Aufführung von Giuseppe Verdis »Aida« an der Italienischen Oper in Kairo, dem Ort ihrer Uraufführung.[104] Am 10. Februar fuhren sie mit der Eisenbahn nach Palästina. Die nun folgenden zwei Wochen wurden allerdings zum Nervenkrieg, was vor allem mit Almas antisemitischen

Ansichten zusammenhing. Ständig befürchtete sie, man könnte sie für eine Jüdin halten. Fortwährend schimpfte und hetzte sie gegen alles Jüdische, so dass der gegenüber orthodoxem Judentum oder extremem Zionismus durchaus kritische Franz Werfel sich »in die falsche Rolle des Mittlers, eines Polemikers nach beiden Seiten hin gedrängt«[105] fühlte. Durch Almas Angriffe sah er sich zur Verteidigung einer Sache aufgefordert, von der er nicht recht überzeugt war. Die meiste Zeit verbrachte das Paar in Jerusalem, unterbrochen von Ausflügen nach Nazareth, Tel Aviv, Haifa und einer Reihe kleinerer Städte. *Palästina – die alte biblische Landschaft geht sofort nahe*, schrieb Alma nach der Rückkehr in ihr Tagebuch. *Aber das neue Judentum dort war mir mit all seinen Ambitionen vollkommen wesensfremd.*[106] Ende März 1925 traten sie die Heimreise an.

In Österreich zog Franz Werfel sich Anfang April nach Breitenstein zurück. Dort geriet er in eine schwere künstlerische Krise und hielt seine bisherigen Arbeiten für ungelenke Machwerke. Erst im Sommer 1925 wagte sich der Schriftsteller an ein neues Projekt heran. In der dramatischen Legende »Paulus unter den Juden« beschäftigte er sich mit der Loslösung des Christentums vom Judentum. Zweifellos wurde der Autor durch die Erlebnisse in Palästina zu dieser Auseinandersetzung angeregt. Bereits Anfang September lag das Drama in einer ersten und einer zweiten Fassung vor. Da Werfel mit dem Ergebnis noch nicht zufrieden war, stellte er das Werk erst einmal zurück.[107] Alma, Ende August 46 geworden, hatte für den Herbst gleich eine weitere gemeinsame Reise geplant. Diesmal sollte es nach Indien gehen. Sie wusste, dass es schwer werden würde, Werfel von diesem Unternehmen zu überzeugen. Der Berliner Ullstein Verlag wollte zwar für alle Kosten aufkommen, versprach überdies ein Gehalt von 10 000 Reichsmark (rund 31 000 Euro) sowie fürstliche Tantiemen, sollte Werfel sich bereit erklären, den Zeitungskonzern mit Feuilletons und Reiseberichten zu beliefern.[108] Trotz dieser Anreize lehnte Werfel in letzter Minute ab. Die Eindrücke, die er in Ägypten und Palästina gewonnen hatte,

*Franz Werfel und der Komponist Alban Berg in Werfels Zufluchts-
ort Santa Margherita Ligure*

waren noch zu frisch. Er, der 35-Jährige, fühlte sich nicht in der
Lage, nach so kurzer Zeit ein neues Abenteuer einzugehen. Enttäuscht und verärgert zog sich Alma daraufhin nach Venedig
zurück.

Im Dezember 1925 brach Franz Werfel in Begleitung Almas zu
einer mehrwöchigen Lesereise durch Deutschland auf. Etwa zwanzig Städte standen auf dem Programm, darunter Provinznester wie
Gotha und Mühlhausen in Thüringen.[109] In Berlin besuchte das
Paar am 14. Dezember die umjubelte Uraufführung von Alban
Bergs Oper »Wozzeck« unter der Leitung von Erich Kleiber. Alma
fühlte sich Berg und seiner Frau Helene sehr verbunden, obwohl
beide, wie Alma meinte, *aus etwas perversen Familien*[110] stammten.
Bei der Drucklegung des »Wozzeck« hatte sie ihrem Freund finanziell unter die Arme gegriffen, der ihr aus Dankbarkeit die Oper
widmete. Bis Anfang Februar 1926 blieben Alma und Werfel in Berlin und genossen das gesellschaftliche Leben der Metropole in

vollen Zügen. Als Franz Werfel von der Wiener Akademie der Wissenschaften der renommierte Grillparzer-Preis zuerkannt wurde, erreichte seine Popularität einen neuen Höhepunkt. Dazu trug auch die Berliner Erstaufführung des Stückes »Juárez und Maximilian« bei, das unter der Regie Max Reinhardts am 29. Januar im Deutschen Theater einen sensationellen Erfolg verbuchen konnte.[111] Der Dramatiker Franz Werfel war nun in aller Munde. Und: mit seiner Dichtkunst ließ sich Geld verdienen. Ende Juni 1926 schlossen der Schriftsteller und sein Verlag einen Generalvertrag ab, der die höchsten Honorarsätze vorsah, die je einem Zsolnay-Autor bezahlt werden sollten. Werfel erhielt zukünftig 22 Prozent des Ladenpreises bei broschierten Ausgaben, wobei die jeweils gedruckte Auflage im Vorhinein bei Erscheinen bezahlt wurde. Darüber hinaus erfolgte die Honorierung auf Basis von Schweizer Franken in jeder von Werfel gewünschten Währung.[112] Mit Almas Hilfe war *Franzl* – ihr *Mannkind* – auf dem besten Weg, ein Schöpfer gängiger »Burgtheaterschinken« zu werden. »Ich bin mir nicht sicher«, so Anna Mahler, »vielleicht war das gar nicht so gut für ihn, dass er unter Mammis Einfluss kam. Sie hat ihn zweifellos zum Romancier gemacht. Er wäre ohne sie ziemlich sicher ein Lyriker und Bohèmien geblieben, sein Leben lang. Und auch ans Geldverdienen hätte er von sich aus wahrscheinlich kaum gedacht.«[113]

Die andere Seite des Erfolges bestand in Werfels zunehmender Abhängigkeit von Alma. Argwöhnisch betrachtete sie seinen Lebenswandel, seine Arbeitseinstellung, seine schriftstellerischen Ergebnisse, und Werfel entfremdete sich von seinen alten Freunden. Hatte er einst in Wiener Kaffeehäusern wie dem Central oder dem Herrenhof gelebt und mit Freunden wie Ernst Polak, Alfred Polgar oder auch Robert Musil regelmäßig bis tief in die Nacht über Gott und die Welt diskutiert, verbot Alma ihm nun das Abtauchen in die ihr verhassten Männerrunden. Sie schickte ihn nach Breitenstein, Venedig oder ab 1927 auch in den italienischen Badeort Santa Margherita Ligure, wo er die nötige Ruhe und Konzentration für die

Arbeit finden sollte. Nicht selten ließ sie sich die Früchte seiner Arbeit zeigen – lobte, tadelte und gab ihm die Richtung vor. Warum Werfel sich so behandeln ließ, muss offen bleiben. Zum einen hatte er, wenn man Zeitzeugen wie Anna Mahler Glauben schenkt, der Herrschsucht Almas nur wenig entgegenzusetzen: »Seine Schwäche, sein Immer-Nachgeben, das waren wirklich Schattenseiten seiner Persönlichkeit. Er hat sich Alma ganz bewusst unterworfen. Das hat beiden nicht gut getan – sie war ja zu ihm manchmal wirklich wie eine Gouvernante.«[114] Zum anderen hatte er sich, von seiner Partnerin finanziell »zur Hauptquelle ausgebildet«[115], an Berühmtheit und Luxus gewöhnt, was ihn ungemein anzog. Dass er mit dem Verdi-Roman erstmals in die Nähe gefälliger Unterhaltungsliteratur gerückt war, hat Werfel, der einstige Expressionist, der in den Novemberunruhen 1918 zur Stürmung des Wiener Bankvereins aufgerufen hatte, wahrscheinlich gar nicht als problematisch wahrgenommen. Jener Rollenwechsel kam deswegen keinem Bruch gleich, weil Werfel seine Identität, wie der Germanist und Kulturphilosoph Hans Mayer es auf den Punkt brachte, wohl nie selbst in Frage stellte: »Und er konnte Marxist sein, er konnte anarchistisch oder konservativ sein, er konnte Katholik sein – das alles war austauschbar, es hing von der jeweiligen Wallung, dem Einfall, der Emotion ab.«[116]

Werfels Freunde wie etwa Milan Dubrovic beobachteten all dies mit großer Skepsis: »Wir, im Kaffeehaus, haben die Wirkung, die Alma Mahler auf Werfel hatte, im Grunde verurteilt – wir haben gesagt: das ist ja ein anderer Werfel, ein ›success boy‹ geworden! Aber er schien damit glücklich zu sein. Eines Abends saß man beisammen und diskutierte, was jeder der Anwesenden als das höchste Glück auf Erden bezeichnen würde. Und da hat Werfel ganz offen geantwortet: ›Erfolg! Für mich ist Erfolg mit Glück weitgehend identisch‹, ja, das müsse er schon zugeben.«[117]

Seit dem Sommer 1926 kam es zwischen Alma und Franz Werfel vermehrt zu erbitterten Auseinandersetzungen. *Es ist sehr trau-*

rig, notierte sie Mitte Juli, *aber die politische Gegensätzlichkeit zwischen mir und Werfel wächst ins Uferlose. Alles, aber auch jedes Gespräch führt todsicher dahin und unsere raciale Verschiedenheit stellt eine böse Prognose für die Zukunft.*[118] Immer häufiger nutzte sie judenfeindliche Ressentiments, um Werfel zu demütigen. Während er mit seinen Romanen und Dramen große Anerkennung erntete und zu den Besten in der deutschsprachigen Literatur gezählt wurde, musste er sich von Alma sagen lassen, dass Juden keine vollwertigen Menschen seien. Anna Mahler: »Sie hat mir in einem Hotelzimmer, wo sie damals wohnte, gesagt: ›Der Werfel, der kann doch nicht Deutsch, kein Jude kann doch Deutsch.‹ Mich hat sie ›meinen Bastard‹ genannt. Das hat mich wahnsinnig amüsiert, denn ich wusste, ich bin ein Mischling, aber gerade das [ein Bastard] war ich nicht. So gut hat sie nicht Deutsch können, da hat schon der Werfel besser Deutsch können.«[119] Wie schon Jahrzehnte zuvor im Fall Alexander von Zemlinskys setzte Alma ihren Antisemitismus ein, um ihren Lebenspartner zu erniedrigen. Als gut ein Jahr später der Wiener Justizpalast als Folge blutiger Kämpfe zwischen tausenden Arbeitern und der Staatsmacht abbrannte, hatte Alma keinen Zweifel daran, wer für diese Ausschreitungen verantwortlich war: *Die böse Saat des Judaismus geht auf.* Jüdische Politiker – *das schwerste Unglück Europas und Asiens* – hätten, so Almas Verschwörungstheorie, die Arbeiter aufgehetzt. Ihr Fazit war eindeutig: *Die Menschen sollen ihnen schon endlich das Handwerk legen – bevor es zu spät ist!*[120] Und: *Es rettet vielleicht der Kaiserschnitt, Angliederung an Deutschland.*[121] Franz Werfel reagierte entsetzt auf derartige Äußerungen. Er redete pausenlos auf sie ein und versuchte ihr die wahren Hintergründe für das Massaker zu erläutern. Jedoch ohne Erfolg. Alma war von der angeblichen Schuld der Juden zutiefst überzeugt. Je heftiger die Kämpfe mit Werfel wurden, je mehr sie sich innerlich von ihm distanzierte, desto intensiver fühlte sie sich wiederum zu ihrer alten Liebe Oskar Kokoschka hingezogen. Nachdem Alma ihn am 6. Oktober zufällig in Venedig gesehen hatte, schrieb sie folgende Passage in ihr Tagebuch: *Seit ich O.K. gesehen, bin ich wie vernichtet. An Selbstmord direct. So sinnlos ist doch alles andere. Wenn man ein so holdes Geschöpf verlässt, verdient man gerädert zu werden. Es wäre ehrenvoller für mich gewesen, an ihm zu sterben, als ohne ihn weiter zu leben.*[122] Einige Tage später schien Alma sich allerdings wieder gefasst zu haben. *Es ist dumm,* ärgerte sie sich, *dass ich mich noch aus dem Sattel werfen lassen sollte.*[123]

Das Weihnachtsfest verbrachten Alma und Franz Werfel sowie Paul von Zsolnay in Santa Margherita an der italienischen Riviera. *Sehr trauriger Weihnachtsabend gestern*, klagte Alma am 25. Dezember. *Die beiden Juden Werfel und Zsolnay waren zufrieden! Niemand dachte an mich. Niemand empfand das dürstende Christenweib, das seine Kindheit herbeisehnte.*[124] Silvester feierte man mit Gerhart und Margarethe Hauptmann im benachbarten Rapallo, wo der Schriftsteller eine Villa besaß. Die 48-jährige Alma und der 65-jährige Hauptmann hegten eine tiefe Zuneigung füreinander. *Beim Abschied küsste er mich tief auf den Mund*, schrieb sie stolz in ihr Tagebuch. *Er sagte: ›Endlich sind wir allein – ‹, schon stand seine Sekretärin vor uns. Ich umarmte nun auch sie und machte einen allgemeinen Scherz daraus.*[125] Margarethe Hauptmann gingen diese Tändeleien mitunter zu weit. Wenn ihr Mann beispielsweise pathetisch verkündete, im nächsten Leben wolle er ein Kind mit Alma haben, rief sie ihn mit dem Hinweis zur Ordnung, dass Alma auch im nächsten Leben bereits vergeben sei.

Das luxuriöse Dasein zwischen Wien, Breitenstein, Venedig und der ligurischen Küste konnte nicht darüber hinwegtäuschen, dass Alma unglücklich war. Immer häufiger ging sie Franz Werfel aus dem Weg – so auch Anfang Februar 1928, als sie aus Angst vor dem *Fremdwerden zu Werfel*[126] kurzfristig nach Rom flüchtete. Und wie schon so oft fühlte sie sich leer und wertlos. *Ich sehne mich nach irgend einer starken Empfindung*[127], klagte Alma Anfang April. Hatte sie den Antisemitismus bislang als geschicktes Machtinstrument eingesetzt, um ihr nahe Menschen zu demütigen, nahm die

Zufluchtsort. Das »Imperial Palace« in Santa Margherita Ligure

Judenfeindschaft Ende der zwanziger Jahre mehr und mehr die Züge einer – wenn auch diffusen – politischen Überzeugung an. *Weltfaschismus ... das ist's. Faschismus über den nationalen Parteien.*[128] Die Begeisterung für die faschistische Idee befriedigte Almas Wunsch nach der *starken Empfindung*. Die Gegensätze zwischen ihr und Werfel mussten dadurch geradezu zwangsläufig weiter zunehmen. Es kam zu heftigen Auseinandersetzungen, in deren Verlauf Türen flogen und das Paar sich nicht selten anschrie. *Ich beschloss in dieser Nacht nicht zu heiraten*, hieß es am 3. August. *Schuld an dieser neuen Entfremdung ist ein Gedicht, das Werfel jetzt macht, ein Gedicht über den Tod Lenins.* Zweifellos war die Beziehung in einer Sackgasse angelangt, und Alma befand sich in einer tiefen Lebenskrise. *Ich trinke um glücklich, vollkommen glücklich sein zu können*[129], gab sie freimütig zu. *Benediktiner*, wie sie ihren hochprozentigen Lieblingslikör Bénédictine nannte, wurde ihr ständiger Begleiter und Trostspender – bis zu einer Flasche konsumierte sie täglich. Wenn sie sich nicht gerade mit Alkohol betäubte, dämmerten ihr die Gründe für ihre trübselige Verfassung. *Ich bin*

Der Verleger und sein Bestsellerautor. Paul von Zsolnay, seine
Mutter Andy sowie Franz Werfel in Santa Margherita Ligure

seit 10 Jahren unglücklich und spiele irgendeine Rolle. Nach Außen: Die sozusagen glückliche Geliebte eines anerkannten Dichters. Aber ich bin weder seine Geliebte – noch seine Frau. Ich bin wenig in seinem Leben und er wenig in dem Meinen.[130] Alkohol und Antisemitismus gingen eine giftige Verbindung ein. Während sie ihre Umwelt häufig nur noch durch einen Alkoholschleier wahrnahm, steigerte sich ihre Judenfeindschaft ins Wahnhafte. *Diese Zeit wird einmal heißen ›Der Juden Rache‹*, schrieb sie Anfang Oktober in ihr Tagebuch. *Es ist eines der grandiosesten Schauspiele, wie ein kleines Häuflein verstreuter Menschen sich aus Blutrache und zurückgedrängtem Machthunger an das Steuer der Welt schwingt, um alles umzuwerfen und umzuwerten, was bis dahin als fest und sicher galt.*[131] Kein Zweifel: Die Verbindung zu Franz Werfel stand vor dem Aus. Dass sie ihn wenige Monate später dennoch heiraten würde, konnte sich Alma im Herbst 1928 wohl kaum vorstellen.

Heirat wider Willen

In der ersten Hälfte des Jahres 1929 arbeitete Franz Werfel intensiv an seinem im Vorjahr begonnenen Roman »Barbara oder die Frömmigkeit«. Zwischen Februar und Mai 1929 hielt er sich fast ausschließlich in Santa Margherita auf. Wie in den vergangenen beiden Jahren fand Werfel im Hotel »Imperial Palace« an der Via Pagana die ideale Umgebung fürs Schreiben. Das mondäne Flair der ligurischen Küstenstadt, die milden Temperaturen sowie die luxuriöse Ausstattung des Hotels boten alle Annehmlichkeiten, die ihm die Arbeit erleichterten. Ende Februar besuchte Alma ihn kurz, nachdem sie zehn Tage mit Anna in Paris verbracht hatte. Doch sie fand keine Erholung. Zahlreiche Einladungen machten sie so nervös, dass sie *kaum mehr schlafen und essen, geschweige denn lesen* konnte. Und der bevorstehende Besuch von Werfels Eltern kam ihr äußerst ungelegen: *Werfels Eltern, brave Juden, meinen es sicher gut, aber mit mir ist es schwer. Meine Seele kann nicht mittun.*[132] Zwar war ihr Verhältnis zu Rudolf und Albine Werfel nicht sonderlich schlecht, einen wirklich herzlichen Zugang fand sie aber nicht. Alma fühlte sich fremd und nicht dazugehörig, was sie auf die jüdische Abstammung der Werfels zurückführte. Nach wenigen Tagen empfand sie die Situation als unerträglich. Über Nizza fuhr Alma schließlich am 4. März allein nach Venedig, wo sie in der geliebten Casa Mahler zur Ruhe und zum Nachdenken kommen wollte. Nach zehn Jahren in »wilder Ehe« bedrängte Franz Werfel Alma, ihn endlich zu heiraten. Sie war unsicher, zumal eine Postkarte von Oskar Kokoschka aus Kairo an schon vergessen geglaubte Zeiten erinnerte. *Warum tut er das immer wieder? Es ist, als ob wir mit einer geistigen Nabelschnur an einander festhingen.* Obwohl sie sich von seiner *etwas verdreckten Seele* längst distanziert hatte, fühlte sie sich ihm immer noch nahe. Es war seine Entschlossenheit und Zielstrebigkeit, die sie faszinierten, während Franz Werfel, *ein geborener Wohlleber, niemals die Konsequenzen aus seinen Lehren zieht.* Damit meinte sie vor allem Werfels politische Einstellung, die er, wie Alma glaubte, *geburtsmäßig und klassenmäßig überhaupt nicht verstehen, geschweige denn mitmachen kann*[133].

Im Juni gab Alma dem Drängen aber plötzlich nach und willigte in die Eheschließung ein. Sie stellte jedoch eine Bedingung: Werfel musste vor der Hochzeit aus der jüdischen Religionsgemeinschaft austreten. Dieser Forderung kam er am 27. Juni 1929 nach – allerdings ließ er sich nicht katholisch taufen, wie sie es wohl gerne gesehen hätte. Was bislang unbekannt war: Ohne Almas Wissen trat Werfel wenige Monate später – am 5. November – wieder zum Judentum über.[134] Über die Gründe für sein Verhalten lässt sich nur spekulieren. Möglicherweise war Werfels heimliche Rückkehr zum Judentum eine Art stiller Protest und ein Zeichen von innerer Opposition gegenüber seiner übermächtigen Frau.

Die bevorstehende Hochzeit bereitete Alma große Sorgen. Als sie am Vorabend der Eheschließung zu Bett ging, konnte sie nicht

Ein Engel auf Erden: Almas Tochter Manon Gropius, um 1930

einschlafen. *Ich weiß es nicht, ob ich recht handle,* fragte sie sich immer wieder, schließlich lebte sie mit Werfel doch schon seit gut zehn Jahren auch ohne Trauschein zusammen. *Für den Herrn Nachbarn tue ich es, nicht für mich. Meine Freiheit, die ich trotzalledem mir gewahrt hatte, bekommt einen Stoss. Meine Liebe ist einer sehr verbundenen Freundschaft gewichen.* Die Bestandsaufnahme in jener Julinacht war wenig optimistisch: *Mir geht es körperlich nicht gut. Ein Versagen auf allen Linien. Die Augen wollen nicht mehr, die Hände verlangsamen ihre Gangart übers Clavier – ich vertrage kein Essen, kein Stehen, kein Gehen, höchstens noch Trinken. Letzteres tue ich öfters zu viel. Aber es ist oft das einzige Mittel, um meine Auskühlungen und Schauer im Körper zu überwinden.*[135] Angesichts dieser Schonungslosigkeit, mit der Alma sich und ihren desolaten Zustand

Manon und Alma. »Ich zog sie ihm nackt aus.«

charakterisiert, liegt der Gedanke nicht fern, dass sie Werfel vielleicht geheiratet hat, um die Kalamitäten des Alters – Alma wurde einen Monat nach der Eheschließung fünfzig Jahre alt –, die Einsamkeit und den körperlichen Verfall besser zu ertragen.

Die Ehe von Alma Mahler und Franz Werfel wurde am Samstag, dem 6. Juli 1929, im Wiener Rathaus geschlossen. In Österreich wurden zu jener Zeit Vermählungen in der Regel von der katholischen beziehungsweise der evangelischen Kirche vorgenommen. Für konfessionslose Paare und für Partner mit unterschiedlichen Glaubensbekenntnissen bestand die Möglichkeit einer Eheschließung vor staatlichen Behörden. Dabei handelte es sich um einen kurzen und recht schmucklosen Vorgang. Die Trauzeugen waren Almas Halbschwester Maria und deren Mann Richard Eberstaller, die selbst erst kurz zuvor – am 16. Juni – geheiratet hatten. Wenn Alma trotz aller Bedenken ihr Jawort gab, dachte sie dabei möglicherweise auch an ihre inzwischen 12-jährige Tochter Manon, die ein geregeltes Familienleben bisher nicht kennen gelernt hatte. Das unstete Pendeln zwischen Wien, Breitenstein und Venedig, der häufige Wechsel der Privatlehrer und nicht zuletzt das exaltierte Leben der Mutter hatten Spuren hinterlassen: Manon war ein sehr zurückhaltendes, manchmal geradezu scheues Mädchen. Seit Dezember 1927 wohnte sie in der vornehmen »Mädchen – Lehr- und Erziehungsanstalt« in der Wiener Weihburggasse – einer Art Internat für Kinder prominenter Eltern, das von der Pädagogin Adèle Renard-Stonner geleitet wurde. Gleichwohl ließ Alma ihre Tochter immer wieder beurlauben und nahm sie mit auf Reisen. Solange das Mädchen denken konnte, gehörte Franz Werfel zur Familie. Mit der Hochzeit sollte endlich aus »Onkel Werfel« Manons Stiefvater werden. So ehrenhaft diese Überlegungen auch waren – eine Liebeshochzeit stellte die Trauung jedenfalls aus Almas Sicht nicht dar.

Die Ehe mit Franz Werfel begann – wie sollte es anders sein – mit Enttäuschungen, immer wieder kam es zu *ekelhaften Szenen*, und bereits nach kurzer Zeit war er Alma *irgendwo tief fremd*[136]. Im Mittelpunkt der Streitigkeiten stand wieder einmal Werfels jüdische Abstammung. Obwohl er ihretwegen zunächst aus der jüdischen Religionsgemeinschaft ausgetreten war, ließ sie nicht locker. *Ich könnte ohne Juden nicht leben, lebe ja auch dauernd mit ihnen. Aber meine Seele ist so voll Harm gegen sie, dass ich trotzig mich aufbäume – unentwegt.* Dieser Konflikt sollte sich in den folgenden Jahren weiter zuspitzen. *Warum habe ich Altes geheiratet? Meinen süßen Namen hergegeben, meinen großen Namen, den ich nun 30 Jahre als den meinen betrachtet habe?*[137]

Unmittelbar nach der Hochzeit zogen sich die Mahler-Werfels in das Breitensteiner Ferienhaus zurück. Der Sommer auf dem Semmering sollte allerdings weder glücklich noch harmonisch verlaufen. Die Tagebucheintragungen dieser Monate zeichnen sich vor allem durch eine Häufung von Hetztiraden aus, die auf Freunde und Kollegen Franz Werfels zielten. Zum Beispiel schrieb Alma über die Familie Hugo von Hofmannsthals: *Seine drei Kinder sind unbegabt, seine Söhne sogar direkt amoralisch veranlagt. Der Sohn Franz, der aus begreiflicher Mikromanie sich umgebracht hatte, konnte sich nirgends eine Stellung machen. Er war zuletzt, mit 26 Jahren, im Betriebsbüro des Hotel Adlon beschäftigt, aber sogar auch da versagte er.* Und auch für die Angehörigen anderer Schriftsteller fand Alma deutliche Worte: *Die Kinder von Thomas Mann, homosexuell, lesbisch … die Tochter Wedekinds ein verdorbenes Luder, die Kinder Wassermanns, Verschwender und Huren!* [138] In derartigen Ausfällen spiegelt sich Almas schlechte seelische Verfassung. Sie litt darunter, dass ihr Leben, wie sie es empfand, nur noch dahinplätscherte. Nervös, extrem reizbar und unzufrieden mit sich und der Welt ließ Alma in ihrem Tagebuch keinen Zweifel daran, dass die Hochzeit mit Franz Werfel ein großer Fehler gewesen wäre. *Es ist schrecklich*, klagte sie Ende August, *aber ich empfinde meine neuerliche Ehe als Zwang. Viel ärger, als ich mir dies vorgestellt hatte. Ich möchte fortwährend aus dem Netz heraus, in dem ich mich freiwillig doch so lange wohl gefühlt hatte!* [139] Unstet und wie auf einer Flucht voreinander reisten Alma und Franz zwischen Breitenstein und Wien hin und her. Den Spätsommer verbrachten sie an der ligurischen Küste, zunächst in Nervi, später in Santa Margherita. Dort vollendete Werfel seinen Roman »Barbara oder die Frömmigkeit«, der am 22. Oktober im Zsolnay-Verlag erschien. Die Erstauflage war mit 50 000 Exemplaren bemerkenswert hoch angesetzt. Noch nie zuvor waren einem seiner Bücher derartige Absatzerwartungen entgegengebracht worden. Zweifellos hatte Werfel den bisherigen Höhepunkt seines Ruhmes erreicht und gehörte nun zu den meistgelesenen deutschsprachigen Autoren. Fünf Jahre nachdem der Zsolnay-Verlag seinen Erfolg mit dem Verdi-Roman begründet hatte, waren Werfels Werke die Hauptgewinnbringer des Hauses. Nimmt man

*Trautes Miteinander. Dr. jur. Richard
Eberstaller und seine Schwägerin Alma
in Breitenstein*

die reinen Autorenhonorare, so hat Werfel an dem »Barbara«-Roman
am meisten verdient, und zwar nach heutiger Kaufkraft rund
500 000 Euro – wie immer im Voraus.[140] Damit war jedoch für den
Verlag das Äußerste ausgeschöpft, wie der Prokurist Felix Costa
Alma erläuterte, bedeutete dieser Zahlungsmodus »eine grosse Anspannung für unseren Verlag [...], weil es hier um grosse Summen
geht, deren Flüssigmachung nicht immer leicht ist«[141]. Vorsichtig
hatte er um Verständnis gebeten, wenn die Vorauszahlungen das ein
oder andere Mal nicht pünktlich vorgenommen werden könnten.
Alma war allerdings zu keinen Konzessionen bereit und forderte
energisch ihr Recht.

Die Freundschaft zu den Zsolnays scheint unter Almas Kom-
promisslosigkeit nicht gelitten zu haben, ganz im Gegenteil – Ende
1929 näherten sich die Familien Werfel und Zsolnay auch in privater Hinsicht einander an. Paul von Zsolnay gestand Alma bei
einem Besuch, dass er ohne Anna nicht mehr leben könne, und bat
sie förmlich um die Hand ihrer Tochter. Was war geschehen? Der

Kostümfest in Breitenstein. Agnes Hvizd (Almas Köchin), Franz Werfel, Richard Eberstaller als Frau verkleidet, Maria Eberstaller und Anna Mahler als junger Mann

Verleger – bislang eingefleischter Junggeselle – hatte im Sommer in der »Physikalisch-Diätetischen Höhen-Kuranstalt«, wie das Breitensteiner Kurhotel recht umständlich hieß, einen mehrwöchigen Urlaub verbracht und bei dieser Gelegenheit Anna Mahler nach langer Zeit zum ersten Mal wieder gesehen. Zwar kannten sich die beiden seit früher Jugend, man hatte sich jedoch aus den Augen verloren. Der Zufall wollte es, dass, wie Zsolnay sich erinnerte, »ich mit ihr einige Wochen gemeinsam am Semmering verbrachte. So hatten wir Gelegenheit, einander aufs Neue kennenzulernen und entschlossen uns sehr rasch, uns zu verbinden.«[142] Alma hatte gegenüber der Liebelei zwischen ihrer Tochter und dem Verleger Franz Werfels zunächst einige Vorbehalte. *Lass diese Blume am Wegrand stehen!*[143], lautete ihr Ratschlag für Anna. Über kurz oder lang wurde ihr der Gedanke einer familiären Verbindung jedoch sympathisch. Nach Rupert Koller und Ernst Krenek hatte Anna nun endlich einen Ehemann, der – wie Alma es empfand – standesgemäß war. Wenn Anna mit 25 Jahren schon zum dritten Mal heiraten würde, dann sollte es zumindest eine nützliche Verbindung sein.

Die Hochzeit fand im kleinen Rahmen heimlich am 2. Dezember 1929 in Paris statt. »Es war der Wunsch meiner Frau, den ich vollkommen teilte«, schrieb Paul von Zsolnay an einen Bekannten in Konstantinopel, »dass die Heirat möglichst unbemerkt vollzogen werde, was in unserem Fall nicht ganz leicht war. Aus diesem Grunde haben wir unsere Vermählungsanzeigen erst nach der Hochzeit versandt.«[144] Die Flitterwochen verbrachten Anna und Paul von Zsolnay in Ägypten. Als das Paar Mitte Januar 1930 nach Wien zurückkehrte, brachen Alma und Franz Werfel zu ihrer – wenn auch verspäteten – Hochzeitsreise auf. Alma hatte zunächst an Indien gedacht, an das *Land meiner Sehnsucht*, wie sie rückblickend schrieb. Sie hatte bereits Tickets gekauft und die Reise detailliert vorbereitet. Franz Werfel konnte der Vorstellung einer mehrwöchigen Schiffsreise nach Indien jedoch wenig abgewinnen, *es sei zu weit, zu anstrengend und so tauschte ich die Schiffskarten für*

Arabische Wüste bei Pairo 1930

Alma und Franz Werfel 1930 in der arabischen Wüste bei Kairo

Alexandrien um – und begrub meinen Lebenswunsch[145]. Werfel wollte stattdessen wie im Jahr 1925 nach Palästina fahren, ergänzt durch Aufenthalte in Syrien und im Libanon. Die erste Station der Reise war Kairo, wo die Eheleute im Hotel »The Continental Savoy« abstiegen, kurze Zeit später ging es weiter nach Palästina. In Ägypten hatte sich Werfel eine leichte Malariainfektion zugezogen, die ihm zwar zu schaffen machte, ihn aber trotz leichter Fieberanfälle die Reise nicht abbrechen ließ. Alma und Franz Werfel waren von Palästina diesmal beide begeistert. Im Vergleich zu ihrer ersten Reise fünf Jahre zuvor erschien ihnen alles *ungemein gewachsen, verschönert, ja viel interessanter.* Beide fühlten sich wie zu Hause, Alma ging sogar so weit, dass sie ihrer *Häusersucht zu frönen begann und absolut ein Haus in Jerusalem haben wollte.*[146] Von dort ging es weiter nach Damaskus. Die syrische Hauptstadt erlebten sie allerdings als wenig einladend, die zerfallenen Gebäude und das heruntergekommene Stadtbild strahlten eine große Tristesse aus. Ein Reisebegleiter führte die Besucher schließlich in eine große Teppichweberei. Was Alma und Franz Werfel dort zu sehen bekamen, sollte sie noch lange Zeit beschäftigen. An den zahlreichen Webstühlen mussten von Hunger ausgemergelte Kinder mit maskenhaften Gesichtern und hervorquellenden Augen arbeiten. Als der anwesende

Fabrikbesitzer das Entsetzen in den Gesichtern seiner Gäste bemerkte, erklärte er die geradezu gespenstische Situation: Er beschäftigte die Kinder für 10 Piaster pro Tag in seiner Weberei und bewahrte sie so vor dem Hungertod. Sie seien armenischer Herkunft, viele ihrer Eltern seien von den Türken im Weltkrieg durch Pogrome, Deportationen und Massenhinrichtungen vernichtet worden. Dieser staatlich angeordnete Völkermord ließ Werfel keine Ruhe mehr. Auch auf weiteren Stationen ihrer Reise, wie in Baalbek, Beirut, Acca und Haifa, nutzte er jede freie Minute und notierte, was er in Damaskus erfahren hatte. Er ahnte, dass das Schicksal der Armenier den Stoff für einen neuen Roman abgeben konnte. Nach Wien zurückgekehrt, begann er sofort mit den Vorarbeiten und besuchte ab Juni 1930 regelmäßig das armenische Kloster der Mechitaristen in Wien. In der großen Bibliothek des Hauses recherchierte er zahlreiche Augenzeugenberichte, studierte Landkarten und beschäftigte sich mit der jahrhundertealten Geschichte des armenischen Volkes. Langsam nahm das Projekt in seinen Gedanken Gestalt an. Es sollte allerdings noch zwei Jahre dauern, bis er mit der Niederschrift des Romans beginnen konnte.

Alma beschäftigten im Sommer 1930 andere Probleme. Die Zsolnays drängten sie, die Etagenwohnung in der Elisabethstraße zugunsten einer standesgemäßen Villa aufzugeben. Alma stand dieser Idee zunächst ablehnend gegenüber und sah nicht ein, sich *so im Materiellen zu fixieren*[147]. Überhaupt hatte der Kontakt zwischen Alma und den neuen Verwandten offenbar eine leichte Abkühlung erfahren. Sie vermutete, dass Anna, die am 5. August 1930 eine Tochter – nach der Großmutter Alma genannt – zur Welt gebracht hatte, *ein falsches Spiel gegen mich treibt* und die Zsolnays aufhetzt: *Ich fühle es greifbar wie Nichtachtung und Dunkelheit hinter meinem Rücken wächst.*[148] Doch damit nicht genug – noch andere Mitglieder der Familie bereiteten Alma Kopfzerbrechen. *Moll hat ein Buch über meinen Vater geschrieben*, schimpfte sie Ende August. *Abgesehen davon, dass ich es für eine immense Tactlosigkeit halte, dass der*

Ehebrecher noch nach 40 Jahren triumphiert und den armen Schindler nackt auszieht, meine Mutter, seine damalige Geliebte in den Himmel hebt, abgesehen davon trägt das Buch die Widmung seinen ›Töchtern‹ Alma und Gretl.[149] Dass Carl Moll gut fünfzig Jahre nach Anna Schindlers ominösem Seitensprung mit Julius Victor Berger Gretel immer noch als Emil Jakob Schindlers Tochter bezeichnete, empfand Alma als nachträgliche Verhöhnung ihres Vaters. Die Verwandtschaft mit ihrem Stiefvater – dem *Ehebrecher* – war ihr zeitlebens unangenehm. Johannes Trentini, Albert von Trentinis Sohn, konnte dies aus der Nähe beobachten: »Die Alma hat über die Molls nicht nett gesprochen und möglichst vermieden überhaupt zu sagen, dass sie Familie hat. Der Vater Schindler galt. Die Mutter war nicht beliebt. Und der Moll … sie fand ihn sehr uninteressant … sie hat ihn ›Scheißerl‹ genannt. Der Moll wird ein ordentlicher Mensch gewesen sein … aber … halt sehr langweilig.«[150] Auch Almas Gefühle für ihre mittlerweile 31-jährige Halbschwester Maria waren durchaus ambivalent. Zwar hatten Richard und Maria Eberstaller als Trauzeugen der Werfels fungiert, zu einem innigen Miteinander fanden die Schwestern aber nie. Während sich Almas Beziehung zu ihrem Schwager Richard als herzlich darstellte, der 43-jährige Jurist beriet sie gelegentlich in rechtlichen Fragen, behandelte sie Maria oftmals herablassend und gönnerhaft.

Die Familienverhältnisse in Almas Haus waren Ende 1930 – wie sollte es anders sein – so kompliziert wie eh und je. Insbesondere die Situation der beiden Eheleute war siebzehn Monate nach der Hochzeit ganz und gar verfahren. *Niemals würde Werfel ein Wort des Dankes haben, dass ich ihm helfe und helfe*, beschwerte sie sich im November. Gustav Mahler wäre zuletzt nobler gewesen, *Werfel wird diese Erkenntnis nicht einmal dann haben, wenn ich ihn verlasse oder sterbe!* Ihre Konsequenz war wenig ermunternd und verhieß für die Zukunft nichts Gutes: *Soll er sich seinen Dreck allein machen. Warum habe ich geheiratet? Wahnsinn!*[151]

Alma Mahler-Werfel, um 1930

Radikalisierung
(1931–1938)

Hohe Warte

Mitte Januar 1931 zog sich Franz Werfel erstmals seit über einem Jahr nach Santa Margherita Ligure zurück, um im Hotel »Imperial Palace« mit der Arbeit an der Erzählung »Die Geschwister von Neapel« zu beginnen. Unterdessen hatte Alma sich auf Wohnungssuche begeben. Die Werfels hatten sich entschieden, dem Rat der Zsolnays zu folgen und die Stadtwohnung gegen eine repräsentative Villa in Wiens Nobelgegend Hohe Warte einzutauschen. Diese gegen Ende des 19. Jahrhunderts entstandene Künstlerkolonie im Norden der Stadt war zugleich ein beliebtes Ausflugsziel. In der Steinfeldgasse, nur wenige Schritte von der Endstation der Tramlinie 37 entfernt, hatte der Wiener Stararchitekt Josef Hoffmann zwischen 1909 und 1911 für Eduard Ast, der eine der führenden österreichischen Baufirmen besaß, eine feudale Villa mit über 20 Zimmern errichtet. Da Geld keine Rolle spielte, hatte man nur die edelsten Materialien verwendet, und das gesamte Haus wurde mit Produkten der Wiener Werkstätten ausgestattet. Als auch Eduard Asts Firma in der Weltwirtschaftskrise herbe Verluste verzeichnete, musste er sich Anfang 1931 schweren Herzens von diesem architektonischen Juwel trennen. Alma war von dem Haus mit der sandfarbenen Fassade begeistert. Bereits die bis zur Decke mit gelblichen Marmorplatten ausgekleidete Eingangshalle war imposant. Eine schwarze Holztreppe führte in die darüber liegende Beletage, von der man über einen Vorraum zunächst die große Wohnhalle betrat. Daran grenzten das Herrenzimmer, der Speiseraum so-

*Die »Villa Ast«, 1909 bis 1911 von Josef Hoffmann erbaut, wird
1931 das neue Wiener Domizil der Familie Werfel*

wie ein ovaler Damensalon. Der Architekt hatte sogar die Farbwir-
kungen der einzelnen Räume aufeinander abgestimmt: Die dunkel-
grünen Wände des Herrenzimmers kontrastierten eindrucksvoll
zur hellen, mit Laaser Marmor verkleideten Halle. Der Damensalon war schließlich bis unter die Decke mit grau-grünem Cipolino-
Marmor getäfelt. Über eine verglaste Doppeltür betrat man den
großen Speiseraum, dessen aus unterschiedlichen Hölzern beste-
hendes Parkett mit den Braun- und Orangetönen des Portovenere-
Marmors und dem champagnerfarbenen Putz angenehm harmo-
nierte. Aus der Halle sowie aus dem Speiseraum gelangte man auf
die sich zum Garten hin öffnende Veranda. Im Obergeschoss der
Villa Ast befanden sich Bade- und Ankleidezimmer, zwei Kinder-

zimmer, ein Raum für die Gouvernante, ein weiteres Wohnzimmer sowie ein in Palisander getäfeltes Schlafzimmer.[1]

Die großzügigen Räume und die luxuriöse Ausstattung der Villa boten alle Möglichkeiten zur Repräsentation auf höchstem Niveau. Als Besitzerin dieses Jugendstilpalastes würde Alma eine der besten Adressen Wiens ihr Eigen nennen. Franz Werfel waren diese Dinge offensichtlich weniger wichtig. Da er die meiste Zeit des Jahres ohnehin nicht in der Hauptstadt verbringen würde, wollte er der Verwirklichung von Almas Traum nicht im Wege stehen. Am 17. Februar 1931 unterschrieben Eduard Ast und Alma Mahler-Werfel den Kaufvertrag. Die Kaufsumme wurde zu einem Großteil aus Werfels Tantiemen finanziert. Auch Rudolf Werfel unterstützte seinen Sohn mit 40 000 Schillingen.[2]

Während Franz Werfel weiterhin in Santa Margherita arbeitete, organisierte Alma die Übersiedelung. Am 29. März 1931 übernachtete sie ein letztes Mal in ihrer alten Wohnung. *Was wird mir dieses neue Haus bringen?*, grübelte sie. *Viel Kraft muss ich aufbringen, um die Tode dort zu bekämpfen. Viel Leid ist dort verweint worden. Wird meine Heiterkeit die nassen Tränen-Wände trocknen können?*[3] Die Villa Ast war in der Tat ein Unglückshaus. Eduard Ast hatte dort zwei seiner Kinder verloren. 1922 erlag Eduard jr. einer Leukämieerkrankung, im Jahr darauf war die Tochter Gretel im Alter von 20 Jahren im Kindbett gestorben. Alma wusste von diesen Tragödien. Sie stellte sich die erschütternden Szenen vor, wollte sich aber die Freude auf das neue Haus damit nicht verderben. Am folgenden Tag blieb keine Zeit für trübe Gedanken: Nach *unsäglicher Arbeit* war der Umzug überstanden. Alma: *Das Haus empfing mich mit warmen Armen und ich schlief am Abend dort bereits in meinem eigenen Bett mit dem Gefühl, nirgends anders je geschlafen zu haben.*[4]

Johannes Trentini war häufig mit von der Partie, als im Frühjahr 1931 auf der Hohen Warte ein Fest dem anderen folgte: »Nahezu jeden Tag gab es Gäste. Bei allen Einladungen im Hause Mahler-Werfel präsidierte stets Alma. Großgewachsen, immer in

Damensalon mit Interieur aus den Wiener
Werkstätten, über dem Sofa ein Gemälde von
Gustav Klimt (Zustand 1913)

knöchellangen Kleidern, strahlendes Haar, Schmuck, der recht
schillernd auffiel. Es gab stets viel und gut zu essen und zu trinken,
und Alma wusste sehr genau, wie den Gästen ein schöner und angenehmer Abend zu bereiten ist.«[5] Almas gastgeberische Qualitäten
wurden allseits geschätzt. In ihrem Haus lernten sich Menschen
kennen, die sonst schwerlich aufeinander getroffen wären. Musiker,
Schriftsteller und Schauspieler standen ebenso auf der Gästeliste
wie Politiker, Geistliche und Philosophen. Bei diesen Gelegenheiten war Alma in Hochform – und die kulinarischen Genüsse spielten eine bedeutende Rolle, mit ausgefallenen und sichtlich teuren
Speisen verwöhnte sie ihre Gäste. Das exzessive Feiern hinterließ
Spuren: *Von Pfingsten an aber bin ich im Bett gelegen und konnte vor
Erschöpfung kaum reden.* Alma ließ sich verleugnen und hatte endlich Ruhe – und vermisste doch den täglichen Trubel: *Das Haus ist
nun fertig – aber ich möchte Langeweile nicht kennen lernen.*[6]

Damensalon auf der Hohen Warte 1931, über dem Ehepaar Werfel
Oskar Kokoschkas Gemälde »Alma Mahler«, rechts von Alma
einer der Fächer.

Die Sommermonate des Jahres 1931 verbrachten die Werfels in
Breitenstein, wo Franz Werfel an der Endfassung der »Geschwister
von Neapel« schrieb und sich nur noch von Kaffee und Zigaretten
ernährte. Ende September zog sich Alma zu einer Fangokur nach
Abano Terme zurück, um dort ihren seit dem Umzug schmerzen-
den Arm behandeln zu lassen. Der kleine Ort in der Nähe Paduas
war schon in römischer Zeit mit seinen Schwefel- und Salzquellen
ein bedeutendes Heilbad. Sie genoss die Abgeschiedenheit, besuchte die Sehenswürdigkeiten der Umgebung und las viel. Ein
Buch des russischen Schriftstellers Ilja Ehrenburg erregte ihren
Unmut: *Ein Dreck von Herrn Ilja Ehrenburg, auch ein Kommunist,*
weil ihm nichts anderes gelingen mag. Und weiter: *Die Russen können*
mir samt und sonders gestohlen werden, notabene, da man jetzt unter
diesem Titel nur Juden als Russen verkleidet kennen lernt. Diese sterile
schwarze Welt. Das Beispiel Ehrenburgs war für Alma der Beweis:

Der Jude strebt nach Klarheit, der Arier nach Rausch, siehe Caffee –
Alkohol. Wie verwirrt muss es also in den Juden aussehen, und wie
klar im christlichen Hirn.[7]

Franz Werfels Neuling »Die Geschwister von Neapel« wurde
ein großer Erfolg, rasch war Ende Oktober die erste Auflage vergriffen, und er hatte sein Honorar wie immer im Voraus erhalten,
wobei es sich umgerechnet um ca. 230 000 Euro handelte.[8] Der
Zsolnay-Verlag organisierte für seinen Autor im November eine
mehrwöchige Lesereise quer durch Deutschland, die Werfel und
Alma über Köln, Münster und Berlin bis ins ostpreußische Inster-
burg führte. Unter dem Eindruck des Todes von Franz Werfels
engem Freund Arthur Schnitzler am 21. Oktober 1931 begann die
Reise in gedrückter Stimmung, was sich jedoch in Berlin zusehends
änderte. Das mondäne Flair der deutschen Reichshauptstadt hatte
es Alma angetan. Der kunstsinnige und wohlhabende Teil des Berliner Establishments ließ es sich nicht nehmen, den Bestsellerautor
und seine berühmte Frau zu unzähligen Empfängen zu bitten. Dieses gesellige Treiben nahm jedoch ein jähes Ende. Alma: *Telephon*
aus Wien … Anna sei krank, dann wieder ein Telegramm, Anna sei
körperlich gesund nur seelisch krank, endlich wieder ein Telephon von
Andy Zsolnay. Anna und Paul seien in Scheidung![9] Alma hatte sofort
verstanden: Es ging nicht nur um das Wohl ihrer Tochter, auch die
Geschäftsbeziehungen zum Zsolnay-Verlag standen auf dem Spiel.
Sie wurde jetzt in Wien gebraucht, packte umgehend *und war eine*
Stunde später auf der Bahn, während Franz Werfel seine Lesereise
allein fortsetzte. In Wien angekommen, erfuhr sie die Details dieser
Ehetragödie. Anna hatte seit längerer Zeit ein Verhältnis mit dem
Schriftsteller René Fülöp-Miller, *diesem widerlichsten aller Litera-*
ten[10], wie Alma schimpfte. Der 1891 geborene René Fülöp-Miller,
eigentlich Philipp Jakob Müller, hatte seine Werke hauptsächlich
bei kleineren und unbedeutenden Verlagen in Leipzig und Wien
veröffentlicht, ehe er im Juli 1931 mit dem Zsolnay-Verlag einen
Generalvertrag abschloss.[11] Da Paul von Zsolnay zu vielen seiner

Autoren auch privaten Kontakt pflegte, ist es gut möglich, dass er Fülöp-Miller seiner Frau sogar selbst vorgestellt hatte.

Anna und Fülöp-Miller waren über die Entdeckung ihrer Affäre so verzweifelt, dass sie versucht hatten, gemeinsam Selbstmord zu begehen. Jetzt musste Alma handeln, sie stellte Fülöp-Miller zur Rede: *Ich stand nackt vor diesem Kerl. Ich kämpfte einen Monat, um Anna aus den Fängen dieses Wüstlings zu befreien.* Dieser rächte sich nun, *indem er zu Pauls Vater ging, ihm Annas Briefe zeigte und dem alten armen Juden sagte, dass ich Anna anhalte, bei ihrem Mann zu bleiben, um ihn zu beerben und dass ich nur aus diesem Grunde gegen eine Ehe mit Fülöp-Miller sei* [12]. Adolph von Zsolnay machte Alma größte Vorhaltungen. Er fühlte sich in seiner Meinung bestätigt, dass einer Frau wie Anna, die mit 26 Jahren bereits zwei Scheidungen hinter sich hatte, nicht zu trauen sei. Er witterte ein Komplott. Der alte Herr schimpfte, dass Anna seinen Sohn doch nur wegen des Geldes geheiratet hätte.

Anna kehrte für kurze Zeit zu ihrer Mutter zurück. Als sie merkte, dass sie schwanger war, und nicht wusste, ob von Paul oder von Fülöp-Miller, ließ sie eine Abtreibung vornehmen. Die schrecklichen Ereignisse des Jahres 1931 – der Tod Arthur Schnitzlers und der Selbstmordversuch Annas – verdüsterten die Stimmung, so dass Alma in eine Depression geriet.

In dieser Situation entdeckte sie ihre alten Lieder wieder. *Warum habe ich mich so von meinem Wege abtreiben lassen?* [13], fragte sie sich schwermütig. »Sie hat mir mehrfach vorgespielt«, so Johannes Trentini, »gefallen hat es mir nicht, gelogen, dass es mir gefällt, habe ich schon. Aber, ich glaube, wenn man objektiv ist, ist es ganz schön. Aber damals fand ich es kitschig.« [14] Für die von Schwermut niedergedrückte Alma war das Musizieren ein Selbstheilungsversuch. Schon lange trank sie zu viel, um ihre *leidende Seele zu übertönen*, wie sie unverhohlen gestand. Die Musik sollte Abhilfe schaffen: *Ich werde jetzt wieder mehr musizieren und zwar dasjenige, was mich glücklich macht, nicht diese ewige Verdidrescherei, die einem mit ihrem genialen Fleischhauerhandwerk den Ausblick auf alles Feine nimmt.*[15] Der Hinweis auf die *ewige Verdidrescherei* war ein Seitenhieb auf Franz Werfel, der Giuseppe Verdis Musik über alles liebte. Alma blieben die Opern des Italieners fremd, sie spielte lieber Stücke von Richard Wagner – oder eben ihre eigenen Werke.

Als der bisherige Landwirtschaftsminister Engelbert Dollfuß am 20. Mai 1932 das Amt des österreichischen Bundeskanzlers übernahm, stand die Republik am Beginn eines tief greifenden politischen Veränderungsprozesses. In einem Zeitraum von zwei Jahren errichtete Dollfuß an der Spitze der Christlich-Sozialen Partei in Österreich nach und nach ein autoritäres Regime, den so genannten »Ständestaat«. Knapp ein Jahr nach der Übernahme des Kanzleramts gelang es Dollfuß bei einer außerordentlichen Sitzung des Nationalrats, das Parlament auszuschalten. Nach diesem unrühmlichen Ende der Demokratie in Österreich am 4. März 1933, von den Zeitgenossen zumeist wegen der Entwicklungen im Deutschen Reich übersehen, stand dem Aufbau des »Ständestaats« nichts mehr entgegen. Die Prinzipien der am 1. Mai 1934 veröffentlichten Verfassung lauteten: christlich, ständisch und autoritär, was letztlich vor allem die grundsätzliche Abkehr von demokratischen Prinzipien bedeutete. Eine Trennung von Staat und Kirche fand im »Ständestaat« nicht statt. Alles Recht leitete sich von Gott als oberster Instanz ab und nicht mehr vom Volk. Die Hoffnungen des Regimes bestanden darin, »die Gesellschaft wieder zu verchristlichen, im Rahmen des kleinen Österreich das Reich Christi und das Königtum Christi wieder aufzurichten«[16], wie der Tiroler Prälat Aemilian Schoepfer schrieb. Dahinter verbarg sich der alte katholische Traum, die »Klassen« durch »Stände« zu ersetzen. Im Mittelpunkt stand die verklärte Sicht auf eine einfach strukturierte, mittelalterliche Agrargesellschaft, »in der der Arbeiter gegen seinen Herrn nicht aufstand und organisiert war«[17], wie Dollfuß in einer Rede proklamierte. Der politische Katholizismus stand der modernen Industriegesellschaft verständnislos gegenüber und bewertete sie als

Machwerk von Demagogen, die je nach Couleur Juden, Liberale, Marxisten oder Sozialdemokraten hießen. Insbesondere die Juden galten dem »Ständestaat« als Repräsentanten des Individualismus und Liberalismus. Sie seien für die Zerstörung der »alten Ordnung« maßgeblich verantwortlich und würden die christlichen Werte bedrohen. Zwar wurde den Juden in der neuen Verfassung die Gleichberechtigung garantiert, was allerdings wenig über die tatsächliche Lage der jüdischen Bevölkerung aussagte. Es kam vielmehr zu einer tiefen Diskrepanz zwischen dem Anspruch der Verfassung und der politischen Realität. Allenthalben machte sich ein weitgehend tolerierter Antisemitismus bemerkbar, dem die Regierung nichts entgegenzusetzen hatte. Mit der so genannten »Maiverfassung« hatte Engelbert Dollfuß sein Ziel erreicht. Der »Westentaschendiktator«, wie der Politiker wegen seiner Kleinwüchsigkeit spöttisch genannt wurde, stand an der Spitze eines klerikal-faschistischen Regimes – allerdings sollte er nicht einmal drei Monate später zum wohl prominentesten Opfer des nationalsozialistischen Putsches in Österreich werden.

Der Amtsantritt des neuen Kanzlers Dollfuß im Mai 1932 hinterließ bei Alma keine bleibenden Eindrücke: *Sonst fließt das Leben dahin*, klagte sie in ihrem Tagebuch, *kaum mehr wissenswert oder wichtig für mich. Man spielt eben mit.*[18] Am 3. Juni traf Alma allerdings eine richtungweisende Entscheidung, die auch vor dem Hintergrund der sich verändernden politischen Verhältnisse zu verstehen ist: Sie konvertierte zum katholischen Glauben. Nachdem sie im August 1900 aus der katholischen Kirche ausgetreten war, wollte sie ihrem Leben zweiunddreißig Jahre später einen neuen Sinn geben. *Ich hatte jahrelang das Gefühl ausgestoßen zu sein, aus der Gemeinschaft der Heiligen. Die Beichte war mir eine schwere Überwindung. Es hat mich bis zur Ohnmacht aufgeregt. Mein lieber Freund Dompfarrer Müller von St. Stefan hat mein heftiges Weinen bestimmt nicht begreifen können. Er kennt mich sonst anders!*[19] Der religiöse Aspekt dieser Wende war jedoch unbedeutend. Alma Mahler-Werfel war keine gläubige Frau, geschweige denn eine fromme Katholikin, auch passte ihr Lebenswandel so gar nicht zu den konservativen Wertevorstellungen, die die katholische Kirche in den dreißiger Jahren vertrat. Almas Katholizismus ist eher als Ausdruck ihrer diffusen politischen Ideologie zu betrachten, die sich immer aggressiver äußern sollte. So individuell motiviert diese Entscheidung auch gewesen sein mag, so sehr spiegelt sie doch die politische Tendenz der Zeit, die in den folgenden Jahren immer mehr an Einfluss auf das Leben Almas gewinnen sollte.

Auch in diesem Jahr verbrachten Franz Werfel, Alma und Manon die Sommermonate wie üblich in Breitenstein. Die Abgeschiedenheit des Semmerings, die den Dichter sonst inspiriert hatte, machte ihn nun auf einmal nervös. Er war bedrückt und unzufrieden mit sich und seiner Arbeit, da er kein Thema für einen neuen Roman fand. Missmutig überarbeitete er einige ältere Gedichte, was aber seine schlechte Stimmung auch nicht verbessern konnte. Alma machte ihm Vorhaltungen: Wenn er kein neues Buch schreiben würde, müssten sie das Haus auf der Hohen Warte vermieten. Die finanzielle Situation sei durch den Kauf der Villa Ast so angespannt, dass sie sich Werfels Untätigkeit nicht leisten könnten. Der so Gedrängte *zermarterte sich das Hirn*[20], bis ihm plötzlich sein Erlebnis in Damaskus wieder in den Sinn kam, die halb verhungerten Kinder in der Weberei. Er wollte die Geschichte der Armenier während des Weltkriegs ins Zentrum eines neuen Romans stellen. Die Sperre war durchbrochen, Franz Werfel hatte ein Thema und eine Aufgabe. Bis Mitte November 1932 arbeitete er pausenlos an »Die vierzig Tage des Musa Dagh«. Alma war stolz auf sich: *Und wieder bin ich ihm Ansporn zu seiner Arbeit – durch mein freches, gesundes Ariertum.* Selbstbewusst lobte sie ihre »gesunden« Impulse: *Eine dunkle Jüdin hätte schon längst ein Abstractum aus ihm gemacht. Er hat diese Gefahr in sich.*[21]

Am 31. Juli 1932 erreichte die NSDAP bei den sechsten deutschen Reichstagswahlen 37,8 Prozent der Wählerstimmen und konnte damit ihr Ergebnis im Vergleich zum September 1930 mehr als verdoppeln. An einer Regierungsbeteiligung der Nationalsozialisten führte nun eigentlich kein Weg mehr vorbei. Bei den Verhandlungen kam es allerdings schnell zu unüberwindbaren Differenzen zwischen den Nationalsozialisten und dem amtierenden Reichskanzler Franz von Papen. Und Reichspräsident von Hindenburg konnte sich nicht dazu entschließen, die Macht einem Kanzler Hitler zu übertragen. Das greise Staatsoberhaupt – Hindenburg war damals 85 – wollte lieber an der Linie der Präsidialkabinette ohne parlamentarische Bindung festhalten.

Alma verfolgte die politischen Veränderungen im Nachbarland aufmerksam. Für sie waren diese Vorgänge *kein Kampf zwischen Nord und Süd, zwischen Protestantismus und Katholizismus, sondern ganz einfach ein Nahkampf zwischen Jud und Christ.* Alma: *An den Spitzen fast aller Länder saßen bestialische Juden.* [...] *Es ist nun selbstverständlich, dass die verschiedenen Nationen und Länder sich das nicht gefallen lassen können.* Und weiter: *Aber Blutbäder wird es noch setzen, bevor die Welt gereinigt sein wird. Und darum bin ich für Hitler. Sei die Medicin auch noch so übel. Das Übel, das sie vertreiben soll, ist weit übler.*[22]

Mitte September reisten Alma und Manon nach Velden ins Kärntnerland. Das milde Klima, die idyllische Lage in der Westbucht des Wörthersees sowie eine waldreiche Umgebung machten die kleine Stadt zu einem beliebten Urlaubsort. Hier lernte Alma Anton Rintelen kennen. Der 1876 geborene Rintelen war zwar von Hause aus Jurist und Hochschullehrer, war aber nach dem Weltkrieg zur Politik gekommen und zu einem der einflussreichsten Politiker Österreichs geworden. Von 1919 bis 1926 und von 1928 bis 1933 wirkte er als Landeshauptmann der Steiermark sowie 1926 und 1932/33 als Bundesminister für Unterricht. Er verkörperte den Typus eines äußerst ehrgeizigen und skrupellosen Demagogen. Alma war von Rintelens Kaltblütigkeit begeistert, repräsentierte er doch jenen Typ Machtmensch, der auf Alma ungeheuer anziehend wirkte. In den folgenden zwei Jahren entwickelte sich zwischen beiden eine enge persönliche und politische Freundschaft. Rintelen hatte allerdings mehr im Sinn, wie er Alma in Velden zu verstehen gab: *Er war fassungslos verliebt in mich. Folgte mir in mein Schlafzimmer, zog mich auf den Balkon und warb leidenschaftlicher, als ein junger Bengel um meine Liebe. Was er unter Liebe versteht. Sofortige Hingabe! Ich machte mir einen Spaß aus ihm, und Mutzi und ich lachten die halbe Nacht über diesen täppischen Liebhaber.*[23] Die enge Beziehung zwischen Alma und Rintelen stieß in Almas Umgebung auf Missfallen. »Werfel hat ihr das vorgeworfen«, erinnerte sich Ernst Krenek, »dass sie diesem Rintelen schöngetan hat, darauf entgegnete Alma: ›Ach, Franzl, weißt Du, eine Frau kann in vielen Kirchen beten!‹«[24]

Ganz Wien stand Mitte Oktober 1932 im Zeichen Gerhart Hauptmanns, der wenige Wochen später – am 15. November – seinen siebzigsten Geburtstag feiern sollte. Die umjubelte Premiere von Hauptmanns Neuling »Vor Sonnenuntergang« am 14. Oktober im Deutschen Volkstheater wurde zum gesellschaftlichen Großereignis. Das »Neue Wiener Journal« veröffentlichte am folgenden Tag die Liste der illustren Gäste, auf der Alma und Franz Werfel selbstverständlich nicht fehlten. Am Samstag, dem 15. Oktober, fand eine besondere Ehrung statt: Gerhart Hauptmann wurde vom österreichischen PEN-Club für seine literarische Arbeit ausgezeichnet. Dass Franz Werfel die Laudatio hielt, war für den Jubilar eine große Freude. Werfel trug *eine tiefgründige und sehr schön empfundene Rede*[25] vor, wie sich Alma erinnerte, und Hauptmann küsste dem Freund zum Dank die Stirn. Alma genoss die Tage mit den Hauptmanns. Seit vielen Jahren empfand sie für *diesen goldgelben leuchtenden Menschen* eine tiefe Zuneigung. Böse Zungen lästerten allerdings, dass es mehr war als eine bloße Freundschaft, die Alma und Hauptmann miteinander verband. Daran waren die beiden nicht ganz unschuldig, wie eine Tagebucheintragung Almas vom Herbst 1932 nahe legt. *Beim Abschied küsste er mich fest auf den*

*Mund und brachte mich auf die Straße zum Auto, wo wir uns unge-
achtet der Herumstehenden gegenseitig die Hände küssten!*[26] Alma
verehrte Gerhart und Margarethe Hauptmann, wobei es ihr die
»arische« Erscheinung des Dichterehepaares offensichtlich besonders angetan hatte. *Wie freue ich mich auf Euch – hellste aller Menschen!*[27], lautet eine der befremdlichen Huldigungsformeln in Almas
Korrespondenz mit den Hauptmanns. Deren »helle« und »goldene«
Art war, wie Alma es empfand, ein Kontrapunkt zur angeblichen
Dunkelheit der Juden. Die Begeisterung nahm mitunter bizarre
Formen an. Als Alma eine Verabredung mit ihrem Idol nicht ein-
halten konnte, erhielt der Dichter folgende Zeilen: *Ich bin eben aus
einem scheußlichen Veronalschlaf erwacht und nicht würdig, vor Ihrem
Antlitz zu erscheinen.*[28]

Im Spätherbst 1932 brachen Franz Werfel und Alma zu einer
Lesereise auf, die sie durch mehrere deutsche Städte, unter anderem Berlin und Breslau, führte. Unstimmigkeit herrschte unter den
Eheleuten. Alma gängelte ihren Mann wegen seiner angeblich man-
gelhaften Vortragskünste. Sie fand, dass er seine Texte zu theatra-
lisch präsentierte, und machte sich Vorwürfe, *weil ich ihn zu lind
anfasste, statt gleich beim ersten Mal zu randalieren.* Für Alma stand
fest, dass sie ihn mit strenger Hand führen müsse. Er habe, so eine
Tagebuchnotiz, Nachsichtigkeit nicht verdient. *Man ist noch immer
zu nobel und zu verschreckt vor dem Mann. Man hilft ihm aber nicht,
wenn man es nicht ist.*[29]

Das eindrucksvollste Erlebnis des Berliner Aufenthalts war, wie
Alma ihrem Tagebuch anvertraute, ein Treffen mit dem ehemaligen
Reichskanzler Heinrich Brüning, der am 30. Mai 1932 aufgrund
von Intrigen zurückgetreten war. *Dieser seraphische Mensch* erklärte
Alma die verwirrende deutsche Innenpolitik, deren Situation durch
die Reichstagswahlen vom 6. November 1932 nicht einfacher geworden war. Zwar war die NSDAP aus dieser Abstimmung wiederum als stärkste Partei hervorgegangen, hatte aber doch Stim-
menverluste von über vier Prozent einstecken müssen. Für viele

Alma Mahler-Werfel und der Dirigent Otto Klemperer 1932 in
Berlin. »An Begegnungen hatte ich: Furtwängler, dieser feinste
aller dieser vagierenden Dirigenten – Künstler bis in die Finger-
spitzen. Klemperer – der Prolet. Kleiber, das Männchen mit dem
Napoleonhut. Stiedry, der Bürgerjude – e tutti quanti.«

Zeitgenossen war dies ein positives Signal, manche meinten darin
gar den Anfang vom Ende der NSDAP zu erkennen. Der einstige
Reichskanzler war – laut Alma – anderer Meinung: *Brüning sagte*
mir, dass er überzeugt sei, dass die Schleicher-Ära bald vorbei und Hit-
ler gesiegt haben werde. Er sagte, dass ein Mann, der so lange warten
konnte, absolut siegen müsse![30]

Noch eine andere Begegnung am Ende dieser Vortragsreise
sollte einen bleibenden Eindruck bei Alma hinterlassen. Der Zufall
wollte es, dass sich die Werfels am 10. Dezember in Breslau aufhiel-
ten, just an jenem Tag, an dem Hitler zu einer Großkundgebung erwartet wurde. Alma war von der Vorstellung, Hitler persönlich sehen zu können, geradezu elektrisiert: *Ich habe Stundenlang gewar-*
tet, um sein Gesicht zu sehen. Ich gieng nicht in den Vortrag Werfels,
sondern setzte mich allein in den Speisesaal und trank allein eine Fla-
sche Champagner. So wohl vorbereitet stand ich dann mit vielen Ande-
ren und erwartete ihn. Ein Gesicht, das 13 000 000 Menschen bezwun-
gen hat, das muss schon ein Gesicht sein.[31] Offensichtlich hatte Alma
die aktuellen Entwicklungen verfolgt und wusste, dass über 13 Millionen Menschen Hitler und seiner Partei bei den Reichstagswahlen

am 31. Juli 1932 ihre Stimme gegeben hatten. Wie so viele andere war auch sie von Hitler fasziniert: *Und richtig, es war ein Gesicht! Gütige, weiche Augen, ein junges verschrecktes Gesicht. Kein Duce! Sondern ein Jüngling, der kein Alter, keine Weisheit finden wird.*[32] Zunächst war sie irritiert, da Hitler so gar nichts Pompöses an sich gehabt habe, wie etwa Mussolini. Franz Werfel war nach seiner Lesung ins Hotel zurückgekehrt und bekam Hitler für einen Augenblick zu sehen. Als das Objekt der Neugierde hinter einer Tür verschwand, fragte Alma ihren Mann, wie Hitler ihm denn gefallen habe. Franz: »Nicht so unsympatisch!«[33]

Der Inbegriff eines Priesters

In diesen bewegten Zeiten, kurz vor der Machtübernahme der Nationalsozialisten und dem Umbau der österreichischen Republik zu einem autoritären »Ständestaat«, waren Almas Festlichkeiten zu bedeutenden gesellschaftlichen Ereignissen geworden. Sichtlich stolz stellte sie nun fest, dass die Regierung *fast vollständig* auf der Hohen Warte ein- und ausging. Entsprechend ihrer politischen Radikalisierung wählte sie auch ihre Gäste aus, bereits während des Winters 1932 habe sie, wie sie in ihrem Tagebuch notierte, Wert darauf gelegt, *meinen Verkehr (ein wenig nur) zu ajudifizieren. Werfel hatte sich immer dagegen gewehrt. Aus dem tiefen Missverständnis, der die beiden Rassen bestimmt, hielt er jeden Christen für ungeistig, jeden Juden a priori für geistig. Und wie viele Esel musste ich als gescheit und anregend in mein Haus aufnehmen, die oft nicht einmal gebildete Esel waren.*[34] In ihrem Salon brachte die Hausherrin denn auch einflussreiche österreichische Politiker mit Künstlern und Industriellen zusammen, vermittelte und paktierte. Neben Unterrichtsminister Anton Rintelen und Justizminister Kurt von Schuschnigg gehörten auch der frühere Bundeskanzler Rudolf Ramek und der Leiter des Kriegsarchivs Edmund Glaise von Horstenau zu den neuen Besuchern. Frau Mahler-Werfel baute ihren Salon regelrecht zur Kontaktbörse aus. Der Schriftsteller Klaus Mann erinnert sich: »Frau Alma, die Schuschnigg und seinem Kreise nahestand, machte den Salon, wo *tout Vienne* sich traf: Regierung, Kirche, Diplomatie, Literatur, Musik, Theater – es war alles da.« Alma begnügte sich nicht nur mit der Rolle der Moderatorin, gelegentlich nahm sie auch direkten Einfluss: »In einer Ecke des Boudoirs wurde im Flüsterton über die Besetzung eines hohen Regierungspostens verhandelt, während man sich in einer anderen Gruppe über die Besetzung einer neuen Komödie am Burgtheater schlüssig ward.«[35]

Von den aktuellen politischen Entwicklungen, der Ernennung Adolf Hitlers zum Reichskanzler am 30. Januar 1933 oder der »Notverordnung des Reichspräsidenten zum Schutze von Volk und Staat«, die der NSDAP den Weg zum totalitären Regime ebneten, nahm Alma trotz ihrer verbürgten Sympathien für den »Führer« indessen kaum Notiz. Sie war im Februar 1933 ganz und gar in persönliche Dinge versunken: Im Alter von über fünfzig Jahren hatte sie sich verliebt. Alma hatte den Mann bereits Ende 1932 bei der Amtseinführung von Theodor Innitzer als Erzbischof von Wien kennen gelernt, die sie neben Bundespräsident Wilhelm Miklas, Bundeskanzler Engelbert Dollfuß, dessen gesamtem Kabinett sowie allerlei Lokalprominenz besucht hatte. Kurze Zeit danach lud sie einige bekannte Kirchenmänner zum Lunch in ihre Villa ein. Neben Domorganist Karl Josef Walter und Professor Andreas Weißenbäck, Kirchenmusikreferent der Diözese Wien, machte sich auch der Ordenspriester und Theologieprofessor Johannes Hollnsteiner an diesem Vormittag auf den Weg zur Hohen Warte. Alma und Hollnsteiner waren sich sofort sympathisch. Am 5. Februar 1933 hatte er sie bereits dreimal besucht: *Gewisse Verwirrung ist in mir. Ein kleiner unscheinbarer Priester kann mein Ruhegebäude umwerfen? Mit welchen Kräften? Johannes Hollnsteiner! Er war zum dritten mal in meinem Hause – ich hatte die Empfindung, als seien all die anderen Menschen, die um uns waren, graue Schemen.* Der 37-jährige Univer-

Johannes Hollnsteiner. »Ich verehre diesen Menschen bis zum Niederknien.«

sitätsprofessor hatte ihr gehörig den Kopf verdreht. *Und nun weiß ich nicht mehr, wo ich bin. Gott, im Himmel! Die unbegreifliche lange Nacht dieses Winters ist einem föhnigen Frühlingsahnen gewichen. Es ist kaum zum Aushalten!*[36]

Johannes Hollnsteiner, Jahrgang 1895, war mit 19 Jahren in das Augustiner Chorherrenstift St. Florian bei Linz eingetreten und fünf Jahre später zum Priester geweiht worden. Das Theologie- wie auch das anschließende Geschichtsstudium beendete er mit der Promotion. An der Wiener Universität setzte sich seine akademische Karriere fort: 1925 habilitierte er sich, im Oktober 1930 wurde er außerordentlicher Universitätsprofessor, im Dezember 1934 ordentlicher Professor des Kirchenrechts. Darüber hinaus gehörte der Ordensmann dem Erzbischöflichen Metropolitan- und Diözesangericht an, ab November 1934 als Vizepräsident.[37]

In kurzer Zeit hatte sich Hollnsteiner eine beachtliche Machtfülle zugelegt. Er war die rechte Hand von Kardinal Innitzer und verfügte über gute Kontakte nach Rom. Für viele galt Hollnsteiner bereits jetzt, wenige Monate nach Innitzers Einführung, als dessen Nachfolger. Johannes Hollnsteiner war aber nicht nur katholischer Priester und Theologieprofessor, er hatte auch politische Ambitionen. Dem späteren Bundeskanzler Kurt von Schuschnigg war er als Beichtvater und geistlicher Berater besonders verbunden. Beide hatten sich Anfang der zwanziger Jahre in der Wiener katholischen Studentenverbindung »Norica« kennen gelernt, aus der sich ab 1934 die politische Führungsschicht des »Ständestaates« rekrutieren sollte. Diese guten Kontakte verschafften Hollnsteiner einigen politischen Einfluss, er vermittelte, intrigierte, paktierte, machte und beendete Karrieren. Zeitzeugen wie Johannes Trentini beobachteten Hollnsteiner mit einiger Skepsis. Alma forderte den jungen »Tita« mehrfach auf, sich theologische oder politische Fragen von Hollnsteiner erklären zu lassen. Trentini: »Ich habe das nie gemacht und ging lieber zu jemand anderem.« Der umtriebige Priester blieb ihm »unheimlich«[38].

Das Verhältnis des zweifelhaften Theologen und der alternden Gesellschaftsdame erfüllt alle Voraussetzungen, um als pikante Affäre in die Geschichte einzugehen. »Es soll ein richtiges Verhältnis gewesen sein«, erinnert sich Trentini, »und dass sie plötzlich wieder eine Liebe empfunden hat. Dem Werfel war das egal. Er hat es lange nicht geglaubt, hat es auch bestritten, soviel ich weiß. Es war eine absolute letzte Liebe.«[39] Franz Werfel wird die Liebelei zwischen Alma und Hollnsteiner zunächst gar nicht bemerkt haben, verbrachte er doch die ersten Monate des Jahres 1933 fast vollständig in Santa Margherita. Hollnsteiner aber kam fast täglich auf die Hohe Warte und blieb nicht selten bis in die Nacht.[40] Alma war von dem Gedanken, ein Verhältnis mit einem katholischen Priester zu haben, geradezu elektrisiert. Anna Mahler erinnert sich an ein Treffen mit ihrer Mutter, bei dem sie ihr aufgewühlt erzählte, »dass sie sich verliebt hat. Und dass es sie so aufregt, wenn sie den Mann – sie ist in die Messe gegangen – im Talar sieht. [...] Und dann hat sie ihn gefragt, wie das nun also ist. Da hat er ihr erklärt, ja, das mit der Keuschheit, das ist immer nur währenddem man das anhat. Sonst ist es gar nicht notwendig.«[41] Da das Liebespaar um die Entdeckung seiner Liaison fürchten musste, mietete Alma eine kleine Wohnung. Anna Mahler wusste sogar zu berichten, dass Alma ihren Liebhaber dort mit Kaviar und Champagner gefüttert habe.

»Wahrscheinlich ist er bei Alma wegen seines Gefühls gut angekommen, nicht durch eben das strenge katholisch-priesterliche Verhalten«, vermutet Johannes Trentini. Hollnsteiner unterschied sich von der Mehrzahl der Priester. Er war für die damalige Zeit ein aufgeklärter Theologe, der den Menschen nicht »mit ›Jesulein‹ gekommen ist. Hollnsteiner war kein bäuerlicher Priester. Es ist jahrelang alles verniedlicht und versüßt worden und zum Schluss waren die Predigten unanhörbar. Hollnsteiner hatte da eher einen intellektuellen Zugang.«[42] Der Hauptgrund war jedoch ein anderer: *Ich verehre diesen Menschen bis zum Niederknien. In mir sehnt sich alles nach Unterwerfung, aber immer musste ich gegen meinen Willen dominie-*

ren. *Hier ist der erste Mann, der mich überwunden hat.* Es war also eine masochistische Lust an der Erniedrigung, die Alma an Hollnsteiner band. Seine Macht als Priester übte einen ungemein sinnlichen Reiz auf sie aus. Sie konnte ihn in der Messe beobachten, wie die Gläubigen – auch Alma – bei der Kommunionausteilung vor ihm niederknien mussten, wie er den Segen spendete und in der Predigt eine Richtung vorgab. Es berauschte sie, dass Hollnsteiner ihretwegen schwach wurde und die sexuelle Enthaltsamkeit aufgab, zu der er als katholischer Priester verpflichtet war. *J. H. ist 38 Jahre alt und ist der Frau bis jetzt nicht begegnet. Er will und ist nur Priester. Mich sieht er anders und ich segne mich dafür. Er sagte: Niemals war ich einer Frau nah. Du bist die Erste und wirst die Letzte sein.* Dabei wunderte sie sich über Hollnsteiners Gelassenheit: *Er ist so frei … Nie hat er noch das Wort Sünde ausgesprochen. Er empfindet es nicht als das … und ich … muss ich päpstlicher sein, als der Papst?* [43]

Obwohl sich Alma kaum von ihrem neuen Liebhaber trennen mochte, reiste sie Ende Februar 1933 nach Santa Margherita, wo Franz Werfel an der Vollendung seines großen Armenier-Romans arbeitete. Alma war von einer quälenden Unruhe erfüllt; sie musste immerzu an Johannes Hollnsteiner denken. Nach zehn Tagen an der italienischen Riviera hielt sie es nicht mehr aus und fuhr nach Wien zurück. In der Hauptstadt angekommen, *hatte ich tiefste Gemeinschaft mit katholischen Führern. […] Da gehöre ich hin – aus meinem Urwesen her. Das ausnahmslose Existieren mit Juden hat mich von mir selbst entfernt, soweit dies möglich war. Ich bin nun wieder bei mir selbst zu Hause.* [44]

Alte und neue Allianzen

Im März 1933 sollten die politischen Entwicklungen in Deutschland – das so genannte »Ermächtigungsgesetz« vom 24. des Monats markierte das Ende der Weimarer Republik und den Beginn der

NS-Diktatur – sich unmittelbar auf das alltägliche Leben der Werfels auswirken. Während Intellektuelle wie Heinrich Mann und Bertolt Brecht Deutschland verließen, beging Franz Werfel einen schweren Fehler, der zu seiner sonstigen politischen Einstellung so gar nicht zu passen scheint und infolgedessen Rätsel aufgibt. Auf Anregung von Gottfried Benn verschickte die Sektion für Dichtkunst an der Preußischen Akademie der Künste in Berlin, deren Mitglied Franz Werfel seit Oktober 1926 war, an alle Mitglieder ein Rundschreiben mit der Frage, ob man »unter Anerkennung der veränderten geschichtlichen Lage« bereit sei, der Akademie auch künftig zur Verfügung zu stehen. »Eine Bejahung dieser Frage schließt die öffentliche politische Betätigung gegen die Regierung aus und verpflichtet Sie zu einer loyalen Mitarbeit an den satzungsgemäß der Akademie zufallenden nationalen kulturellen Aufgaben im Sinne der veränderten geschichtlichen Lage.«[45] Dieses als »vertraulich« eingestufte Dokument wurde den Mitgliedern zur »sofortigen Beantwortung ausschließlich nur mit ja oder nein«[46] vorgelegt. Zwischentöne oder gar Diskussionen waren offensichtlich unerwünscht. Die neue Leitung der Akademie wollte eine klare Scheidung in Freund und Feind und suchte das schnelle Arrangement mit dem NS-Regime. Neun der insgesamt 27 Mitglieder der Abteilung für Dichtkunst, darunter Ricarda Huch, Jakob Wassermann, Alfred Döblin und auch Thomas Mann, lehnten die geforderte Loyalitätserklärung ab. Die Mehrzahl allerdings stimmte mit »Ja«, so etwa Gottfried Benn, Gerhart Hauptmann, Theodor Däubler – und Franz Werfel. Nach telegraphischer Anforderung eines Formulars erklärte er am 19. März 1933 seine Loyalität gegenüber den neuen Machthabern. Werfel war politisch erstaunlich naiv, wie so viele andere schätzte er die Nationalsozialisten völlig falsch ein und glaubte, dass der braune Spuk bald wieder ein Ende haben würde. Als der Verleger Gottfried Bermann-Fischer, Samuel Fischers Schwiegersohn, im April 1933 mit Werfel zusammentraf, fiel ihm dessen Optimismus auf. Er soll sogar in heiterer und gelöster Stimmung gewesen sein, als ob ihn die Vorgänge im Nachbarland gar nicht beträfen.[47] Und möglicherweise war auch die Furcht vor der politischen Zensur seiner Werke ausschlaggebend, zumal für November die Veröffentlichung des Romans »Die vierzig Tage des Musa Dagh« geplant war. Eine offene oppositionelle Haltung oder gar der Ausschluss aus der Akademie würden, wie er befürchtete, zu einem Verbot seines Romans führen, der gerade im Hinblick auf die nazistische Verfolgung politisch oder rassisch ausgegrenzter Minderheiten eine ungeahnte Aktualität bekam. Es ist allerdings durchaus möglich, dass Alma ihren Mann zu dieser ebenso bizarren wie unverständlichen Treuebekundung drängte, aus Begeisterung für Hitler und seine Ideen.

Es erscheint wie ein makabrer Witz der Geschichte, dass Werfels Loyalitätserklärung im Grunde schon obsolet war. Am 5. Mai 1933 unterschrieb der Präsident der Preußischen Akademie der Künste, Max von Schillings, einen Formbrief, der auch Franz Werfel per Einschreiben erreichte. Darin hieß es, dass er »nach den für die Neuordnung der kulturellen staatlichen Institute Preußens geltenden Grundsätze künftig nicht mehr zu den Mitgliedern der Abteilung für Dichtung gezählt werden«[48] könne. Franz Werfel war zutiefst getroffen. Fünf Tage später erreichte der nazistische Terror eine weitere Eskalationsstufe. Als Höhepunkt einer von Reichspropagandaminister Joseph Goebbels angeordneten »Aktion wider den undeutschen Geist« wurden in zahlreichen deutschen Universitätsstädten Bücher missliebiger Autoren verbrannt. Allein auf dem Berliner Opernplatz wurden rund zwanzigtausend Bücher in die Flammen geworfen. Neben den Werken Stefan Zweigs, Arthur Schnitzlers, Sigmund Freuds, Karl Marx' und vieler anderer, schleuderten die selbst ernannten Kulturwächter auch Werfels »Spiegelmensch« und »Bocksgesang«, »Der Abituriententag« und »Die Geschwister von Neapel«, »Juárez und Maximilian« und »Paulus unter den Juden« in die Feuersbrunst.

In dieser für Franz Werfel schwierigen Zeit wurde ihm klar,

dass die Beziehung zwischen Alma und Johannes Hollnsteiner nicht nur rein freundschaftlicher Natur war. Fast täglich kam der Priester im Frühjahr 1933 auf die Hohe Warte. Franz reagierte eifersüchtig: *Werfel macht jetzt Fehler auf Fehler … Heute wollte er mich nicht in die Kirche gehen lassen – und tat Unrecht daran. Es ist irgendeine Eifersucht. Dort bin ich ihm nicht untreu! Oder doch vielleicht gerade dort, wo er nie hinkann.*[49]

Mit Anna bin ich wieder sehr in Sorgen, klagte Alma Ende Juni ihrem Tagebuch. Die Tochter hatte einen neuen Freund, *und wie immer das Falsche, Unechte: Diesmal ist es ein halbverkrüppelter, nihilistischer Jude, der sie kaum loslassen dürfte, hat er sie einmal.* Hinter dieser giftigen Formulierung verbarg sich *der mäßig begabte Dichter Canetti*, der siebzehn Jahre nach ihrem Tod den Nobelpreis für Literatur erhalten sollte. Es wäre tragisch, wie Alma meinte, dass Anna *immer an Minderbemittelte des Herzens und der Seele, und immer an rein intellektuelle Zerstörer kommt*[50]. Der 28-jährige Elias Canetti hatte sich in Anna verliebt und besuchte sie regelmäßig in ihrem Atelier, gelegentlich auch auf der Hohen Warte. In seiner Autobiographie »Das Augenspiel« hat Canetti sein erstes Treffen mit Alma beschrieben. Er sah »eine ziemlich große, allseits überquellende Frau, mit einem süßlichen Lächeln ausgestattet und hellen, weit offenen, glasigen Augen«[51]. Elias Canetti war irritiert, hatte er doch das ehemals schönste Mädchen von Wien erwartet und nun stattdessen eine »angeheiterte Person« vorgefunden, »die viel älter aussah, als sie war«. Unter der Überschrift »Trophäen« schilderte er die bizarre Atmosphäre in Almas Villa. Die »zerflossene Alte auf dem Sofa« versammelte – wie in einem Mausoleum – die Trophäen ihres Lebens um sich: Die Partitur von Gustav Mahlers Zehnter Sinfonie mit den Todesschreien des Komponisten, zur Schau gestellt in einer Vitrine, sowie ein Gemälde Oskar Kokoschkas, das sie als Lucrezia Borgia darstellte. Canetti fürchtete sich vor dem Porträt und erblickte darin »die Mörderin des Komponisten«[52]. Die dritte Trophäe, ihre 17-jährige Tochter Manon, »kam nach kurzer Zeit ins Zimmer getrippelt, ein leichtes, braunes Geschöpf, als junges Mädchen verkleidet«[53]. Die vierte Trophäe war Franz Werfel, der in seinem Arbeitszimmer dichtete. Der »Eindruck der strotzenden Witwe«[54], verewigt in dem »Giftbild an der Wand«[55], ließ Canetti keine Ruhe mehr. Noch lange Zeit saß er in seiner Erinnerung »neben der Unsterblichen und hörte unveränderlich ihre Worte über ›kleine Juden wie der Mahler‹«[56].

Zu Ausfällen dieser Art kam es nun immer häufiger, wie Almas Tagebuchaufzeichnungen nahe legen. Sie machte sich Johannes Hollnsteiners Weltbild bis in die Diktion zu Eigen, der in Adolf Hitler *eine Art Luther*[57] sah. *Wenn ich mir das zähe, unsichtbare Wirken eines Hollnsteiners anschaue, für den es gleichgültig ist, ob und wann er schläft, ob und wann er isst, seine Pflicht, Gott gegenüber immer vor Augen, dann sehe ich den UNGEHEUEREN Unterschied der Rassen und Gesinnung.* Und weiter: *Wenn ich Hitler ansehe – der 14 Jahre im Dunkel – immer sich emporarbeitend, und immer wieder zurücktretend, weil seine Zeit noch nicht gekommen war, so sehe ich auch hier eine ECHT Germanische Fanatikererscheinung, wie sie bei Juden fast undenkbar ist.*[58]

Almas rassistische Ansichten blieben nicht ohne Folgen. Ihre jüdischen Freunde wurden ihr nicht nur zunehmend fremd, sie fühlte sich von ihnen *durch unüberbrückbare Schranken getrennt*. Alma: *Je mehr ich mich mit meinem eigenen Sein beschäftige, desto ferner rücken artfremde Menschen für mich.*[59] Auch Franz Werfel spürte deutlich, wie sehr ihn der Antisemitismus seiner Frau ihr entfremdete. »Wir zerfetzen uns«, klagte er in einem Brief an Alma, »wir tun einander weh, wir vergessen.«[60] Zu dieser Zeit, im Herbst 1933, arbeitete er in Breitenstein täglich fünfzehn Stunden an der Endfassung des »Musa Dagh«. »Es ist eine nervenzerreissende Arbeit«[61], schrieb er an Alma. Häufig fühlte Werfel sich krank und schwach, was er auf seinen unmäßigen Zigarettenkonsum zurückführte. Am 10. Oktober war es endlich so weit: *Das ganze Haus wartete in atemloser Spannung, bis er aus seinem Atelier herunter kam. Es ist eine Gi-*

gantenleistung für einen Juden, in einer solchen Zeit, ein solches Werk zu schreiben.[62] Ein Ereignis trübte allerdings die Freude über den erfolgreichen Abschluss des neuen Romans: Am 18. Oktober erlag Albert von Trentini seinem Krebsleiden. »Wir waren furchtbar beleidigt«, erinnerte sich Johannes Trentini, »weil sie nicht zum Begräbnis meines Vaters gegangen ist. Das war damals noch nach Tiroler Sitte. Er war im Salon aufgebahrt, mit dem offenen Sarg, das hat man damals gemacht. Und da kam sie noch. Aber, sie hat mir dazu eine Flasche Bénédictine mitgebracht, damit ich mich erhole. Das fand ich sehr geschmacklos.«[63]

Im Herbst 1933 hatte Almas Freund Anton Rintelen seinen Besuch angemeldet. Der Politiker, der im Frühjahr auf Drängen des Kanzlers Dollfuß sein Amt als Unterrichtsminister niedergelegt hatte, war auf der Weiterfahrt nach Rom, wo er am 13. November den Posten des österreichischen Gesandten übernehmen sollte. Dollfuß, der in dem ehrgeizigen Rintelen einen unliebsamen Konkurrenten sah, hatte sich allerdings in seinem Glauben geirrt, ihn in Rom gewissermaßen kaltgestellt zu haben, sollte er doch im Kontext des späteren nationalsozialistischen Putschversuchs eine nicht unbedeutende Rolle spielen. Alma organisierte für Rintelen ein Abschiedsfest: *22 Oct. 33 ist mein Freund Rintelen nach Rom abgefahren, nachdem wir ihn noch heftig gefeiert hatten.* Zweifellos machte es ihr nach wie vor Spaß, mit Rintelen zu flirten, *aber ich brachte es durch Geist und Geschicklichkeit dahin, dass er sich in Mutzi verliebte, die er anfangs gar nicht beachtet hatte.*[64] An anderer Stelle schrieb sie, Rintelen habe sich sogar *bis über die Ohren*[65] in Manon verliebt. Alma sah kein Problem darin, dass ihre erst 17-jährige Tochter fast ausschließlich mit alten Leuten aufwuchs. Auch Manon, die von Rintelen »Lizzy« genannt wurde, schien das nicht zu stören. Häufig unterschieb sie auf Almas Briefen an »König Anton« und schickte ihm »viele verehrungsvolle Grüße«[66]. Manon war in einer Atmosphäre aufgewachsen, in der auf das Schamempfinden eines jungen Mädchens nur wenig Rücksicht genommen wurde. Die »arische«

Abstammung ihrer Tochter zeigte sich, wie Alma glaubte, in einer besonderen körperlichen Anmut. Diese angebliche Makellosigkeit, nach Manons Tod sprach man in Almas Umgebung von einem »Engel«, wurde immer wieder von Alma betont und auch zur Schau gestellt. *Unser Mutzi ist zu süß*, schrieb sie bereits einige Monate nach Manons Geburt an Walter Gropius: *Gestern war der Roller da. Ich zog sie ihm nackt aus. Sie kann schon alles mögliche Neue.*[67] In dem Maße, in dem Alma die Folgen des Alterns am eigenen Körper erfuhr, projizierte sie das, was sie nicht mehr ausstrahlen konnte – Erotik und sexuelle Attraktivität –, in ihre »reine« Tochter. Dass alte Männer wie Anton Rintelen mit seinen 57 Jahren Manon den Hof machten, dass Manon mit seiner anzüglichen sexuellen Distanzlosigkeit konfrontiert war, wirkt befremdlich, aber nicht überraschend.

Als Franz Werfel die Eskapaden seiner Frau wieder einmal zu viel wurden, flüchtete er Mitte November nach Prag. Die Hoffnung, im Kreise seiner eigenen Familie Ruhe und Besinnung zu finden, sollte sich allerdings nicht erfüllen. Die Stadt erschien ihm verändert, zahlreiche Häuser- und Plakatwände waren mit antisemitischen Parolen beschmiert. Er hatte Angst. Auch Rudolf Werfel machte sich Sorgen und befürchtete ein Übergreifen des NS-Terrors auf sein Heimatland. Alma hatte für die Aufregung ihres Mannes wenig Verständnis. In ihrer ideologischen Verblendung sprach sie von einem *Elementarereignis* und meinte damit Hitlers Machtübernahme: *Aber ich habe es durch monatelangen Kampf erwirkt, dass er* [Werfel] *die Schuld der Juden begreifen gelernt hat. Und was sie jetzt tun ist wieder ebenso dumm.* Und schließlich: *Diese fanatisierten Juden, die jetzt da in Österreich herumrasen und heulen, vernichten den letzten Rest von Achtung, den man noch vor ihnen hatte.*[68]

In Almas Rückblick auf das Jahr 1933, den sie im Tagebuch festhielt, fallen nachdenkliche Töne auf: Zwar sei das Frühjahr mit Hollnsteiner *die glücklichste Zeit meines Lebens gewesen*, dennoch war sie nicht zufrieden. *Ich bin in diesem Jahr körperlich und gesund-*

heitlich sehr herunter gekommen und stark gealtert.[69] Betrachtet man Fotografien von Alma aus den dreißiger Jahren, fühlt man sich an Elias Canettis Diktum von der »zerflossenen Alten« erinnert. Der übermäßige Alkoholkonsum hatte deutlich sichtbare Spuren hinterlassen.

Anfang 1934 spitzte sich die innenpolitische Lage in Österreich zu: Nachdem Kanzler Engelbert Dollfuß im März 1933 das Parlament ausgeschaltet hatte, war das Verhältnis zwischen der regierenden Christlich-Sozialen Partei und den oppositionellen Sozialdemokraten – Dollfuß hatte die Kommunistische Partei Österreichs und die NSDAP bereits im Mai und im Juni 1933 verbieten lassen – äußerst angespannt. Seit geraumer Zeit lag der schwelende Geruch eines Aufstands in der Luft. Als am 12. Februar 1934 im sozialdemokratischen Parteiheim »Hotel Schiff« in Linz eine Hausdurchsuchung durch die paramilitärische »Heimwehr« durchgeführt werden sollte, wehrten sich die Sozialdemokraten und ihre bewaffnete Unterorganisation »Republikanischer Schutzbund«. Die Linzer Kämpfe gingen schnell auf Wien über, wo Arbeiterheime und Gemeindebauten im Zentrum der blutigen Auseinandersetzungen standen. Engelbert Dollfuß und sein Justizminister Kurt von Schuschnigg reagierten auf den Aufstand mit schonungsloser Härte. Die Staatsgewalt schreckte sogar vor dem Einsatz schwerer Artillerie nicht zurück. Eine Hochburg des proletarischen Widerstandes, der »Karl-Marx-Hof«, lag in der Nähe der Villa Ast. Die sonst so ruhige Hohe Warte wurde plötzlich Schauplatz heftiger Kämpfe. *Das scharfe Schiessen, wir waren in der Gefahrenzone, regte mich furchtbar und fast freudig auf.*[70] Alma stand auf Seiten Dollfuß' und der »Heimwehr«. Für sie waren die Aufrührer nur *Gesindel*, das es nicht besser verdient hätte. Die österreichische Schriftstellerin Hilde Spiel wusste sogar zu berichten, dass eine Haubitze in Almas Garten installiert wurde.[71] Da Franz Werfel sich in Santa Margherita aufhielt, bot Minister Schuschnigg Alma und Manon an, für die Zeit des Aufstands zu ihm zu ziehen. Sie lehnte jedoch

Anton Rintelen und Alma Mahler-Werfel 1934 in Venedig. »Aber ich brachte es durch Geist und Geschicklichkeit dahin, dass er sich in Mutzi verliebte.«

dankend ab und zog es vor, in ihrem Haus die Stellung zu halten. Nach zwei Tagen harter Auseinandersetzungen scheiterte der Aufstand hauptsächlich daran, dass der von den Sozialdemokraten ausgerufene Generalstreik nicht durchgeführt wurde. Das Resultat war erschreckend: auf beiden Seiten wurden über dreihundert Tote und mehr als siebenhundert Verwundete gezählt. Die austrofaschistische Regierung ging mit ihren Gegnern nicht gerade zimperlich um. Sozialdemokratische Funktionäre wurden reihenweise verhaftet, darunter Wiens Bürgermeister Karl Seitz sowie die Stadträte.

Einige Führer des Aufstands wurden sogar kurzerhand hingerichtet. Die Februarunruhen boten dem Dollfuß-Regime schließlich die willkommene Gelegenheit, Gewerkschaften und sozialdemokratische Partei sowie deren Verbände und Vereine zu verbieten. Engelbert Dollfuß konnte seine Machtstellung innerhalb des autoritären »Ständestaats« erfolgreich ausbauen.

Nach der Niederschlagung des Aufstandes reiste Alma für drei Tage nach Venedig. In der Casa Mahler waren einige kleinere Reparaturen fällig, die sie beaufsichtigen wollte. Franz Werfel unterbrach seinen Aufenthalt in Santa Margherita und kam ebenfalls in die Lagunenstadt. Erstmals seit mehreren Wochen verbrachten die Eheleute wieder Zeit miteinander. Da die Telefonverbindung zwischen Wien und Italien während der Unruhen tagelang unterbrochen war, hatte er sich große Sorgen um Alma und Manon gemacht. Umso mehr freute er sich, dass Frau und Stieftochter wohlauf waren. *Furchtbare Tage liegen hinter uns*, schrieb Alma nach ihrer Rückkehr nach Wien an Anton Rintelen, *und was noch kommen mag!!!* Sie sehnte sich fort von Österreich: *Wie gerne kämen Mutzi und ich nach Rom – aber unsere Geldmittel sind momentan sehr knapp!* Dennoch hoffte Alma, Rintelen wenigstens Ende März auf halber Strecke in Venedig treffen zu können. *Lizzy und ich umarmen Dich in tiefer Treue und Freundschaft*[72], lautet das Ende ihres Briefes an »König Anton«. Am 23. Februar 1934 war die Welt noch in Ordnung.

Der Tod eines Engels

Fast bin ich wunschlos, jubelte Alma, als Anton Rintelen am 28. März 1934 mit dem Flugzeug aus Rom kommend in Venedig eintraf. Sie holte mit Manon den Gast vom Flughafen ab, man wollte schließlich keine Zeit verlieren. Für Alma stand nach wie vor fest, ihr Freund sei *ein großer Staatsmann mit weitblickenden Augen. Nur*,

Manon Gropius, Ernst Lothar, Alma und Franz Werfel, April 1934 in Venedig, das letzte Bild der gesunden Manon

schränkte sie mit Bedauern ein, *hat Österreich für diese Eigenschaften immer wenig Interesse gezeigt.*[73] Rintelen kam nicht ohne Begleitung nach Venedig, er brachte den 28-jährigen Nachwuchspolitiker Erich Cyhlar mit. Der junge Mann verliebte sich sofort in Manon, fand *aber keine Gegenliebe bei ihr*[74]. Dennoch musste sich Fräulein Gropius den Namen ihres Verehrers gut merken, wie die nächsten Monate zeigen sollten.

Manon und die französische Gouvernante blieben allein in Venedig zurück, als Alma und Franz Werfel am 6. April 1934 für wenige Tage nach Mailand fuhren. Er hatte einige Dinge mit dem italienischen Verlag Ricordi zu regeln. Als das Ehepaar nach Venedig zurückgekehrt war, fühlte sich Manon unwohl. Die Symptome ihrer Erkrankung – Kopfschmerzen und Appetitlosigkeit – waren diffus. Man hielt die Beschwerden für die Anzeichen einer harmlosen Grippe. Als Alma jedoch bemerkte, dass sie irgendwo ihr Kruzifix, ein Geschenk Johannes Hollnsteiners, verloren hatte, überfiel sie größeres Unbehagen: *Ich weiß nicht warum, es war ein böses Vor-gefühl.* Am 14. April traten die Eheleute allein die Heimreise nach Wien an, Manon wollte einige Tage später nachkommen. Alma machte sich inzwischen ernsthafte Sorgen: *Wir hätten sie, wie sie war, nach Wien mitnehmen müssen. Und ich wollte es ja auch, aber sie war von großem Willen, wenn sie etwas wollte. Den ganzen Tag, auf der Reise, hatte ich das Gefühl, ich hätte sie mitnehmen sollen.*[75]

In Wien herrschte großer Trubel. Die Stadt bereitete sich auf eine Aufführung von Gustav Mahlers »Lied von der Erde« unter Bruno Walters Leitung vor, zu der Alma als Ehrengast erwartet wurde. Am Abend nach dem Konzert bat Minister Kurt von Schuschnigg zum Diner ins Grandhotel. Der Politiker war auch an-wesend, als Alma und Franz Werfel am späten Abend nach Hause kamen und die Nachricht erhielten, Manons Zustand habe sich ver-schlimmert. Alma reagierte sofort und buchte für den nächsten Morgen für sich und Ida Gebauer Flüge nach Venedig: *Die Schwes-ter und ich starrten aus dem Flugzeug, denn wenn wir uns ansahen, so wussten wir, dass uns etwas furchtbares erwartete!*[76] Franz Werfel, Anna und Paul von Zsolnay folgten ihnen mit der Nachmittags-maschine. Als Alma und Ida in der Casa Mahler eintrafen, stand die schreckliche Diagnose bereits fest: Kinderlähmung.

Dass eine Polio-Epidemie in Venedig wütete, war von der zen-sierten italienischen Presse über Wochen verschwiegen worden. Die herbeigerufenen Ärzte schätzten die Situation Manons sehr ernst ein; sofort wurde eine schmerzhafte Punktion des Rückenmarks durchgeführt. Bereits nach zwei Tagen trat eine Lähmung der Beine, kurze Zeit später des gesamten Körpers ein. Alma schrieb an Anton Rintelen: *Lizzy – unsere Lizzy – ist furchtbar krank! Schicke Gebete und Wünsche!*[77] Manon war in diesem Zustand nicht trans-portfähig, erst als sich ihr Befinden langsam stabilisierte, war an eine Heimreise zu denken. Minister Schuschnigg stellte für den Transport des Mädchens nach Wien sogar den ehemaligen Sonder-zug Kaiser Franz Josephs zur Verfügung.

In Wien begann ein Leidensjahr, das von den Schwankungen der Krankheit gekennzeichnet war. Manon hatte häufig große Schmerzen, an besseren Tagen schöpfte die Familie Hoffnung. *Mutzi ist auf dem Wege der Besserung*, schrieb Alma nach der Ankunft in Wien an Rintelen. *Täglich bessert sich ihr Befinden und wir können jetzt hier endlich mit der Behandlung beginnen.*[78] Man war zuversichtlich, die Lähmungserscheinungen in den Griff zu bekommen. »Mir geht es schon viel besser«, tröstete Manon ihren besorgten Vater in einem Brief, »wie Du siehst, schreibe ich sogar schon mit Tinte. Stehen kann ich auch schon viel besser u. sitzen u. den Oberkörper bewegen kann ich wie eine Große.«[79] Die Mutter sagte derweil alle Termine und Reisen ab: *Ich bleibe den ganzen Sommer in Wien bei meinem Kinderl.*[80] Manons Gesundung machte weitere Fortschritte. »Ich danke Dir tausendmal für das reizende Vogelbuch und das Japanheft«, schrieb Mutzi an ihren »lieben kleinen Papa«: »Es ist auch nicht mehr so fad, ich esse schon bei Tisch u. bekomme Besuch. Seit 4 Wochen ist meine Freundin bei mir, von der ich Dir ja erzählt habe; ist das nicht rührend?«[81] Diese Freundin war Katharine Scherman, die Tochter des amerikanischen Verlegerehepaares Harry und Bernardine Scherman. Auf dem Weg nach Salzburg hatten die Schermans die kleine Kathy bei Alma und Franz Werfel zurückgelassen. »Sie nahmen mich auf eine Stadtrundfahrt mit«, erinnerte sich Katharine Scherman: »Wir besuchten Museen und den Prater, und ein Kabarett, in dem sie einen Gigolo angeheuert hatten, mit mir zu tanzen, das war in Wien durchaus üblich; und sie gaben ein bezauberndes Fest, um mir einige von Manons Freunden vorzustellen. Es war besonders reizvoll für mich, mit Alma durch die Straßen Wiens zu schlendern; sie wurde ständig gegrüßt und schien die Königin der Stadt zu sein.«[82]

Nachdem Manons Zustand im Sommer vergleichsweise stabil gewesen war, stagnierte der Heilungsprozess im Winter 1934. Alma war verzweifelt, erinnert sich Johannes Trentini. »Aber, ob sie nun berührt war, der Manon halber, möchte ich fast bezweifeln, ich würde eher sagen, sie war beleidigt, dass es ihr Kind traf.«[83] Alma glorifizierte das Leiden ihrer Tochter. Manons Erkrankung war für sie nicht nur ein furchtbares Unglück, sondern auch ein Beweis für ihre Auserwähltheit. Dass ausgerechnet ihre einzige »arische« Tochter so sehr vom Schicksal gestraft wurde, deutete sie als Beweis ihrer Besonderheit. Elias Canetti konnte dies sehr genau beobachten: »Beinahe ein Jahr lang war sie im Rollstuhl vorgeführt worden, schön herausgeputzt, das Gesicht sorgfältig bemalt, eine kostbare Decke über den Knien, das wächserne Gesicht von scheinbarer Zuversicht belebt, wirkliche Hoffnung hatte sie keine. Die Stimme war nicht beschädigt, sie war aus der unschuldigen Zeit, da ihre Trägerin auf Rehfüßen trippelte und allen Besuchern als Gegenbild zur Mutter diente. Jetzt war der Kontrast, der immer unbegreiflich schien, noch größer geworden.«[84]

Manons Leiden wurde zelebriert und die Kranke wie eine Monstranz zur Schau gestellt. Wenn sich das Kind zu schwach fühlte, durften die Besucher des Hauses an das Krankenbett der todgeweihten Tochter treten. Manon, die gerne Schauspielerin geworden wäre, fand sich nun als Hauptdarstellerin in einer makabren Tragödie wieder. In seiner Autobiographie äußert Elias Canetti schwerste Vorwürfe gegenüber Alma: »Die ihr Leben, wie sie es gewohnt war, weiterführte, kam sich um das Unglück des geliebten Kindes besser vor. Es war noch imstande ja zu sagen und wurde gelähmt verlobt. Es sollte eine nützliche Verlobung sein. Die Wahl fiel auf den jungen Sekretär der Vaterländischen Front, einen Protégé des Professors für Moraltheologie, der das Herz der fürstlichen Hauptfigur des Hauses lenkte.«[85]

Bei diesem Vorhaben vertraute Alma auf die moralische Rückendeckung und praktische Hilfe ihres Geliebten Johannes Hollnsteiner. Almas Liebhaber, der bei Canetti als Professor für Moraltheologie in Erscheinung tritt, hatte auch gleich den entsprechenden Kandidaten zur Hand. Die Wahl fiel auf den 28-jährigen Erich Cyhlar, just jenen Mann, der Manon bereits im März 1934 in Vene-

Susi Kertesz, Alma und Manon, um 1933. »Ein leichtes, braunes Geschöpf, als junges Mädchen verkleidet.« (Canetti über Manon)

dig den Hof gemacht hatte. Canetti irrt allerdings, wenn er Cyhlar – ohne ihn namentlich zu nennen – als »Sekretär der Vaterländischen Front« bezeichnet. Der Schützling Anton Rintelens war ab Frühjahr 1932 persönlicher Sekretär von Bundesminister Odo Neustädter-Stürmer sowie parlamentarischer Referent der Bundesführung des paramilitärischen »Heimatschutzes«. Der Bräutigam gehörte also zum Establishment des autoritären Regimes, was Alma gefallen haben dürfte.

Erich Cyhlar spielte die Tragikomödie jedenfalls mit, offenbar erhoffte er sich einen Karrieresprung: »Es machte Eindruck, wenn

*Erich Cyhlar, der Verlobte der
todkranken Manon. »Es sollte
eine nützliche Verlobung sein.«
(Canetti)*

der junge Mann im Smoking seiner Verlobten die Hand küsste. So
oft man in Wien Küss die Hand zu sagen pflegt, es geht da sehr
leicht von den Lippen, so oft tat er es auch. Wenn er sich dann auf-
richtete, mit dem guten Gefühl, dass er bei dieser Verrichtung gesehen worden war, dass hier nichts umsonst geschah, dass alles und
besonders ein Handkuss auf diese Hand zu seinen Gunsten verzeichnet wurde, wenn er dann kurz in dieser bestrickenden Verbeugung vor der Gelähmten verharrte, stand er für sie beide und es gab
Leute, die dann wie die Mutter auf ein Wunder vertrauten und sag-
ten: Sie wird doch gesund. Die Freude über ihren Verlobten wird
ihr die Heilung bringen.«[86]

Alma war mehr und mehr davon überzeugt, dass ein böser
Fluch für das Schicksal ihrer Tochter verantwortlich war: *Dieses
Haus, dieses Unglückshaus ist an Allem Schuld.* Damit meinte sie die
Tragödien, die sich in der Villa Ast abgespielt hatten. Und nun war
ihre eigene Tochter todkrank ans Bett gefesselt. Alma: *Ich sehne
mich mit allen Fibern aus diesem Haus heraus.*[87]

Die Sorge um Manon setzte Alma deutlich zu. Sie hoffte zwar
immer noch, dass ihre Tochter wieder gesund werden würde, aber

die Lähmung erfasste nun den gesamten Körper, immer häufiger kam es zu Erstickungsanfällen. Am Ostersonntag 1935 verlangte Manon nach Johannes Hollnsteiner, weil sie offensichtlich spürte, dass sie sterben würde. Hollnsteiner, der sich in Oberösterreich aufhielt, raste mit einem eilig besorgten Auto nach Wien. Dort fand er ein siebenköpfiges Ärztekonsilium vor, das sich intensiv um die Kranke kümmerte. Als die Mediziner um zweiundzwanzig Uhr das Haus verließen, bestand noch leise Hoffnung. Alma, ein Arzt und zwei Schwestern blieben bei Manon, Werfel und Hollnsteiner hielten sich im Wohnzimmer bereit. In dieser Nacht trat jedoch die entscheidende Verschlechterung ein. Am Ostermontag um sieben Uhr rief der zurückgebliebene Arzt seine Kollegen zusammen. Gegen elf Uhr gaben die Doktoren Alma zu verstehen, mit ihrer Tochter gehe es zu Ende. Manon Gropius starb am 22. April 1935 um 15.45 Uhr an einer akuten Magen-Darm-Lähmung, wie aus dem Totenschein hervorgeht.[88] *Lasst mich ruhig sterben – ich werde doch nicht mehr gesund – und meine Schauspielerei, die redet ihr mir doch nur aus Mitleid ein.* Und, an Alma gerichtet: *Du kommst darüber hinweg, wie Du über alles weg kommst, wie jeder über alles hinweg kommt ...*[89] Das waren Manons letzte Worte.

Walter Gropius lebte zu dieser Zeit in London. Zwar hatte man ihn noch am Todestag per Telegramm benachrichtigt, über die Details ließ Alma ihren geschiedenen Mann jedoch noch mehrere Tage im Unklaren, sie konnte vor Verzweiflung kaum einen klaren Gedanken fassen, geschweige denn einen Brief schreiben. Es war Johannes Hollnsteiner, dem die Aufgabe zufiel, den Vater über die letzten Tage seiner Tochter zu informieren. »Gegen 11 Uhr deuteten mir die Ärzte an, daß ihre Möglichkeiten erschöpft seien, daß jetzt ich meine priesterliche Aufgabe erfüllen möge. Mutzis Kräfte schwanden immer mehr. Ruhig, ohne Kampf ging sie 15.40 Uhr in ein anderes Sein hinüber. Die Augen frei, hinübergerichtet in die andere Welt, die Lippen umspielt von einem leisen Lächeln, das uns allen, die wir öfter um sie waren, so wohlbekannt war. [...] Es kann

Ihnen ein Trost sein, daß Mutzi noch auf ihrem letzten Weg in Blumen und Liebe eingehüllt war. Ganz Wien nimmt Anteil. Wenige Stunden vorher rief mich der Bundeskanzler [Schuschnigg] an, der von einer mehrtägigen Abwesenheit nach Wien zurückkam, um Aufschluß über die unfaßbare Wahrheit zu bekommen, zumal man ihm auf seine Anfrage am Karsamstag Früh noch mitteilte, Mutzi ginge es gut.«[90]

Walter Gropius hatte seine Tochter zuletzt im Juni 1934 besucht. Zu dieser Zeit war Manon bereits krank gewesen, die Ärzte hatten zu ihm jedoch von einer Heilung gesprochen. Vielleicht war es die trügerische Hoffnung, dass alles wieder gut werden würde, die Gropius davon abgehalten hatte, erneut nach Wien zu reisen. Nun hätte er nur noch am Grab von seinem Kind Abschied nehmen können. Aufgrund einer behördlichen Anordnung zur Vermeidung von Seuchen musste die Beerdigung innerhalb weniger Tage stattfinden. Walter Gropius konnte die notwendigen Pass- und Visumsangelegenheiten allerdings nicht schnell genug regeln. Hollnsteiner machte ihm daraufhin schwere Vorwürfe: »Als die Situation nun bedrohlich erschien, wurden Sie sofort verständigt, in der Erwartung, dass Sie mit dem ersten Flugzeug ans Krankenbett eilten. Denn mit der Depesche von der Todesgefahr Ihres Kindes hätte Ihnen doch keine Behörde weder Ein- noch Ausreiseschwierigkeiten bereitet.« Diese Vorstellung war jedoch naiv. Der deutsche Staatsbürger Walter Gropius hätte sich unmöglich über alle bürokratischen Hürden und amtlichen Vorschriften Englands und Österreichs hinwegsetzen können. Außerdem wäre es ihm an einem Feiertag wohl kaum gelungen, innerhalb weniger Stunden ein Flugzeug zu finden, das ihn von London nach Wien gebracht hätte. Hollnsteiner ging aber noch weiter: »Durch Ihr Kommen zum Begräbnis hätte die stille Sehnsucht Ihres Kindes nach Ihrem Besuch nicht mehr erfüllt werden können.«[91] Walter Gropius war von Manons Tod niedergeschmettert. Auch dreißig Jahre später konnte er, »als er von den furchtbaren Stunden jenes Tages sprach«, wie Gropius' Biograph

Reginald R. Isaacs feststellt, »den Schmerz nicht verhehlen, der ihn damals überwältigt hatte«[92].

Während Gropius in London festsaß, berichteten Wiens Tageszeitungen vom Tod der jungen Manon, »die sich durch ihre Liebenswürdigkeit und ihre Anmut allgemeiner Sympathie erfreute«[93], wie es in der »Neuen Freien Presse« hieß. Auch das »Neue Wiener Journal« erinnerte mit warmen Worten an die prominente Verstorbene: »Ein junges Menschenleben ist erloschen. Manon Gropius war trotz ihrer langen und schweren Krankheit, die sie mit einer für ihre Jugend beispiellosen Seelengröße und Heiterkeit ertrug, die Sonne des Hauses Mahler-Werfel. Ihr Zimmer, Sommer und Winter ein Blumengarten, zeugte von der Liebe und Verehrung, die sich dieses junge Geschöpf erworben hatte. Schön an Seele und Körper, wie sie war, ist sie auch von uns gegangen.«[94]

Die Beisetzung fand am 24. April statt und geriet zu einem gesellschaftlichen Großereignis. Wiens feine Gesellschaft strömte an diesem Mittwochnachmittag auf den kleinen Grinzinger Friedhof.

Bilder aus besseren Tagen: Walter Gropius, dessen zweite Frau Ise und Manon 1931 beim Picknick.

Ein langer Autocorso quälte sich den schmalen Weg zum Friedhof hinauf, jeder wollte dabei sein, jeder wollte möglichst nah an der Ruhestätte stehen. Dabei ging es nicht um die Tote, erinnert sich Johannes Trentini: »Ich würde sagen, die ganze Wiener Kulturgesellschaft war da. Manon hatte keine Freunde, das alles ging zu Ehren der Alma und von Werfel. Man war nicht dort wegen der Mutzi, sondern man war dort, um gesehen zu werden, um in die Zeitung zu kommen.«[95] Zu den Schaulustigen gehörte auch Elias Canetti, der sich mit dem Bildhauer Fritz Wotruba und seiner Frau Marian in die Schlange der Trauernden reihte: »In einem der Wagen, einem Taxi, saß ich mit Wotruba und Marian, die in höchster Aufregung war und unaufhörlich auf den Chauffeur vor ihr einhackte: ›Fahren Sie doch vor! Wir müssen nach vorn! Können Sie nicht vorfahren! Wir sind zu weit hinten! Wir müssen nach vorn! Fahren Sie doch vor!‹ Wie mit Peitschen schlug sie mit ihren Sätzen, aber es waren keine Pferde, auf die sie einschlug, es war ein Chauffeur, der immer ruhiger wurde, je heftiger sie es trieb. ›Es geht net, Gnädige, es geht net.‹ ›Es muß gehen‹, schrie Marian, ›wir müssen nach vorn‹. Sie geriet vor Erregung in Schluchzen: ›Wir können doch nicht unter den Letzten sein! Diese Schande! Diese Schande!‹«[96]

Nach Canetti war es ihnen schließlich noch gelungen, zum Grab vorzudringen, und dort konnte er Alma angeblich sehr genau beobachten: »Ich weiß nicht mehr, wie wir ausstiegen, Marian muss uns durch die dichte Schar der Grablustigen nach vorn geschoben haben, wir standen schließlich doch in der Nähe des offenen Grabes und ich hörte die ergreifende Rede Hollnsteiners, dem das Herz der trauernden Mutter gehörte. Diese weinte, es fiel mir auf, dass auch ihre Tränen ungewöhnliches Format hatten. Es waren nicht zu viele, doch sie verstand so zu weinen, dass sie in überlebensgroße Gebilde zusammenflossen, Tränen, wie ich sie noch nie gesehen hatte, enormen Perlen gleich, ein kostbarer Schmuck, man konnte nicht hinsehen, ohne in lautes Staunen über soviel Mutterliebe auszubrechen.«[97]

Diese rührselige Szene könnte sich in der Tat so zugetragen haben, allerdings kann Canetti Alma während der Beerdigung auf dem Friedhof gar nicht gesehen haben, denn sie saß zu dieser Zeit allein in ihrer Villa. »Ich stand neben Hollnsteiner am offenen Grab«, erinnerte sich Erich Rietenauer, damals Ministrant auf dem Grinzinger Friedhof, »von der Alma war weit und breit nichts zu sehen.«[98] Alma mochte Beerdigungen nicht und hatte weder Mahler noch ihre beiden vor Manon verstorbenen Kinder auf ihren letzten Wegen begleitet. Und als sie viele Jahre später zur Beisetzung Franz Werfels abgeholt werden sollte, sagte sie barsch: »Ich gehe niemals zu solchen Veranstaltungen!«[99] Sie brach nicht gern mit ihrer Tradition. In seiner Abneigung gegenüber Alma schoss Canetti also deutlich übers Ziel hinaus.

Am offenen Grab hielt Johannes Hollnsteiner eine Leichenrede, mit der der Mythos vom »Heimgang eines Engels« in die Welt gesetzt wurde: »Wie eine wundersame Blume blühte Sie auf. Rein wie ein Engel ging Sie durch die Welt. [...] Ein Jahr schweren Leides hat Sie zur Reife gebracht, so dass von Ihr, wie kaum von einem anderen Menschen, das Wort der Bibel galt: Früh vollendet hat Sie viele Jahre erreicht. Sie war reif: so hat Sie der Herr, an den Sie glaubte, den Sie liebte, der Ihr Stütze und Hilfe war, in dem Jahr des Leidens und Reifens, hinübergeholt in sein Reich. Sie ist nicht gestorben. Sie ist heimgegangen mit offenem Blick. Das Auge ohne Leid und Schmerz. Die Lippen umspielt von dem ihr eigenen, uns allen die wir um Sie sein durften, so wohlbekannten Lächeln.«[100]

Manon war kein gewöhnliches Mädchen mehr, sondern ein Engel auf Erden. Johannes Hollnsteiner hatte das Stichwort geliefert, das in Almas Umkreis dankbar aufgenommen wurde: »der Tod eines Engels«. Diese Stilisierung zog weite Kreise: Bruno Walter schrieb in seinem Kondolenzbrief, er glaube, »dieses Kind war zu himmlisch, um auf Erden leben zu können«[101]. Noch zwölf Jahre später äußerte sich Walter in seinen Memoiren ähnlich: »Von Almas Musikzimmer blickte man durch Glastüren auf eine schön angelegte Terrasse und hinaus auf den Garten. Ich sehe immer noch die unirdische Erscheinung vor mir, die sich uns bot, als wir dort einmal nach dem Frühstück saßen: ein engelhaft schönes, etwa fünfzehnjähriges Mädchen, mit einem Reh an der Seite, erschien in der Türöffnung – sie hatte die Hand auf dem zarten Hals des Tieres, lächelte uns ohne Scheu zu und verschwand wieder. Es war Manon, Mutzi genannt, Tochter aus Almas Ehe mit Gropius.«[102] Auch Alban Berg stimmte in den Chor ein und widmete seine letzte Komposition – das Konzert für Violine und Orchester – »dem Andenken eines Engels«. Und Carl Zuckmayer hatte sich laut Alma so in die todkranke Manon verliebt, *dass er sagte, er verlasse Frau und Kind und wolle nur mit Mutzi leben, ob sie nun gelähmt sei, oder nicht*[103]. Der Schriftsteller Ludwig Karpath veröffentlichte schließlich in der »Wiener Sonn- und Montags-Zeitung« den offiziellen Nekrolog auf das Mädchen: »Schlank wie eine junge Tanne, von blendender Schönheit, voll Talent, bescheiden im Auftreten, gut und gutmütig, in innigem Zusammenleben mit ihrer bedeutenden Mutter und deren Gatten Franz Werfel, bildete Manon die beseligendste Freude aller, die sie kannten. Ein wunderbares Geschöpf an Reinheit und Keuschheit der Empfindung, wandelte Manon wie ein Engel unter uns, angebetet von den Freunden des Hauses, gehegt und gepflegt wie ein junges Reis, um es vor jedem Schaden zu bewahren. Manon, einfach ›Mutzi‹ genannt, hatte etwas Hoheitsvolles, vor dem sich gern jeder neigte.«[104] Alma sah in ihrer verstorbenen Tochter eine »Heilige«. »Ja, das ist brutal«, erklärt Johannes Trentini: »Das hängt damit zusammen, dass sie rundum als Jungfrau betrachtet wurde. Der Ausdruck ›Heilige‹ fiel öfters. Sie wurde darauf dressiert ... auf engelhaft ... von Alma und der Umgebung: Der Engel im Hause Mahler. Ein Kunstprodukt der Umgebung, die nichts Engelhaftes an sich hatte. Ich glaube, dass die Unberührtheit dieses Kindes tatsächlich war, dass sie wahrscheinlich von ihrer Mutter abgeschreckt war.« Während die sexuell hoch aufgeladene Atmosphäre in Almas Haus bei ihrer Tochter Anna angeblich zu einer gewissen Frigidität geführt hatte, zeigte Manon erst gar kein Interesse für Männer. Trentini: »Sie hat alle von sich gewiesen ... und das gab es damals in dieser Gesellschaft sicher nicht. Und daher war sie für alle die Heilige.«[105]

Die trauernde Mutter entwickelte eine fixe Idee vom Sendungsauftrag ihrer verstorbenen Tochter: *Sie war das nächste zu meinem Herzen. Näher, wie alle Menschen, die ich einst liebte. Denn ich liebe nur mehr ihre Idee, die Idee Mutzi, sonst nichts auf dieser Welt. [...] Wie furchtbar ist dieser Gott – wenn er existiert, wie verabscheuungswürdig. Zerstört mir meine Fortsetzung in der reinsten Form! Denn sie war mein bestes Ich, etwas vermengt mit einer sehr guten Essenz von drüben her.*[106] Alma projizierte ihren rassischen Hochmut auf den »arischen Engel« Manon. Die Beziehung zu ihrem einzigen noch lebenden Kind Anna wurde denn auch zunehmend komplizierter. Noch Jahre später ließ Alma der Schriftstellerin Claire Goll gegenüber keinen Zweifel daran, dass sie nur ein

»richtiges Kind« gehabt habe: »Meine einzige Tochter, sagte sie mit einem Seufzer, der ihre üppige Brust hob. Aber Alma rief ich, Sie haben doch noch zwei andere? Ja, aber das sind halt Mischlinge ...«[107]

Macht und Einfluss

Die Beziehungen, die die Werfels zur politischen Führungsschicht Österreichs unterhielten, waren spätestens seit der Einführung des »Ständestaates« nicht mehr nur gesellschaftlicher Natur. Die Kontakte zu einigen Repräsentanten des Regimes – auf Anton Rintelen wurde in diesem Zusammenhang bereits hingewiesen – kann man durchaus als Freundschaften bezeichnen, die ihnen aber nicht nur Vorteile bringen sollten. Kurz nachdem sich die Republik Österreich am 1. Mai 1934 endgültig in eine Diktatur verwandelt hatte, wurde das Land durch einen blutigen Putschversuch erneut erschüttert. In den Mittagsstunden des 25. Juli 1934 überfielen in Uniformen des Bundesheeres und der Polizei gekleidete Putschisten das Gebäude der österreichischen Rundfunkgesellschaft und das Bundeskanzleramt in Wien. Die Umstürzler stürmten die Regierungszentrale – Dollfuß versuchte zu fliehen und wurde hinterrücks angeschossen. Da ihm ärztliche Hilfe verweigert wurde, starb er noch am selben Abend an den Folgen seiner Verletzungen. Schnell stellte sich heraus, dass österreichische Nationalsozialisten hinter der Verschwörung steckten. Als Nachfolger des ermordeten Kanzlers war kein anderer als Anton Rintelen vorgesehen, der sich bereits seit dem 23. Juli in Wien aufhielt und vermutlich schon längere Zeit mit den österreichischen Nationalsozialisten konspiriert hatte. Rintelens Coup war jedoch so mangelhaft vorbereitet, dass er keinen Erfolg haben konnte. Als italienische Truppen am Brenner aufmarschierten, brach die Meuterei in sich zusammen. Rintelen, der sich im Hotel »Imperial« zur Verfügung hielt, wurde festgenommen und versuchte Selbstmord zu begehen. Anfang März 1935 wurde ihm der Prozess gemacht, was für Schlagzeilen mit unangenehmen Folgen für Alma sorgen sollte. Der einst so mächtige »König Anton« stand nun als gebrochener Mann vor Gericht und wurde wegen Hochverrats angeklagt. Alma hatte keine Zweifel daran, *dass er gepackelt hat, wie jeder in Österreich – bin aber ebenso überzeugt, dass er nicht das Mindeste mit dem Mord an Dollfuss zu tun hat.* Rintelen hatte seine Freundin am Vorabend des Putsches in eine prekäre Situation gebracht, *indem er mich flehendst bat, den letzten Abend mit ihm und seinen Freunden im Griechenbeisel ein Glas Bier zu trinken.* Wusste Alma von der geplanten Aktion? *Ich wurde später ins Landesgericht bestellt, aber meine Aussagen waren so harmlos und deckten sich so absolut mit den abgelauschten Telephongesprächen, die ich mit Rintelen hatte, so dass sie, Gott sei Dank, verzichteten, mich bei der großen Verhandlung zu vernehmen.*[108] Anton Rintelen drohte die Todesstrafe. Justizminister Egon Berger-Waldenegg gab dem leitenden Staatsanwalt jedoch die Anweisung, den Prozess so zu führen, dass der Angeklagte mit lebenslänglicher Haft davonkommen würde. Am 14. März 1935 wurde das Urteil verkündet.

Im Sommer 1934 übernahm der bisherige Justiz- und Unterrichtsminister Kurt von Schuschnigg die Regierungsgeschäfte und setzte den reaktionär-autoritären Kurs von Kanzler Dollfuß fort. Franz Werfel begrüßte den neuen Bundeskanzler mit überschwänglichem Lob – eine politische Stellungnahme, die vor dem Hintergrund von Werfels Biographie wiederum paradox erscheint. Die Persönlichkeit Schuschniggs verbinde, wie Werfel in der »Wiener Sonn- und Montags-Zeitung« am 6. August schrieb, »drei edelste menschliche Werte: Religiöse Tiefe, unbestechliche Geistigkeit, hohe musische Begabung und Bildung«. Für ihn war es eine »Schicksals-Gunst«, dass Österreich »am Rande des Abgrunds diese vornehme und feste Führerhand gefunden hat!«[109] In der Folgezeit entwickelte sich eine Freundschaft zwischen dem Schriftsteller und dem Kanzler, der hin und wieder noch spät abends zu ihm fuhr und sich zur Entspannung Sonette von Goethe vorlesen ließ. Gelegentlich soll Franz Werfel auch für Schuschnigg Reden überarbeitet haben. Werfels instinktlose Einstellung zum »Ständestaat« und zum Führer dieses totalitären Regimes forderte zum Widerspruch heraus. Für Willi Schlamm, Gründer und Chefredakteur der in Prag ansässigen »Europäischen Hefte«, war Werfel »der Musterfall des Saturierten«, wie er im September 1934 mit spitzer Feder schrieb: »Der akkreditierte Dichter – ein Wunderwerk der Technik: oben wirft man einen Vorschuss hinein, und sofort rinnt unten Kultur – ist wieder der Pojazz, der Narr am Hofe der Macht.« Und weiter: »Damals hat sich der am Hof geduldete Hanswurst-Dichter gelegentlich durch echte Kunst an den Regierenden gerächt; so ein Seelenreiniger des Schuschnigg, so ein lyrisches Klystier, bleibt jedoch immer nur ein Zsolnay-Autor.«[110]

Ein Jahr später, im Sommer 1935 nach Manons Beerdigung, reisten die Werfels und Anna Mahler nach Italien. In Viareggio traf die Familie mit Kurt von Schuschnigg zusammen. Benito Mussolini stellte seinem österreichischen Kollegen eine Staatslimousine zur Verfügung, mit der sie Ausflüge in die Umgebung machten. Schuschnigg genoss die Tage, insbesondere das Zusammensein mit Anna Mahler, *denn er war fassungslos in Anni verliebt*[111]. Trotz aller Diskretion konnte die Affäre des Kanzlers mit Gustav Mahlers Tochter nicht völlig verheimlicht werden. »Anna besaß einen dicken Stapel Liebesbriefe von Schuschnigg«, erinnerte sich Elias Canetti, »den sie bei sich zuhause keinesfalls aufbewahren konnte, denn ihre besten Freunde waren ultralinke Leute. Dem Sozialismus galt Annas wahrer Glaube, Schuschnigg aber verfolgte die österreichische Linke mit aller Härte, versuchte sie gar auszumerzen.« Und weiter: »Unausdenkbar, wären Schuschniggs Briefe Annas linken Freunden in die Hände gefallen! Sie hätte als Verräterin dagestanden! Hatte denn Schuschnigg, in seiner einstigen Funktion als Justizminister, nicht die Hinrichtung sozialistischer Kämpfer zu verantworten gehabt?« Alma soll dieses Abenteuer sehr gefördert haben: »Aber so sehr sie [Anna] ihre Mutter auch gehasst haben mag, letztendlich tat sie dann doch das, was Alma von ihr verlangte.«[112] Als Schuschniggs Frau Herma am 13. Juli 1935 bei einem Autounfall ums Leben kam, habe der Kanzler – so Canetti – diesen Schicksalsschlag als Strafe für seine Liebelei mit Anna Mahler empfunden und das Verhältnis beendet. In seinem Nachruf auf die Verstorbene feierte Franz Werfel den Diktator als »reinen« und »außerordentlichen Mann«: »Die österreichische Menschlichkeit, die er, der geistige, empfindsame, unbeirrbare Mann in so hohem Grade selbst verkörpert, diese Menschlichkeit, die keiner der erbitterten Zeitphrasen erliegt, sie muss zum Heile Europas bewahrt und durchgesetzt werden.«[113] Werfels Lobrede war sicherlich Ausdruck des Dankes, schließlich hatte Schuschnigg der Familie während Manons schwerer Krankheit mit Rat und Tat zur Seite gestanden. Für die Brünner »Arbeiterzeitung« war diese Huldigung indes Ausdruck unerhörter »Literatenlumperei«: »Menschen hungern in Kerkern, die Werfels aber fressen aus der Krippe und lecken die Hand. Die Verkörperung der menschlichen Dreckseele!«[114]

Da Alma und Franz Werfel in der Stadt, in der die Tragödie um Manon begann, nicht mehr glücklich sein konnten, beschlossen sie, die Casa Mahler zu verkaufen. Am 31. Juli 1935 fuhren Alma, Anna und Ida Gebauer nach Venedig: *In einem Tag hatten wir alles verpackt und geleert. Aber wie weh war uns.*[115] Auch in Breitenstein, wohin Alma sich nach der Rückkehr aus Italien zurückzog, holten sie die Erinnerungen an Manon ein. *Mir ist es gleichgültig geworden, mein Leben und das der Andern. Wozu überhaupt alles? Wenn der Tod einen so angrinst mit seiner unerbittlichen Unlogik?*[116] Sie ließ niemanden an sich heran. Meistens lag Alma im Bett und starrte an die Decke. Wenn Werfel versuchte, sie zu trösten, schickte sie ihn weg.

Nach Wien zurückgekehrt, erfuhr Alma von Carl Moll, dass anlässlich von Gustav Mahlers 25. Todestag im Mai 1936 ein Denkmal errichtet werden sollte. Alma war zunächst skeptisch, da dieser Plan schon seit einigen Jahren im Gespräch war und nie realisiert worden war. Bereits 1926 hatte sich ein Denkmalkomitee gegründet, das den angesehenen Bildhauer Anton Hanak hatte gewinnen können. Die Finanzierung wurde durch großzügige Spenden aus den USA und England gesichert. Nachdem Anton Hanak im Januar 1934 verstorben war, hatte Alma das Projekt aufgegeben. Als es nun hieß, dass Fritz Wotruba mit der Schaffung des Denkmals beauftragt worden war, wurde sie neugierig. Der 28-jährige Bildhauer galt nicht nur als großes Nachwuchstalent und machte mit seinen Mahler-Plänen schnell von sich reden, er war auch ein attraktiver junger Mann und darüber hinaus kurzzeitig Anna Mahlers Lehrer. Alma hatte Wotruba bereits mehrfach in Wiener Künstlerkreisen getroffen und war von seiner maskulinen Ausstrahlung begeistert. Sie beging nun einen entscheidenden Fehler und versuchte den Bildhauer zu verführen. »Mit enormen Mortadella-Würsten unterm Arm kam sie zu ihm ins Atelier«, beschreibt Elias Canetti eine typische Szene, »und wenn sie dann enttäuscht wieder abzog, sagte sie zu ihrer Tochter: ›Er passt nicht zu Mahler. Er ist ja doch ein Prolet.‹«[117] Offensichtlich konnte Alma – darin auch im fortgeschrittenen Alter immer noch ganz Hysterikerin – Männer nur als Verehrer oder Feinde wahrnehmen. Und als der überdies verheiratete Wotruba Almas Avancen nicht erwiderte, sann sie mit Johannes Hollnsteiners Hilfe auf Rache.

Die Intrige ließ nicht lange auf sich warten. Während die Werfels Ende 1935 nach New York reisten, machte sich Hollnsteiner auf den Weg ins Wiener Rathaus. Dort war seit April 1934 sein alter Freund Richard Schmitz Bürgermeister, der als besonders sittenstrenger Katholik galt. Geschickt ließ Hollnsteiner im Gespräch einfließen, Wotrubas Entwürfe seien unsittlich, da der Bildhauer zwei halbbekleidete Frauen vorgesehen habe. Die Rechnung ging auf. »Schmitz hat das Projekt Wotrubas abgelehnt!«, schrieb Hollnsteiner seiner Freundin am 24. Dezember 1935. »Du hast wieder einmal Recht behalten! Er sagte mir, als er die Fotos sah, sagte er nur das eine Wort ›Lesbos‹. So Unrecht hat er ja nicht! Er war sehr nett und betonte nachdrücklich, er sei mit der Errichtung des Mahler-Denkmals durchaus einverstanden, nur sollen es keine lesbischen Weiber sein, die man als Denkmal aufrichtet. Er hätte auch gegen Wotruba grundsätzlich nichts. Nur hätte er von ihm kaum etwas anderes gesehen als nackte Frauen, was ja nicht unbedingt mit Mahler etwas zu tun hatte.«[118]

Knapp ein Jahr später sollte Alma jedoch die Quittung für ihre Intrige gegen Fritz Wotruba erhalten. Der Bildhauer wollte seine Arbeit honoriert wissen und verklagte das Denkmalkomitee auf Lohnerstattung in Höhe von 17 500 Schilling.[119] Er sah sich allerdings einem mächtigen Gegner gegenüber: Johannes Hollnsteiner setzte offenbar mit Hilfe seiner einflussreichen Freunde alle Hebel in Bewegung, um die Intrige zu vertuschen. Am 9. April 1937 wurde die Klage vom Wiener Landesgericht für Zivilrechtssachen abgewiesen, woran auch ein Revisionsverfahren kurze Zeit später nichts änderte.[120] Für Wotruba war sein Scheitern vor Gericht ein weiterer Beweis, das Opfer einer Verschwörung zu sein. »Unter dem Druck der damaligen politischen Verhältnisse und der Machtstellung meines Gegners Prof. Hollensteiner [!] wurde dieser Prozess von der Presse totgeschwiegen und ich ohne Entschädigung gelassen. Die Prozesskosten mussten aber von der Gegenpartei bezahlt werden.«[121]

Franz Werfel stand den Machenschaften seiner Frau verständnislos gegenüber. Meistens schüttelte er nur den Kopf, wenn er von Almas Kapriolen erfuhr, gelegentlich kam es aber auch zu heftigen Auseinandersetzungen. *Meine Ehe ist schon lange keine Ehe mehr*, klagte Alma im Februar 1936. *Ich lebe tief unglücklich neben Werfel, dessen Monologismus keine Grenzen mehr kennt.*[122]

Aus Amerika zurückgekehrt, zog es Alma und Franz Werfel im Frühjahr 1936 in die Schweiz. In Zürich traf das Ehepaar mit Johannes Hollnsteiner zusammen, der dort am 5. April einen Vortrag über Christentum und Germanentum hielt. Im Auditorium des Schauspielhauses saß auch Thomas Mann, der den einflussreichen Wiener Theologen endlich einmal persönlich kennen lernen wollte. Seit einiger Zeit hatte sich Hollnsteiner bei Bundeskanzler Schuschnigg dafür eingesetzt, dem berühmten Schriftsteller, dem in Deutschland die Ausbürgerung drohte, die österreichische Staatsangehörigkeit anzubieten.[123] Als Thomas Mann erfuhr, dass auch die Werfels kurze Zeit später nach Zürich kommen würden, lud er alle drei – Alma, Franz Werfel und Hollnsteiner – zu sich zum Tee ein. Man sprach viel über Politik, notierte Thomas Mann, »über Hitler, Wien und Schuschnigg, dem man eine Karte schrieb«[124]. Wenige Tage später reisten die Gäste weiter nach Locarno, wo Hollnsteiner am 22. April, anlässlich von Manons Todestag eine Messe las. In ihrem Tagebuch beschwört Alma die Gegenwart ihrer Tochter: *Ich fühle sie in jedem Moment. Sie ist um mich.*[125] Während Alma nach Wien zurückkehrte, ließ Franz Werfel sich in Bad Ischl nieder, wo er mit der Arbeit an seinem neuen Roman »Jeremias, Höret die Stimme« begann.

In der österreichischen Hauptstadt bereitete man sich unterdessen auf Gustav Mahlers 25. Todestag vor. Während Mahlers Musik von deutschen Spielplänen weitgehend verschwunden war, wurde die Erinnerung an ihn in Österreich in pompösen Festlichkeiten hochgehalten. Bruno Walter, die Wiener Philharmoniker sowie die Wiener Symphoniker hatten ein umfangreiches Programm zusammengestellt: Zwischen dem 26. April und dem 24. Mai 1936 wurden Mahlers 2. Sinfonie, die gewaltige 8. Sinfonie, die »Lieder eines fahrenden Gesellen« sowie »Das Lied von der Erde« aufgeführt. Diese Veranstaltungen standen »unter dem Ehrenschutze des Herrn Bundeskanzlers Dr. Kurt v. Schuschnigg«, wie es auf den Programmzetteln hieß. Am 18. Mai 1936, Mahlers Todestag, gaben Alma und Franz Werfel »zu Ehren von Bruno Walter einen Festempfang und Rout, bei dem zahlreiche prominente Vertreter des geistigen Wiens erschienen waren«[126]. Das »Neue Wiener Journal«

veröffentlichte am nächsten Tag Auszüge aus der Gästeliste: Neben zahlreichen Professoren, Fürsten, Hofräten und sonstigen Mitgliedern des gesellschaftlichen Establishments kamen auch die Gesandten der Niederlande, Schwedens, Belgiens, Polens, Ungarns und Frankreichs. Mit der Einladung des diplomatischen Corps hatte Alma Bundeskanzler Schuschnigg einen großen Gefallen erwiesen. Die Diplomaten sollten in ihre Heimatländer berichten, so das Kalkül, dass der »Ständestaat« den prominenten Juden Gustav Mahler ehrte und dass sich ein anderer prominenter Jude – Bruno Walter – in enger Tuchfühlung zu Regierung und Kanzler befand. Kurzum: Österreich sei im Gegensatz zu Nazideutschland ein tolerantes, weltoffenes und liberales Land.

Die parallel organisierte Gedenkfeier der Wiener Staatsoper – Mahlers ehemaliger Wirkungsstätte – wurde dagegen von Alma boykottiert. Mit deren Direktor, Felix Weingartner, hatte sie noch eine alte Rechnung zu begleichen. Am Morgen des 14. Juni – wenige Stunden vor Beginn der Veranstaltung – schickte Alma ein knappes Telegramm an Weingartner und sagte ihre und Annas Teilnahme ohne Angabe von Gründen ab. Auch Franz Werfel entschuldigte sich und bedauerte sein Fernbleiben in einem Telegramm aus Bad Ischl. Diese Bloßstellung Weingartners stand am Ende eines über mehrere Monate währenden Ränkespiels. Der Stein des Anstoßes waren Weingartners Memoiren, in denen er sich abfällig über Gustav Mahler – seinen Vorgänger an der Hofoper – geäußert hatte. Alma war unversöhnlich. Als Weingartner 1935 ein zweites Mal die Direktion der Oper übernahm, fand sie eine Möglichkeit, um mit ihm abzurechnen. Es war wiederum Johannes Hollnsteiner, der ihre Intrige einfädelte.

»Lieber Herr Bundeskanzler«, schrieb Hollnsteiner an Schuschnigg: »Darf ich Deine Aufmerksamkeit auf einen Vorfall lenken, der wohl ein rasches Eingreifen notwendig macht, damit nicht Weiterungen entstehen, die das Ansehen Österreichs bestimmt nicht fördern könnten. In der Staatsoper wurde die Büste Gustav Mahlers, ein Werk Rodins, von ihrem bisherigen Standplatz weggenommen und auf einen denkbar ungünstigen gestellt. Die Büste wurde seinerzeit von Frau Mahler unter der Bedingung der Staatsoper überlassen, dass sie einen würdigen Aufstellungsplatz fände.« Damit nicht genug, Hollsteiner sprach eine ernst zu nehmende Drohung aus: »Frau Mahler, der man von mehreren Seiten, und zwar immer mit Entrüstung von dieser Umgruppierung Mitteilung gemacht hat, ist fest entschlossen, die Büste zurückzufordern, wenn nicht umgehend der frühere Zustand wieder hergestellt wird. Es ist wohl selbstverständlich, dass dies der Öffentlichkeit nicht verborgen bleiben kann und in der in- vor allem ausländischen Presse entsprechend glossiert wird. Ich habe nie ein Hehl daraus gemacht, auch im Hause Mahler-Werfel nicht, dass ich einen gesunden Antisemitismus für notwendig halte. Diese Aktion des Herrn Weingartner ist aber bloß lächerlich und nichts anderes. Dass dies etwa unter dem Titel Antisemitismus der österreichischen Regierung glossiert wird, erscheint ganz bestimmt nicht wünschenswert. Ich begnüge mich, Dir diesen Sachverhalt mitzuteilen.« Nicht zuletzt, beendete Hollsteiner seine Intervention, sei es »wohl notwendig, dem Herrn Operndirektor auf das bisher übliche Reinlichkeitsgefühl in dem von ihm misshandelten Institut aufmerksam zu machen. Verzeih mir, lieber Herr Bundeskanzler, diese offenherzigen Worte!«[127]

Hollsteiners Brief war ein geschickter Schachzug, erwischte er Schuschnigg doch an einer empfindlichen Stelle. Ihm war natürlich bewusst, dass Österreichs Innenpolitik seit der Einführung des autoritären Regimes vom Ausland aufmerksam verfolgt wurde. Deshalb konnte Schuschnigg keinen Skandal um eine Mahler-Büste und den angeblichen Antisemitismus eines Operndirektors gebrauchen. Wenn Weingartner seine Position als Operndirektor verlassen sollte, so war Hollsteiners Implikation zu verstehen, dann wäre auch Österreich geholfen. Einige Anmerkungen über das vermeintlich unmoralische Leben des Dirigenten, »der eine Jüdin nach der anderen zur Frau genommen hat«[128], rundeten diese Denunziation ab.

Felix Weingartner erfuhr erst im Juni 1936 von den gegen ihn erhobenen Vorwürfen. »Mit dem ganzen Vorgehen hatte ich persönlich nicht das Geringste zu tun«, versicherte er Alma gegenüber in einem Brief. »Es waren dies Verfügungen der Bundestheaterverwaltung, die vermutlich schon vor meinem Direktionsantritt getroffen waren.«[129] Weingartners Verteidigung kam indes zu spät. Völlig ahnungslos begriff er nicht, dass es gar nicht um die Büste ging, sondern dass das Ganze nur ein Vorwand war, um ihn loszuwerden. Weingartners Tage an der Wiener Staatsoper waren gezählt. Am 24. August 1936 forderte Unterrichtsminister Hans Pernter den Dirigenten in Salzburg zum Rücktritt auf. Sieben Tage später schied er aus seinem Amt, aus gesundheitlichen Gründen, wie es offiziell hieß.

Neuer Ärger ergab sich, als Alma erfuhr, dass Bruno Walter eine kleine Mahler-Monographie geschrieben hatte. Sie geriet in helle Aufregung, befürchtete sie doch, dass sie in dem Buch nicht gut wegkommen würde. Noch vor seiner Auslieferung an den Buchhandel besorgte sich Alma das Manuskript. Die Lektüre sei nicht nur *höchst unsympathisch,* mehr noch, ihre schlimmsten Befürchtungen schienen sich zu bestätigen. *Und ich – bin einfach nicht vorhanden. Meine Kränkung zerstörte mir die Nacht. Ich werde mich energisch zur Wehr setzen. Vielleicht war es doch falsch von mir, die Briefe nicht herauszugeben … mich so im Hintergrund zu halten. Denn diese Schweine glauben dadurch, ich hätte etwas zu verbergen. Richtig war es, die Skizzen zur ›X.‹ zu faksimilieren. Über dieses: ›für Dich leben, – für Dich sterben – Almschi‹, können diese, meine alten Widersacher doch nicht hinwegkommen!* Alma hatte Bruno Walter immer schon distanziert gegenübergestanden. Zu Mahlers Lebzeiten blickte sie argwöhnisch auf die enge Freundschaft zwischen Mahler und Walter. Jetzt, viele Jahre später, führte sie – und dies ist bezeichnend für ihre ideologische Verblendung – das schwierige Verhältnis auf Walters jüdische Abstammung zurück. *Noch immer hassen sie in mir, die unverschmockte, schöne Christin. Denn die Juden verzeihen uns unsere lichtere Art nicht. Und wenn sie sich 10 mal blond färben, sie bleiben ein dunkles, wildes Ostvolk. Schwarzseelig und mitleidlos. Es genügt dem Herrn Walter und Konsorten nicht, meine Jugend vergiftet zu haben – sie wollen auch noch an mein Alter heran.*[130]

Endzeitstimmung

Wie wohl in sämtlichen Kreisen des gebildeten und politisch interessierten Europa spaltete der Spanische Bürgerkrieg, der das Land über drei Jahre in Terror versinken lassen sollte, auch die Intellektuellen Wiens in zwei Lager. Bei den Werfels ging der Riss mitten durch die Familie. Während Franz Werfel sich auf die Seite der demokratischen Regierung stellte, unterstützte Alma die Anhänger General Francos. Immer häufiger kam es zu heftigen Auseinandersetzungen. Der Ton wurde rauer, man schrie sich an, und es wurde deutlich, wie unvereinbar die politischen Ansichten der Eheleute waren. Für Anna Mahler war Werfel nur »der Arme«, »der Schwache«, der Alma nichts entgegensetzen konnte. Alma wurde immer stärker, Werfel immer schwächer. In diesen Streitereien zeigte sich Almas Unfähigkeit zum echten Meinungsaustausch. Durch das ständige Wiederholen absurder Behauptungen reizte sie ihren Mann bis zur Weißglut: »Werfel versuchte jedes Mal ein neues Argument – es war so dumm von ihm, sie überzeugen zu wollen! Bis ihm die Geduld riss, er nach Stunden erbittertem Schreien aufsprang und aus dem Haus lief. Es kochte weiter in ihm, während Alma sich sofort seelenruhig ganz anderen Dingen zuwandte, dem vorangegangenen Streit gar keine Aufmerksamkeit mehr schenkte. Dann kam er zurück, aufgewühlt statt erfrischt, und es ging weiter mit Gebrüll, Alma war frisch und guter Dinge und empfing Werfel als die Siegerin.«[131] Anna musste diese Erfahrung bereits in jungen Jahren machen. Sie habe daraus die Lehre gezogen, gestand sie freimütig, sich »nie in einen Streit mit der Mami einzulassen. Ich habe eine Sauangst vor ihr gehabt.«[132] Auch Anna sympathisierte während des Spanischen Bürgerkrieges mit den Republikanern, was das ohnehin gespannte Verhältnis zur Mutter weiter verschlechterte. *Anführer meiner Gegner ist immer Anna*, klagte Alma. *Es ist ein solcher Schmerz für mich, eine 150% Jüdin aus mir geboren zu haben.*[133] Diese Zeilen notierte sie im tschechischen Marienbad. Mitte September war sie in die Stadt am Fuße des Kaiserwalds zu einer Kur gereist: *Es ist gar nicht so heiter, sich einmal selbst von Grund auf nackt zu inspizieren.* Immer wieder flüchtete sie in ihre Erinnerungen an Manon. Im Tagebuch steigerte sich die Idealisierung des Mädchens bis zur Verklärung. *Sie war ja zu schön*, hieß es am 24. September, *zu rein um irgend ein Geschöpf auf Erden darzustellen.*[134]

Franz Werfel erhielt auf Initiative Bundeskanzler Schuschniggs am 19. März 1937 das »Österreichische Verdienstkreuz für Kunst und Wissenschaft Erster Klasse«. Diese Auszeichnung machte deutlich, was schon längst bekannt war: Werfel war das Lieblingskind des Regimes. Sein Beispiel markiert den Zwiespalt zwischen jüdischen Künstlern und der autoritären Staatsmacht. Trotz der eindeutig antisemitischen Ausrichtung des »Ständestaates« hatten viele Juden einen bedeutenden Anteil am Kulturleben Österreichs. Gerade Teile des jüdischen Bürgertums verstanden Dollfuß und Schuschnigg als Garanten für die staatliche Unabhängigkeit der Alpenrepublik und unterstützten deren Regierungen.

Werfels Erfolg änderte nichts daran, dass sich Alma nun immer mehr von ihm zurückzog. *Nein, ich kann nicht mehr schreiben*, hieß es Anfang April 1937 im Tagebuch. *Nein! Ich bin so furchtbar allein. Von allen Seiten leise geliebt und im Tiefsten verlassen.*[135] Der Spanische Bürgerkrieg hatte die Eheleute entzweit. Werfel kam nur noch selten in das gemeinsame Haus. Er zog es vor, in Hotelzimmern außerhalb Wiens zu arbeiten, während seine Frau in ihren Ansichten durch den Einfluss Hollnsteiners immer radikaler wurde, der Alkoholkonsum dürfte das Seine dazu beigetragen haben. Alma Mahler-Werfel steckte in dieser Lebensphase zweifellos in einer tiefen Krise. Sie trauerte um Manon, war weit über fünfzig Jahre alt, übergewichtig und konnte sich mit den Folgen des Alterns nicht abfinden. »Er wollte sie wirklich verlassen«, erinnerte sich Anna Mahler. »Aber er hatte nicht die Kraft dazu: jedes Mal ging er zu ihr zurück.«[136]

Alma empfand die Villa auf der Hohen Warte mehr denn je als Unglückshaus. *Ich habe mich entschlossen*, notierte sie Mitte Juni, *das Haus in dem Mutzi starb, zu vermieten.*[137] Franz Werfel begrüßte diese Entscheidung, hatte er sich in dem pompösen Palais ohnehin nie richtig wohl gefühlt. Nun galt es, den gesamten Hausstand zu verpacken, tausende Bücher und Noten, unzählige Bilder und Kostbarkeiten aller Art. Bevor die Werfels die Villa Ast verließen, gaben sie am 12. Juni 1937 ein großes Abschiedsfest im Garten, bei dem Wiens feine Gesellschaft fast vollständig anwesend war. Das »Neue Wiener Journal« berichtete: »Die Gastgeber machten, unterstützt von ihrer Tochter Anna Mahler, in der liebenswürdigsten Weise die Honneurs und empfingen die Eingeladenen.«[138] Neben zahlreichen Vertretern des Hochadels, der Industrie und der Politik waren vor allem Künstler wie Ida Roland, Bruno Walter, Carl Zuckmayer, Egon Wellesz, Alexander von Zemlinsky, Ödön von Horváth, Siegfried Trebitsch, Arnold Rosé, Karl Schönherr und Franz Theodor Csokor erschienen. Das Heurigenfest begann um acht Uhr abends und dauerte bis zum nächsten Tag um zwei Uhr mittags. Eine Schrammelkapelle stimmte melancholische Wiener Volkslieder an, und für viele Gäste lag so etwas wie Endzeitstimmung in der Luft. Seit dem Abkommen zwischen Hitler und Schuschnigg vom 11. Juli 1936, in dem als Gegenleistung für Deutschlands Anerkennung der Souveränität Österreichs eine Amnestie österreichischer Nationalsozialisten vorgesehen war, machten sich aufmerksame Zeitgenossen Sorgen um die Zukunft des kleinen Landes. Das Fest war ein großer Erfolg. Am Ende fiel Franz Werfel betrunken in den

Gartenteich, und Carl Zuckmayer übernachtete in der Hundehütte.[139]

In Wien waren die Mahler-Werfels nun ohne feste Bleibe. Man wollte den Hauptwohnsitz vorerst in Breitenstein nehmen, die Möbel und Bücher wurden eingelagert, und in Wien musste ein preiswertes Hotelzimmer genügen. Am 1. Juli meldete sich das Paar im Carlton-Hotel auf der Wiedner Hauptstraße an.[140] Aber bereits nach einer Woche zog Werfel wieder aus und fuhr nach Marienbad, während Alma fünf Tage später das Appartement verließ und nach Breitenstein übersiedelte. Man hatte sich nichts mehr zu sagen. Je ätzender die Differenzen zwischen den Eheleuten wurden, desto intensiver fühlte Alma sich wieder zu Oskar Kokoschka hingezogen. Häufig träumte sie sogar von ihrem ehemaligen Liebhaber. *Warum habe ich diesen Menschen verlassen? Er war das Seltsamste, Schönste in meinem Leben.*[141] In den folgenden Wochen tauschten Alma und Oskar einige Briefe aus, wobei sie allerdings wieder den Spaß am fiktiven Flirt verlor. *Nun ich wieder eine Art von Wahl hatte*, notierte sie selbstbewusst, *habe ich mich restlos für Werfel entschieden.*[142]

In Wien hielt Alma es nicht mehr aus. Überstürzt reiste sie mit ihrer Tochter Anna – nicht ganz ungefährlich, galt Anna in der NS-Ideologie doch als »Halbjüdin« – Ende Oktober 1937 heimlich für drei Tage nach Berlin. In der deutschen Reichshauptstadt schlenderten die Besucherinnen durch die Straßen und betrachteten die allenthalben mit der Hakenkreuzfahne geschmückten Häuser. Die Militarisierung der deutschen Gesellschaft machte auf Alma großen Eindruck. *Ein ganzes Volk stand dort in Waffen*, schrieb sie später bewundernd in ihr Tagebuch, während im Ausland alles *soff, fraß, vögelte und schlief*[143].

Aus Berlin zurückgekehrt, plagten Alma Zukunftsängste. Vor den Nationalsozialisten fürchtete sie sich nicht, ganz im Gegenteil: Einem Leben unter dem Hakenkreuz konnte sie sogar einiges abgewinnen. Anna Mahler wusste zu berichten, dass ihre Mutter gelegentlich ein Hakenkreuzabzeichen unter dem Mantelkragen trug,

*Das Abschiedsfest von der Villa auf der Hohen
Warte endete für Franz Werfel im Gartenteich*

obschon Alma nachweislich kein Mitglied der NSDAP war.[144] Über
ihre Gefühle für Franz Werfel war Alma sich allerdings mehr denn
je im Unklaren. In dieser Situation suchte sie am 26. November
einen Chiromanten auf. Sie war von den Fähigkeiten des Handle-
sers begeistert, schließlich hatte er, wie sie es gerne sah, eine eindrucksvolle künstlerische Begabung in ihren Handlinien erkannt,
dicht neben großer Religiosität, an die immer niemand glauben will[145].
Der Wahrsager orakelte daraufhin über die Zukunft: Alma würde
mit neunundfünfzig Jahren Wien verlassen und mit ihrem Mann
in ein anderes Land ziehen. Dort würde sie mit ihm in ruhiger
Freundschaft leben. Die Heimatstadt Wien verlassen, flüchten, die
Familie und den wertvollen Besitz aufgeben? Nein, Alma dachte
nicht im Traum daran, Österreich zu verlassen. Dass der Chiro-
mant Recht behalten sollte, konnte sie sich beim besten Willen nicht
vorstellen.

Alma und Franz Werfel. »Wir zerfetzen uns, wir tun einander weh, wir vergessen.« (Franz Werfel in einem Brief an Alma)

Die unfreiwillige Flucht
(1938–1940)

Abschied von Wien

*Ach, es waren schreckliche Weihnachten: Ich war so tief verzweifelt –
dieses Freudenfest der Welt, das mir durch Mutzis ungeheure Liebes-
fähigkeit erst so recht aufgegangen war – ich kann es ohne sie nicht
mehr feiern. Sie ist ja immer um mich, aber an solchen Tagen ersticke
ich vor Schmerz. Werfel und Anna meinten, ein Tag sei doch wie der
andere ... Was wissen sie ...? Was fühlten die Zellen ihrer Großeltern
an diesem Tag? Rache und Vergeltung gegen die Gojims, die sie aus
ihren vermeintlichen Rechten vertrieben haben. [...] Was soll mir noch
kommen? Was soll mich noch glücklich machen können? Ohne dieses
Kind, das meine Seele mitgenommen hat.*[1]

Eigentlich hatten Franz Werfel und Alma die Feiertage – wie im
Jahr davor – in Mailand verbringen wollen. Da er an einer schweren
Bronchitis litt, blieben sie vorerst jedoch in Wien. Als es ihm besser
ging, brachen sie am 29. Dezember in Richtung Süden auf. Nach
einer Station in Mailand, wo die Werfels im »Grand Hotel« abstiegen
und die Zimmer bewohnten, in denen Jahrzehnte zuvor Giuseppe
Verdi logiert hatte, ging es über Neapel weiter nach Capri. Franz
Werfel war sofort sehr angetan von der Insel. Das ausgeglichene
Klima und die immergrüne Vegetation inspirierten ihn, und nach
langer Zeit schrieb er jetzt wieder einige Gedichte. Diese idyllische
Ruhe wurde jäh unterbrochen. *Da platzte die Bombe und Werfel
stürzte mit dem Zeitungsblatt in mein Zimmer: Schuschnigg war nach
Berchtesgaden gefahren.*[2] Auf dem Obersalzberg hatten am 12. Fe-
bruar 1938 überraschend Verhandlungen zwischen dem deutschen

Des Morgensturms aufbrüllende Gefahr
Macht diese Erde wieder planetar.

Mit hunderttausend Schultern rennt das Meer
Im Urwelt-Irrsinn an das Felsenwehr.

Das Zwielicht der Äonen steigt wie Dampf.
Die Bäume röcheln noch im Todeskrampf.

Der Ortschaft Häuser stehen aufgehöst aus
Wie Mumien von Verschollenheit umgrölt.

Der Vogel weiß nicht, der darüber saust,
Was so ein Haus ist und wer drin gehaust.

Der Sturm hat längst mit seiner Hand aus Zicht
Die Menschheit von dem Erdentisch gewischt.

Sie ist in Gottes Schlaf, im Mund des Alls
Ein leiser Nachgeschmack noch bestenfalls.

*Franz Werfels Gedicht »Morgensturm«, entstanden am 10. Januar
1938 auf der Insel Capri*

Diktator und dem österreichischen Bundeskanzler stattgefunden.
Schuschnigg hatte den Drohungen Hitlers nicht mehr standhalten
können und stimmte, in der Hoffnung, die Autonomie Österreichs
gegenüber dem deutschen Reich zu bewahren, einer Amnestie aller
inhaftierten österreichischen Nationalsozialisten sowie der Berufung des NS-Parteigenossen Arthur Seyß-Inquart als Innenminis-
ter uneingeschränkt zu.

Alma und Franz Werfel wurden von dieser politischen Entwicklung regelrecht überrumpelt. Zunächst wollte Alma sofort nach
Wien fahren, um sich vor Ort ein eigenes Bild zu machen, ver-

brachte dann aber doch noch etwa zwei Wochen mit ihrem Mann in Neapel. Beide waren hin- und hergerissen, unschlüssig und voller Angst, was die Zukunft bringen würde. Am 28. Februar reiste Alma nach Wien ab. Für sie stand fest, wie sie rückblickend schrieb, *dass Werfel nicht mit mir nach Wien fahren dürfe. Er war gefährdet!*[3] Nach einer mühsamen Bahnfahrt erreichte sie ihre Heimatstadt, wo sie die nächsten beiden Tage inkognito verbrachte. Weder Johannes Hollnsteiner noch die Molls wussten von ihrer Ankunft, nur Ida Gebauer war eingeweiht. Verwundert beobachtete Alma das Geschehen. Innerhalb weniger Wochen hatte sich Österreich völlig verändert, der »Hitler-Gruß« wurde erlaubt, und die Hakenkreuzfahne galt nicht mehr als staatsfeindlich. Kurze Zeit nach ihrer Rückkehr löste Alma in weiser Voraussicht alle Bankkonten auf. Das Bargeld, unzählige Schillingnoten, nähten sie und Ida Gebauer in einen Gürtel, den Letztere über die Grenze nach Zürich schmuggelte. Alma spielte auch mit dem Gedanken, wertvolle Bilder zu verkaufen. Sie dachte hauptsächlich an Edvard Munchs berühmtes Gemälde »Sommernacht am Strand«, das ihr Walter Gropius zu Manons Geburt geschenkt hatte. Der Verkauf dieses Kunstwerks, das seit August 1937 als Leihgabe in der Österreichischen Galerie hing, würde – so Almas Hoffnung – viel Geld bringen. Alma bat Carl Moll, den Kontakt zu dem Museum wieder herzustellen – die Galerie war durchaus interessiert, konnte allerdings den geforderten Preis von 10 000 Schilling (etwa 39 000 Euro) nicht aufbringen. Einige Jahre später – am 16. April 1940 – verkaufte Moll das Gemälde dennoch an die Österreichische Galerie, um mit dem Erlös – 7000 Reichsmark (rund 23 000 Euro) – dringend notwendig gewordene Dachreparaturen an Almas Breitensteiner Haus durchführen lassen zu können.

Am 9. März 1938 kündigte Schuschnigg in Innsbruck ein Volksbegehren über die Souveränität Österreichs an. Die Parole der Regierung – auf hunderttausenden Flugblättern veröffentlicht – lautete: »Für ein freies und deutsches, unabhängiges und soziales, christliches und einiges Österreich – für Brot und Frieden im Lande!« Dieses Sammelsurium von Staatszielen *klang verängstigt und unfrei*, erinnerte sich Alma. *Niemand hob die Blätter auf, nur der Wind spielte erbarmungsvoll mit ihnen.*[4] Der Druck, unter dem die Regierung Schuschnigg stand, löste vielerorts Solidaritätsbekundungen aus. Auch Anna Mahler und ihre Freunde – der Architekt Heinrich Riss, der Industrielle Kurt Lichtenstern sowie die Schriftsteller Anton Kuh und Leo Perutz – unterstützten trotz ihrer eher linksgerichteten politischen Einstellung den Kanzler. *Sie war mit einem Klüngel kommunistischer Burschen und ihrem damaligen Geliebten Riess, einem öden Stück Fleisch, beisammen*[5], wie Alma schrieb. Es half alles nichts, angesichts des drohenden Einmarsches deutscher Truppen in Österreich – Berlin hatte ultimativ die Absage des Plebiszits gefordert – verkündete Schuschnigg am 11. März um 19.15 Uhr in einer Rundfunkansprache seinen Rücktritt. Zwei Tage später wurde der »Anschluss« Österreichs an das Deutsche Reich durch Hitler und Arthur Seyß-Inquart, Schuschniggs Nachfolger, besiegelt. Auf dem Wiener Heldenplatz begrüßte eine jubelnde Masse die »Wiedervereinigung« der beiden Länder.

Plötzlich erinnerte sich Alma an die Vorhersagen des Chiromanten. Was ihr vor wenigen Monaten noch undenkbar erschienen war, wurde nun Realität. Ihr war klar geworden, dass sie Österreich erst einmal verlassen musste, um zu Franz Werfel, der in Neapel erkrankt war, zurückzukehren. Alma verabschiedete sich am 12. März von ihrer Mutter, *von der ich wusste, dass ich sie nie wieder sehen würde. Ich ließ sie glauben, ich käme nach acht Tagen wieder*[6]. Die folgende Nacht verbrachte sie mit Anna und Johannes Hollnsteiner in ihrem Hotelzimmer. Man diskutierte die ganze Nacht, sprach über alte Zeiten und die ungewisse Zukunft. Am nächsten Morgen verließen Alma und Anna Wien in Richtung tschechische Grenze. Über Prag, Budapest, Agram (heute: Zagreb) und Triest erreichten Mutter und Tochter schließlich Mailand, wo sie Franz Werfel wieder sahen. Doch der Aufenthalt sollte nicht von langer

Dauer sein – die lombardische Hauptstadt *gefiel uns diesmal nicht –*, und so nahmen sie die Einladung von Werfels jüngerer Schwester Marianne Rieser nach Rüschlikon gerne an. Die Tage waren jedoch von schlechter Stimmung überlagert. *Dies war die einzige traurige Zeit unserer Emigration. Lag's an ihnen, oder lag es an uns – ich weiß es nicht!*[7] Zwischen Alma und ihrer Schwägerin kam es wiederholt zu Spannungen, vor allem weil Alma ihre antisemitischen Überzeugungen zum Besten gab, was jene sich in den eigenen vier Wänden nicht anhören wollte.

Nach der Erledigung umständlicher Pass- und Visaangelegenheiten reisten die Werfels über Paris nach Amsterdam, wohin Willem Mengelberg zu einem kleinen Mahler-Fest eingeladen hatte. Alma genoss die Tage in Holland. Ein Teil von Gustav Mahlers Ruhm strahlte auch auf sie ab, was ihr Selbstwertgefühl deutlich steigerte. Am 9. Mai ging die Reise weiter nach London: *Dort bekam ich einen veritablen nervous-breakdown!*[8] Während Franz Werfel sich in London sofort wohl fühlte, konnte Alma einem Leben in England nichts abgewinnen. Immer wieder versuchte er seine Frau zu überreden, ihren Lebensmittelpunkt nach London zu verlagern, zumal sich auch Anna Mahler entschieden hatte, dort sesshaft zu werden, konnte sich jedoch nicht durchsetzen. *Hier in London kein deutsches Buch … kein Klavier … keine deutsch sprechenden Menschen, eine unbedingt kalte Stadt,* lautete Almas Fazit. Sie wollte unter allen Umständen nach Frankreich zurück. Am 1. Juni 1938 trafen Alma und Franz Werfel in Paris ein und bezogen wieder ihr *kleines billiges Dreckshotel*[9].

Es ist zum Verzweifeln, schrieb Alma kurz nach der Ankunft in ihr Tagebuch. *Wir reden nach 20 jähriger Ehe zwei Sprachen. Keines versteht das Andere. Die Rassenfremdheit ist unüberbrückbar.* Alma warf ihrem Mann vor, er würde sich zu sehr um seine Familie kümmern. Sein *Familiengetue*, wie sie Werfels Sorgen nannte, ging ihr auf die Nerven. Sie hatte sich nicht damit abgefunden, eine Emigrantin zu sein, zumal sie nicht im Entferntesten daran dachte, sich mit den europäischen Juden zu solidarisieren. *Politisch aber behalte ich mir vor, zu denken und zu reden, was ich will. Dass die guten Juden heute Revanche und Rachegelüste im Hirn tragen und die ganzen vielen Jahre kommunistischer Greueltaten ruhig, ja mit Sympathie mit ansahen, das verübelt ihnen heute die ganze Welt.*[10] Als Alma am 23. Juni eine Aufführung von Richard Wagners »Tristan und Isolde« unter Wilhelm Furtwänglers Leitung in der Pariser Oper miterlebte, empfand sie so etwas wie »Heimat«. *Nie werde ich mich aus diesem Kulturkreis heraustreiben lassen! Wo sind denn die Andern ... Besseren ...?*[11]

Aus Wien drangen in diesen Wochen Nachrichten über Johannes Hollnsteiners Schicksal zu Alma und Franz Werfel durch. Der umtriebige Pater galt vor dem so genannten »Anschluss« vielen Nationalsozialisten als einflussreicher Strippenzieher und heimlicher Chefideologe des Schuschnigg-Regimes. Nach dem Einmarsch der Deutschen war er also in Gefahr. Nicht ohne Grund hatte Alma ihrem Geliebten noch Anfang März geraten, alle ihn möglicherweise belastenden Dokumente schleunigst zu verbrennen. Aber Hollnsteiner hielt sich nicht für gefährdet, was sich jedoch als ein folgenschwerer Irrtum herausstellen sollte, da die Gestapo, wie sie ihm später vorhielt, in nahezu allen Wiener Ministerien Interventionsschreiben aus seiner Feder gefunden hatte. Am Sonntag, dem 30. März 1938, wurde er in seinem Augustiner-Chorherrenstift St. Florian von zwei Gestapobeamten abgeholt. Während der achtwöchigen Haft ließ man ihn über die Gründe weitgehend im Unklaren. In der Nacht vom 23. zum 24. Mai 1938 wurde Johannes Hollnsteiner ohne Anklage und Gerichtsverfahren in das KZ Dachau überstellt. Es folgte eine elfmonatige Gefangenschaft, während welcher der an körperliche Anstrengungen nicht gewöhnte Geistliche in einer Kiesgrube, im Straßenbau und als Ofensetzer arbeiten musste. Als ein SS-Wachmann entdeckte, dass Hollnsteiner Akademiker war, schlug er ihm ins Gesicht: »Du Dreckschwein, wir werden Dir den Doktor schon geben!«[12] Für die Gestapo war Johannes

Hollnsteiner ein »begeisterter Schuschnigganhänger« und »Gegner des N.S. Staates« und deshalb »als politisierender Kleriker abzulehnen«[13].

Die Werfels waren bestürzt über Hollnsteiners Schicksal. Während sie die Flucht in das zunächst noch sichere Frankreich geschafft hatten, musste ihr Freund schwerste Strapazen durchstehen. Auch der ebenfalls emigrierte Bruno Walter, der von Alma über Hollnsteiners Verhaftung informiert worden war, dachte mit »schmerzvoller Anteilnahme«[14] an den prominenten Theologen. Helfen aber konnte ihm niemand.

Sanary-sur-Mer

Mitte Juni 1938 übersiedelte Franz Werfel von Paris in die benachbarte Kleinstadt Saint-Germain-en-Laye. Im schönsten Hotel der Stadt, im »Pavillon Henri IV«, bezog er ein geräumiges Zimmer, um dort nach Monaten quälender Unproduktivität wieder mit der Arbeit zu beginnen. Der Schlosspark und die angrenzenden Wälder luden zu ausgedehnten Spaziergängen ein. Da er sich seit geraumer Zeit krank und schwach fühlte, hoffte er, in der Abgeschiedenheit Saint-Germains die notwendige Ruhe und Erholung zu finden. Alma blieb noch einige Tage in Paris, bevor sie in Richtung Südfrankreich aufbrach. Die Côte d'Azur sollte, wie Alma nicht zuletzt wegen der angeschlagenen Gesundheit ihres Mannes entschieden hatte, zu ihrer neuen Heimat werden. Ihre Wahl fiel auf das kleine Fischerdorf Sanary-sur-Mer. Der verträumte Flecken Erde in der Nähe Marseilles war ein Zentrum der deutschen Emigration: Thomas und Heinrich Mann, Lion Feuchtwanger, Bertolt Brecht, Ludwig Marcuse, Ernst Bloch und andere machten dort bis 1940 zeitweise Station. Mit Hilfe einer Freundin – Anne Marie Meier-Graefe –, die seit einiger Zeit in Südfrankreich lebte, fand Alma eine geeignete Unterkunft. Hoch über der malerischen Bucht des

Exil. Der Wohnturm der Werfels in Sanary-sur-Mer

Ortes lag »Le Moulin Gris«, ein alter Sarazenenturm. Im zweiten Stockwerk des Gebäudes befand sich ein runder Raum, der ein ideales Arbeitsatelier für Franz Werfel abgab. Aus zwölf großen Fenstern schaute man auf das offene Meer – ein atemberaubender Anblick. Am 1. Juli – Alma und Frau Meier-Graefe besprachen gerade die organisatorischen Dinge des Umzuges – erreichte sie ein Telefonanruf aus Paris: Franz Werfel schwer erkrankt, Alma müsse sofort kommen. In Saint-Germain fand sie ihren Mann in einer erbärmlichen Verfassung vor, er hatte einen leichten Herzinfarkt erlitten. »Ich fühle mich krank wie noch nie«, schrieb Werfel an diesem Tag in sein Tagebuch. »Es ist, als wenn in meinem Kopf Wasser wäre. Er droht zu zerspringen von einem inneren Druck.«[15] Alma ließ ihren Mann umgehend nach Paris verlegen. Nur langsam besserte sich sein Befinden. Nach gut vier Wochen übersiedelten die Werfels schließlich in das neue Domizil nach Sanary.

Was soll noch alles werden?, rätselte Alma an ihrem 59. Geburts-

tag. *Vor mich hin sage ich … ich liebe ihn, ich liebe ihn – aber wen …
aber was?*[16] Alma war tief deprimiert. Zwar war sie ihrem Mann ins
Exil gefolgt, über die Beziehung zu ihm war sie sich aber mehr denn
je im Unklaren. *Gott im Himmel!*, notierte sie am folgenden Tag.
Man kann doch nicht so hoffnungslos weiterleben. Ich bin am Ende.[17]
Alma verübelte ihrem Mann, dass sie seinetwegen ihrer Heimat-
stadt hatte den Rücken kehren müssen: *Ich sehne mich so oft nach
Hause! Nach Wien.*[18]

Die Emigration konnte die Werfels nicht, wie man eigentlich
hätte annehmen dürfen, wieder enger aneinander binden. Almas
antisemitische Ausfälle vertieften die Gräben zwischen den Eheleuten, was auch Außenstehenden nicht verborgen blieb. Der Schriftsteller Lion Feuchtwanger und seine Frau Marta trafen häufig mit
den Werfels in Sanary zusammen. Obwohl es zwischen den beiden
Dichtern immer wieder zu heftigen politischen Diskussionen kam,
Werfel verübelte Feuchtwanger sein Liebäugeln mit der Sowjet-
union, freundeten sich die Ehepaare sogar etwas an. »Ich war allein
in Sanary«, erinnerte sich Marta Feuchtwanger, »Lion musste nach
Paris zu irgendeiner Sitzung und da hat mich die Frau Werfel eingeladen, sie war ja sehr gastfreundlich, hat sich furchtbare Mühe gegeben, hat extra ein Mädchen kommen lassen, damit die bedient
und sie nicht in die Küche muss und da hat es Forellen gegeben,
wirklich ein sehr gutes Essen.« Der Abend nahm einen unerwarteten Verlauf. »Also, da fangen wir an zu essen, die Forellen, und auf
einmal fangen die beiden zu streiten an, über etwas ganz Unwich-
tiges, und da sagte sie: ›Vergiss nicht, dass ich keine Jüdin bin, ich
bin keine Jüdin!‹ Da hatte er irgendetwas gesagt, was ihr nicht ge-
passt hat.«[19]

Wie weit die politischen Ansichten der Werfels auseinander lagen, lässt sich besonders gut anhand ihrer Reaktionen auf das so genannte »Münchener Abkommen« vom 29. September 1938 zeigen.
Während Franz Werfel die Teilung der Tschechoslowakei entschieden verurteilte, erblickte Alma darin *ein großes Ereignis*, das die

Welt *mit angehaltenem Atem* bestaune. Für sie war Hitler *ein Genie an der Spitze eines großen Volkes.* Zwar sei sie *unlösbar mit den Geschicken der Andern verbunden*, ihren *gerechten objektiven Blick* habe sie – wie sie glaubte – jedoch nicht verloren. *Ich werde jetzt mit einem, mir artfremden Volk bis ans Ende der Welt wandern müssen – und ich kann trotzdem nicht anders (trotzdem, dass ich meine Heimat, meine geistigen und materiellen Besitztümer verloren habe, die Menschen, die ich liebe, meine Mutter, nie wieder sehen werde) als mit größter Bewunderung diesen heldischen Menschen zuschauen, wie er sieghaft über die Menschheit schreitet.*[20] Sie lebe im französischen Exil *in einem jüdisch-kommunistischen Klüngel*, schrieb sie in ihr Tagebuch. *Und ich gehöre nicht dazu.*[21]

In dieser Zeit dachte Alma sogar über eine Trennung von Franz Werfel nach. »Wie vom Reichspropagandaministerium Berlin mittels Fernschreiben mitgeteilt wurde, hat Frau Mahler-Werfel (die Frau des verstorbenen Komponisten Gustav Mahler) den Wunsch, ungestört in ihrer Wiener Wohnung leben zu können. Frau Mahler selbst ist Arierin. Ich bitte daher umgehend um Mitteilung, ob seitens irgendeiner Stelle wegen des Aufenthaltes der Frau Mahler-Werfel in Wien Schwierigkeiten gemacht werden.«[22] Die Sache sei dringend, wie der Unterzeichner des Briefes, Dr. Wolfram vom Reichspropagandaamt Wien, am 5. Oktober 1938 betonte. Die Antwort des zuständigen Gaupersonalamtes ließ allerdings zwei Monate auf sich warten: »Die oben Genannte war in beiden Ehen mit Juden vermählt. Gegen ihren jetzigen Mann betreibt sie die Scheidungsklage. Ihr Verhalten zum heutigen Staat und der Partei ist als loyal zu bezeichnen, und genießt sie bei ihren ehemaligen Angestellten den besten Ruf. In politischer Beziehung ist nichts Nachteiliges bekannt geworden.«[23]

Ein Scheidungsverfahren wurde jedoch offiziell nie eingeleitet. Dass die Ehe seit langer Zeit nur noch auf dem Papier bestand, war in Wien gleichwohl kein Geheimnis. Auch Almas Schwager Richard Eberstaller wusste zu berichten, dass sie »schon im Jahre 1937 die Absicht hatte, sich von Werfel scheiden zu lassen; die Ehe der Genannten war unglücklich«[24]. Trotz aller Enttäuschungen und Frustrationen über das Zusammenleben mit Franz Werfel hatte sich Alma doch für ihren Ehemann entschieden. Ihr war wohl bewusst, wie die häufigen Klagen im Tagebuch über die Folgen des Alterns nahe legen, dass es ihr mit knapp 60 Jahren nicht mehr so leicht fallen würde, einen neuen Partner zu finden. Darüber hinaus ließ sich Werfel, obschon es in den zurückliegenden Jahren immer häufiger zu erbitterten Auseinandersetzungen gekommen war, Almas Demütigungen fast wehrlos gefallen. Almas hysterischer Charakter hatte sich völlig auf ihn eingestellt; sie wusste, was sie zu verlieren hatte. In diesem Zusammenhang wäre auch die Weiterführung der Beziehung zu Johannes Hollnsteiner keine Alternative für die inzwischen an die Sicherheit der Ehe gewöhnte Alma gewesen. Es war im Grunde genommen die Angst vor den Unwägbarkeiten einer neuen Partnerschaft oder gar vor der Einsamkeit, die Alma an Franz Werfel band und die sie wider Willen ins Exil gehen ließ.

Alma, Bruckner und der Führer

Nach dem Ende des Zweiten Weltkrieges pflegte Alma das Verhältnis zu ihrer Halbschwester Maria und deren Mann Richard Eberstaller als sehr schlecht darzustellen. Sie gab vor, dass es nach 1938 zwischen den Familienteilen keine Verbindung mehr gegeben habe. Das Gegenteil ist richtig. Während die Werfels die Emigration nach Frankreich vorbereiteten und auch später im amerikanischen Exil stand Alma in regem Kontakt mit ihrem Schwager. Es ging in ihrer Korrespondenz vor allem um Anton Bruckners Dritte Sinfonie. Gustav Mahler hatte für seinen Lehrer Anton Bruckner einen Klavierauszug dieses Werkes angefertigt, wofür der Komponist sich großzügig bedankte: Er schenkte Mahler die Manuskripte der ersten drei Sätze. Nach Hitlers Einmarsch in Wien entwickelten die

Nationalsozialisten ein ausgeprägtes Interesse an den im Privatbesitz befindlichen Handschriften Bruckners. Der »Führer« war begeistert von Bruckner, und die Herausgabe der »Urfassungen« seiner Sinfonien, die von fremden Einflüssen »gereinigt« werden sollten, galt als kulturpolitisches Ziel. In Joseph Goebbels' Propagandaministerium wurde das Zusammentragen der wertvollen Manuskripte koordiniert. Am 31. März 1938 – wenige Tage nach dem »Anschluss« – erhielt das Berliner Amt eine Liste mit den Namen der Besitzer von Bruckner-Handschriften. Neben der Witwe des Dirigenten Franz Schalk und dem Linzer Bischof Johannes M. Gföllner wurde auch Alma Mahler-Werfel genannt. Dr. Friedrich Werner, der Verfasser der Liste, war hauptberuflich als Rechtsanwalt in Wien tätig und leitete kommissarisch die Internationale Brucknergesellschaft sowie den Musikwissenschaftlichen Verlag, der mit der Edition der Sinfonien beauftragt war. Sein Gegenüber war Dr. Heinz Drewes, Chef der Musikabteilung im Propagandaministerium. Die Beschaffung der Partituren hatte höchste Priorität, »weil wir fürchten«, wie Werner an Drewes schrieb, »dass mit diesem wertvollen Schatz etwas passieren könnte«[25]. Diese Befürchtung war im Fall der »Dritten« durchaus berechtigt, denn Alma hatte den wertvollen Besitz ihres Mannes mit Ida Gebauers Hilfe längst nach Frankreich schmuggeln lassen. Als Dr. Werner bei Richard Eberstaller wegen der Partitur nachfragte, konnte Almas Schwager nur noch den Verlust melden. Werner war über diese Nachricht verärgert und drängte auf die Wiederbeschaffung der Dritten Sinfonie. Eberstaller erklärte sich bereit, in dieser Angelegenheit zu vermitteln. Sollte es ihm gelingen, die Partitur wiederzubeschaffen, so seine Hoffnung, würde dieser Coup in Berlin mit Wohlwollen registriert werden. Denn der ehrgeizige Jurist fühlte sich noch lange nicht am Ende seiner Karriere angelangt. Am 21. Oktober berichtete Werner nach Berlin, dass Eberstaller mittlerweile mit seiner Schwägerin gesprochen habe. Frau Mahler-Werfel biete der Regierung zwei Möglichkeiten an: »entweder ein

Ankauf dieser Manuscripte um den Preis von ungefähr 15 000 RM [rund 52 000 Euro] oder ein Ankauf des Hauses oder der Villa der Frau Mahler-Werfel im Werte von ca. 160 000 RM [...].« Es ist unklar, wie Alma sich diesen Handel vorstellte. Auch Friedrich Werner wunderte sich über diesen merkwürdigen Vorschlag. »Nach meiner bescheidenen Meinung kommt wohl nur der erste Fall in Frage [...].«[26] Im Propagandaministerium ging Almas Angebot zunächst durch die verschiedenen Instanzen, bis Richard Eberstaller seine Schwägerin ein halbes Jahr später aufforderte, das Bruckner-Manuskript bei der Deutschen Botschaft in Paris zu hinterlegen. Die Diplomaten würden, wie er versprach, die von Alma geforderte Summe – mittlerweile verlangte sie 1500 englische Pfund Sterling[27] – bar auszahlen, nach heutigem Wert etwa 72 000 Euro. Als Alma am 3. Mai 1939 mit der Dritten Sinfonie unter dem Arm in der Botschaft erschien, musste sie jedoch feststellen, dass die anwesenden Beamten nichts von der getroffenen Abmachung wussten. Unter diesen Umständen wollte sie ihren Schatz auf gar keinen Fall den Deutschen überlassen. Die Ursache für das Scheitern des Verkaufs war banal: Das Propagandaministerium hatte es versäumt, die Kollegen in Paris rechtzeitig über Almas Erscheinen zu informieren. Die entsprechenden Instruktionen trafen erst am 4. Mai in der Botschaft ein. Eberstaller gelang es schließlich, Alma zu einem erneuten Besuch in der deutschen Auslandsvertretung zu überreden. Nun stand dem Verkauf nichts mehr im Wege. Nach einigen Wochen fragte Berlin jedoch ungeduldig nach, ob Alma mittlerweile in der Botschaft vorgesprochen habe. Daraufhin teilte Paris am 6. Juni mit, dass Frau Mahler-Werfel nicht mehr gesehen worden sei. Was die Beteiligten nicht wussten: Alma und Franz Werfel waren bereits Mitte Mai nach Sanary zurückgekehrt, *zu den Milliarden von Moskitos und Stechfliegen*[28].

Die Geschichte sollte jedoch erst in Amerika zu einem Ende kommen. Mitte Dezember 1940 ließ Friedrich Werner das Goebbels-Ministerium wissen, dass Alma immer noch zum Verkauf des

Manuskriptes bereit wäre. Frau Mahler-Werfel sei in ihrem New Yorker Hotel telegrafisch erreichbar und erwarte die Anweisung des Betrages in englischen Pfund oder in US-Dollar. Dr. Drewes staunte über das forsche Vorgehen der Besitzerin. »Alles sehr schön, aber woher kommen die Devisen?«[29], lautete seine Randbemerkung. Einige Wochen später lag die Einschätzung der Haushaltsabteilung vor: Der von Frau Mahler-Werfel geforderte Betrag sei immerhin so hoch, dass er »aus der Goldreserve der Reichsbank transferiert werden müsste«. In der derzeitigen Situation sei, wie der zuständige Beamte betonte, eine solche Maßnahme nicht zu rechtfertigen, »schließlich dürfte es sich bei Frau Mahler-Werfel wohl um eine mehr oder weniger nicht arische Emigrantin handeln, der gegenüber wir zur Auszahlung solcher Summen in Bardevisen wenig Veranlassung haben«[30]. Aus devisenpolitischen Gründen, so die offizielle Sprachregelung, wurde der Kauf der Partitur abgelehnt. Almas Geschäft mit dem Führer war endgültig gescheitert, sie hatte den Bogen überspannt. Es ist fraglich, ob Franz Werfel von den Aktivitäten seiner Frau erfuhr. Er dürfte es wohl als zynisch empfunden haben, dass Alma mit jenem Regime ins Geschäft kommen wollte, das sein eigenes Leben und das seiner Familie bedrohte.

Das Leid der Emigration

Im Herbst 1938 hatte sich der Gesundheitszustand von Anna Moll rapide verschlechtert. Eine schwere Bronchitis und akute Herzprobleme fesselten sie ans Bett. *Ich habe ihr telephoniert,* schrieb Alma am 28. November in ihr Tagebuch, *es hieß, sie atmet noch.*[31] Am folgenden Morgen starb die alte Dame an einem Lungenödem.[32] Carl Moll konnte den Tod seiner Frau kaum verkraften. Mehrfach musste er zurückgehalten werden, *weil er sich umbringen will. Warum lässt man ihn nicht? Er hat ja recht.*[33]

In dieser schwierigen Phase fuhr Alma von Sanary-sur-Mer

nach London. Nach dem Verlust ihrer Mutter hatte sie das Bedürfnis, ihre Tochter Anna zu sehen. *Es war nasskalt und wir froren uns fast zu Tode.*[34] In der Stadt an der Themse traf sie auch auf ihren ehemaligen Schwiegersohn Paul von Zsolnay, der noch in letzter Minute Wien verlassen und nach England emigrieren konnte. *Er war vollkommen vernaziet*, notierte sie in ihr Tagebuch: *Zsolnay blieb noch lange nachher nazifreundlich, diese Ausgeburt von einem Juden.*[35]

Franz Werfel zog es in die Schweiz. Im Haus seiner Schwester Marianne fand ein Wiedersehen mit seinen Eltern sowie mit seiner Schwester Hanna statt. Man verbrachte die Tage in ständiger Unruhe, wofür die Ungewissheit der politischen Situation nach dem »Münchner Abkommen« verantwortlich war. Insbesondere Rudolf Werfel drängte auf eine baldige Emigration nach Amerika. Anders hingegen sein Sohn Franz. Obwohl er für Alma und sich amerikanische Visa beantragt hatte, wollten beide erst dann auswandern, wenn es gar nicht mehr anders ging. Das Leben an der Côte d'Azur gefiel ihm mittlerweile sehr gut, auch gesundheitlich ging es stetig aufwärts.

Von ihren Aufenthalten in London und in der Schweiz nach Frankreich zurückgekehrt, entschieden sich Alma und Franz Werfel, die Wintermonate in Paris zu verbringen, da ihnen das Leben in Sanary im Winter zu einsam erschien. Während der folgenden Wochen arbeitete er in Saint-Germain an der Romantrilogie »Cella oder die Überwinder«, und Alma ging ihren gesellschaftlichen Interessen nach. In ihrer Suite im Hotel »Royal Madeleine« richtete sie sogar einen kleinen Salon ein. Zu den regelmäßigen Besuchern gehörten die Schriftsteller Guido Zernatto und Fritz von Unruh, der ehemalige französische Gesandte in Wien Bertrand Graf Clauzel, der Regisseur Erwin Piscator, der Komponist Franz Lehár sowie Bruno Walter. Wenn die Gäste gegangen waren und Alma mit ihren Gedanken allein zurückblieb, kam gleich ihre Depressivität zum Vorschein. *Wozu schlafen, wozu wachen*, klagte sie: *Ob man nun säuft, frisst, vögelt oder krampfig asketisch Werke-Werte schafft, alles ist gleich.* [...] *Ich bin vollkommen verödet, will nicht einmal mehr den Tod.*[36] Die Klagen sind auch Ausdruck der sexuellen Frustration. Almas erotische Beziehung zu Werfel war *längst zu einem trüben Ehewässerlein geworden. Wozu aufstehen in der Früh, wozu sich frisieren, für wen sich anziehen?* Franz Werfel sei *völlig erlahmt – ja, vergreist – und sehr hoffnungslos.*[37]

Den Sommer verlebten die Werfels – unterbrochen von einem Besuch Anna Mahlers – in trügerischer Ruhe an der französischen Rivieraküste. Alma überarbeitete im Auftrag des Amsterdamer Allert de Lange Verlages ihre bislang unveröffentlichten Erinnerungen an Gustav Mahler, die sie bereits Mitte 1924 weitgehend fertig gestellt hatte. *Ich habe dieses Buch vor vielen Jahren geschrieben,* begann Alma das Vorwort, *und zwar einzig und allein aus dem Grunde, weil niemand Gustav Mahler so gut gekannt hat wie ich* [...].[38] Die erst im Jahr 1940 erschienenen »Erinnerungen und Briefe« wurden allerdings nicht gut aufgenommen. Insbesondere die Tatsache, dass Alma am Ende ihres Buches Mahlers wahnhafte Randnotizen zur 10. Sinfonie abdrucken ließ und diese zum Liebesbrief degradierte, ging manchem Leser zu weit. »Las in den (peinlichen) Briefen G. Mahlers an seine Frau«[39], schrieb Thomas Mann in sein Tagebuch. Damit bezog er sich auf jene Briefe, die Mahler nach dem Auffliegen der Affäre mit Walter Gropius an Alma geschickt hatte. Da Alma auf jeglichen Kommentar oder orientierende Anmerkungen verzichtet hatte, war es für Thomas Mann natürlich unmöglich, den Anlass für die Briefe in seinem harten Urteil zu berücksichtigen. Die Herausgeberin nahm es mit der Wahrheit nicht so genau. Von den 162 im Jahre 1940 veröffentlichten Mahler-Briefen wurden nur 37 textgetreu wiedergegeben, 125 Dokumente sind gekürzt oder entstellt, und in drei Fällen hatte Alma jeweils zwei Briefe zu einem zusammengefasst.[40] Die von ihr getilgten Stellen enthalten oftmals Mahlers Klagen über seine junge Frau. Seine häufigen Bitten, Alma möge deutlicher schreiben, da er ihre in der Tat fast unleserlichen

Hieroglyphen nicht entziffern könne, wurden ebenso gestrichen wie seine mehrfach geäußerten Beschwerden über ihren problematischen Charakter und ihre permanente Unzufriedenheit.

Nach dem Beginn des Zweiten Weltkriegs am 1. September 1939 galten deutschsprachige Emigranten in Frankreich als unerwünschte Fremde und potentielle Spione. »La douce France wird mit einem Mal ein strenges Frankreich«[41], notierte Werfel in sein Tagebuch. Willkürliche Hausdurchsuchungen und Verhöre prägten fortan den Alltag. Hatten sich die Flüchtlinge wenige Wochen zuvor noch sicher gefühlt, sahen sie sich nun einer misstrauischen Bürokratie ausgeliefert. Franz Werfel litt darunter, nur noch »als Nummer und gar als unterwertige und gefährliche Nummer behandelt zu werden«[42]. Am 6. September erhielten die Werfels Besuch von fünf grimmig dreinschauenden Polizeibeamten, die zum wiederholten Mal die Reisepapiere der Eheleute überprüften. Am folgenden Tag wurde Franz Werfel sogar auf offener Straße von einem Kriminalbeamten angegangen. Was er und für wen er schreibe, fragte der Polizist. Romane und Gedichte, antwortete Franz, worauf der Ordnungshüter giftete, er schreibe wohl für das Proletariat. Es entstand eine Atmosphäre, in der Deutsche, Tschechen und Österreicher grundsätzlich verdächtig waren. Wer Deutsch sprach, galt entweder als Nazi oder als Kommunist.[43]

Noch vor Kriegsausbruch hatten sich Franz Werfels Eltern und seine Schwester Hanna mit ihrem Mann entschlossen, die Schweiz zu verlassen und nach Vichy überzusiedeln. Das sollte sich nun als ein verhängnisvoller Fehler erweisen. In der mittelfranzösischen Kleinstadt erlitt Rudolf Werfel einen Schlaganfall. Franz Werfel wurde per Telegramm zu seinem schwer erkrankten Vater gerufen, Hals über Kopf mussten nun Reisevisa besorgt werden. Täglich pendelten die Werfels mit der Straßenbahn zwischen Sanary und der zuständigen Behörde in Toulon. Als die Papiere Ende Oktober vorlagen, konnten sich Alma und Franz Werfel endlich auf die beschwerliche Reise machen. Nach einer sechsstündigen Unterbrechung in Lyon, die Reiseunterlagen wurden erneut überprüft, erreichten die Eheleute Vichy. Alma erlebte die Stadt als *unsagbar öde, kein Licht, man stolperte im Finstern dahin und hatte weit zu gehen*[44]. Der Anblick seines kranken Vaters erschütterte Franz Werfel zutiefst. Rudolf Werfel war ans Bett gefesselt und konnte infolge des Schlaganfalls nicht mehr richtig sprechen. Mit dem Gefühl, seinen Vater möglicherweise nicht mehr wieder zu sehen (er starb am 31. Juli 1941), brach Franz Werfel wenige Tage später in Richtung Sanary auf. An der der Côte d'Azur ging das Leben vorerst wie gewohnt weiter. *Man kann nichts andres tun, als warten,* klagte Alma. *Unser Leben, hier im Turm, vollkommen vereinsamt, wäre ja fast schön zu nennen, wenn es nicht ein gezwungenes Dasein wäre.*[45]

Odyssee

Nach den Invasionen der deutschen Wehrmacht in die kleineren westeuropäischen Staaten wie Dänemark, Norwegen, Belgien, Niederlande und Luxemburg stand für die Werfels fest, dass es bis zum Einmarsch der Hitler'schen Truppen in Frankreich nicht mehr lange dauern würde. Überstürzt fuhren sie ein letztes Mal nach Vichy, um Rudolf Werfel zu besuchen. Nach Sanary zurückgekehrt, verpackten sie eilig den Hausstand und verließen ihren Wohnturm am 2. Juni 1940. Die folgenden sechzehn Tage verbrachten sie auf Marseiller Konsulaten, da die US-Visa mittlerweile ihre Gültigkeit verloren hatten. Ihre Bemühungen um neue Reisepapiere sollten jedoch erfolglos bleiben. Paris wurde am 14. Juni von der deutschen Wehrmacht besetzt, und als sie am 18. Juni das Gerücht hörten, die Deutschen stünden bereits vor Avignon, entschlossen sie sich zur schnellen Flucht. Alma: *Wir kaperten ein Auto, das uns für 8000 Francs nach Bordeaux bringen sollte.*[46] Von dort wollten sie sich nach Spanien durchschlagen. Die Fahrt geriet zur Odyssee: Eigentlich sollte die Route über Perpignan führen, der Taxifahrer steuerte jedoch

Auf der Flucht: Passbild, Frankreich 1938. »Man kann doch nicht so hoffnungslos weiterleben.«

versehentlich Avignon an, wo die Deutschen vermutet wurden. Der Mann am Steuer verlor schließlich vollkommen die Orientierung, fuhr sogar im Kreis, so dass Alma und Franz die Kleinstadt Narbonne zweimal erreichten, wo sie wegen der einbrechenden Dunkelheit eine Pause einlegen mussten. Da kein Hotel bereit war, deutschsprachige Flüchtlinge aufzunehmen, stiegen sie in einem ehemaligen Krankenhaus ab. Alma war entsetzt angesichts der primitiven hygienischen Verhältnisse, insbesondere die in Südfrankreich üblichen Stehtoiletten widerten sie an: *Hoffentlich haben es ihnen die Deutschen jetzt eingebaut.*[47] Am nächsten Morgen ging die Irrfahrt weiter, fand aber in Carcassonne ein plötzliches Ende, wo Straßensperren die Weiterreise unmöglich machten. Werfel konnte mit großer Mühe zwei Fahrkarten für den letzten Zug in Richtung Bordeaux ergattern. Mit über dreizehnstündiger Verspätung erreichten die Eheleute die Hafenstadt im Südwesten Frankreichs. Dort herrschte großes Chaos, in der Nacht zuvor war ein heftiges Bombardement der deutschen Luftwaffe niedergegangen. Und zu allem Unglück war ihnen in der Zwischenzeit ihr gesamtes Gepäck abhanden gekommen. Der Verlust der wertvollen Mahler- und Bruckner-Partituren traf die Werfels empfindlich, schließlich hatten sie den finanziellen Neuanfang in Amerika sichern sollen. Nachdem sie kein Hotelzimmer fanden und in einem ehemaligen Bordell logieren mussten, entschieden sie sich, am nächsten Morgen nach Biarritz zu fahren. In dem kleinen Seebad an der spanischen Grenze trafen sie zufällig Viktor und Bettina von Kahler, Bekannte aus Prag, die ebenfalls auf der Flucht waren. Täglich fuhren Franz Werfel und Viktor von Kahler von Biarritz nach Bayonne, um in verschiedenen Konsulaten Visa zu beantragen. Ohne Erfolg. Alma hatte unterdessen einen vielversprechenden Hinweis erhalten: In Saint-Jean-de-Luz, hieß es, stelle ein portugiesischer Konsul großzügig Visa aus. Als sie dort eintrafen, wurde auch diese Hoffnung zunichte gemacht. Wenige Tage zuvor war der Diplomat verrückt geworden und hatte alle Pässe und Visa ins Meer geworfen. Die Vorstellung, im *Schlund des Feindes*[48] zu sein, konnte Franz Werfel nicht länger ertragen, er erlitt einen Nervenzusammenbruch. Viktor von Kahler gelang es schließlich, ein Taxi aufzutreiben, das beide Paare über Orthez und Pau nach Lourdes brachte, wo sie am 27. Juni 1940 eintrafen.

Der kleine Wallfahrtsort am Nordrand der Pyrenäen war durch die Geschichte der Müllerstochter Bernadette Soubirous bekannt geworden, der im Jahr 1858 mehrfach die Jungfrau Maria in einer Grotte erschienen sein soll. Die Visionen wurden nach anfänglichem Zögern 1862 kirchlich bestätigt. Schnell entwickelte sich das verschlafene Nest zu einem beliebten Pilgerort. Im Hotel »Vatican« nahmen die Werfels ein einfaches Zimmer. Nach den Erfahrungen der vergangenen Wochen war ihnen klar geworden, dass sie Frankreich nur mit einem gültigen Visum verlassen konnten. Sie mussten also zurück nach Marseille, einzig dort bestand eine Chance, die rettenden Papiere zu erhalten. Dass sie über fünf Wochen in Lourdes auf die Reisegenehmigungen nach Marseille – so genannte »sauf conduits« – warten mussten, konnte niemand voraussehen. Quasi als Zeitvertreib beschäftigte sich Alma mit der Geschichte der Bernadette und besuchte regelmäßig die Gottesdienste in der mächtigen Rosenkranzkirche. Auch Franz Werfel war von dem Mysterium fasziniert. Bei einem seiner letzten Besuche in der Grotte von Lourdes legte der Schriftsteller ein Gelübde ab: Wenn ihm und seiner Frau die Flucht nach Amerika gelingen sollte, würde er ein Buch über Bernadette Soubirous schreiben.

Als am 3. August 1940 endlich die nötigen Papiere vorlagen, konnte die Rückreise nach Marseille beginnen. Sechs Wochen nachdem die Werfels Marseille überstürzt verlassen hatten, kamen sie zum Ausgangsort ihrer Odyssee zurück. Dort bewohnten die Eheleute das luxuriöse Hotel »Louvre & Paix«. Auf persönliche Vermittlung des amerikanischen Außenministers Cordell Hull erhielten sie Durchreisegenehmigungen für Spanien und Portugal sowie »visitor's visas« für die USA.[49] Diese Dokumente waren jedoch so gut wie wertlos, da die französischen Behörden sich weigerten, Ausreisegenehmigungen auszustellen. Sie beriefen sich auf Artikel 19 des mit dem siegreichen Hitler-Reich am 22. Juni unterzeichneten Waffenstillstandsabkommens von Compiègne, dem zufolge sich die französische Regierung verpflichtet hatte, deutsche Flüchtlinge auf Verlangen auszuliefern. Ende August kam sogar der angesehene Kunsthistoriker Louis Gillet nach Marseille, um Franz Werfel zu helfen. Er sei früher ein einflussreicher Mann gewesen, erinnerte sich Alma, *aber jetzt ist all seine Macht dahin*[50]. Er konnte nichts für sie tun. Wenigstens erhielt Alma – und dies kommt in dieser Situation einem Wunder gleich – ihr auf der Reise verloren gegangenes Gepäck zurück, darunter auch den Koffer mit den wertvollen Partituren Mahlers und Bruckners. Der Direktor des Hotels »Vatican« in Lourdes hatte sich persönlich für sie eingesetzt und seine Beziehungen spielen lassen.

In diesen Augusttagen trafen Heinrich Mann, seine Frau Nelly und sein Neffe Golo aus Nizza kommend in Marseille ein. Nelly war – Alma zufolge – *stockbesoffen* und in einer desolaten Verfassung: *Sie war furchtbar erregt, sprang plötzlich auf den Balkon um sich hinunterzustürzen. Werfel und Golo hielten sie fest, die erbarmungslos auf sie dreinhieb.* Alma wunderte sich, was den berühmten Schriftsteller Heinrich Mann *an dieses Waschweib bindet.* Und überhaupt war ihr Heinrich ein großes Rätsel: *Hie und da spricht Mann irgendetwas Gescheites, man ist erstaunt, denn er macht einen völlig vertrottelten Eindruck.*[51] Mit den Manns sollte jedoch ihr weiteres Schicksal auf der abenteuerlichen Flucht eng verbunden sein.

Als der 32-jährige amerikanische Journalist Varian Fry in Marseille plötzlich auftauchte, änderte sich die Situation der Flüchtlinge schlagartig. Fry war ein Mitarbeiter des wenige Wochen zuvor in New York gegründeten »Emergency Rescue Committees«, das vornehmlich Intellektuellen die Flucht aus Frankreich zu ermöglichen versuchte. Hauptaufgabe dieser Organisation war die Beschaffung amerikanischer Visa und die Koordination privater Hilfsorganisationen. Der junge Quäker war zweifellos der richtige Mann: Varian Fry sprach fließend Deutsch wie auch Französisch und kannte aufgrund seiner journalistischen Tätigkeit die politische Lage genau. Und nicht zuletzt war er ein äußerst geschickter Taktierer: Er knüpfte enge Kontakte zu den häufig korrupten Konsulatsbeamten und zur Mafia von Marseille, beschaffte falsche Pässe und Transitvisa und war überdies voller Ideale und Tatendrang. Bereits kurze Zeit nach seinem Eintreffen an der Côte d'Azur besuchte er die Werfels im »Louvre & Paix«. Fry wunderte sich, dass das Paar unter dem Namen Gustav Mahlers abgestiegen war. Die Hotelmitarbeiter taten überdies sehr geheimnisvoll und erlaubten ihm erst nach einiger Zeit, ihr Zimmer aufzusuchen. Während Franz

Werfel ängstlich und nervös schien, begrüßte Alma ihren Gast mit Pralinen und einer Flasche Bénédictine. Beim anschließenden Abendessen im »Basso«, einem teuren Restaurant am alten Hafen, diskutierten sie diverse Fluchtmöglichkeiten. Danach besuchte er die Werfels täglich. Da sich die politische Lage abrupt ändern konnte, hatten viele der erörterten Wege, Frankreich zu verlassen, keinen Bestand. Varian Fry machte schließlich folgenden Vorschlag: Heinrich, Nelly und Golo Mann, Marta und Lion Feuchtwanger (der Schriftsteller war erst kurz zuvor aus einem Internierungslager bei Nîmes befreit und nach Marseille gebracht worden) sowie die Werfels sollten versuchen, die spanische Grenze bei Cerbère zu überqueren. Es gebe gute Chancen, erklärte Fry, dies auch ohne Ausreisevisa zu schaffen. Alma und Franz Werfel waren sofort einverstanden. Die Abreise wurde auf den 12. September 1940 festgelegt. Anne Marie Meier-Graefe kam aus Saint-Cyr, half Alma beim Packen und begleitete die Freunde am nächsten Morgen um halb sechs zur Bahn. Lion und Marta Feuchtwanger waren nicht mehr mit von der Partie. Eine Flucht des aus Deutschland ausgebürgerten Schriftstellers schien zu gefährlich, zumal das Gerücht kursierte, die spanischen Zollbeamten ließen Staatenlose nicht mehr über die Grenze. Die Feuchtwangers sollten über einen anderen Weg ins amerikanische Exil gelangen.

Angesichts der zwölf Koffer, mit denen die Werfels am Bahnsteig erschienen, gerieten Varian Fry und sein Mitarbeiter Dick Ball ins Staunen. Über Narbonne und Perpignan erreichte die Gruppe am späten Abend Cerbère, wo die Flucht vorerst zu Ende war. »Als wir in die Halle kamen«, so Fry, »sahen wir aber, dass alle Reisenden sich vor dem Büro der Grenzpolizei aufstellen und ihre Papiere vorzeigen mussten. Das versetzte uns in panische Angst, denn ich war der einzige, der ein Ausreisevisum und somit das Recht zu reisen hatte.«[52] Während Fry die Manns und die Werfels zu beruhigen versuchte, wandte sich Dick Ball an einen französischen Grenzbeamten, der ihm erklärte, dass er niemanden ohne Ausreisevisum durchlassen dürfe, und kurzerhand alle Pässe einbehielt. Und so mussten die Flüchtlinge eine sorgenreiche Nacht in einem verlassenen Hotel in der Nähe des Bahnhofs verbringen. Am frühen Morgen versuchte Ball erneut sein Glück: »Der Ton von dem Burschen gefiel mir nicht«, berichtete Dick seinem Kollegen. »Er schien irgendetwas zu wissen. Er sagte, wir sollten sie lieber wegbringen, solange es noch geht, am besten heute.«[53] Die Situation war vertrackt, denn die Alternative zur Zugfahrt bestand einzig darin, zu Fuß über die Grenze im Gebirge zu gehen. Die beiden Amerikaner zweifelten nicht ganz zu Unrecht, ob der knapp 70-jährige Heinrich Mann und der übergewichtige Franz Werfel diesen Strapazen gewachsen sein würden. Es gab aber keine andere Möglichkeit. Nach kurzer Erörterung der nahezu aussichtslosen Lage entschieden sich Golo und Heinrich Mann sowie Alma, noch am selben Tag über den Berg zu klettern. Franz Werfel wandte plötzlich ein, es sei Freitag der Dreizehnte. Er fing an zu zittern und stammelte etwas davon, dass dies ein Unglückstag sei und man besser bis morgen warten solle. Alma unterbrach ihren Mann: *Das ist Unsinn, Franz*[54], wonach er in tiefes Schweigen verfiel. »Ich habe das Gefühl«, schrieb Carl Zuckmayer im Oktober 1940 an einen Freund, nachdem er Details der abenteuerlichen Flucht erfahren hatte, »dass Franz ohne sie einfach liegen geblieben und zu Grund gegangen wäre.«[55] Nachdem der Gang über die Grenze beschlossene Sache war, übernahm Varian Fry das Gepäck, das er als amerikanischer Staatsbürger problemlos mit dem Zug über die Grenze bringen konnte. Zuvor stattete er seine Schützlinge mit einem Dutzend Päckchen Zigaretten aus, mit denen die Grenzpolizei bestochen werden konnte. Bei gleißender Sonne begleitete Dick Ball die Gruppe bis zum Berggipfel. Der Anstieg war beschwerlich, insbesondere für Heinrich Mann und Franz Werfel. *Die Ziegen vor uns stürzten, die Schiefersteine glänzten, waren spiegelglatt und wir mussten hart an Abgründen vorbei.*[56] Mehrfach musste Nelly ihren Mann stützen, der trotz großer Bemühungen die körperlichen Strapazen kaum bewältigen konnte. Nellys *Strümpfe hingen in Fetzen von ihren blutenden Waden*[57], erinnert sich Alma. Franz Werfel litt vor allem unter der Angst, unterwegs von den gefürchteten »guardes mobiles« aufgegriffen zu werden. Alma schien die Anstrengungen hingegen verhältnismäßig gut zu verkraften. Die gesamte Zeit trug sie das restliche Bargeld, ihren Schmuck sowie die Mahler- und Bruckner-partituren in ihrer Handtasche bei sich. Auf dem Gipfel des sieben-hundert Meter hohen Berges kehrte Dick Ball um. Da Alma und Franz Werfel einen beachtlichen Vorsprung hatten, entschlossen sie sich, ohne Heinrich und Nelly Mann weiterzumarschieren. Es sei sinnvoller, glaubte man, die Grenze paarweise zu überqueren. Müh-sam krochen sie den Berg hinab und erreichten schließlich den Grenzposten. Nachdem Alma dem Polizisten einige Schachteln Zi-garetten zugesteckt hatte, wurde der Beamte immer freundlicher und gab ihnen ein Zeichen, ihm zu folgen. *Und wohin führte uns der Trottel? Zum französischen Grenzposten zurück.* Als das Ehepaar die gefürchteten »guardes mobiles« erblickte, entfuhr es Alma: *Jessas, jetzt ham's uns!* Sollten die Mühen vergebens gewesen sein? Der Chef des Grenzpostens *war plötzlich sehr lieb und winkte mit der Hand, man solle uns ruhig durchlassen*[58]. Die Soldaten zeigten ihnen sogar den richtigen Weg. Mit Golo, Heinrich und Nelly Mann tra-fen die Werfels kurz vor der spanischen Grenze wieder zusammen, die sie nun problemlos passieren konnten. Nachdem der beschwer-liche Abstieg nach Portbou geschafft war, mussten die Flüchtlinge ein weiteres Mal ihre Reisedokumente vorzeigen. *Nach qualvollem Warten endlich bekam jeder sein Papier mit Stempel zurück.*[59]

Am Bahnhof des kleinen Städtchens trafen sie Varian Fry, der bereits nervös die Ankunft seiner Schützlinge erwartete. Nach einer kurzen Nacht in einem einfachen Hotel ging die Reise am nächsten Morgen weiter in Richtung Barcelona. Im Zustand völliger see-lischer und körperlicher Entkräftung erreichte die Gruppe drei Stunden später die katalanische Hafenstadt. Erstmals seit Monaten konnten sie aufatmen und sich von den zurückliegenden Strapazen erholen, bevor sie zu einer fünfzehnstündigen Bahnfahrt nach Madrid aufbrachen. Dort gelang es Varian Fry, Flugtickets nach Lissabon zu organisieren. Als das Flugzeug am 18. September 1940 in Lissabon landete, hatten sie es fast geschafft. In Estoril, einem mondänen Vorort der portugiesischen Hauptstadt, bezogen die Werfels das »Grand Hotel d'Italia«. Den Meldezettel unterschrieb Alma als Frau »Werfel-Mahler«, als ob sie aller Welt demonstrieren wollte, dass sie und ihren Mann nichts trennen konnte. Die folgenden zwei Wochen verbrachten sie in *einer paradiesischen Ruhe in einem paradiesischen Land*[60]. Am 4. Oktober verließen die Manns und die Werfels Europa an Bord des griechischen Dampfers »Nea Hellas« in Richtung Amerika. Das Schiff war stark überfüllt und die Überfahrt entsprechend unangenehm. Trotz des schlechten Essens, das Alma in ihrem Tagebuch erwähnte, überwog die Freude, der Hölle Europa entkommen zu sein. Nur Heinrich Mann blieb immer in seiner Kabine. *Er war böse auf die ganze Welt*, behauptet Alma in ihrem Tagebuch. *Als sein Neffe ihn besuchen kam, lag er im Bett und zeichnete gerade Weiber mit großen Busen, manchmal auch nur Letztere allein.*[61]

Alma Mahler-Werfel in Los Angeles, um 1941. »Sie ist grandios. Unberechenbar.« (Zuckmayer)

In Sicherheit – und unglücklich (1940–1945)

New York ist wieder ein grandioser Anblick und ungeheures Erlebnis[1], notierte Alma bei der Ankunft im New Yorker Hafen in ihr Tagebuch. Am 13. Oktober 1940, genau einen Monat nach der beschwerlichen Überwindung der Pyrenäen, war die Flucht zu Ende. »Alma erschien als erste auf der Landungsbrücke«, erinnerte sich Carl Zuckmayer, der im Vorjahr in die Vereinigten Staaten emigriert war, »in alter Frische, mit wehendem weissem Reiseschleier und strahlend von Antisemitismus, sie hatte sichs mit dem Kapitän gerichtet dass sie früher heraus durften. Eine ihrer ersten Äusserungen, nachdem sie kaum den Fuss aufs Land gesetzt hatte, war, in mein Ohr: ›Kommt morgen nachmittag nicht später wie sechs in mein Hotelzimmer, es sind ein paar wichtige Leute da, sehr wertvolle Beziehungen, aber nicht all den Juden sagen.‹ Es war überhaupt kein Unterschied zum Grandhotel oder der Hohenwarte. Sie ist grandios. Unberechenbar.«[2] Dr. Frank Kingdon, ein Vorstandsmitglied des »Emergency Rescue Committee«, begrüßte die Geretteten am Quai. Auch Thomas und Katia Mann waren erschienen, um die Familie in Empfang zu nehmen. Und zahlreiche Reporter und Journalisten wollten Einzelheiten der abenteuerlichen Flucht erfahren.

In den folgenden zweieinhalb Monaten bewohnten Franz Werfel und Alma eine Suite im Hotel »St. Moritz«. Alte Freunde und Bekannte wie die Zuckmayers oder die Feuchtwangers, Alfred Döblin und Otto von Habsburg kamen zu Besuch. Franz Werfels Freude

AUTHORS WHO FLED FROM NAZIS ARRIVE

Franz Werfel, Heinrich Mann
Among 15 Refugee Writers
Brought Here by Liner

DESCRIBE THEIR ESCAPE

Woman Who Was Wounded by
Germans on 'Special Mission'
a Passenger on Nea Hellas

Franz Werfel and Heinrich Mann were among fifteen anti-Nazi authors and journalists sought by the Gestapo who arrived here yesterday from Lisbon on the Greek liner Nea Hellas. The ship, carrying 678 passengers, of whom sixty were citizens of the United States, docked at Fourth Street, Hoboken, at 9 A. M.

The refugee authors were met by Dr. Frank Kingdon, chairman of the Emergency Rescue Committee, which has helped many intellectuals in their flight from Europe.

Mr. Werfel, whose epic novel "The Forty Days of Musa Dagh" was placed on the Nazi "undesirable" list shortly after its publication six years ago, was accompanied by his wife, Alma. He said that he knew of reports published here of his imprisonment by the Nazis, but asserted that he had never been taken into custody by them.

When asked to describe his journey from the Cote d'Azur in Southern France, where he lived at the outbreak of the war, to Lisbon, Mr. Werfel said: "It would be very dangerous to speak of it. Many of my friends are still in concentration camps."

As a native Czecho-Slovak he used a passport from that country. During his flight he destroyed twenty of his articles because of the conviction that they might be "dangerous" if he were arrested. At one time he lost nearly all his manuscripts, he said, but he and Mrs. Werfel recovered some of them, including the manuscript of a new novel.

Werfels Had Foot Journey

Before going to Lisbon the Werfels spent two months in Marseille. From there they set out for Barcelona on June 13, traveling some

Franz Werfel talks to reporters

*Ankunft in New York am 13. Oktober 1940. Franz Werfel (oben),
Heinrich und Nelly Mann (unten)*

über die glückliche Rettung wurde allerdings durch die große Sorge um seine Eltern getrübt. Rudolf und Albine Werfel hatten im Sommer Vichy verlassen und waren nach Bergerac gezogen, einer Kleinstadt rund neunzig Kilometer östlich von Bordeaux. Sie befanden sich also nach wie vor in großer Gefahr. Unmittelbar nach der Ankunft in New York versuchten Werfel und seine Schwestern – Marianne Rieser lebte mittlerweile auch in New York, Hanna und ihre Familie konnten sich nach London retten – ihre Eltern aus Frankreich herauszuholen, ein Unternehmen, das ihnen nur teilweise gelingen sollte.[3]

In »Deutsch-Kalifornien«

Anfang der vierziger Jahre hatte sich Los Angeles zu einer Hochburg der deutschen Emigration entwickelt: Die Schriftsteller Thomas und Heinrich Mann, Bertolt Brecht und Alfred Döblin, die Komponisten Arnold Schönberg und Erich Wolfgang Korngold, der Regisseur Max Reinhardt, um nur einige zu nennen, ließen sich irgendwann nach ihrer Flucht aus Europa in »Deutsch-Kalifornien« nieder. Es war dieses Gefühl, nicht alleine sein zu wollen, das die Werfels bewog, an die Westküste der Vereinigten Staaten überzusiedeln. Das milde Klima und die immergrüne Vegetation zogen insbesondere Franz Werfel an. Der Antiquitätenhändler Adolf Loewi und seine Frau, Alma kannte das Ehepaar aus Venedig, boten sich an, für sie ein geeignetes Haus zu suchen, was auch schnell im Villenbezirk »The Outpost«, hoch über der Stadt, inmitten der Hollywood Hills gefunden war. Diese vornehme Gegend war durch ein Labyrinth kleiner, verwinkelter und kurvenreicher Straßen geprägt. Unterhalb des Berges lag die »Hollywood Bowl«, eine riesige Freilichtbühne, in der regelmäßig Konzerte, Opern- und Operettenabende stattfanden. Wenn der Wind günstig stand, konnten Alma und Franz die Aufführungen von der Terrasse aus mit anhören. Das

August Hess – Butler, Chauffeur, Gärtner, Almas Trinkpartner und Werfels Kammerdiener. »Er verbreitete die von ihr lang vermisste Aura eines rein arischen Mannes.« (Albrecht Joseph)

Haus der Werfels in der Los Tilos Road war vergleichsweise klein. Wie häufig in Amerika trat man durch die Haustür direkt ins Wohnzimmer, wo Almas Flügel stand. Durch einen kleinen Flur gelangte man in die Küche und ins Esszimmer. Werfels Arbeitszimmer sowie die Schlafräume, die Eheleute schliefen auch in Amerika immer getrennt, befanden sich im Souterrain. Zweifellos waren die räumlichen Verhältnisse bescheiden und konnten dem Vergleich zum Landhaus in Breitenstein oder zur Villa auf der Hohen Warte nicht standhalten. Dennoch waren sie zufrieden. Adolf Loewi konnte sogar einen Butler auftreiben, der den Werfels das Leben erleichtern sollte.

August Hess war »ein schlanker, mittelgroßer Mann mittleren Alters mit graublondem lockigem Haar und den wässrigen Augen eines fröhlichen Alkoholikers«[4]. Hess, Jahrgang 1904, war gebürtiger Deutscher und stammte aus der Nähe von Heidelberg. Er hatte sich der leichten Muse verschrieben und war als Operettentenor in

*Die Terrasse des Hauses 6900 Los Tilos Road, das die Werfels im
Januar 1941 bezogen*

einem Provinztheater engagiert. Nachdem sein Ensemble während
einer Amerikatournee Bankrott gegangen war, war er in den Vereinigten Staaten geblieben und hatte sich als Butler durchgeschla-
gen. Alma war von ihrem neuen Hausangestellten begeistert. Sie
genoss es, einen Deutschen im Haus zu haben, der nicht vor den
Nazis hatte fliehen müssen und der Hitler und die Deutschen nicht
hasste: »Er verbreitete die von ihr lang vermisste Aura eines rein arischen Mannes.«[5] Inmitten der jüdischen Emigranten, denen Alma
täglich begegnete, war August Hess – wie sie es wohl empfand – ein
willkommener »arischer Kontrapunkt«. Der neue Diener war insbesondere Franz Werfel treu ergeben. Er verstand zwar nicht viel von
dem, was dieser schrieb, verehrte ihn aber umso mehr. Der »schöne
August«, wie er wegen seiner attraktiven Erscheinung genannt
wurde, war Butler, Chauffeur, Gärtner, Almas Trinkpartner und
Werfels Kammerdiener in einer Person und war aus ihrem Leben in
Amerika nicht mehr wegzudenken. Im eigenen Oldsmobile kut-

schierte August Hess seine Herrschaften durch die Stadt; Besuche bei Otto Klemperer oder Max Reinhardt, Einladungen zum Tee, zum Cocktail oder zu einer Dinnerparty reihten sich aneinander. Die Werfels hatten sich in ihrem zweiten Exil durchaus eingerichtet: *Wir leben hier in den blauen blühenden Tag hinein und preisen Gott.*[6]

Werfel hat angefangen zu arbeiten, hielt Alma Anfang 1941 in ihrem Tagebuch fest. *Gott sei Dank! Es ist ein solches Wunder, dass er sich schon wieder konzentrieren kann.*[7] Und wenige Tage später hieß es: *Es ist der Gesang der Bernadette. Es ist Lourdes, das große Erlebnis, das wir dort hatten.*[8] Franz Werfel hatte sich an sein Gelübde in der Grotte des französischen Wallfahrtsortes erinnert. Das Thema hatte ihn gepackt. Mit großer Intensität widmete er sich mehrere Stunden täglich der Geschichte der Müllerstochter Bernadette Soubirous. Dr. Georg Moenius, ein deutscher Priester, der ähnlich wie die Werfels über Frankreich in die Vereinigten Staaten geflüchtet war, stand Franz Werfel mit seinem theologischen Wissen zur Seite. Nach nur vier Monaten lag im Mai 1941 die erste Fassung der »Bernadette« vor. Wie immer begann Werfel nun, seinen Text zu überarbeiten. Während er die weiteren Fassungen seiner Werke bislang selbst schriftlich fixiert hatte, hatte er nun dafür einen Sekretär engagiert. Albrecht Joseph war knapp vierzig Jahre alt, als er die Arbeit bei Franz Werfel aufnahm. Er war in Frankfurt geboren worden, wo er Anfang der zwanziger Jahre als Theaterregisseur tätig war. Später hatte er den Film für sich entdeckt und einige erfolgreiche Drehbücher geschrieben. Nach der »Machtergreifung« wurde diese Karriere beendet, als Jude musste er Deutschland verlassen und gelangte über Österreich, Italien, England und Frankreich schließlich in die USA.

Franz Werfel bestellte seinen Sekretär in der Regel am frühen Vormittag zur Arbeit. Dann fuhr Albrecht Joseph mit seinem klapprigen Packard Coupé in die Hollywood Hills. Gelegentlich blieb er vor der Haustür stehen, verweilte einige Augenblicke, ohne zu klin-

Franz Werfels Sekretär Albrecht Joseph.
»Benimm dich nicht wie ein Jud, setz dich
hin und trink ein Glaserl Schnaps!«

geln, um Almas Klavierspiel, häufig waren es Werke von Johann Sebastian Bach, zuzuhören. »Sie konnte wundervoll Bach spielen, mit
viel Gefühl und Kraft, und ich bedauerte es, wenn sie letztendlich
aufhörte, und ich doch die Glocke läuten musste.« Er genoss diese
Minuten, die ein Privileg waren, da »sie sich weigerte, für irgendwen
außer Werfel zu spielen«[9]. Zur Arbeit zogen sich Werfel und sein
Sekretär in das Kellerstudio zurück, wo er ihm mehrere Stunden
aus den schwarzen Schulheften diktierte, in die er immer seine Romane und Gedichte schrieb. Neben den engen Kontakten zu Friedrich Torberg, auf die noch zurückzukommen sein wird, und anderen deutschen Emigranten, wie Thomas Mann oder Bruno Walter,
sind es vor allem die unveröffentlichten Erinnerungen von Albrecht
Joseph, die einen relativ genauen Einblick in das alltägliche Leben
der Werfels in Los Angeles vermitteln.

»Benimm dich nicht wie ein Jud«, rief Alma Albrecht Joseph
nach getaner Arbeit zu, »setz dich hin und trink ein Glaserl
Schnaps!«[10] Am Nachmittag hatte die Hausherrin bereits den
größeren Teil ihrer täglichen Flasche Bénédictine zu sich genommen. »Benediktiner war mir zu süß«, erinnert sich Albrecht Joseph,

»ich nahm ein Glas Whiskey. Mehr als ein Glas wollte ich nicht. Dann sagte sie: Mit dir kann man nicht trinken, weil du ein Jud bist!«[11] Obwohl Albrecht Joseph auf bekannte jüdische Alkoholiker verwies und dieses Vorurteil zu widerlegen versuchte, blieb Alma bei ihrer Meinung. Sie war davon überzeugt, dass Juden auch hinsichtlich des Trinkens den »Ariern« unterlegen wären. Trotz ihres abstrusen Gehalts verfehlten solche Äußerungen nicht ihre Wirkung. Franz Werfel litt nach wie vor unter Almas Antisemitismus, der sich in Amerika genauso extrem und unbelehrbar zeigte wie in Europa vor der Emigration. Albrecht Joseph: »Man stritt sich über die Nachrichten, die wie immer ziemlich schlecht waren. Alma vertrat den Standpunkt, dass es gar nicht anders sein könnte, da die Alliierten – Amerika war noch nicht in den Krieg eingetreten – degenerierte Schwächlinge wären, und die Deutschen, inklusive Hitler, Supermänner. Werfel ließ diesen Unsinn nicht gelten, aber Alma gab nicht nach. Der sinnlose Streit dauerte ungefähr zehn Minuten, dann klopfte Werfel mir auf die Schulter und sagte: ›Lass uns nach unten gehen und arbeiten.‹ Mitten auf der engen Wendeltreppe blieb er stehen, drehte sich zu mir und sagte: ›Was soll man mit so einer Frau nur machen?‹ Er schüttelte den Kopf: ›Man darf nicht vergessen, dass sie eine alte Frau ist.‹«[12]

Endlich habe ich hier richtige Freunde gefunden! So schallte es Albrecht Joseph entgegen, als er eines Morgens zur Arbeit kam. Sichtlich aufgeregt erzählte Alma ihm von Gustave Otto Arlt und seiner Frau Gusti, die sie wenige Tage zuvor auf einer Einladung bei Arnold Schönberg kennen gelernt hatte. Gustave Arlt war der Sohn deutscher Einwanderer und als Literaturwissenschaftler an der University of California tätig. Zwischen Alma und den Arlts entwickelte sich schnell eine enge Freundschaft. Aufmerksame Beobachter konnten ihre Begeisterung für die neuen Freunde allerdings nicht teilen. Für Albrecht Joseph waren sie aufdringliche Wichtigtuer und darüber hinaus politisch hochgradig suspekt. Gustave Arlt eilte der Ruf voraus, ein überzeugter Antikommunist zu

sein und dem NS-Regime in Deutschland mit Sympathie gegen-
überzustehen. In Arlts Gegenwart konnte Alma ungehindert auf
Juden und Marxisten schimpfen, wie Albrecht Joseph sich erinnert:
»Von da an wurden sie zu einem unvermeidbaren Bestandteil im
Hause Werfel, und brachten in Alma einen irrsinnigen Hass auf
alles Russische oder Demokratische hervor, durch den sie wie eine
extreme McCarthy-Anhängerin wirkte.« Alma ließ keinen Zweifel
daran, »dass ein Teil ihrer Anziehungskraft für sie darin bestand,
dass sie reine Deutsche waren«[13]. Glaubt man Albrecht Joseph,
dann begegnete auch Franz Werfel dem Paar eher distanziert, vor
allem Gusti Arlt konnte er nur schwer ertragen. »Seine Frau war
die schlimmste Karikatur einer deutschen Hausfrau, die man sich
überhaupt vorstellen konnte. Aufgeblasen vor lauter unterdrückter
Gehässigkeit, grotesk hässlich und dick, einen Ausdruck von Überlegenheit und Stolz zur Schau tragend, der fast bewundernswert
war, da er auf absolut nichts gründete.«[14] Da Werfel merkte, wie
wichtig seiner Frau dieser Kontakt war, zog er sich zurück und
machte gute Miene zum bösen Spiel. August Hess sprach dagegen
aus, was andere – vielleicht auch Werfel – nur dachten. »Er vermutete, ihre Freundschaft zu Werfels bestand aus opportunistischen
Beweggründen, und sagte es ihnen unumwunden ins Gesicht.«[15]

Mit den Arlts ist eine Episode verbunden, die viel über die ehelichen Differenzen der Werfels zu Beginn des amerikanischen Exils
aussagt. Als Franz Werfel die Nachricht erhielt, dass sein Vater am
31. Juli 1941 in Marseille gestorben war, waren die Arlts zufällig zu
Gast in der Los Tilos Road. Der Tod des Vaters schmerzte den
Sohn sehr. Er machte sich schwere Vorwürfe, seinen Eltern das
Emigrantenschicksal in Frankreich nicht erspart haben zu können.
Albrecht Joseph erinnert sich noch genau an die Atmosphäre: »Ich
konnte es kaum fassen, wie sich zwei Fremde an einem solchen Tag
aufdrängen konnten, und den Werfels vorschlugen, den Tag mit
einer Besichtigungstour und einem gemeinsamen Abendessen zu
verbringen. Ich habe mit Werfel nie darüber gesprochen, bin mir

jedoch sicher, dass er, obwohl er bestimmt fassungslos über die schlechten Nachrichten war, diesem Ausflug zustimmte um einen Streit mit Alma, die sehr dafür war, zu vermeiden.«[16] Alma reagierte erschreckend herzlos, was allerdings nicht weiter verwundert, weil ihr ja die Familie ihres Mannes – man denke an die problematischen Besuche in der Schweiz und in Frankreich – immer fremd geblieben war. Dass ihr Mann den geliebten Vater verloren hatte, war für Alma offenbar ein zu vernachlässigendes Detail. Franz Werfels Sorge aber galt nun der 70-jährigen Mutter. Als er schließlich erfuhr, sie sei auf dem Weg nach Portugal und würde Ende September in den Vereinigten Staaten eintreffen, fiel eine große Last von seinem Herzen. In New York, wohin die Werfels im Frühherbst 1941 fuhren, um Albine Werfel in Empfang zu nehmen, richteten sie sich auf einen längeren Aufenthalt ein. Alma eröffnete in ihrer Hotelsuite einen kleinen Salon, wo sie Politiker, den Hochadel der gestürzten k.u.k.-Monarchie oder Künstler wie den russischen Maler Marc Chagall empfing. *Nach wie vor bin ich hier und nur hier im Himmel [...]. Wir gehen in alle Theater, hören Musik, wo es nur möglich ist. Die Übertragung der I. Mahler freut mich ungeheuer und besonders, dass es nicht der Pseudo-Mahler-Papst Walter gemacht* [hat].[17]

Unter Emigranten

Zu den engsten Freunden der Werfels in Amerika gehörte der wesentlich jüngere Schriftsteller Friedrich Torberg. Franz Werfel kannte den Kollegen flüchtig aus Wien, in Kalifornien entwickelte sich zwischen ihnen eine intensive Freundschaft. Schon nach kurzer Zeit fühlte sich Torberg im kleinen Domizil auf der Los Tilos Road fast wie zu Hause. Die beiden Schriftsteller waren einander bald eng verbunden, das Zusammensein mit ihm ersetzte Franz Werfel zumindest in Ansätzen das schmerzlich vermisste Wien, die

Kaffeehausatmosphäre, überhaupt den österreichischen Kulturraum. Torberg bewunderte Alma und sah in ihr eine gestrenge Patronatsherrin, durch die er sich »vor einem völligen Absacken und Verlottern bewahrt fühle«. Alma lobte, tadelte und sagte ihm Dinge, »die mir niemand andrer sagen kann als Du«[18]. Der Briefwechsel zwischen Alma und Friedrich Torberg erinnert in vielerlei Hinsicht an ihre Korrespondenz mit Alexander von Zemlinsky, Gustav Mahler oder Oskar Kokoschka. Auch Torberg ärgerte sich in seinen Schreiben immer wieder über Almas Dialogunfähigkeit, während sie ihn gelegentlich mit Eifersüchteleien und ihrer Selbstgefälligkeit quälte. Als er in einem Brief an Franz Werfel schrieb, er und seine New Yorker Freunde würden oft über ihn sprechen, erhielt Torberg von Alma einen beleidigten Rüffel: *Bös' war ich Dir, als Du Franzl schriebst, Ihr habt alle viel über ihn gesprochen! Bin ich denn ein Hund? Ich bin Euch halt doch fremd, Ihr bösen Juden Ihr!* [...] *Und wenn Ihr unter Euch seid, lasst Ihr mich unter den Tisch fallen!*[19] Torberg wunderte sich über so viel Selbstsucht: »Irgendwie hast Du Dich noch immer nicht von der Vorstellung freigemacht, dass ein Jude unbedingt darunter zu leiden hätte, dass er ein Jude ist, und dass er unbedingt wünschen müsste, etwas andres zu sein (am besten ein Katholik).« Es sei ein Irrtum, wie Torberg seiner Freundin versicherte, »dass die solcherart leidenden und solcherart sehnsüchtigen Juden, wenn sie dann einmal in ihren Katakomben zusammenhocken und ganz ›unter sich‹ sind, erlöst aufatmen und als ersten Programmpunkt ihrer Verschwörung Dich unter den Tisch fallen lassen«[20]. Torberg begriff freilich nicht, dass jene Mischung aus Ichbezogenheit und Spaß an der Kränkung Alma in die Lage versetzte, ihn, dessen Verhältnis zum eigenen Judentum nicht so konfliktfrei war, wie er vorgab, zu disziplinieren. Almas Rechnung ging auf: Artig versicherte Torberg ihr in seinem nächsten Brief, wie häufig er und seine Freunde über Alma sprechen, wie sehr sie alle Alma lieben würden. Nichtsdestoweniger war ihm die »liebste Freundin«, wie er Alma nannte, ein großes Vorbild. Wenn die Werfels einmal nicht in Los Angeles waren, schrieb Torberg ihnen sehnsüchtige Briefe und konnte die Heimkehr der Freunde kaum erwarten.

Wir werden Mitte Jänner zurückkommen, versicherte Alma ihrem jungen Freund. *Vielleicht nur, um zu packen und wieder zu gehen*, ergänzte sie, *vielleicht um zu bleiben.*[21] Als die Eheleute nach knapp vier Monaten in New York wieder die eigenen vier Wände bezogen, blieben sie vorerst an der Westküste. Erstmals seit ihrer Ankunft in Kalifornien klagte Alma über die amerikanische Kultur. *Die Natur ist hier leer und monoton*, schrieb sie in ihr Tagebuch. *Die Natur machen ja die Menschen. Und die sind erst 200 Jahre da, und was sie da taten ist: Das bissel Kulturwerk der Indianer vernichten.* Sie vermisste Europa, insbesondere Italien und Österreich. Mit Wehmut dachte Alma an die Jahre in Venedig oder Santa Margherita Ligure zurück. *Italien ist unser aller Heimat*[22], lautete ihr Fazit.

»Kaffee getrunken, gebadet, gegangen.«[23] Den 1. April 1942 begann Thomas Mann mit einer ausgiebigen Morgentoilette. Nach dem Frühstück blieb noch etwas Zeit fürs Schreiben, ehe er sich zum Lunch mit dem amerikanischen Kunstsammler Robert Woods Bliss traf. Am Abend stand eine weitere Einladung auf dem Programm des Literaturnobelpreisträgers. Um 19 Uhr fuhren er und seine Frau Katia zu den Werfels nach Hollywood. Alma hatte das Ehepaar Mann, die Arlts sowie den Komponisten Erich Wolfgang Korngold und seine Frau zum Abendessen eingeladen. Golo sowie Heinrich und Nelly Mann kamen etwas später dazu. Mit so viel prominenten Zeitgenossen im Haus war Alma in ihrem Element. Sie ließ die schönsten Köstlichkeiten auftischen, was selbst den pingeligen Thomas Mann zum Prädikat »gute Bewirtung«[24] verleitete. August Hess hatte alle Hände voll zu tun, immer wieder bestellte Alma frischen Champagner und schwarzen Kaffee. Dabei konnte es geschehen, wie sich Albrecht Joseph erinnerte, dass die Hausherrin nach unzähligen Benediktinern ihr Glas in die Höhe hob und laut rief: »Komm schon, August! Nimm dir ein Glas und stoße mit uns an. Wir sind alle eine glückliche Familie!«[25] August Hess hasste der-

Alma und Franz Werfel am Set in Hollywood mit Errol Flynn und Claudette Colbert

artige Auftritte. Während Heinrich Mann an einer Zahnfistel litt und den Abend nicht genießen konnte, amüsierte sich seine Frau Nelly umso mehr. »Desolate Aufführung des Weibes«[26], notierte Thomas Mann über das Benehmen seiner Schwägerin. Heinrich Mann war Alma nach wie vor ein Rätsel. Sie beobachtete bei ihm *das Nachlassen und Abwärtsfallen der unteren Kieferpartie*, was auf sie *den Eindruck vollster Idiotie* machte. Für Alma war das kurzerhand ein *Vorzeichen des Todes*[27].

»The Song of Bernadette« wurde Franz Werfels größter Erfolg und zählte schnell zu den meistverkauften Bestsellern in der Verlagsgeschichte der Vereinigten Staaten. Als das Buch am 11. Mai 1942 mit der hohen Startauflage von 200 000 Exemplaren im amerikanischen Buchhandel erschien, war sein Autor bereits eine nationale Berühmtheit. Bis Ende Juli erreichte der Roman eine Auflage von 400 000 Exemplaren.[28] Zusätzlichen Auftrieb erhielt diese Bernadette-Hysterie durch den Verkauf der Filmrechte an das Studio der Twentieth Century Fox. Die Geschichte der französischen

Müllerstochter rührte die Menschen zu Tränen. Auf Wunsch seines amerikanischen Verlegers Ben Huebsch reisten Alma und Franz Werfel Mitte Juni 1942 für acht Tage nach New York – in das Zentrum der Begeisterung. Unzählige Interviewwünsche wurden an Werfel gerichtet, mehrfach wurden landesweit Gespräche mit dem Autor im Radio übertragen, und alle großen Tageszeitungen veröffentlichten Reportagen und Rezensionen. Und nicht zuletzt wollte die feine New Yorker Gesellschaft das Phänomen Werfel aus der Nähe betrachten: Er und Alma wurden von einer Party zur anderen weitergereicht.

In New York traf Franz Werfel seine Mutter und seine Schwester wieder; das Zusammensein gestaltete sich allerdings schwierig, wenn man Almas despektierlichen Äußerungen über ihre Schwiegermutter in ihrem Tagebuch folgt: *Die Mutter ist ein armes Schaf, bäht bald rechts, bald links, ohne eigene Einstellung. Ihr Gesicht ist seltsam hässlich, alles ist verschlitzt. Aus kleinen Augenschlitzen sieht sie kümmerlich in die Welt. Die Zähne durchbrechen mühsam einen kleinen verzogenen Mund, der schwer lächelt oder lacht. Gut, sie ist alt, allerdings war sie das so lange ich sie kenne!* Auch an ihrer Schwägerin Marianne Rieser ließ Alma kein gutes Haar. *Und nun die Schwester, die mit stolzem Pfauenschweif einhergeht, sich für ein Genie hält und keines ist, jeden beneidet, der es nach ihrer Meinung leichter hat. Es ist ein fortwährendes Gekrach, Gekeife, Getratsch, ich habe so was nie und nirgends gesehen.*[29]

Als die Werfels Anfang Juli 1942 nach Los Angeles zurückkehrten, setzte sich das gesellige Treiben der New Yorker Tage ohne Unterbrechung fort. Am Samstag, dem 11. Juli, bat Bruno Walter die Werfels und Korngolds sowie Thomas und Katia Mann zum Dinner. Etwas später erschien Erika Mann, die seit einiger Zeit ein Verhältnis mit dem 66-jährigen Walter hatte. Das ungleiche Liebespaar war sehr vorsichtig, musste es sein, da der Dirigent offiziell glücklich verheiratet war. Während Walter Ausschnitte aus Johann Sebastian Bachs »Matthäuspassion« auf dem Klavier vortrug, betran-

*Die ungeliebte Verwandschaft: Franz Werfels
Schwester Marianne Rieser. »Der glückliche
Franz Werfel, der nicht weiß, dass er aus einer
Gangsterfamilie kommt!«*

ken sich Alma und Erika Mann. Thomas Mann beobachtete dieses
Trinkgelage mit Befremden: »Bedauerliches Sich Übernehmen Eri-
kas in Alkohol (mit der Mahler). Verträgt nichts, wohl auch unter
dem Einfluss des Klimas, über dessen ermüdende Wirkung allgemein geklagt wird.«[30]

Die zahlreichen gesellschaftlichen Verpflichtungen, die Alma
und Franz Werfel gemeinsam wahrnahmen, konnten nicht darüber
hinwegtäuschen, dass es zwischen den Eheleuten gärte. Immer wieder kam es zu unschönen Zwischenfällen, in deren Verlauf Alma
keinen Zweifel daran ließ, dass sie nur seinetwegen die Heimat verlassen habe. *Die Juden erleben jetzt noch eine Prüfung, noch eine
Strafe drauf [...]. Die Jüngeren haben sich nach Amerika gerettet und
die Alten blieben zurück und gedachten in der wohlbekannten Umgebung ihr Leben zu beschließen. Aber Hitler lenkte es anders. Und nun
müssen die Jungen alles tun, um die alten Juden – innerlich weit ent-*

fernt, mit ungeheuren Geldopfern herüber kommen zu lassen. Alma meinte beobachten zu können, *wie die Jungen die Alten herbeifürchten. Wenn ich Werfels Mutter sehe, wie sie mit unzählbaren Händen herumfuchtelt, schreit und immer Ichbesessen ist, dann kann ich mir vorstellen, wie alle Andern leiden!*[31] Franz Werfel, der sich nach wie vor Vorwürfe machte, den kranken Vater nicht gerettet zu haben, empfand Almas Einstellung als schrecklichen Zynismus. Bei einer Einladung kam es kurze Zeit später zur Eskalation, die Albrecht Joseph miterlebte: »Wenn jemand sagte, nichts könne die Welt den von den Nazis begangenen Horror vergessen machen, bezog Alma, wie zu erwarten war, Stellung und sagte, man solle nie verallgemeinern; die Nazis hätten schließlich auch viele lobenswerte Dinge vollbracht. Jemand antwortete, allein der Gedanke an die Konzentrationslager genüge, um sich tagelang krank zu fühlen. Alma: ›Diese Horrorgeschichten sind von den Flüchtlingen erfundene Phantasiegespinste.‹« Die Stimmung war am Nullpunkt angelangt. Nach einem Augenblick absoluter Stille sprang Franz Werfel auf und bekam einen fürchterlichen Wutanfall. »Er war völlig außer sich; er hatte die Kontrolle ganz und gar verloren und war einem Schlaganfall gefährlich nahe.« Die Urheberin dieses Exzesses reagierte, wie in solchen Fällen immer – mit Ignoranz: »Sie dachte vielleicht, dass sich Werfel, kindisch wie er nun einmal war, kindisch daneben benommen hatte.«[32]

Franz Werfel flüchtete vor Almas antisemitischen Ausfällen in das idyllische Santa Barbara – rund achtzig Meilen nördlich von Los Angeles, wo er in der Hoffnung, Ruhe für die Arbeit zu finden, einen Bungalow des Luxushotels »Biltmore« bezog. Offensichtlich waren es diese Auszeiten – in Europa in Santa Margherita, in Venedig oder auf dem Semmering, in Amerika nun in Santa Barbara –, die es den Werfels ermöglichten, räumlich getrennt, trotz großer Differenzen wieder zusammenzufinden und so ihre Verbindung über fünfundzwanzig Jahre stabil zu halten. Dabei blieb die bewährte, traditionelle Rollenaufteilung auch in Amerika erhalten:

Das Haus 610, North Bedford Drive, Beverly Hills, Domizil der Werfels seit 1942

Franz Werfels Schreibtisch. Hier starb der Schriftsteller am 26. August 1945.

Während Werfel an der Endfassung seines neuen Theaterstücks »Jacobowsky und der Oberst« schrieb, bereitete Alma im Spätsommer 1942 wieder einmal einen Umzug vor. Das Paar hatte sich entschlossen, die Hollywood Hills zu verlassen und ein Anwesen im vornehmen Villenbezirk Beverly Hills zu erwerben, wo unweit des Santa Monica Boulevards ein schöner Bungalow mit großem Garten zum Verkauf angeboten worden war. *Es war ein solches Geriss darum, einer überbot den Andern, schließlich überboten wir und bekamen es.*[33] Das Haus 610, North Bedford Drive war von der australischen Schauspielerin May Robson erbaut worden und entsprach den typischen »gutbürgerlichen, spießigen Häusern, von außen hübsch anzusehen, von innen düster und äußerst geschmacklos möbliert«[34]. Freunde und Bekannte der Werfels prägten die neue Nachbarschaft: Friedrich Torberg wohnte nicht weit entfernt auf dem Sunset Boulevard, in der Nähe lebten auch der Schauspieler Ernst Deutsch und seine Frau Anuschka. Oft trafen sie nun mit den Korngolds, den Schönbergs oder mit Lion und Marta Feuchtwanger zusammen. Alma genoss besonders das Zusammensein mit Erich Maria Remarque, den sie am 12. August auf einer Party kennen gelernt hatte. *Ich habe eine große Freundschaft und Saufgenossenschaft mit Remarque gefunden*, ließ Alma Carl Zuckmayer kurze Zeit später wissen. *Das ist wirklich ein Kerl und eine Erholung auf die Manns, Ludwigs, Feuchtwänglers. (So nannte man den Gnom nämlich in France) etc. etc.!*[35] Der 44-jährige Remarque war groß und hatte eine männliche, geradezu verwegene Ausstrahlung. Immer wenn er und Alma zusammentrafen, war viel Alkohol im Spiel. Dabei war der erste Abend alles andere als reibungslos verlaufen, wie Remarque in seinem Tagebuch andeutete: »Werfel u. seine Frau. Die Frau ein wildes, blondes Weib, gewalttätig, saufend. Hat bereits Mahler unter die Erde gebracht. War mit Gropius u. Kokoschka, die ihr scheinbar entkommen sind. Werfel wird nicht. Wir soffen. Sie pfiff Werfel wie einen Hund, war stolz darauf; er kam auch. Das erboste mich u. wodkaumflossen, sagte ich ihr die Meinung.«[36]

Alma konnte Remarque offenbar nicht böse sein, zumal er ihr nach jener durchzechten Nacht einen charmanten Brief schrieb. »Wie man, gnädige Frau, aus einer stürmischen Wodka-Rum-Gewitternacht wieder auftaucht, – (Träume im Haar, Bromo-Seltzer im Magen, das Chaos abebbend hinter sich) – als Freunde fürs Leben oder als Feinde in Ewigkeit, – wer weiß das?« Remarque schenkte ihr eine Flasche russischen Wodka, die in einen riesigen Blumenstrauß gehüllt war. Damit zollte er Alma den Respekt, »den Wölfe vor Löwinnen haben«[37].

Bei dem ersten Fest im neuen Haus am 11. Oktober 1942 war denn auch fast die gesamte »Nachbarschaft« erschienen. Thomas und Katia Mann, Ben Huebsch, Erich Maria Remarque sowie die Arlts standen an jenem Sonntag auf der Gästeliste, und Alma konnte einmal mehr ihre Begabung als Gastgeberin unter Beweis stellen. »Üppiges Mahl, kalifornischer moussierender Burgunder. Benediktiner zum Kaffee.«[38] Alma war durchaus zum Feiern zumute, nicht nur wegen des geglückten Hauskaufes: *Annerl ist verheiratet, sie erwartet ein Kind und diesmal mit Liebe und Hoffnung.*[39] Almas vierter Schwiegersohn war der russische Dirigent Anatol Grigorjewitsch Fistoulari. Der 1907 in Kiew geborene Musiker hatte sich 1940 in England niedergelassen und hauptsächlich als Gastdirigent gearbeitet. Alma freute sich zunächst für ihre Tochter. *Hoffentlich wird er ihr nicht bald langweilig*, hielt sie jedoch einschränkend in ihrem Tagebuch fest, *wie das bei all ihren Bindungen bis jetzt der Fall war.*[40] Erst Jahre später, als Alma erfuhr, dass Fistoulari jüdischer Herkunft war, sollte sie eindeutig Stellung beziehen, und zwar gegen ihn.

Den Jahreswechsel 1942/1943 verbrachten Alma und Franz Werfel in New York, insbesondere weil er seine Mutter wiedersehen wollte, die sich in der großen Stadt fremd fühlte. Von regelmäßigen Besuchen ihrer Tochter Marianne abgesehen, lebte Albine Werfel vereinsamt in einem großen Apartmenthaus. Alma öffnete im Hotel »St. Moritz« ihren Salon, traf alte Freunde und Bekannte. In der ersten Januarwoche zog sie sich allerdings eine Grippe zu, mit der sie knapp einen Monat bettlägerig war und den weiteren Aufenthalt nicht in vollen Zügen genießen konnte. *Bin seit gestern auf eine Stunde tägl. auf*, schrieb sie am 9. Februar an Friedrich Torberg, *darf nicht ausgehen, habe alles versäumt – Concerte! Alles! Bin sehr herunter!*[41] Nur langsam kam sie wieder zu Kräften. *Viel Mozart in der Oper gehört*, beruhigte Alma ihren Freund vierzehn Tage später: *Sonst fange ich erst wieder an – der Musik nachzulaufen.*[42]

Das schwache Herz

Nach fast drei Jahren Amerika-Aufenthalt fühlten sich die Werfels zunehmend wohl in ihrem kalifornischen Exil. Noch an ihrem 64. Geburtstag, am 31. August 1943, betonte Alma ihre Zufriedenheit: *Es ist ein Paradies*, notierte sie in ihrem Tagebuch. *Werfel war wundervoll zu mir an diesem Tage, und ich werde es mir merken.*[43] Gut zwei Wochen später, zwei Tage nach Franz Werfels 53. Geburtstag, sollte sich die Situation völlig verändern. Friedrich Torberg war gerade zu Gast am Bedford Drive, als sich Franz Werfel sichtlich zufrieden *eine kohlschwarze schwere Havanna* anzündete. Alma erinnerte ihren Mann an die ärztlichen Bedenken: *Er warf sie auf meine Bitte weg, zündete sich aber sofort eine neue, wenn auch leichtere Zigarre, an. Später noch einige Zigaretten. Es war spät und ich ging in mein Zimmer. Aber schon nach einer halben Stunde kam er mit vollkommen verändertem Gesicht mir nach und ich konnte ihn kaum in sein Zimmer tragen.*[44] In der Nacht zum 13. September erlitt Franz Werfel einen schweren Herzinfarkt. Dr. Erich Wolff, ein aus Deutschland geflohener Herzspezialist, verordnete ein striktes Rauchverbot und beschrieb seinem Patienten in drastischen Worten die gesundheitlichen Folgen übermäßigen Rauchens. Dieser lachte darüber. Solange er denken konnte, hatte er eine Zigarette nach der anderen geraucht. Er konnte sich beim besten Willen nicht vorstellen, diese Sucht jemals loszuwerden. Alma nahm die Diagnose jedoch ernst und überwachte die ärztliche Anordnung gewissenhaft. In dieser sorgenreichen Zeit vertiefte sich die Freundschaft der Werfels zu Friedrich Torberg, der ganze Nächte am Bett des Kranken verbrachte. Wenn der Nikotinentzug zu groß wurde und Alma nicht in der Nähe war, bat Werfel seinen Freund, sich eine Zigarette anzuzünden und ihm den Rauch ins Gesicht zu blasen.

Trotz der guten Pflege war Franz Werfels Gesundheitszustand für längere Zeit bedenklich. Erstickungsanfälle, Schweißausbrüche, Atemnot und hohes Fieber prägten die Tage und Nächte. *Franzl ist immer noch nicht über den Damm*, hieß es Anfang Oktober im Tagebuch. *Er ist sehr schwach, das Herz muss sehr gestützt werden, die Atmung schwer, er atmet viele Stunden des Tages mit dem Sauerstoffapparat.*[45] Am frühen Morgen des 21. Oktober erlitt Franz Werfel erneut einen Herzinfarkt. Als der Arzt nach langem Warten kam, hatte er sich schon wieder beruhigt, *die Angst ist geblieben!*[46] Da die Mediziner eine Verdickung im Darm festgestellt hatten, wollten sie deren Ursache durch Röntgenaufnahmen ermitteln. Während der Untersuchung brach Werfel zusammen. Die Ärzte verordneten strenge Bettruhe. *Alles ist jetzt zerstört und so lebe ich nur für das Aufbauen seiner schwachen Kräfte und hoffe … hoffe.*[47] Nur langsam besserte sich sein Befinden: ihr Mann sei zwar *noch ziemlich matt*, schrieb Alma Anfang Dezember an Lion und Marta Feuchtwanger, stellte aber einen baldigen Besuch in Aussicht, in der Hoffnung, *dass Werfel bald so weit sein wird, um die lange Fahrt zu wagen*[48]. Diese Pläne waren jedoch zu voreilig. Am 14. Dezember hatte Franz wiederum eine schwere Herzattacke mit Erstickungsanfällen: *Er war mehr drüben, als herüben, aber großartig, wie immer.*[49]

Wegen seiner schlechten Verfassung konnte Franz Werfel zu seinem großen Bedauern nicht an der Uraufführung der Bernadette-Verfilmung teilnehmen. Die Begeisterung für sein Lourdes-Epos war nach wie vor groß, und nachdem bereits über eine Million Exemplare des Buches verkauft worden waren, stellte die Kinopremiere am 21. Dezember einen weiteren Höhepunkt dar. Alma und Franz Werfel schickten an diesem Abend alle Freunde und Bekannten ins Carthay Circle Theatre in Hollywood, während sie das Spektakel in aller Ruhe vor dem Radio miterlebten.

Obwohl Werfel sehr schwach war und keine Aufregung vertrug, lud Alma Gustave und Gusti Arlt zum Silvesterdinner ein. Während sie mit den Gästen im Wohnzimmer saß, lag Werfel im Bett. Durch die geöffnete Tür konnte er an den Gesprächen ein wenig teilnehmen. Am Neujahrstag erhielt Alma ein Telegramm von Anna, in dem sie gute Wünsche für 1944 übermittelte und auf ein Wiedersehen hoffte. Sie war zwischenzeitlich zum zweiten Mal Mutter geworden. Als Alma an ihre Tochter und die kleinen Enkel dachte, musste sie weinen, und mit der Erinnerung an das Volkslied »In einem kühlen Grunde« wurde sie von großer Wehmut erfasst: *Ich fühlte so, als ob sie niemanden von uns mehr antreffen werde.*[50] Die letzte Begegnung mit Anna lag schon fünf Jahre zurück. Regelmäßig schickte Alma Geld oder Lebensmittelpakete nach London, um ihrer Tochter unter die Arme zu greifen. Anna Mahler klagte in einem Brief: »Sag, gibt es wirklich in Amerika Vitamine, die den Haaren helfen? Ich werde bald eine Perücke tragen müssen – fühle mich überhaupt so schäbig und alt. Du hast mir leider Deine ewige Jugend nicht vermacht.«[51] Alma gingen derartige Sätze zu Herzen, sie selbst fühlte sich indes vor allem wegen der ständigen Sorgen um Franz Werfel ausgelaugt. *Ich weiß nicht*, fragte sie sich in ihrem Tagebuch, *wie lange ich dieses Leben unter einem Dach von Angst ertragen werde können. Meine letzte Jugend flieht unter diesem Raubbau.* Werfel sei *furchtbar auffahrend, nervös, unberechenbar. Er sieht nicht, wie elend ich bin.*[52]

Die erste Hälfte des Jahres 1944 war durch Franz Werfels langsame Genesung gekennzeichnet. Anfang Juli hatte sich sein Befinden soweit stabilisiert, dass er sich nach Santa Barbara zurückziehen konnte. Er wollte so schnell wie möglich die Arbeit an einem Projekt fortsetzen, das er bereits im Mai 1943 begonnen hatte. Damals hatte er innerhalb weniger Tage fünf Kapitel eines »Reiseromans« mit dem Arbeitstitel »Kurzer Besuch in ferner Zukunft« geschrieben. Im »Stern der Ungeborenen«, wie das Buch später heißen sollte, verlegte er zahlreiche autobiografische Erlebnisse in das Jahr 101943 und schuf eine bizarre Science-Fiction-Geschichte. Da Werfel nach wie vor medizinische Betreuung benötigte, engagierte Alma für ihren Mann einen Leibarzt. Der 1884 in Warschau geborene Bernard Spinak, von allen nur »Schwammerl« genannt und von seinem Patienten sehr geschätzt, erschien wie ein Relikt aus längst vergangenen Zeiten. Bis zu Werfels Tod war »Schwammerl« sein ständiger Begleiter. Mit schon verloren geglaubter Energie arbeitete Franz Werfel mehrere Stunden täglich, unterbrochen durch Ruhepausen, kleinere Spaziergänge oder Telefonate mit Alma. Gelegentlich besuchte er auch das Franziskanerkloster »Old Mission«, wo sein Freund Pater Cyrill Fischer lebte, von dem noch die Rede sein wird. Die Wochenenden verbrachte Werfel meistens in Beverly Hills bei Alma.

Friedrich Torberg, der in Hollywood stets unter Geldnot gelitten hatte, erhielt im Frühjahr 1944 das Angebot, zum renommierten »Time Magazine« nach New York zu wechseln. Der Ruf an die Ostküste, zumal er mit journalistischen Größen wie Willi Schlamm und Alfred Polgar zusammenarbeiten würde, erschien Torberg wie ein Wink des Schicksals, hatte er sich doch in Kalifornien trotz der engen Freundschaft zu den Werfels einsam und fremd gefühlt. Torberg schenkte Alma zum Abschied ein Foto Oskar Kokoschkas, das sie wohl länger betrachtete: *Der genialische Blick ist einem Klugberechnenden gewichen, was ja auch seine ganze russophile Speichelleckerei beweist.* Als ob sie sich rechtfertigen müsse, stellte sie schließlich fest: *Mit einem Wort, es tut mir nicht leid, dass ich ihn verlassen habe, wenn ich auch später zeitweise noch nach ihm seufzte. Er ist doch der ›Sohn einer Magd‹ – und sein Proletentum war mir immer fremd.*[53] Mit Friedrich Torbergs Umzug nach New York setzte sich die Freundschaft zwischen ihm und den Werfels in einem regen

Briefwechsel fort, der einen guten Einblick in den Alltag der Emigranten an der Westküste vermittelt, da sich vor allem Alma in ihrer Korrespondenz mit Torberg außerordentlich offen zeigt. *Werfel geht es im allgemeinen sehr gut*, versicherte Alma ihrem besorgten Freund: *Nur gestern hatte er wieder beschleunigten Puls und öfters Räuspern – weshalb ich abends den Arzt kommen ließ.*[54] Abgesehen von kleineren gesundheitlichen Einbrüchen war Franz Werfel im Sommer 1944 ausgesprochen produktiv. Jeden Tag schrieb er vier bis fünf Seiten seines »Reiseromans«, die er zum Abtippen an Albrecht Joseph schickte. Und nach langer Zeit wurde Almas Geburtstag am 31. August, sie wurde 65 Jahre alt, groß gefeiert: *In der Nacht um zwölf kamen Arlts mit einem Bücherkasten und Franzl erwartete mich mit ungeheuren Geschenken mit ihnen im Wohnzimmer, alles war durch Kerzen beleuchtet, es war beengend schön!*[55]

In den folgenden Monaten pendelten die Werfels zwischen Los Angeles und Santa Barbara. Wohl vor allem wegen der um Werfels Gesundheit ausgestandenen Ängste litten nun beide unter den periodischen Trennungen. Die schwere Erkrankung hatte den Eheleuten eine große Nähe verschafft, die Jahre zuvor und noch zu Beginn des amerikanischen Exils undenkbar gewesen wäre. In dem Augenblick, in dem Alma Werfel gegenüber als fürsorgende »Übermutter« auftreten konnte, verloren eheliche Zwistigkeiten an Bedeutung. Trotz der Herzschwäche *blüht jetzt seine Sexualität wieder auf*, vertraute Alma im April ihrem Tagebuch an, *und da ich Angst um ihn habe und vor allem vor den großen Schmerzen, die er seit Jahren nach einer Liebesfreude bekommt, such ich ihn abzulenken, was ihn aber irritiert. [...] Seit zwei Tagen sagt er fortwährend ›Ich geh in ein Puff, um mich zu reizen!‹ Seine Augen hängen an jeder Weibsgestalt mit unstillbarer Gier.* Almas Hinweis, Werfel sei schon immer so gewesen, und ihr Fazit *darum ist er heute so fertig*[56], klingen wie ein Vorwurf. Nicht sein übermäßiges Rauchen, nicht der jahrelange Raubbau am eigenen Körper seien – so Alma – schuld an der Herzschwäche, sondern Werfels Triebhaftigkeit.

Zäsuren

Im Frühjahr 1945 glich Europa einem Trümmerfeld – Millionen von Menschen waren dem Weltkrieg zum Opfer gefallen, hinter den Überlebenden lag eine Zeit angstvoller Bombennächte, aber auch eine Zeit des totalitären Regimes, dessen Terror bis in den individuellen Alltag reichte. Nicht alle nahmen das Ende des Krieges als Befreiung wahr – auch Almas Familie empfand den Zusammenbruch des »Tausendjährigen Reiches« als persönlichen Untergang. Die Eberstallers waren als langjährige Mitglieder der NSDAP (Richard Eberstaller war am 31. Januar 1931 in die Partei eingetreten, seine Frau Maria am 12. März 1933) so sehr der Nazi-Ideologie verhaftet, dass ihnen ein Leben nach Hitler sinnlos erschien. Kurz vor der Einnahme Wiens durch die Rote Armee verfasste Eberstaller für sich und seine Frau, Almas Halbschwester, ein Testament, das er am 11. April 1945 beim zuständigen Bezirksgericht Döbling hinterlegte. In der folgenden Nacht nahmen Richard und Maria Eberstaller sowie Almas Stiefvater Carl Moll Gift. Als am Morgen Karl und Rosa Sieber – Untermieter der Eberstallers – die gemeinsame Küche betraten, fanden sie auf dem Tisch eine Abschrift des Testaments, etwas Bargeld sowie einen Brief. Hastig überflog Sieber die Zeilen, las etwas von Tod, Beerdigung und Unannehmlichkeiten, für die Eberstaller sich entschuldigte. »Als wir morgens in das Schlafzimmer der Familie E. gingen«, so Karl Sieber, »war Professor Moll tot, Frau E. atmete noch, Dr. E. röchelte.«[57] Rosa Sieber sagte später aus, dass sie und ihr Mann bei Richard Eberstaller noch Wiederbelebungsversuche durchgeführt hätten, so »dass er noch etliche Stunden gelebt«[58] haben könnte. Da aber wegen der Kampfhandlungen kein Arzt aufzutreiben war, starb auch Eberstaller eines qualvollen Todes. Es ist unklar, wann Alma vom Selbstmord ihrer Familie erfuhr und wie sie darauf reagierte, noch Mitte Juni 1945 erkundigte sie sich brieflich bei einem in Österreich stationierten Militärgeistlichen nach ihren Verwandten. *Sie würden uns einen großen Dienst erweisen, wenn Sie es herausbrächten, wie es meiner Stiefschwester und meinem Schwager [...] ergeht und wie es um mein Haus in Wien XIX Steinfeldgasse 2 und um mein Haus in Breitenstein am Semmering bestellt ist.*[59]

Bald nach Kriegsende, im Frühsommer 1945, versuchte Johannes Hollnsteiner den Kontakt zu den Werfels wieder aufzunehmen. Es war die erste persönliche Mitteilung, die Hollnsteiner seit seiner Verhaftung 1938 an die alten Freunde richtete. Die Erklärung für sein langes Schweigen war verständlich: »Da man mir die Freundschaft mit Euch u. a. zum Vorwurf gemacht hatte, konnte ich ja leider nicht wagen an Euch zu schreiben, ohne mich aufs neue schwer zu gefährden.«[60] Alma hatte jedoch bereits im Sommer 1941 die Nachricht erhalten, Johannes Hollnsteiner habe nach seiner Entlassung aus dem Konzentrationslager Dachau sein Priesteramt niedergelegt und sei der NSDAP beigetreten. Almas Informantin, die Gattin des Schriftstellers Siegfried Trebitsch, hatte behauptet, der Theologe hätte sogar geheiratet. Obwohl der Kontakt abgerissen war, konnte Alma zunächst nicht glauben, dass ihr ehemaliger Geliebter sich so verändert haben sollte. *Diese Dame gedachte mir das Herz zu brechen, [...] aber siehe da, nach 5 Minuten des Staunens und der Erregung war mir diese Erkenntnis, mit samt dem Herrn Hollnsteiner mehr wurst, als irgend etwas auf dieser Welt.*[61] Frau Trebitsch hatte es mit der Wahrheit allerdings nicht so genau genommen. Hollnsteiner hatte sich nach seiner Rückkehr aus Dachau seinen Ordensbrüdern entfremdet. Vor 1938 hatte er als Priester im »Ständestaat« das Leben eines Weltmannes geführt. Daran war unter den veränderten Verhältnissen nicht mehr zu denken, der Katholizismus spielte nach dem »Anschluss« keine Rolle mehr in der Politik. Zu einem Leben im Kloster oder als Pfarrer einer Gemeinde fühlte sich Hollnsteiner aber nicht berufen. Als Hollnsteiners Heimatkloster, das Augustiner-Chorherrenstift St. Florian bei Linz, 1941 aufgehoben und ihm vom »Reichsgau Oberdonau« der Posten des Bibliothekars angeboten wurde, nutzte er die Gelegenheit und erklärte am 5. Mai 1941 seinen Austritt aus dem Orden. Der NSDAP trat er allerdings nicht bei. Hollnsteiner lebte zu dieser Zeit bereits mit seiner späteren Frau Almut Schöningh zusammen, die er am 7. September standesamtlich ehelichte.[62] *Hatte er einst Einfluss auf mich gehabt*, schrieb Alma 1941 in ihr Tagebuch, *so ist dies weggespült für immer, durch seinen schweren Verrat an Allem, was ihm einmal heilig war.* Mit der Hochzeit und seiner Anbiederung bei den Nazis hatte Hollnsteiner offenbar seinen Reiz verloren, er war für Alma nur als Priester interessant: *Nie wieder ersehnbar, ausgestrichen aus meinem und Mutzis Leben und Tod.*[63]

In seinem Brief von 1945 rechtfertigte Hollnsteiner sein Verhalten, erläuterte die Gründe für seinen Austritt aus dem Orden und berichtete von den Erlebnissen der vergangenen Jahre. Seine Erinnerungen an die Zeit unterm Hakenkreuz hatte er sogar niedergeschrieben: »Wenn Ihr Euch dafür interessiert, lasst es mich wissen, ich versuche dann Euch ein Manuskript zukommen zu lassen.«[64] Alma war an Hollnsteiners bis heute unveröffentlichten Memoiren allerdings nicht interessiert, und der vertraute Ton, mit dem »Holli« – so war der Brief unterzeichnet – an die Zeiten vor 1938 anknüpfen wollte, befremdete sie. Zu tief saß offensichtlich die Verletzung, die er ihr mit seinem Austritt aus dem Priesterstand und mit seiner Verheiratung zugefügt hatte. Und so musste Hollnsteiner über ein Jahr warten, bis ihn eine Antwort aus Kalifornien erreichte.

Lieber Dr. Hollnsteiner, schrieb Alma am 30. Juni 1946, *ich habe mich nun von dem einen c[h]oque – nämlich Ihren Abfall von der Kirche – erholt und auch Franz Werfel, der Ihnen geglaubt hatte, bat mich – schließlich –, Ihnen zu verzeihen! Ich hätte es längst getan, wenn nicht unterdessen das furchtbare Unglück von Franz Werfels Tod geschehen wäre! […] Lassen Sie sichs gut gehen – als Bürger!*[65] Als Hollnsteiner sich im folgenden Jahr erneut erklären wollte, reagierte Alma verständnislos; das distanzierte »Sie« war mittlerweile wieder dem vertrauten »Du« gewichen. *Besten Dank für Deinen*

Brief, hieß es am 3. Juli 1947. *Er erklärt mir nichts und ich verstehe ihn nicht! Du hast Deine hohe Mission nicht erfüllt – nur darüber spricht die Welt.* […] *Lebe glücklich in dem Bewußtsein, das Richtige, für Dich, getan zu haben. – Das ist alles, was ich Dir sagen kann – und alle Deine früheren Freunde denken wie ich!*[66]

Diese harsche Reaktion war in der Tat keine Ausnahme. Nora Fürstin Starhemberg, die Ehefrau des einstigen Heimwehrführers Ernst Rüdiger von Starhemberg, hatte bereits im November 1941 aus dem argentinischen Exil bestürzt an Alma geschrieben: »Mir scheint es zu grotesk dass gerade Hollnsteiner, wenn er noch seiner Sinne Herr ist, so eine Wahnsinnstat begehen soll! Warum? Gewiss, er hat viel durchgemacht und viel schlimmes erleben müssen – aber das haben wir alle, jeder auf seine Art auch erlitten – und Leiden macht doch stärker an Gott glauben, und läutert doch zum Guten, Grossen – und nicht zum Gegenteil! Gerade bei einem Priester kann und will ich es nicht glauben dass er sich so gänzlich verliert.« Die Fürstin vermutete gar ein Komplott, »einen hypnotischen bösen Einfluss, infolgedessen [Hollnsteiner] ohne sein eigenes Wollen gehandelt hat«. Und weiter: »Weißt Du welche Ärzte ihn behandeln? Er war doch herzkrank – wer weiß was man ihm angetan hat?«[67]

Johannes Hollnsteiners ehemalige Freunde aus der Ständestaat-Ära blieben unversöhnlich und mieden fortan den einstigen Vorzeigepriester. Und Alma? Mit der gleichen Verve, mit der sie 1947 ihre Entrüstung über Hollnsteiners »Verfehlung« formuliert hatte, sollte sie acht Jahre später den Kontakt wieder aufnehmen. Nun, mit 75, war es Alma, die alte Zeiten beschwor. *Ich bitte Dich, mir mitzuteilen*, schrieb sie ihm im Februar 1955, *ob und wie Du lebst – ob Du zufrieden bist …?! – etc. und ob Du Dich manchmal meiner erinnerst?!*[68] Diese Zeilen gingen zunächst zu Ida Gebauer nach Wien, die den Brief einige Wochen später zu Hollnsteiner nach Linz brachte. Hollnsteiner war begeistert, Almas Zeilen rüttelten in ihm lange zurückliegende Erlebnisse wieder wach. In seiner Antwort vom 23. Mai 1955 hieß es: »Immer aber habe ich mit Liebe und Dankbarkeit an Dich gedacht, an die unvergeßlichen, schönen Jahre in Wien, als Du mich aus meiner Enge herausholtest, meinen Horizont weitetest und mir unvergeßbares Erleben schenktest. Ich wurde durch Dich, an Deiner Hand ein anderer Mensch.«[69] Als Hollnsteiner Mitte 1955 einen Aufsatzwettbewerb der UNO gewann und deswegen nach New York eingeladen wurde, jubelte Alma: *Wie ich mich freue, Dich wiederzusehen, kann ich gar nicht sagen!*[70] Und gut drei Wochen später beteuerte sie erneut: *Ich freue mich unendlich, Dich wiederzusehen – nach so vielen Jahren des schwersten Erlebens!*[71] Ende September 1955 standen sich Alma und Johannes Hollnsteiner in New York gegenüber. Siebzehn Jahre waren seit ihrem Abschied im März 1938 vergangen. Genaueres über dieses Treffen ist nicht bekannt. Anscheinend kam es zu einer Aussprache, an deren Ende Alma ihrem Freund verzieh. In den folgenden Jahren wurden jedenfalls zwischen Linz und New York herzliche Briefe und Postkarten ausgetauscht.

Tod und Verklärung

Am 17. August 1945 erhielt Alma einen Anruf von Franz Werfel aus Santa Barbara, der ihr freudig die Fertigstellung seines utopischen Romans »Stern der Ungeborenen« mitteilte. Er plante, so schnell wie möglich nach Beverly Hills zurückzukehren. Obwohl Alma ihren Mann bat, erst am kühleren Abend zu fahren, machte dieser sich bereits in der Mittagshitze auf den Weg. Zu Hause angekommen, fiel Alma vor allem seine große Erschöpfung auf. Mit schweren Schritten ging er den kurzen Weg vom Auto zum Haus. Da Dr. Spinak für einige Tage beurlaubt worden war, bestellte Alma Dr. Wolff, der Werfel ein Herzmittel injizierte und für den Abend eine Morphiumspritze verschrieb. In der Nacht von Samstag auf Sonntag erlitt Werfel erneut einen schweren Herzinfarkt. Die her-

Der Germanist Adolf Klarmann, Alma und Franz Werfel,
August 1945. Eines der letzten Bilder von Franz Werfel.

beigerufenen Ärzte ordneten nach eingehender Beratung drei Tage Bettruhe an. In der folgenden Woche ging es ihm besser, im Bett sitzend arbeitete er sogar an einer Neuausgabe seiner Lieblingsgedichte.

Am 25. August, sieben Tage nach der Herzattacke, fühlte Werfel sich schon wieder so wohl, dass er sich nicht davon abbringen ließ, mit Bruno und Lotte Walter zum Dinner ins »Romanoff's« zu gehen. Die Walters kamen an diesem Abend etwas zu früh. Während die Werfels sich noch ankleideten, spielte Bruno Walter auf Almas Steinway-Flügel einige Takte aus Smetanas Oper »Die verkaufte Braut«. Als Franz die ihm seit Kindertagen vertrauten Melodien erkannte, kam er sofort aus seinem Zimmer, summte die Arien mit und setzte Fuß vor Fuß wie zum Tanz. Es wurde ein lustiger und unbeschwerter Abend. Am nächsten Morgen erwachte Werfel voller Zuversicht, in gehobener Stimmung erörterten die Eheleute mögliche Stationen der geplanten Europareise. Wien, London und Rom standen ganz oben auf der Wunschliste, auch ein Abstecher nach Prag wurde ins Auge gefasst. Nach dem Mittagessen legte Werfel sich hin, während Alma die Arlts zum Kaffee erwartete. Kurz bevor die Gäste eintrafen, schaute sie ein letztes Mal nach ihrem Mann. Er war aufgestanden und saß wieder am Schreibtisch, den geplanten Gedichtband vor sich. Als Alma wenige Stunden später erneut sein Arbeitszimmer betrat, machte sie eine furchtbare Entdeckung: An diesem 26. August 1945, zwei Wochen vor seinem fünfundfünfzigsten Geburtstag, hatte Franz Werfel um kurz vor 18 Uhr einen letzten Herzinfarkt erlitten und war von seinem Schreibtischstuhl zu Boden geglitten, wo Alma ihn fand. Sie schrie um Hilfe, als ob es um ihr Leben ginge. August Hess war sofort da und half ihr, ihn auf sein Bett zu legen. Abwechselnd versuchten sie, ihn mit Herzmassagen und dem Sauerstoffgerät wieder zu beleben. Es half alles nichts – Franz Werfels Herz hatte aufgehört zu schlagen. Ein herbeigerufener Arzt konnte nur noch den Tod feststellen und ließ den Leichnam abtransportieren. Alma erhielt ein starkes Beruhigungsmittel und legte sich in Franz Werfels Krankenbett. Professor Arlt und Frau Gusti blieben über Nacht bei Alma, »schliefen auf Sofas und hatten auf alles ein wachsames Auge«[72].

Die Nachricht von Franz Werfels Tod verbreitete sich in Windeseile – auch nach Pacific Palisades, wo Thomas Mann gerade das Abendessen einnahm. Lotte Walter hatte den Schriftsteller informiert. Am nächsten Morgen machten Thomas und Katia Mann, die Arlts, Bruno und Lotte Walter, Fritzi Massary sowie einige andere einen Kondolenzbesuch bei Alma. »Schmerzlich und schwer«[73] notierte Mann später in sein Tagebuch.

Die Trauerfeier fand am Nachmittag des 29. August in Pierce Brothers Bestattungsinstitut in Beverly Hills statt. Da sehr viele Trauergäste erwartet wurden – in der Tat trugen sich insgesamt 114 Personen in das Kondolenzbuch ein, darunter die Manns, die Schönbergs, Otto Klemperer und Igor Strawinsky, um nur einige zu nennen –, musste die Zeremonie genau geplant werden. Alma bat Albrecht Joseph, ihr bei der Organisation der Feierstunde zu helfen. Bruno Walter und die Sängerin Lotte Lehmann hatten sich bereit erklärt, die musikalische Gestaltung zu übernehmen. Alles in allem versprach diese Veranstaltung eine würdige Erinnerung an den Verstorbenen zu werden. Jedoch als Albrecht Joseph Alma mit dem Auto abholen wollte, weigerte sie sich, an der Trauerfeier teilzunehmen. »Ich gehe nicht«, lautete ihre knappe Antwort. Sie saß, wie es Joseph schildert, offenbar ungerührt an Franz Werfels Schreibtisch und arbeitete. Als Albrecht Joseph insistierte, antwortete sie ohne weitere Begründung: »Ich gehe niemals zu solchen Veranstaltungen!«[74]

Die Trauerfeier geriet zur Farce. In der überfüllten Kapelle wartete alles auf den Beginn der Zeremonie. Es wurde jedoch immer später. Weder die trauernde Witwe noch Georg Moenius, der die Zeremonie leiten sollte, waren erschienen. Ein Organist spielte besinnliche Musik und wurde irgendwann von Bruno Walter abgelöst, der einige kurze Klavierstücke von Franz Schubert zu Gehör brachte, die Franz Werfel sehr geschätzt hatte. Als er mit seinem Vortrag fertig war, entstand eine quälende Stille. Alma und Pater Moenius waren weit und breit nicht zu sehen. Daraufhin spielte Bruno Walter die Schubert-Stücke noch einmal, aber auch danach geschah nichts. Als Moenius endlich mit über einer Stunde Verspätung allein erschien, begann die Trauerfeier. Die Anwesenden konnten natürlich nicht wissen, dass der Pater bis zuletzt bei Alma war, die die Rede des Geistlichen redigierte. Ohne Rücksicht auf die fortgeschrittene Zeit nahm sie Änderungen vor, strich ganze Passagen und formulierte ausschweifende Ergänzungen.

»Seine Rede war eine unglaubliche Leistung«, erinnerte sich Albrecht Joseph. Moenius begann mit dem Satz, dass sich zu dieser Stunde Franz Werfel und Karl Kraus irgendwo im Himmel herzlich die Hände schüttelten. Einige Zuhörer hielten diesen Einstieg für geschmacklos, schließlich waren Werfel und Kraus Erzfeinde. Auch der Mittelteil seiner Rede war problematisch, stellte Moenius doch bei seinem Überblick über das literarische Werk Werfels dessen religiöse Aspekte ins Zentrum. Das Ende des Vortrags hinterließ eine Irritation, die mancherlei Spekulationen nach sich zog. »Die Kirche«, sagte er, ›erkennt drei Arten von Taufe an: die Wassertaufe, die Nottaufe, die von jedem gläubigen Katholiken, falls keine Zeit ist einen Priester zu rufen, ausgeführt werden kann, und schließlich die Begierdetaufe, die darin besteht, dass ein Mensch der in seinen letzten Stunden auf dieser Erde wahrhaftig begehrt, in die Kirche aufgenommen zu werden, durch die schiere Kraft seines Begehrens zum Christen werden kann, ohne die Ausführung sichtbarer oder hörbarer Riten.‹«[75]

Nicht nur Albrecht Joseph, dessen Bericht man sicherlich Glauben schenken darf, verwirrten diese Ausführungen. Was hatte eine Erörterung der verschiedenen Taufriten in einer Trauerfeier für Franz Werfel zu suchen? Kann man daraus schließen, dass Franz Werfel diese Welt nicht als Jude verlassen hat? Die ganze

Wahrheit ist vom heutigen Standpunkt aus nicht mehr zu ermitteln. Der Tod Franz Werfels, die Szenerie der letzten Augenblicke, bleibt ungeklärt, auch wenn vieles für den Verdacht von Albrecht Joseph spricht. Einige Tage nach der bizarren Trauerfeier hatte er Pater Moenius zur Rede gestellt und ihn gefragt, ob eine mögliche Begierdetaufe Werfels der Grund für Almas langes Überarbeiten der Trauerrede gewesen sei. Die Antwort des Geistlichen war vielsagend: »Er vermied eine direkte Bestätigung, verneinte jedoch nicht meine Vermutung, sie hätte auf diesem Punkt insistiert.«[76]

Trotz immer wieder kursierender Gerüchte von einem Übertritt Franz Werfels zur katholischen Kirche wäre eine Begierdetaufe in der Situation des Todes geradezu ungeheuerlich gewesen. Denn es existieren schriftliche Dokumente, in denen er ein tiefes Bekenntnis zum Judentum festgehalten hat. In einem Brief an den Erzbischof von New Orleans, Francis J. Rummel, aus dem Jahr 1942 hat er zwar seine Sympathien gegenüber dem katholischen Glauben und der Kirche geäußert, die er als »die reinste von Gott auf die Erde gesendete Kraft und Emanation [bezeichnete], um die Übel des Materialismus und Atheismus zu bekämpfen«. Da das Judentum jedoch eine Zeit grausamster Verfolgung durchmache, widerstrebe es ihm, »mich in dieser Stunde aus den Reihen der Verfolgten fortzuschleichen«. Und weiter: Solange es antisemitische Christen gebe, »muss sich der bekehrte Jude unwohl fühlen bei der Vorstellung, er gebe keine ganz angenehme Figur ab«[77]. Das war eindeutig und so grundsätzlich, dass Rummel von einer Antwort absah.

Trotz dieser deutlichen Aussage gab es in Franz Werfels Umkreis drei Personen, die großes Interesse an seiner Taufe hatten. Allen voran Pater Cyrill Fischer, den Franz Werfel häufig in seinem Kloster in Santa Barbara aufgesucht hatte. Fischer hatte über einen längeren Zeitraum mit Alma über dieses Thema korrespondiert. »Ich halte es nun für meine Gewissenspflicht und nicht weniger für meine Freundespflicht«, mahnte der Pater in einem Brief aus dem

Jahr 1943, »Sie auch auf Ihre Verantwortung für das Seelenheil Ihres Gatten aufmerksam zu machen.« Was sich hinter dieser frommen Belehrung verbarg, wurde einige Zeilen später deutlich: »Ich bin der festen Überzeugung, dass manche seiner jetzigen ›Aufregungen‹ Mitursache haben in dieser seelischen Wirrnis, in diesem Suchen um den lichten freien Ausgang in die katholische Kirche.« Es war Ausdruck einer perfiden Demagogie, Werfels Nichtgetauftsein als Mitursache für seine schwere Herzerkrankung (hier reduziert zu »Aufregungen«) auszumachen. Die Aufforderung an Almas Adresse war jedenfalls eindeutig: »Vielleicht sollten Sie da der Engel sein, der ihm den Weg zum Christkind zeigt und die Hl. Bernadette wird Sie dabei führen und die seligste Jungfrau, die Mutter des Welterlösers, Sie dafür tausendfach segnen.« Und damit Alma wusste, wie sie sich im Ernstfall zu verhalten hatte, erklärte Pater Cyrill ihr die notwendigen Handgriffe. »Im Notfall können Sie, sollte sich sein Zustand unerwartet verschlimmern, selbst ihn taufen mit den Worten: ›Franz, ich taufe Dich im Namen des Vaters und des Sohnes und des Hl. Geistes‹ und ihn während dieser Worte mit geweihtem Wasser oder sogar mit bloßem Wasser in Kreuzesform leicht begießen (nicht bloß besprengen!). Auch August könnte dies tun. [...] Ich meine, es wäre keine Aufregung, sondern eine Beglückung und Beruhigung für Franz und Sie selbst.«[78] Alma war für diese Hinweise dankbar und fühlte sich dem Franziskanerpater so verbunden, dass sie ihm in ihrem Antwortschreiben das vertraute Du anbot. Fischer war, wie seinen zahlreichen Briefen an Alma zu entnehmen ist, geradezu besessen von der Idee, Franz Werfel zum Übertritt zur katholischen Kirche zu bewegen. Der selbst schwer an Krebs erkrankte Pater wusste, dass er nicht mehr lange zu leben hatte. Vielleicht war der Wunsch, in der ihm verbleibenden Zeit noch etwas ganz Besonderes leisten zu wollen, der Antrieb für sein Handeln.

Der zweite im Bunde war Pater Georg Moenius, mit dem Franz Werfel sich während der Entstehung der »Bernadette« häufig über theologische Dinge ausgetauscht hatte. Auch er hatte den Ehrgeiz, jüdische Emigranten zur katholischen Kirche zu bekehren. »Als Werfel starb«, erinnerte sich Marta Feuchtwanger, »kam er am nächsten Tag sofort zu uns und wollte Lion zum Katholizismus … der König ist tot, es lebe der König!«[79]

Und schließlich war Alma die letzte treibende Kraft. Nicht nur aufgrund ihrer tief sitzenden antisemitischen Ressentiments war Franz Werfels Judentum ihr ein ständiges, über die Jahre nicht geringer gewordenes Problem. Sie hatte demgemäß das eindeutige Bekenntnis ihres Mannes in dem Brief an Bischof Rummel für einen großen Fehler gehalten. Alma befürchtete (durchaus nicht unrealistisch), Werfels Ablehnung der Taufe könne den Erfolg seiner Bücher im bigotten Amerika beeinträchtigen.

Was sich am 26. August 1945 am Bedford Drive abgespielt hatte, war immer wieder Anlass für Spekulationen. Führt man sich die Szene vor Augen, so erscheint es nicht abwegig, dass Alma die Möglichkeit einer Begierdetaufe ernsthaft erwogen hat. Durch Pater Cyrills Instruktionen wusste sie, was zu tun war, und sie hätte die Gelegenheit nutzen können. In der Tat spricht einiges für diese Lesart. Der Germanist Adolf D. Klarmann hat nach Werfels Tod zahlreiche Gespräche mit Menschen geführt, die dem Schriftsteller nahe standen, unter anderen mit seiner Mutter Albine Werfel, den Schwestern Hanna und Marianne, mit Friedrich Torberg und auch mit Alma. Von ihr erfuhr er Ende Oktober 1945 eine Neuigkeit, die er in seinem Notizbuch festhielt. »F. W. erhielt nach seinem Tod die Begierdetaufe.«[80] Alma hatte Klarmann zugleich das Versprechen abgenommen, dass er dies Geheimnis unter allen Umständen für sich bewahren müsse. Der so ins Vertrauen Gezogene hielt sich zeitlebens an sein Gelübde. In seinem Notizbuch unterstrich er das Wort »geheim« gleich doppelt.

Obwohl Alma gegenüber anderen und auch in der Öffentlichkeit immer das Gegenteil behauptete, ist ihr späteres Verhalten hinsichtlich dieser Frage immer von auffälligen Rechtfertigungsver-

Der Konvertitor. Alma Mahler-Werfel und Pater Georg Moenius. »Ich hätte ihn nottaufen können als ich ihn fand – aber ich hätte es nie gewagt!«

suchen begleitet. Als der Schriftsteller Manfred George etwa ein halbes Jahr nach Franz Werfels Tod in einem Artikel der jüdischen Wochenzeitung »Der Aufbau« beiläufig erwähnte, am Grabe habe ein Pater gesprochen, fühlte Alma sich zu einer Gegendarstellung provoziert. In einem Leserbrief betonte sie, der Pater habe *nur als Freund und nicht als Priester* gesprochen. Und: *Er hatte sich selber angeboten. Kein Rabbiner hatte diese Idee – ich hätte es ihm sehr gedankt.*[81] Als Moenius diese Zeilen las, war er verärgert und schrieb sofort an Alma. »Kein Wort darüber, wie ich die hohe mir gewordene Ehre zu schätzen weiss: aber niemand wie Du weiss es so gut, wie ich zu dieser Ehre kam. Ich habe mich keineswegs angeboten, was ich nie zu tun gewagt hätte. Ich wundre mich auch, dass Du Dich nicht mehr erinnerst, wie ich in Deinem Hause Dir gegenüber schon einmal eine derartige Bemerkung richtig gestellt habe.«[82] Obwohl Manfred George die Anwesenheit Moenius' lediglich erwähnt und keine weiteren Mutmaßungen damit verbunden hatte, fühlte

Alma sich regelrecht ertappt, versuchte den Verdacht von sich auf Georg Moenius abzulenken und setzte wohl deswegen das Gerücht in die Welt, Moenius habe die Idee zu der merkwürdigen Trauerrede für Franz Werfel gehabt. Zweifellos: Alma spielte mit dem Feuer. Die Geister, die sie und der Pater in der Trauerrede wachgerufen hatten, wurden sie nun nicht mehr los.

Schließlich bekam Friedrich Torberg, mit dem Alma sonst eine große Offenheit verband, die offizielle Version zu hören. Als auch zehn Jahre nach Franz Werfels Tod die Gerüchte nicht verstummten, er sei getauft worden, bat Torberg Alma, »die alte, offenbar bis heute noch nicht geklärte Frage«[83] endlich zu beantworten. Alma hatte das Misstrauen ihres Freundes gespürt, war ihre Antwort doch im Grunde ausweichend: *Ich hätte ihn nottaufen können als ich ihn fand – aber ich hätte es nie gewagt!*[84] Trotz aller Sympathien für die katholische Kirche war Franz Werfel über Jahre hinweg den antisemitischen Attacken seiner Frau gegenüber standhaft geblieben und hatte sich in schweren Zeiten immer wieder zu seinem Judentum bekannt – mit seiner Taufe in extremis hätte Alma einen ungeheuerlichen und zweifelhaften Sieg davongetragen. Was aber wirklich am Abend des 26. August 1945 am Bedford Drive geschah, lässt sich heute bis zur Gewissheit nicht mehr klären.

Alma Mahler-Werfel, um 1954

Abgesang
(1945–1964)

La grande veuve

Der Tod Franz Werfels war für Alma nicht nur der Verlust eines
Menschen, mit dem sie über fünfundzwanzig Jahre verbracht hatte,
sondern ihre Lebensverhältnisse veränderten sich noch einmal fun-
damental. Zwar war sie es immer gewesen, die im gemeinsamen
Haushalt die gesellschaftlichen Kontakte – mit ihren großen Festen
noch in Europa oder den aufwändigen Dinner-Partys in Amerika –
gepflegt hatte. Jetzt war, so scheint es, das eigentliche Zentrum dieser Veranstaltungen nicht mehr gegeben. Von nun an sollte es immer stiller um Alma werden, die den Rest ihres Lebens, immerhin
die folgenden neunzehn Jahre – seit ihrer frühen Jugend übrigens
das erste Mal – ohne einen Mann an ihrer Seite verbringen sollte.
Und aus dieser zunehmenden Vereinsamung in einem fremden
Land mit einer fremden Sprache sind wohl auch ihre Versuche
zu verstehen, sich immer wieder als, wie Thomas Mann sie wahrnahm, »grande veuve«[1] zweier großer Männer in Szene zu setzen
und daraus Anerkennung oder gar Zuneigung zu ziehen.

Im Herbst 1945 fühlte sie sich in ihrem Haus in Beverly Hills
derart verlassen, dass sie es vorzog, den größten Teil des Winters in
New York zu verbringen. Am 4. Oktober traf sie in der Stadt am
Hudson ein und stieg zunächst im Hotel »St. Moritz« ab. Nach kurzer Zeit übersiedelte sie in das Apartmenthotel »The Alrae« an der
64. Straße, wo sie bis Ende Februar 1946 eine Suite reserviert hatte.
In New York kam es zu der erhofften Ablenkung: Fast täglich traf
sie mit Friedrich Torberg und seiner neuen Freundin Marietta Bel-

lak zusammen, die er Ende 1945 heiratete – Alma fungierte übrigens als Trauzeugin. Marietta Torberg erinnerte sich an ein Abendessen mit Alma: »Jeder hat einen Hummer gekriegt, ich habe meinen gegessen, sie hat ihren zerschnitten, weil sie hat nie etwas gegessen, nur getrunken. Und hat sehr viel Champagner getrunken und dann sehr viel Benediktiner getrunken, und ich bin am Boden gesessen nach dem Nachtmahl, zu ihren Füßen, und sie hat mich am Kopferl gekrault und dann hat sie gesagt: ›Viehchi‹, das hat sie immer Leuten gesagt, die sie gerne hatte, ›Viehchi, bist ka Jüdin, gell?‹ Sag ich: ›Du Alma, ja ganz, von beiden Seiten – Vater und Mutter.‹ Also, sie war wirklich eine echte Antisemitin. Und wenn sie jemanden gern gehabt hat, das wollte sie nicht wahrhaben. Und besoffen war sie auch, sie wollte es mir herauspressen, dass ich ihr sag, ich bin römisch-katholisch geboren. Die Freude konnte ich ihr nicht machen.«[2] Neben den Torbergs sah Alma alte Bekannte wie Erich Maria Remarque und Marlene Dietrich, Alfred Polgar und Carl Zuckmayer wieder, mit denen sie, wie so oft, die Nächte durchfeierte. Und sie besuchte die Konzerte der New Yorker Philharmoniker oder ging in die Oper. *Viele Menschen sind um mich*, schrieb Alma Mitte November an Lion und Marta Feuchtwanger, *aber das Nachhausekommen am Abend und das Unwiderrufliche des Alleinseins ist grauenhaft.*[3]

Nach fast einem halben Jahr an der Ostküste kehrte Alma Ende Februar 1946 nach Los Angeles zurück. In ihrem mit vielen Erinnerungen an Franz Werfel verbundenen Haus fühlte sie sich jedoch zunehmend unwohl. Und die Anwesenheit von August Hess wurde zur Belastung. Er hatte ein cholerisches Temperament und ließ häufig seinem Ärger freien Lauf. Zu Franz Werfels Lebzeiten hatte Alma mit diesen Eigenheiten besser umgehen können, nun aber fürchtete sie seine Wutanfälle. Gustave und Gusti Arlt, die mit August noch eine alte Rechnung zu begleichen hatten, rieten, ihn zu entlassen. Und als Alma Ende August 1946 einen Aufenthalt in San Francisco plante, um den ersten Todestag Franz Werfels dort zu verbringen, bekam der Professor den Auftrag, August Hess zu kündigen, so dass er bei ihrer Rückkehr verschwunden wäre. Als sie Anfang September wieder in Beverly Hills eintraf, war August immer noch da. Nach einer Aussprache entschied sich Alma, ihn bei sich zu behalten. Albrecht Joseph nahm an, dass August Hess wohl zu viel über Almas finanzielle Situation wusste.[4] Und nicht zuletzt war er ein Zeuge der Ereignisse, die sich in den Stunden nach Franz Werfels Tod am Bedford Drive abgespielt hatten. Die Beziehung zwischen Alma und ihrem Butler schien vielen durchaus bizarr. Hinter vorgehaltener Hand wurde immer wieder gemunkelt, sie hätten ein Verhältnis – eine abwegige Vorstellung, da August Hess als Homosexueller aus seiner Vorliebe für Männer gar kein Hehl machte.[5] Dennoch hatte Alma wohl den Ehrgeiz, wieder einmal einen für sie unerreichbaren Mann mit weiblichen Reizen zu gewinnen. In ihr Tagebuch schrieb sie einen bezeichnenden Satz: *Die Homosexuellen quälen, ohne dass sie es wissen oder wollen. Sie lassen einen an einem Stückchen Zucker lecken und dann stecken sie es seelenruhig in die Hosentasche.*[6]

Ende 1946 plante Alma eine Reise nach Wien, um dort ihre Besitzverhältnisse zu regeln. Da sich die Ausstellung der nötigen Einreisebewilligung ständig verzögerte, Alma hatte am 14. Juni die amerikanische Staatsangehörigkeit erhalten und galt in Österreich fortan als Ausländerin, verbrachte sie ab Ende September zunächst einige Wochen in New York. Eindringlich bat sie Friedrich und Marietta Torberg, Franz Werfels Familie nichts von ihrem Kommen zu erzählen. *Es hat sich leider herausgestellt*, so Alma, *dass er recht hatte als Jüngling dem Elternhause zu entfliehen. Ich will nicht sprechen! Es hat keinen Sinn!*[7] Und an Oskar Kokoschka schrieb sie: *Die Familie Werfels, die er nie nahe an sich herankommen ließ, rächt sich jetzt an mir – oder will sich rächen – dass er mich so viele Jahre abgöttisch liebte.*[8] Seit Franz Werfels Tod war der alte Konflikt zwischen Albine Werfel und seiner Schwester Hanna auf der einen Seite und Alma auf der anderen Seite offen zu Tage getreten. Äußerer Anlass war Werfels Testament, in dem Alma als Alleinerbin genannt wurde. Die Mutter und die Schwester fühlten sich als engste Familienangehörige übergangen und fochten den letzten Willen des Sohnes beziehungsweise Bruders an. In der Tat war der Testamentstext unpräzise formuliert und warf einige schwierige juristische Fragen auf. Vor allem musste geklärt werden, ob sich die Verfügung nur auf die Einkünfte aus den amerikanischen Rechten bezog, wie Albine Werfel argumentierte. Dementsprechend forderten die Werfels die Erlöse aus den europäischen Rechten. Alma beauftragte den New Yorker Rechtsanwalt Rudolf Monter, der schon seit dem Beginn des amerikanischen Exils für Franz Werfel als kaufmännischer und juristischer Berater tätig gewesen war, mit der Wahrung ihrer Interessen. Monter wollte eine gerichtliche Auseinandersetzung zwischen der Mutter und der Witwe Werfels unter allen Umständen verhindern. Albine Werfel reagierte jedoch ablehnend auf Monters Briefe. Sie stellte fest, »dass mein Sohn – im Gegensatz zu seiner Witwe – niemals an den Sieg Hitlers geglaubt hat«. Und schließlich: »Die Mutter Franz Werfels lehnt es ab, sich von Ihnen, Herr Doktor, über die Intentionen ihres Sohnes belehren zu lassen.«[9] Die Streitereien kamen zu einem plötzlichen Ende, als sich herausstellte, dass der Zsolnay-Verlag eigenmächtig alle Rechte auf Alma übertragen hatte. Damit gingen Werfels Angehörige leer aus. Die Familienverhältnisse blieben dadurch, was gewiss kein Wunder war, auf Jahre vergiftet. Alma: *Der glückliche Franz Werfel, der nicht weiß, dass er aus einer Gangsterfamilie kommt!*[10]

Stellvertreterkriege

Als Alma im September 1947 endlich eine Einreisegenehmigung für Österreich erhalten hatte, stand dem lange geplanten Besuch in Wien nichts mehr im Weg. Die Reise sollte über London gehen, wo sie ihre Tochter Anna und deren Familie treffen wollte. Nach über acht Jahren der Trennung blickte sie dem Wiedersehen mit Anna

Der letzte Besuch in Wien. Alma Mahler-Werfel und die treue Ida Gebauer bei der Ankunft in Österreich, September 1947

zunächst skeptisch entgegen. *Ich habe sie seit dem Jahre 39 nicht gesehen*, hatte Alma noch im Februar an Oskar Kokoschka geschrieben, *und meine Liebe ist dadurch nicht gewachsen.*[11] Alma war erschrocken über Annas schlechtes Aussehen. Sie wirkte viel älter als dreiundvierzig, war dünn und hatte einen fahlen Teint. Trotzdem verlief das Wiedersehen herzlich, und man verabredete für Anfang 1948 einen Besuch der Fistoularis in Los Angeles. Als Alma am folgenden Tag in Wien eintraf, wartete ein Filmteam der österreichischen Wochenschau am Rollfeld auf sie. Immer wieder baten sie die Reporter, das Flugzeug zu verlassen. Immer wieder stieg sie die Gangway hoch und spielte ihre eigene Ankunft nach. Sie genoss den Medienrummel – so war sie noch nie empfangen worden. Am 17. September bezog sie ein kleines Zimmer im Hotel »Krantz« und machte Bekanntschaft mit den nicht eben komfortablen Verhältnissen im vom Krieg gezeichneten Wien: *Dort allerdings schlief ich täglich mit Ratten; das Hotel war ausgebombt und da große Löcher aus meinem Zimmer ins Freie führten, war ein ständiges Kommen und Gehen dieser Viecher.*[12] Die Tage in der österreichischen Hauptstadt waren angefüllt mit Gerichtsterminen und Ämtergängen. Im Mittelpunkt der Verhandlungen standen einige wertvolle Gemälde aus Almas Besitz, insbesondere das Bild »Sommernacht am Strand« des norwegischen Expressionisten Edvard Munch, das Carl Moll im April 1940 an die Österreichische Galerie verkauft hatte. Seit Kriegsende hatte Alma immer wieder behauptet, ihr Stiefvater sei nicht berechtigt gewesen, über ihr Vermögen zu verfügen, weswegen sie das wertvolle Kunstwerk zurückerhalten müsse. Ganz so einfach stellte sich die rechtliche Lage allerdings nicht dar. Alma musste nämlich beweisen, dass Carl Moll damals nicht mit ihrem Einverständnis gehandelt hatte. Dazu setzte sie das Märchen von den bösen und habgierigen Verwandten in die Welt, die sie betrogen und bestohlen hätten. *Der Mann meiner Mutter ein Nazi – er war Berater der Partei – Herr Eberstaller, der immer ein Grossdeutscher, natürlich sofort Naziführer wurde – meine Stiefschwester wilde Nazi – die ganze Familie verrückt – nur meine Mutter hielt sich ferne, so lange sie lebte, starb zu ihrem Glück zur Zeit!*[13] Dass Carl Moll und die Eberstallers Nationalsozialisten gewesen waren, stand außer Frage. Doch Alma stellte die Wahrheit auf den Kopf: Sie verschwieg, dass sie in all den Jahren in freundlichem Kontakt mit ihrer Familie gestanden und mit Richard Eberstallers Hilfe versucht hatte, Bruckners 3. Sinfonie an die Nationalsozialisten zu verkaufen. Geschickt fügte sie sich in die ideologisch aufgeladene Atmosphäre der Nachkriegszeit. Als Alma für ihre Version keine stichhaltigen Beweise vorlegen konnte, schöpften die Behörden Verdacht. Die zuständige Rückstellungsoberkommission beim Oberlandesgericht Wien vernahm daraufhin mehrere Personen, die vor 1938 im Hause Mahler-Werfel ein- und ausgegangen waren. So bestätigte beispielsweise Willi Legler – Grethe Schindlers Sohn – das gute Einvernehmen zwischen Alma und ihren Angehörigen.[14] Selbst ihre langjährige Vertraute Ida Gebauer betonte, wohl arglos, das freundschaftliche Miteinander der Verwandten.[15] Und nach Aussage von Paul von Zsolnay, der die Familie zweifellos gut kannte,

Corpus delicti? Edvard Munch, »Sommernacht am Strand«. Um die Rückgabe dieses Gemäldes lieferten sich Alma und der österreichische Staat jahrelang gerichtliche Auseinandersetzungen.

war Alma »ihrer Halbschwester Maria Eberstaller trotz verschiedener Eifersüchteleien sehr zugetan und hat deren Gatten Dr. Eberstaller als juristischen Ratgeber benützt«[16]. Ein weiterer Zeuge brachte die Sache auf den Punkt: Frau Mahler-Werfel hätte »keinen besseren Anwalt haben können als den Prof. Moll und die Ehegatten Eberstaller«[17]. Besonders schwer wog die Tatsache, dass mit dem Verkaufserlös dringend notwendige Reparaturen an Almas Breitensteiner Haus finanziert worden waren, von einer persönlichen Bereicherung Carl Molls konnte demnach gar keine Rede sein. Und nicht zuletzt hatte Alma ihren Stiefvater bereits Anfang März 1938 beauftragt, das Munch-Gemälde an die Österreichische Galerie zu verkaufen. Die Gegenbeweise waren also erdrückend. Alma fühlte sich jedoch so sehr im Recht, dass ihr jede weitere Verhandlung überflüssig erschien. Mit Hilfe von Freunden und Bekannten aus der Ständestaat-Zeit setzte sie alle Hebel in Bewegung, um Einfluss auf die österreichische Justiz zu nehmen. So besuchte Alma etwa Richard Schmitz, in der Hoffnung, dass der einst so mächtige Bürgermeister Wiens ihr helfen könne. Schmitz war jedoch nach mehrjähriger Haft in verschiedenen Konzentrationslagern ein alter, gebrochener Mann, ohne Amt und Einfluss. Er konnte nichts für sie tun. Verärgert verließ Alma am 23. September 1947 unverrichteter Dinge ihre Heimatstadt. Über Prag, Frankfurt und Brüssel flog sie nach London, von dort ging es weiter in Richtung New York. Sie sollte Wien nie wieder sehen.

Dass Alma trotz ihres großen Heimwehs, das sie sich allerdings im Laufe der Jahre immer weniger eingestehen mochte, nach 1947 nie wieder österreichischen Boden betrat und im Grunde gegen ihren Willen in Amerika blieb, hing in erster Linie mit den fruchtlosen Versuchen zusammen, die »Sommernacht am Strand« zurückzubekommen. Bis in die sechziger Jahre strengte sie immer wieder Rückgabeverfahren an – jedes Mal ohne Erfolg. Und weil sie zu stolz war, die Absage der österreichischen Behörden einfach hinzunehmen, musste sie quasi als gestürzte Königin das Exil wählen. Offensichtlich war es ihr nicht möglich, in der Haltung der Gerichte etwas anderes als eine persönliche Beleidigung zu sehen. In den kommenden Jahren steigerte sich Alma in eine hysteroid-irrationale Opposition gegen das offizielle Österreich hinein – so auch Mitte April 1948, als sie in einer gezielt inszenierten Posse die Wiener Staatsoper bloßstellte.

Die Hintergründe sind schnell berichtet: Carl Moll hatte einen Abguss der Bronzebüste besessen, die Auguste Rodin Anfang 1909 von Gustav Mahler angefertigt hatte. Dieses Exemplar hatte den Krieg unversehrt überstanden, im Gegensatz zu der Kopie, die Alma im Mai 1931 der Wiener Staatsoper geschenkt hatte. Nach Almas Auffassung sollte Rodins Kunstwerk wieder seinen angestammten Platz im Foyer der Oper einnehmen, weswegen sie in einer großzügigen Geste die Büste aus Molls Nachlass der einstigen Wirkungsstätte ihres ersten Mannes schenkte. Alma behauptete sogar, nach Wien reisen und das wertvolle Geschenk in einer Feierstunde persönlich übergeben zu wollen. Auf ihre Bitte hin luden die Wiener Philharmoniker Bruno Walter ein, der mit Mahlers 2. Sinfonie den musikalischen Rahmen des Festaktes gestalten sollte. Noch am 14. April bestätigte Alma dem Dirigenten ihre Teilnahme. Kurze Zeit später muss sie es sich jedoch anders überlegt haben. Am 18. April – zwei Tage vor seiner Abreise nach Europa – erfuhr Bruno Walter zufällig von einem Freund, dass Alma den Aufenthalt in Wien abgesagt habe. Walter hielt diese Neuigkeit zunächst für einen schlechten Scherz, als sich jedoch herausstellte, dass sie tatsächlich nicht reisen würde, reagierte er mit Unverständnis. Am folgenden Tag schrieb er ihr einen Brief: »Wenn Du jetzt Dein Wort nicht hältst, entbindet mich das nicht von dem meinen. Ich kann weder Wien noch die Wiener Staatsoper in diesem Moment im Stich lassen.« Für Walter stand fest, dass die Büste auf jeden Fall übergeben werden müsse, »sonst hat meine Reise, die Feier, haben alle Bemühungen der Wiener Stellen den Sinn verloren«. Und schließlich: »Es kann Dich niemand dann vor den Folgen eines so skandalösen Vorgangs schützen und Du hast Dir, der Wiener Oper und Österreich einen schweren Schaden zugefügt.«[18] Als Bruno Walter endlich die Gründe für Almas Absage erfuhr, mochte er seinen Ohren kaum trauen. Ein gemeinsamer Bekannter hatte Alma berichtet, Walter habe damit geprahlt, dass er die »neue Oper« in Wien einweihen werde. Dabei handelte es sich offensichtlich um ein Missverständnis, schließlich ging es im Frühjahr 1948 gar nicht um die Wiedereinweihung der Staatsoper. Alma war jedoch beleidigt, weil in diesem Zusammenhang nicht von ihr die Rede war. Anstatt Bruno Walter auf dieses Gerücht anzusprechen, stornierte sie die Reise. »Ich hatte gehofft«, schrieb der Dirigent daraufhin an sie, »dass Du nach Erhalt meines letzten Briefes aus New York ein Wort des Bedauerns dafür finden würdest, dass Du mir so unwürdige Motive und Handlungen [...] zugetraut hattest sowie ein Wort der Entschuldigung, dass Du gerade mich vom Aufgeben Deiner Reise nach Wien nicht unterrichtet hattest. Wie schade dass Du es nicht fertig bringst Unrecht zu bekennen!«[19] Alma reagierte auf diese Entgegnung, indem sie ihre Anschuldigungen einfach wiederholte. Sie tat so, als ob sie Walters Richtigstellung nie erhalten habe. Aus Wien zurückgekehrt, war Bruno Walter der Auseinandersetzungen überdrüssig. Er sei »tief abgeneigt«, ließ er Alma wissen, die unerfreulichen Diskussionen mit ihr fortzusetzen. Gleichwohl fühlte er sich zu einem weiteren Schreiben gedrängt, »weil ich vermeiden muss, dass Du mein Schweigen als Zustimmung zu Deinem letzten Brief auffassen könntest, der voller Unrichtigkeiten ist«. Für ihre gespielte Verletztheit hatte er kein Verständnis: »Dass diese Dinge aber Dich bis zu Tränen leiden machen, zeigt nur Deine Leidgeneigtheit, aber in keiner Weise meine Schuld daran.« Mit der Feststellung, »dass keine Deiner Anklagen berechtigt, keine Gekränktheit Deinerseits auf einen Fehler meinerseits zurückzuführen sind«[20], beendete er den Streit.

Einige Jahre später – im Juli 1954 – erregte Bruno Walter ein weiteres Mal Almas Wut. Die Wiener Philharmoniker wollten unter Walters Vorsitz eine internationale Gustav-Mahler-Gesellschaft ins Leben rufen und baten auch um Almas Unterstützung. Sie sei »für die Gründung und den Erfolg dieser Gesellschaft unentbehrlich«, wie ihr Hermann Obermeyer, Vorstand des Orchesters, in einem Brief versicherte: »Könnten Sie, sehr verehrte gnädige Frau, uns dabei behilflich sein? Wir wissen sonst niemanden, an den wir uns wenden könnten.«[21] Alma teilte dem Orchester Ende Oktober 1954 allerdings ihre Absage mit: *Ich muss Ihnen mit aller Offenheit sagen, dass ich, wenigstens für jetzt, an Ihrer Gründung nicht interessiert bin.* Mit dieser Antwort hatte Obermeyer nicht gerechnet. *Das werden Sie verstehen*, so Almas vermeintliche Begründung, *wenn Sie sich überlegen in welcher Weise der Österreichische Staat und die Wiener*

Philharmoniker sich gegen Mahlers Werk und insbesondere gegen mich, benommen haben und noch benehmen.[22]

In Almas Opferpose liegt viel Unglaubwürdiges, ging es ihr doch kaum um ihren verstorbenen Mann und sein Werk, um die Philharmoniker oder um die Mahler-Gesellschaft. Alma führte vielmehr einen Stellvertreterkrieg um die Rückgabe des Munch-Gemäldes. Dass sie ihre Fehde gegen die alte Heimat auf Kosten Gustav Mahlers austrug, war für Bruno Walter unerträglich. Ende Mai 1956 schrieb er ihr einen enervierten Brief: »Ich kann und will nicht mehr auf Einzelheiten der Angelegenheit eingehen, die mich so sehr betrüben. Es steht fest, dass Du meinen Bemühungen um die Mahler-Gesellschaft, und durch sie um die Förderung des Mahler-Werkes, Widerstand leistest und aus Gründen, die ich beim besten Willen nicht begreifen kann.« Weil Alma ihre eigentlichen Beweggründe nicht zugeben konnte, führte sie plötzlich ins Feld, dass sie sich durch den neuen Verein nicht angemessen gewürdigt fühle. Bruno Walter ließ nicht locker: »Was meinst Du damit, dass Du kein ›offizielles‹ Mitglied bist? Man hat Dir ja die Ehrenmitgliedschaft, die mehr ist als offizielle Mitgliedschaft angeboten. Wenn dies der wirkliche Grund zu Deiner ablehnenden Haltung sein sollte, so schlage ich Dir folgendes vor: Die Gesellschaft ernennt Dich zum ersten Ehrenpräsidenten, mich zum zweiten, und es wird mir die größte Genugtuung geben, hinter Dir zurückzutreten. Mir liegt daran, noch so viel wie möglich für das Mahlersche Werk zu tun, bevor ich vom Schauplatz abtrete, und ich bitte Dich nochmals dringend, mir diese Bemühungen nicht zu erschweren.«[23] Alma zog sich daraufhin schmollend zurück. *Es kränkt mich unendlich*, schrieb sie an den Dirigenten, *dass Du Dich über mich ärgerst. Es ist selbstverständlich, dass ich keinerlei Stellung in der Mahler-Gesellschaft einnehmen will.* Und weiter: *Du hast Dein ganzes Leben für Gustav alles Menschenmögliche getan – Du gehörst auf den ersten Platz.*[24]

Almas beharrliche Versuche, ihren ehemaligen Besitz vom

österreichischen Staat zurückzuerhalten, entspringen allerdings nicht nur der Geltungssucht einer immer weniger im Rampenlicht stehenden, alternden Frau. Sie haben auch eine ganz banale Seite. Drei Jahre nach Franz Werfels Tod plagten Alma finanzielle Sorgen. *Da alle Bücher out of print sind*, klagte sie gegenüber Torberg, *so könnt Ihr Euch das Übrige denken!* Viel Geld ließ sich mit Werfels Werken ohnehin nicht mehr verdienen. Nachdem der »Stern der Ungeborenen« ein finanzieller Misserfolg geworden war, gehörten hohe Auflagen wie bei der »Bernadette« endgültig der Vergangenheit an. Und so blieb Alma offensichtlich nichts anderes übrig, als einige ihrer wertvollen Handschriften zu verkaufen: *Sonst habe ich mich nun entschlossen, Manuscripte zu veräußern, da ich keinerlei Einnahmen mehr habe.*[25] Neben Anton Bruckners 3. Sinfonie waren es Manuskripte von Alban Berg (Particell der Oper »Wozzeck«), Gustav Mahler (9. Sinfonie; Drei Lieder aus der Sammlung »Des Knaben Wunderhorn«; »Das Lied von der Erde«; einige Blätter aus der 10. Sinfonie) und Franz Werfel (»Verdi«; »Die Geschwister von Neapel«), die Alma dem renommierten Zürcher Auktionshaus »L'art ancien« zum Verkauf anbot. Felix Rosenthal, Geschäftsführer von »L'art ancien«, ließ eigens einen Katalog drucken, der Informationen über die wertvollen Handschriften enthielt.[26] Aus der Schätzungsliste gehen die Mindestgebote hervor: Am höchsten waren Bruckners 3. Sinfonie und Mahlers »Lied von der Erde« mit jeweils 35 000 Schweizer Franken veranschlagt, gefolgt von Alban Bergs Particell (12 000 SF) und der 9. Sinfonie Mahlers mit 10 000 SF. Franz Werfels Handschriften lagen mit je 6000 SF im Mittelfeld. Die von Alma angebotenen Manuskripte hatten zusammen einen Mindestwert von 117 500 Schweizer Franken, was heute in etwa 326 000 Euro entspricht. Trotz umfangreicher Recherchen konnte nicht ermittelt werden, ob alle Handschriften tatsächlich versteigert wurden und wie hoch die Summe letztlich war.

Im März und April 1948 hatte Alma gut vier Wochen Besuch von ihrer Tochter Anna. Nach dem kurzen Wiedersehen im Vorjahr

Anna Mahler in ihrem Atelier in London, 1948

in London hatten sich die beiden Frauen viel zu erzählen. Zu Ehren ihrer Tochter veranstaltete Alma am 22. März eine Dinner-Party, zu der sie Thomas und Katia Mann, die Arlts sowie Pater Georg Moenius einlud. Es gab »viel Champagner und Benediktiner«[27], wie sich Thomas Mann erinnerte. Obwohl sie die Tage mit Anna genoss, fühlte Alma sich nicht recht wohl. Friedrich Torberg ließ sie wissen: *Der Besuch meiner Tochter hat mich übermäßig angestrengt. Sie ist gescheit und warm, aber ich bin nun sehr an große Einsamkeit gewöhnt und die Umstellung hat mich viel Nervenkraft gekostet!*[28] Alma fühlte sich, wie sie ihrem Freund gestand, eigenartig leer und ausgebrannt. »Du musst weg. Wohin immer, nur weg«[29], lautete Torbergs Antwort, der in der ständigen Erinnerung an Franz Werfels Tod und in Los Angeles die Ursachen für Almas Melancholie zu erkennen meinte. Auch Anna hatte bemerkt, dass Alma unglücklich war. »Könntest Du nicht mit uns leben?«[30], schrieb sie ihr nach ihrer Rückkehr aus London. Annas freundliche Einladung war für Alma jedoch keine Option – ein Leben in London war für sie unvorstellbar, zumal sie ihren Schwiegersohn Anatol Fistoulari schlechterdings nicht ausstehen konnte. Wenn sie über den Dirigenten sprach, erinnert sich Albrecht Joseph, zog sie die Schultern hoch und sagte: *Was kann man schon erwarten? Mischling.*[31] Aus ihrer Abneigung gegen Fistoulari machte Alma auch gegenüber Anna kein Geheimnis, der sie in verletzender Offenheit schrieb, dass sie einen Versager geheiratet habe, der es nicht wert sei, ein Teil der Familie Mahler zu sein. Anna fürchtete sich vor diesen Briefen, wie sie ihrer Mutter klagte: »Jedes Mal wenn ich Deine Schrift sehe, kriege ich einen Stoß in die Magengrube – vor Angst, dass der Brief ekelhaft ist, und dann einen Seufzer der Erleichterung, wenn die Lecture glimpflich abgegangen ist.«[32]

Almas Leben in Kalifornien hielt immer weniger Abwechslungen bereit, die sie aus dem täglichen Einerlei reißen konnten. Gelegentlich traf sie sich mit Thomas und Katia Mann, den Feuchtwangers oder mit Bruno und Lotte Walter, im Übrigen *vegetiert man*

»Kalte Ente, Alma amüsant.« (Thomas Mann über ein Treffen mit Alma) Alma Mahler-Werfel mit Thomas und Katia Mann sowie Eugene Ormandy und Frau anlässlich der Aufführung von Gustav Mahlers 8. Sinfonie in der Hollywood Bowl, Ende Juli 1948.

halt so weiter![33] Als Eugene Ormandy, Chefdirigent des Philadelphia Orchestra, für Ende Juli 1948 eine Aufführung von Gustav Mahlers 8. Sinfonie in der Hollywood Bowl angekündigt hatte, rückte Alma für kurze Zeit in den Mittelpunkt des gesellschaftlichen Interesses. Sie wurde als Mahlers Witwe nicht nur zum Konzert, sondern auch zu allen Proben eingeladen. Alma genoss die Aufmerksamkeit sichtlich und erschien in Begleitung der Manns und der Walters in großer Abendtoilette zur Generalprobe. Während Thomas Mann das Orchester beobachtete (»Der blutjunge 1. Cellist in der roten Jacke, bemerkenswert.«[34]), musste Alma zu Beginn der Probe aufstehen und sich unter dem Applaus der Anwesenden verbeugen. Und in der Konzertpause wurden sie und Bruno Walter als Ehrengäste besonders willkommen geheißen. Dr. Karl Wecker, Generalmanager der Hollywood Bowl Association, wies vor 18 000 Zuhörern – und dies war wohl die Krönung des Abends – sogar auf Almas eigene Kompositionen hin. *Er sagte von mir, dass ich nicht allein die Frau zweier Genies war, sondern selber viel geschrieben habe – also Künstlerin sei.*[35] Während Alma sich angesichts derartiger Huldigungen in eine wahre Grande Dame verwandeln konnte, war sie – und darin ist sie auch in den fünfziger Jahren immer noch die klassische Hysterikerin aus dem Wien der Jahrhundertwende – ebenso in der Lage, alle Noblesse wegen einer Nichtigkeit preiszugeben. Wie eng beides, die Grandezza und die beleidigte Kleinkrämerei, auch noch im fortgeschrittenen Alter bei ihr zusammengehört, zeigt ein Versehen des Industriellen Arthur Atwater Kent, der im Sommer 1948 zu Ehren Eugene Ormandys ein großes Fest veranstaltete. Atwater Kent hatte sich mit der Produktion von teuren Radios einen Namen gemacht und viele Millionen verdient. Nach dem Verkauf seiner Firma hatte er sich nach Los Angeles zurückgezogen, wo er sich mit Vorliebe mit den Stars und Sternchen der Filmindustrie umgab. Für den kunstsinnigen Lebemann war es selbstverständlich, Mahlers Witwe zu seiner Feier einzuladen, zumal er Alma flüchtig kannte. Durch einen unglücklichen Zufall adressierte er die Einladung jedoch an »Mrs. Alma Wefel«, was offensichtlich ein Druckfehler war. Nun hätte man über diese kleine Nachlässigkeit durchaus hinwegsehen können, nicht jedoch Alma. *Ich bedauere es, niemanden dieses Namens zu kennen,* teilte sie ihm ironisch mit. *Die Einladung ist gewiss nicht an mich gerichtet, da ich mir nach dem angenehmen Abend, den wir vor ein paar Wochen bei mir verbracht haben, sicher bin, dass sie meinen Namen kennen müssen.* Damit nicht genug: *Unter diesen Umständen würde ich mich hinter einem falschen Namen verstecken, sollte ich ihrem Portier diese Karte zeigen, und bedauerlicherweise würde ich dies als ungebührlich erachten.*[36] Und so konnte es ein fehlender Buchstabe sein, der es Alma unmöglich machte, zu einer moderaten Haltung zu gelangen. Dass sie selbst es mit der Buchstabentreue mitunter nicht so genau nahm, steht, wie man an ihrem Umgang mit den Briefen Franz Werfels sehen kann, auf einem anderen Blatt.

Im Frühjahr 1949 hatte Alma aus Wien von Ida Gebauer die

Briefe erhalten, die Franz Werfel ihr in den Jahren vor 1938 geschrieben hatte. Alma freute sich über den bereits verloren geglaubten Schatz. Immer wieder las sie die Briefe und schwelgte in Erinnerungen an gemeinsame, bessere Jahre. Seite für Seite tippte sie die Schriftstücke ab. *Heute sind es schon 100 Briefe*, schrieb sie am 23. Juni an Friedrich Torberg, *aber es ist nur der Anfang! Du wirst hingerissen sein, wenn Du es liest!*[37] Offensichtlich trug sich Alma, angeregt durch die Erstellung des Typoskripts, zu dieser Zeit mit dem Gedanken, Franz Werfels Briefe an sie zu veröffentlichen. Obwohl sie Friedrich Torberg gegenüber beteuerte, *dass ich kein Wort, keinen Beistrich verändern werde*[38], ist aber nicht auszuschließen, dass sie sich nicht daran gehalten hat. Viele von Werfels Briefen enthalten wortreiche, mit üppigen Formulierungen versehene und kindlich-naiv anmutende Bekundungen, mit denen der Schriftsteller Alma immer wieder seine Liebe gesteht. Durch die Herausgabe dieser sehr persönlichen Schriftstücke konnte sie – auch Jahre nach Franz Werfels Tod – ihr Bedürfnis nach Huldigung und Anbetung befriedigen. Im Sommer 1949 verfasste sie ein Vorwort für diese Briefausgabe, das ihre Intentionen erkennen lässt. In diesem Text beschreibt sie, gleichsam in die Rolle eines objektiven Beobachters schlüpfend, ihre Beziehung zu Franz Werfel vom ersten Kennenlernen bis zum Tod des Dichters. Darin tritt Alma als *bildschöne blonde Frau*[39] in Erscheinung, während Franz bis zum Ende als *der werbende Jüngling*[40] dargestellt wird: *Ob in Wien oder in Italien, ob auf der Flucht in Frankreich oder in der schwererrungenen Ruhe in Kalifornien, wo immer und wann immer, galt sein erster und letzter Gedanke, seine Sorge, sein Wunsch der Frau, ohne die er im buchstäblichsten Sinne des Wortes nicht leben konnte.*[41] Kein Wort von den vielen Krisen dieser Beziehung, von den quälenden Auseinandersetzungen der dreißiger Jahre. Ihre Zeit mit Franz Werfel wurde zu einer einzigartigen Erfolgsgeschichte für ihn – und Almas Briefedition ist letztlich nichts anderes als eine Lobeshymne an sich selbst. Das erkannte wohl auch Friedrich Torberg, der von Alma gebeten worden war, Werfels Briefe für die Veröffentlichung vorzubereiten. »Daraufhin hat er ihr sehr diplomatisch geschrieben«, erinnerte sich Marietta Torberg, »dass er das nicht tun wird. In Wirklichkeit hat er getobt und hat gesagt, dass ein Mensch wie der Werfel sich so erniedrigt, dass eine Frau einen so weit bringen kann, dass man sich so erniedrigt, solche schmierigen, glibbrigen Briefe zu schreiben.«[42]

In diesen Zusammenhang gehört auch ein von Alma geschriebener und bislang völlig unbekannter autobiographischer Roman mit dem Titel »Zwischen zwei Kriegen«. Handschriftlich hat die Autorin auf dem Deckblatt des Typoskripts die griechischen Worte Αλλως Μακαρ eingefügt, die sich auf eine gleichnamige Dichtung Oskar Kokoschkas aus dem Jahre 1914 beziehen. »Allos Makar« ist eine anagrammatische Umstellung der Vornamen Alma und Oskar. In der griechischen Schreibweise Αλλως Μακαρ bedeutet dieses Anagramm soviel wie »Anders ist glücklich«[43]. Kokoschkas Dichtung, die von seinem schwierigen Verhältnis zu Alma handelt, als Motto für einen autobiographischen Roman? Ein erster Blick macht deutlich, dass die Handlung, wie der Titel bereits vermuten lässt, zwischen dem Ersten und Zweiten Weltkrieg spielt. Im Mittelpunkt des Geschehens stehen der hoch begabte jüdische Komponist Victor Fischler und die Klavierschülerin Eva Hochstädter, hinter denen sich niemand anders als Gustav Mahler und Alma verbergen. Selbst kleine Details wie Mahlers Kleidungsstil und sein Herzfehler werden auf Victor Fischler projiziert. Auch die anderen Personen finden ihre Pendants in Almas Leben: Mahlers Familie, die mittellos und unsympathisch dargestellt wird, ist ebenso präsent wie Almas bourgeoise Familie oder auch Einzelpersonen wie Walter Gropius und Johannes Hollnsteiner, der als »geistlicher Berater« in Erscheinung tritt. Dadurch, dass die Handlung in den zwanziger und dreißiger Jahren spielt und Victor und Eva später nach Amerika emigrieren, sind in der Figur des Victor Fischler auch deutliche Züge von Franz Werfel nachweisbar. Im

Großen und Ganzen greift dieser Roman ein Lebensthema Almas auf, das sie über viele Jahre begleitete und das in ihren Beziehungen insbesondere zu jüdischen Männern eine wesentliche Rolle spielte. Ihre antisemitischen Ressentiments und ihre Überzeugung von einer eigenen höheren Mission werden hier in die Konstellation eines Trivialromans überführt: Die Autorin beschreibt Eva als »blondes Ich« und spricht von Victors *dämonischem Zauber*[44], womit Mahlers Judentum und Almas »arische« Abstammung gemeint sind. Im Mittelpunkt steht der Gedanke der »Erlösung« des Juden, was in einer der Schlüsselszenen zwischen Victor und Eva deutlich wird: *Er kniete hin und küsste ihren nackten Leib und sie waren eine Einheit und nichts konnte sie trennen. Er stammelte ›Du hast mich hell gemacht, wenn ich etwas werde, du hast mir vom düsteren Judentum mich entfernen helfen ... dir verdank ich meine Loslösung und Flugbereitschaft, deine lichte blaue Seele hat es mir gegeben ... allein hätte ich es nicht vermocht ...‹.*[45] Erst die »Erlösung« kann – so die Autorin – den Widerspruch zwischen Juden und Ariern, zwischen »Vergeistigung« und »Liebe« auflösen. *Eva: ›Irgendetwas trennt uns. Ich strebe mit allen Herzfasern ins wahre Leben. Du zur restlosen Vergeistigung ...‹ ›Was für mich Erlösung, kannst du nicht begreifen, und was für dich Erlösung, ist für mich Wahnsinn.‹ ›Mein Wahrspruch heisst: Ich liebe also bin ich. – Der deine: Ich denke, also bin ich ...‹*[46]

Über die Vorgänge, die zu dieser diffusen Erlösung führen, lässt die Autorin die Leser indes im Unklaren. Am Ende des Romans, Eva und Victor – nunmehr auch mit deutlichen Konturen Franz Werfels – sind vor Hitler in die USA geflüchtet, steht so etwas wie ein »christlicher Endzustand«: *Sie liebte ihn nicht mehr ›um seiner Fremdheit willen‹, sie liebte ihn um seiner Kraft und um seiner Verfolgtheit willen. Er liebte sie mehr als je um ihrer hellen Art, ihrer Treue und ihrer Identifizierung willen [...]. Und sie wussten plötzlich, dass es kein Judentum, – kein Ariertum, keine Trennung gibt, sondern ein Christentum auf höchster Stufe – die Menschwerdung des Men-*

schen – an sich – alle Stoffe sind dieselben – der Mensch ist nur ein
schmaler Streif Leidenschaft.[47] Franz Werfels Briefe sowie Almas
Roman sind bis heute unveröffentlicht. Warum Alma die Publikation dieser Texte doch nicht in Angriff nahm, muss offen bleiben.

Dem Eigentlichen

Zu dem immer enger gewordenen Kreis deutscher Emigranten in
Kalifornien, mit dem Alma regelmäßig zusammentraf, gehörte die
Familie Mann. Auch wenn der Kontakt nach Franz Werfels Tod an
Intensität verloren hatte, war man durchaus freundschaftlich mit-
einander verbunden. Thomas Mann schätzte Alma offensichtlich
als gute Unterhalterin: »Kalte Ente. Alma amüsant«[48], lautet eine
seiner Tagebuchaufzeichnungen über einen gemeinsamen Abend.
Ende 1947 aber sollte sich das Verhältnis verschlechtern.

Von Mai 1943 bis Januar 1947 hatte Thomas Mann an seinem
Roman »Doktor Faustus« gearbeitet, in dessen Zentrum der »deutsche Tonsetzer« Adrian Leverkühn steht. Dem Autor ging es dabei
um eine möglichst bildhafte Beschreibung der mathematischen
Strenge in Leverkühns Kompositionen, wofür zweifellos die von
Arnold Schönberg entwickelte »Zwölftonmusik« als Vorbild diente.
Dem Wagnerianer Mann wurde die Konzeption Schönbergs vor
allem durch den intensiven Austausch mit dem ebenfalls nach Kalifornien emigrierten Philosophen Theodor W. Adorno näher gebracht.[49] Thomas Mann war von Schönbergs Gedankenwelt fasziniert. Durch etliche Lesungen war Alma über den Inhalt des Romans informiert. Und als Musikerin wusste sie ganz genau, dass
sich Adrian Leverkühn der Schönberg'schen Kompositionslehre
bediente. Lediglich Arnold Schönberg selbst scheint von alledem
nichts gewusst zu haben. Die Manns und die Schönbergs sahen sich
zwar hin und wieder, man sprach aber nicht über »Doktor Faustus«,
und Schönberg war bei den privaten Vorlesungen des Schriftstellers

nie anwesend. Am 15. Januar 1948 sandte Mann dem Komponisten ein Exemplar des Romans mit Widmung: »Arnold Schönberg, dem Eigentlichen, mit ergebenem Gruß […].«[50] Aufgrund eines Augenleidens war Schönberg jedoch nicht in der Lage, das Buch zu lesen, und konnte demnach kein eigenes Urteil über Manns literarische Verarbeitung seiner Kompositionstechnik fällen. Und hier beginnt Almas zweifelhafte Rolle: Sie informierte ihren alten Freund Arnold Schönberg über das neue Werk Thomas Manns, offenbar, wie sich später herausstellen sollte, mit drastischen Worten, so dass er befürchtete, als Erfinder der »Zwölftonmethode« übergangen und vergessen zu werden. Nachdem sie also an Schönbergs Verärgerung nicht ganz unbeteiligt war, versuchte sie janusköpfig zwischen den Kontrahenten zu vermitteln. »Telephon mit Alma Mahler von Schönbergs wegen«, notierte Thomas Mann am 21. Februar 1948 in sein Tagebuch. »Wünscht Vermerk, dass die 12-Ton-Technik sein Geistesgut. Wie zu machen?«[51] Als der Bedrängte nichts von sich hören ließ, rief Alma drei Tage später erneut an: »Schönberg insistiert durch Alma Mahler.«[52] Als Folge dieser Interventionen erklärte sich Mann schließlich bereit, eine Nachbemerkung abdrucken zu lassen, worin er betonte, dass die »Zwölftontechnik« Arnold Schönbergs geistiges Eigentum sei. Am 13. Oktober schickte Thomas Mann ein Exemplar der gerade erschienenen englischen Übersetzung des »Doktor Faustus« – einschließlich Nachbemerkung – an Schönberg, der sich dafür kurze Zeit später freundlich bedankte.[53] Damit war die eigentliche Ursache für den Streit beseitigt.

Der Disput ging jedoch weiter, schlimmer noch, die Auseinandersetzungen wurden nun in der Öffentlichkeit ausgetragen. Am 13. November 1948 schrieb Schönberg einen Leserbrief an die renommierte »Saturday Review of Literature«, in dem er sich bitter über Thomas Mann beschwerte und ihm vorwarf, ihn mit Leverkühn zu identifizieren. Plötzlich empfand er die persönliche Widmung »dem Eigentlichen« als Beleidigung. Darüber hinaus gefiel

ihm auf einmal die Nachbemerkung nicht mehr, für die er sich zuvor bei Mann schriftlich bedankt hatte. Jetzt seien es nur »ein paar
Zeilen nach dem Ende des Buches, auf einer Seite und an einem
Platz, wo niemand es je finden würde«[54]. Ein Grund für Schönbergs
widersprüchliches Verhalten ist sicherlich in der Sorge um seinen
Nachruhm zu sehen. Vielleicht war auch etwas Neid im Spiel: Während Thomas Mann in Amerika auf der Sonnenseite des Lebens zu
stehen schien, lebte Arnold Schönberg in sehr bescheidenen Verhältnissen.

Thomas Mann erfuhr am 9. Dezember 1948 von Schönbergs
Anwürfen, der Herausgeber der »Saturday Review« hatte ihm eine
Kopie des Leserbriefes zugeschickt. Darin konnte der Schriftsteller
Schönbergs Sicht der Dinge lesen: »Danach erzählte mir Mrs. Alma
Mahler-Werfel, sie habe das Buch gelesen und sei sehr entsetzt darüber gewesen, dass er meine ›Theorie‹ verwendet hätte, ohne mich
als Urheber zu nennen. […] Als Mrs. Mahler-Werfel diesen Missbrauch meines Eigentums entdeckte, sagte sie Mann, dass dies
meine Technik sei, worauf er antwortete: ›Oh, merkt man das?
Dann wird Herr Schönberg vielleicht böse sein!‹ […] Es war sehr
schwer für Mrs. Mahler-Werfel, ihn davon zu überzeugen, dass er
etwas tun müsse, um das wiedergutzumachen.«[55] Damit war Almas
Doppelspiel entlarvt, sie war es also, die Schönberg gegen den
Roman aufgebracht hatte. »Alma Mahler-Werfel als Zwischenträ-
gerin«[56], notierte Thomas Mann knapp in sein Tagebuch und hielt
damit fest, was unter den europäischen Emigranten in Los Angeles
längst bekannt war. »Sie mochte Klatschgeschichten«, erinnerte sich
Albrecht Joseph, »und sprach ohne irgendwelche Hemmungen über
intime persönliche Beziehungen; nicht über ihre eigenen, sondern
über die ihrer Gäste und Dritter. Sie war dabei lebhafter als bei
ihren sehr allgemein gehaltenen Bemerkungen zu Kunst und Literatur, und viel angenehmer, als bei ihren politischen Vorträgen, die
unter dem Einfluss der Arlts ständig dümmer und fanatischer wurden.«[57] Noch am Nachmittag des 9. Dezember skizzierte Thomas

Mann einen Antwortbrief, der von Erika Mann abgeschrieben und zur Übersetzung zu Gustave Arlt gebracht wurde, »der über Sch.'s betrübendes Selbstzeugnis entsetzt ist – und über die Mahler«[58]. Beide Texte erschienen am 1. Januar 1949 in der »Saturday Review of Literature«. Während Schönbergs Leserbrief von Unentschlossenheit und offensichtlicher Unkenntnis des »Doktor Faustus« zeugte, bemühte sich Thomas Mann um Objektivität. Entschieden wehrte er sich gegen den Vorwurf der Identifikation Schönbergs mit Leverkühn. Allerdings prangerte er auch das »Geschwätz von Zwischenträgern«[59] an, womit zweifellos Alma gemeint war. In den ersten Monaten des Jahres 1949 kühlte sich das Verhältnis zwischen Alma und den Manns denn auch deutlich ab. In Thomas Manns Tagebucheintragungen wird sie bis Ende August nur ein Mal beiläufig erwähnt.

Alma reagierte auf die Distanzierung mit einem radikalen Stellungswechsel. Während sie zunächst auf Seiten Schönbergs gestanden und sich über den scheinbaren Missbrauch der Zwölftontechnik im »Doktor Faustus« entsetzt hatte, schlug sie sich im Frühjahr 1949 auf die Seite Manns. Und wieder fungierte sie als Nachrichtenquelle. Als Alma von Schönbergs Frau Gertrud angeblich aufgefordert wurde, den Kontakt mit Thomas Mann abzubrechen, rief sie umgehend in Pacific Palisades an und informierte den Schriftsteller.[60] Diese Mitteilung war wohl kaum geeignet, zu einer Entspannung beizutragen. Zweifellos fühlte Alma sich ertappt. Es war ihr offensichtlich unangenehm, dass Thomas Mann die Intrige durchschaut hatte. Ihrem Freund Arnold Schönberg machte sie unterdessen schwere Vorwürfe, ihren Namen ins Spiel gebracht zu haben. Die Mitteilung über Thomas Manns jüngsten Roman sei vertraulich gewesen, nun habe er sie in eine höchst unangenehme Situation gebracht. Schönberg fühlte sich zu Unrecht kritisiert und dachte nicht daran, Almas Vorwurf zu akzeptieren. Geschickt hielt er ihr vor, »wie oft Du mir das getan hast«, und erinnerte sie an kleinere Affären, in die Alma Schönberg hineingezogen hatte: »Ich

hoffe bei Deinen weiteren Überlegungen berücksichtigst Du das.«[61]
Die Auseinandersetzung um »Doktor Faustus« sollte im Januar 1950
zu einem plötzlichen Ende kommen – übrigens ohne Almas Vermittlung. Arnold Schönberg, des Kampfes müde, bot seinem Ge-
genspieler kurzerhand an, den Streit zu begraben.

Eine letzte Huldigung

Der siebzigste Geburtstag Almas sollte groß gefeiert werden. Die
Feierlichkeiten bedurften umfangreicher Vorbereitungen. Eifrige
Helfer waren den gesamten Tag damit beschäftigt, Haus und Garten herzurichten. Im Esszimmer wurde ein enormes Buffet aufgestellt, das erlesene Köstlichkeiten bot. Als die zahlreichen Gäste
eintrafen, erstrahlte alles in festlichem Glanz. August Hess sowie
einige Aushilfskellner servierten Champagner, Benediktiner oder
schwarzen Kaffee. Um Mitternacht spielte eine eigens bestellte
Blaskapelle. Hinsichtlich eines angemessenen Geschenks hatten
sich Gustave und Gusti Arlt etwas ganz Besonderes ausgedacht und
im Frühjahr 1949 Freunde und Bekannte der Jubilarin gebeten, jeweils ein Blatt Papier nach Lust und Laune zu gestalten und an die
Arlts zu schicken. In Leder gebunden, war diese Gabe der Freunde
ein einzigartiges Dokument. Alma freute sich ungemein über dieses
sehr persönliche Geschenk. Aber erst als sie das Buch am nächsten
Tag in Ruhe durchblätterte, wurde ihr bewusst, wie einmalig dieses
Andenken war. Zu den 77 Gratulanten gehörten unter anderem die
Schriftsteller Franz Theodor Csokor, Lion Feuchtwanger, Heinrich
und Thomas Mann, Fritz Unruh und Carl Zuckmayer, die Komponisten Benjamin Britten, Ernst Krenek, Darius Milhaud, Igor Strawinsky und Ernst Toch sowie die Dirigenten Erich Kleiber, Eugene
Ormandy, Fritz Stiedry, Leopold Stokowsky und Bruno Walter.
Der ehemalige österreichische Bundeskanzler Kurt von Schuschnigg schickte Grüße aus St. Louis, wo der Jurist seit 1948 als Pro-

fessor tätig war. Franz Werfels Jugendfreund Willy Haas verfasste eine Lobeshymne, die ganz nach Almas Geschmack war: »Das Märchen, daß Du siebzig, genau siebzig Jahre alt bist, werde ich niemals glauben. Du bist entweder hundertunddreissig: Deiner Lebenserfahrung, Deiner Klugheit, Deiner unfehlbaren Hilfsbereitschaft nach. Oder Du bist, nun, sagen wir: dreiunddreissig, Deiner Anmut nach. Aber Du bist zeitlos. Deiner Weisheit, Würde und menschlichen Autorität nach, der sich keiner entziehen kann. Und Du bist ›gebenedeiet unter den Frauen‹, die du zwei großen Männern ihr Leben verschönt und erhöht hast – ach, was sage ich: Zweien? Allen, die Dich lieben und verehren durften und unter ihnen ist auch Dein alter, treuer Willy Haas.«[62] Der Dirigent Fritz Stiedry hatte für Alma sogar eine kleine Miniaturoper mit dem Titel »Der gerettete Alkibiades« komponiert. Thomas Mann betonte, schon immer ihr Freund gewesen zu sein, »ein Verehrer, wenn Sie wollen, der Erquickung fand in jedem Zusammensein mit Ihnen, – die heitere Belebung, die ausgeht von einer Persönlichkeit, einer Menschennatur in Weibsgestalt, einer grossen Frau. Dies alles sind Sie, ich bezeuge es mit Freude und Dankbarkeit, heute wie immer. Dass Sie zudem die Witwe zweier teuerer Männer und grosser Zeitgenossen sind, erhöht die Ehrerbietung, mit der ich Ihnen zu Ihrem Fest meine herzlichsten Glückwünsche darbringe«[63]. Mann, dessen Verärgerung über Alma sich mittlerweile gelegt hatte, war in diesem Falle nicht nachtragend. Albrecht Joseph zufolge sollen »einige seiner linksgerichteten Freunde ihre Verwunderung darüber zum Ausdruck gebracht haben, dass er Alma, die eine Art Deutsche darstellte, die für Mann tabu geworden war, weiterhin traf. Man sagte, er sei einen Moment lang ernsthaft überrascht gewesen, überdachte das Problem und soll lächelnd gesagt haben: ›Sie gibt mir Rebhühner zu essen, und die mag ich.‹«[64] Walter Gropius schrieb aus Cambridge: »Vergangenheit und Gegenwart berühren sich! Innigstes Gedenken!«[65] Und auch Oskar Kokoschka meldete sich zu Wort. »Meine liebe Alma, du wirst verstehen, daß ich den 31. August 1949 in meiner besonderen Weise mitfeiere. Was wir beide voneinander wissen, ist ein Ereignis in der Zeit einmalig und doch immer wieder sich vollziehend und stete Gegenwart bleibend. Gemäß der Einsicht nach welcher Göttliches, ewiges Sein sich mit Werden begegnet, hebt sich mir die Spanne Zeit, die wir miteinander verlebten wie ein Mythos deutlich ab von den Ereignissen innerhalb der historischen Zeit, in welcher Weltkriege, Katastrophen aller Art die Gesellschaft vom Grund aufwühlten. Überwunden hast du und ich dieses – unser Fortleben erweise sich im Werden! So Alma grüßt Oskar Kokoschka dich zum 31. August 49.«[66]

Nur einer fehlte – auf dem Fest wie im Geburtstagsbuch: Arnold Schönberg. Da Alma sich im Streit um »Doktor Faustus« auf die Seite Thomas Manns gestellt hatte, wurde das Verhältnis zu Schönberg auf eine harte Probe gestellt. Am Abend ihrer großen Feier nahm Alma Thomas Mann beiseite und versicherte ihm, mit Schönberg völlig gebrochen zu haben.[67] Dieser angebliche Bruch entsprach allerdings nicht der Realität, er war nur inszeniert, um gegenüber Thomas Mann Loyalität zu demonstrieren. Die »Versöhnung Alma Mahlers mit ihm« fand bereits zwei Wochen später statt. Der lakonische Kommentar »von mir gesegnet«[68] macht deutlich, dass Thomas Mann an den »völligen Bruch« wohl kaum geglaubt haben dürfte. Während der übereifrige Gustave Arlt Schönberg von einem Beitrag im Geburtstagsbuch ausgeschlossen hatte, wurde dieser selbst aktiv, indem er einen »Geburtstagskanon« komponierte, den er »Alma Mahler-Werfel zum 70. Geburtstag« widmete. Dem kleinen Werk lag folgender Text zugrunde: »Gravitationszentrum eigenen Sonnensystems, von strahlenden Satelliten umkreist, so stellt dem Bewunderer dein Leben sich dar.« In einem Begleitschreiben erklärte Schönberg, warum er sich nicht in die Schar der Gratulanten einreihte, wobei der Bezug auf die Vorgänge der vergangenen Monate eindeutig war: »Liebste Alma, es tut mir nicht gut mich in fremde Sonnensysteme zu begeben. Deshalb findest du mich auch heute nicht unter den Prominenten, die dir gratulieren.

Lass mich also als ein Einzelgänger dir alles Gute, Gesundheit und langes Leben wünschen.«[69]

Nach den großen Feierlichkeiten wurde es still um Alma. Hin und wieder besuchte sie die Manns oder diese fuhren nach Beverly Hills. »Unsinn. Aß und trank zuviel«, notierte Thomas Mann nach einer Dinnerparty bei Alma in sein Tagebuch. »Gepauk von Mahler-Musik auf schlecht gehaltenem Klavier.«[70] An anderer Stelle heißt es: »Alma recht amüsant und wahrhaftig über die Unannehmlichkeit des Lebens und die entsprechende Unwünschbarkeit, es zu wiederholen. Sie ging früh. Ich war recht hinfällig.«[71] Alma war nun eine alte Dame. Die legendären Zechgelage mit Carl Zuckmayer oder Erich Maria Remarque gehörten der Vergangenheit an, an nächtelange Exzesse war nicht mehr zu denken. Schon länger plagten sie gesundheitliche Probleme, insbesondere Bluthochdruck und Herzbeschwerden machten ihr zu schaffen. Bereits im Vorjahr hatte sie in einem Brief an Friedrich Torberg über die Folgen des Alterns geklagt: *Ich bekomme hie und da kleine Schreckschüsse – die ich nicht beachte – vor allem keinen Arzt consultiere. Das halte ich für die gesündeste Taktik.*[72]

New York, New York

Im Sommer 1949 erhielt Alma wiederum Besuch von ihrer Tochter Anna, die sich kurz zuvor von Anatol Fistoulari getrennt hatte. Nach dem Scheitern der Ehe spielte sie mit dem Gedanken, ihr Leben völlig zu verändern und London zu verlassen. Als sich herausstellte, dass Anna an der Universität in Los Angeles Bildhauerei unterrichten könne, nutzte sie die Gelegenheit und zog im November 1950 nach Kalifornien.[73] Zudem hatten Mutter und Tochter nach langen Jahren der Trennung wieder zueinander gefunden – die räumliche Nähe schien beiden attraktiv. In Beverly Glen, einem Stadtteil nahe der Universität, kaufte Alma für ihre Tochter und die

Enkelin Marina (Annas erste Tochter Alma war bei Paul von Zsolnay aufgewachsen) ein kleines Haus.

Bald nach ihrer Übersiedelung traf Anna auf Albrecht Joseph, der ebenfalls eine gescheiterte Beziehung – zu der deutschen Pianistin Lella Simon – hinter sich hatte. Fast zwangsläufig freundeten sich Anna und Albrecht Joseph an, und bald entstand eine Liebesbeziehung, die 38 Jahre dauern sollte. Albrecht Joseph wurde 1970 Anna Mahlers fünfter und letzter Ehemann. Alma hatte starke Vorbehalte gegen diese Verbindung. Mit drastischen Worten warnte sie Anna vor Albrecht Joseph. »Ich war nicht nur ein Jude, ich war auch unkreativ.«[74] Wieder wurde Alma offensichtlich von ihren antisemitischen Ressentiments geleitet – die Kreativität wurde zur fixen Idee, und sie hatte sich in den Kopf gesetzt, dass ein Mann wie Albrecht Joseph, der als Werfels Sekretär und später als Filmcutter tätig war, kein kreativer Mensch sein könne. Damit war die Sache für sie erledigt. Noch Jahre später ließ Alma ihrer Freundin Gusti Arlt gegenüber keinen Zweifel daran, was sie von dem Verhältnis ihrer Tochter hielt: *Nun Gott sei Dank denkt sie nicht an heiraten – aber mir ist die ›Beziehung‹ schon ekelhaft genug!*[75]

Nach anfänglicher Euphorie gestaltete sich das Zusammenleben von Alma und ihrer Tochter in Los Angeles zunehmend schwierig. »Wie ich nach Amerika kam«, erinnerte sich Anna Mahler, »und Werfel tot war, da war ich doch baff, wie furchtbar sie sein kann.«[76] Abgesehen von kürzeren Besuchen hatten Mutter und Tochter die zurückliegenden dreißig Jahre getrennt voneinander verbracht, den Alltag hatten sie nicht geteilt. Und so wurde die räumliche Nähe, die ständige Verfügbarkeit Annas, zur Belastung. Alma fühlte sich einsam, hatte häufig Langeweile und erwartete von ihrer Tochter, dass sie ihr Gesellschaft leiste. Wenn Anna dies – aus welchen Gründen auch immer – ablehnte, machte sich Almas eminente Eifersucht bemerkbar. »Mami war eine sehr eifersüchtige Person«, erinnerte sich Anna Mahler. »Selbstverständlich tat sie alles Mögliche gegen die Freunde anderer und auch gegen meine. Sie

Das letzte Zuhause: Alma Mahler-Werfels Haus in New York,
120 East 73. Street

wollte die Person ganz für sich alleine mit ihren Freunden haben –
das war in Ordnung.«[77] Alma war offensichtlich nicht in der Lage zu
verstehen, dass ihre 46-jährige Tochter ihr eigenes Leben führte.
Und ihre nicht zu bremsende Eifersucht richtete sich sogar gegen
ihre kleine Enkelin Marina, in der sie nichts anderes als einen Stör-
faktor in der Beziehung zu Anna sah. »Das Kind«, wie sie ihre Enkelin abstrakt nannte, habe Anna fest im Griff. *Ach Gusti*, flehte Alma
ihre Freundin Gusti Arlt an, *könntest Du nicht Einfluss auf sie aus-
üben, dass sie sich von dem Fratzen nicht so tyrannisieren lässt!*[78] Dass
diese geradezu infantile Eifersucht gegenüber einem immerhin erst

Das Schlaf- und Musikzimmer in New York. An den Wänden hängen Gemälde von Emil Jakob Schindler.

achtjährigen Kind nicht eben zur Normalisierung der possessiven Beziehung zwischen Mutter und Tochter beitrug, ist wohl evident.

Möglicherweise hat dieser Konflikt dazu beigetragen, dass Alma den schon länger gehegten Plan eines Umzugs nach New York in die Tat umsetzte. An der 73. Straße, nur zwei Blocks vom Central Park entfernt, hatte sie bereits Ende 1945 ein Haus gekauft. Das schmale Gebäude war ein für die Upper East Side typischer Backsteinbau. Auf jeder der vier Etagen gab es zwei Wohnungen, die aus einem Zimmer, einer Küchenzeile und einem Bad bestanden. Nachdem es ihr nach einigem Hin und Her endlich gelungen war, zwei Etagen für sich zu reservieren, übersiedelte sie 1951 an die Ostküste, wobei sie das Haus in Beverly Hills zunächst behalten wollte. Es waren wohl vor allem die Erinnerungen an die gemeinsame Zeit mit Franz Werfel, die sie vorerst hinderten, einen Strich unter das Kapitel Los Angeles zu ziehen. Alma freute sich auf den Neuanfang, und das überschaubare Manhattan erinnerte sie an

Almas Wohnzimmer in New York. Zwischen den Bücherregalen Gemälde und Zeichnungen von Oskar Kokoschka.

Europa. Hier waren die Wege kurz, vieles ließ sich zu Fuß erledigen, und mit einem Taxi konnte sie innerhalb weniger Minuten die Metropolitan Opera oder auch die Konzerte der Philharmoniker erreichen. Während Alma sich im dritten Stock ihres Hauses eingerichtet hatte, war die oberste vierte Etage August Hess beziehungsweise Gästen vorbehalten. Almas Refugium bestand aus zwei gegenüberliegenden Wohnungen – die eine diente als Wohnraum, die andere als Schlafzimmer –, die nur durch das Treppenhaus voneinander getrennt waren. Im Wohnraum reichten Bücherregale vom Boden bis zur Decke, wodurch der Eindruck entstand, die Wände bestünden nur aus Büchern. Zwischen den Regalen hingen die sechs Fächer, die Oskar Kokoschka zwischen 1912 und 1915 für seine Geliebte bemalt hatte, sowie dessen Ölgemälde »Alma Mahler« aus dem Jahr 1912. Da der Platz an den Wänden nicht ausreichte, mussten zwei Zeichnungen Kokoschkas mit Pferden bei Tre Croci sogar an einer Tür befestigt werden. Zwischen den Büchern, auf

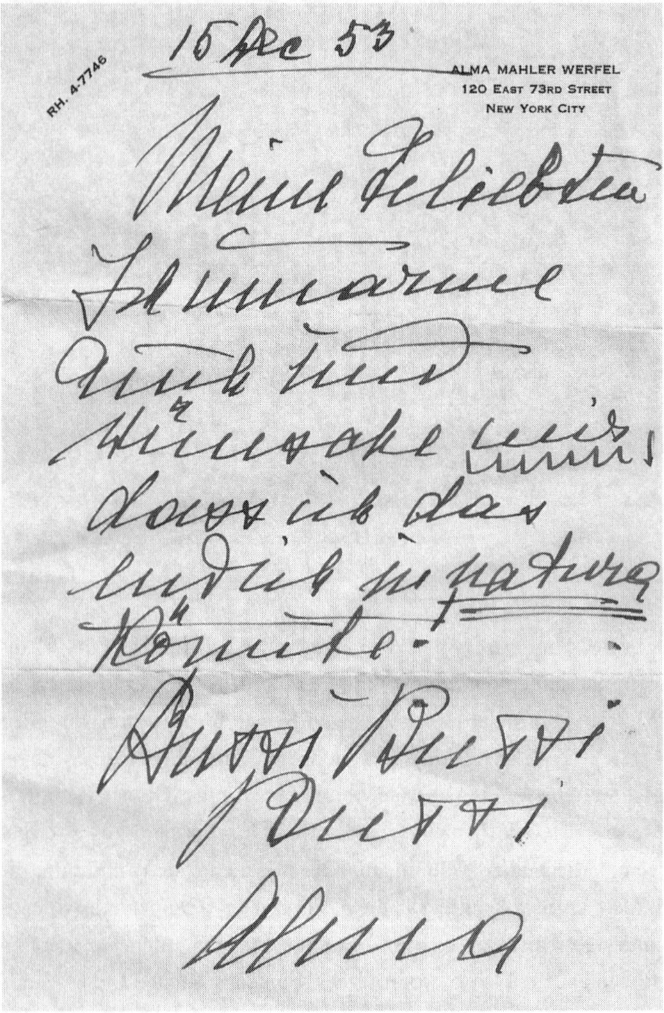
15 Dec 53

RH. 4-7746

ALMA MAHLER WERFEL
120 East 73rd Street
New York City

Meine Geliebten
Ich umarme
Euch und
wünsche mir immer!
dass ich das
endlich in natura
könnte!
Bussi Bussi
Bussi
Alma

Handschriftlicher Brief Almas an Gustave und Gusti Arlt vom 15. Dezember 1953.
»Meine Geliebten
Ich umarme Euch und wünsche mir immer,
dass ich das endlich in natura könnte!
Bussi Bussi Bussi
Alma«

einem Sekretär sowie auf einer Anrichte standen weitere Bilder und Fotografien. Den Mittelpunkt des Raumes bildete ein runder Tisch mit vier Ledersesseln. Almas zweite Wohnung war hingegen der Musik gewidmet. Ein Blickfang war zweifellos der schwarze Blüthner-Flügel, auf dem ein großes Porträtfoto Gustav Mahlers platziert war. An den Wänden hingen einige Gemälde Emil Jakob Schindlers, die Alma nach 1945 aus ihrem Wiener Besitz zurückerhalten hatte. Und neben ihrem Schreibtisch stand ein Tresor, der wertvolle Autographen enthielt. Obwohl ihr neues Domizil in keiner Weise mit der Wiener Wohnung in der Elisabethstraße oder gar der Luxusvilla auf der Hohen Warte vergleichbar war, schien Alma damit durchaus zufrieden; ihre Ansprüche waren ja auch nicht mehr die der zwanziger und dreißiger Jahre. Als der französische Komponist Darius Milhaud Alma in ihrer New Yorker Wohnung besuchte, glaubte er in einem Museum zu sein. Diese geballte Ansammlung von Geschichte verleitete ihn zu der lakonischen Bemerkung, es sei schön, »mit jemandem zu reden, der den Mozart noch gekannt hat«[79].

Im Herbst 1952 trat Alma eine längere Europareise mit ihrer Freundin Gusti Arlt an. Während Letztere einige Zeit bei ihren Verwandten in Deutschland zu verbringen gedachte, plante Alma ihre Besuche in Paris und Rom. Ein Aufenthalt in Wien war nicht avisiert, obwohl der im Frühjahr 1951 nach Wien zurückgekehrte Friedrich Torberg Alma mehrfach um einen Besuch in Österreich gebeten hatte. Sie blieb jedoch hart. Zu tief saß die Verärgerung über den Bilderstreit und das Verhalten der österreichischen Gerichte. In Paris bezog Alma für die letzten beiden Monate des Jahres 1952 ein Zimmer im Hotel »Royal Madeleine«, das vierzehn Jahre zuvor die erste Station ihres Exils gewesen war. Als sie durch die kleinen Straßen spazierte, von der Kirche Sainte Marie Madeleine kommend über den Boulevard Malesherbes rechts in die Rue Pasquier einbog, hatte sie das Gefühl, die Zeit sei stehen geblieben. Im Januar 1953 reiste Alma weiter nach Rom, wo sie sich ebenfalls knapp acht Wochen aufhielt, um danach mit Gusti Arlt die Heimreise per Schiff anzutreten. Die Überquerung des Atlantiks gestaltete sich angenehm, bei gutem Wetter saßen die Freundinnen auf dem Sonnendeck und plauderten oder lasen. Und – wie so oft – machte Alma eine interessante Bekanntschaft. Sie saß allein an der frischen Luft, als plötzlich ein großer Mann vor ihr stand, der sich als Thornton Wilder vorstellte. Alma realisierte sofort, dass es der berühmte amerikanische Schriftsteller war, dessen Jugendwerk »Die Brücke von San Luis Rey« sie vor vielen Jahren gelesen hatte. Das Zusammensein mit dem 53-jährigen Wilder, der ein amüsanter und charmanter Gesprächspartner war, verkürzte ihr die Reise, so dass sie die Zeit vergaß, und als das Schiff im Hafen einlief, trennte sie sich von einem Freund.

Ein Jahr später schmiedete Alma erneut Reisepläne. Schwankte sie zunächst zwischen Rom und Gran Canaria, entschied sie sich letztlich doch für Italien. Anfang September 1954 flog sie für einige wenige Wochen nach Rom, wo sie mit Friedrich und Marietta Torberg zusammentraf. Während ihres Aufenthalts klagte Alma allerdings über Erschöpfungszustände und Herzprobleme. Dennoch zog sie eine positive Bilanz ihrer Reise: *Es war, seit es mir fast gut geht, doch sehr schön, aber ich habe mir nicht viel anschauen können. Da ich ja alles kenne, macht mir das nichts!*[80]

Die doppelte Biographie

In ihrem letzten Lebensjahrzehnt widmete sich Alma vor allem einem Projekt: der Beschreibung ihres – in der Tat – dramatischen Lebens. Zwar hatte sie bereits Ende 1944 mit ersten Vorarbeiten begonnen, das Vorhaben wurde aber immer wieder unterbrochen. Bis Ende Februar 1945 hatte sie immerhin etwa zweihundert Seiten vollendet, und Mitte 1947 war die erste Fassung (»Der schimmernde Weg«) abgeschlossen. Anlass für ihre Arbeit an den Erinnerungen war die Information, dass auch Bruno Walter an seinen Memoiren arbeitete. Weil Alma die enge Freundschaft zwischen Walter und Gustav Mahler immer schon mit Argwohn betrachtet hatte, befürchtete sie nun ein völlig verzerrtes Bild vor allem ihrer Person. Wie sich später herausstellen sollte, war ihr Misstrauen unbegründet. Bruno Walter bemühte sich um eine gerechte Darstellung und verschickte Fragebögen an Freunde und Bekannte, mit deren Hilfe er Detailfragen klären wollte. *Unter anderem frug er*, lästerte Alma in einem Brief an Friedrich Torberg, *wo er seinen sechzigsten Geburtstag gefeiert hat!? No – das könnt' er doch wissen! Der bedeutende Mann. Ich weiß es natürlich – Kunststück!*[81] Die deutlich spürbaren aggressiven Untertöne sollten in den folgenden Jahren jedoch schwächer werden. Als Bruno Walter sich nach dem Tod seiner Frau Else entschloss, von New York nach Los Angeles überzusiedeln, hatte Alma diesem Umzug anfangs zögernd entgegengesehen. *Ja – wenn unsere Beziehung nicht so verwundet wäre*, schrieb sie an Friedrich Torberg, *so würde ich ihn wirklich gern haben können!*[82] Der Kontakt zum alten Rivalen sollte sich jedoch als unproblematisch erweisen, und es entstand ein freundschaftlicher Umgang. Als der Dirigent im Juli 1945 das Anwesen 608, North Bedford Drive erwarb, wurden er und seine Tochter Lotte Almas direkte Nachbarn. Und zu ihrer Erleichterung erhielt Alma sogar die Gelegenheit, Walters Memoiren noch vor ihrer Veröffentlichung zu lesen. Nach der Lektüre des Manuskriptes musste sie ihre Bedenken und ihre Vorbehalte gegenüber Bruno Walter endgültig zurücknehmen. *Der Anfang ist mir ein bissel zu süßlich und kleinbürgerlich. Aber später entwickelt sich diese Mildigkeit zu wirklicher Güte.*[83] Über Walters legendäre Milde, über seinen sanften und gütigen Charakter kursierten alle möglichen Anekdoten. Eine besonders charmante wurde von seiner damaligen Sekretärin Hilde Kahn kolportiert: Während des Diktierens eines Briefes konnte es passieren, dass Bruno Walter mit den Tränen rang, so sehr war er von seinen eigenen Worten überwältigt. Auch Thomas Mann las die Erinnerungen des Dirigenten. »Nun ja«, lautete sein lakonisches Urteil: »Von manchem gerührt.«[84]

In ihren eigenen Erinnerungen ließ Alma jedoch alles andere als Güte walten. Bei der Konzeption des Textes griff sie auf ihr Tagebuch zurück, das sie seit früher Jugend, wenn auch mit längeren Unterbrechungen und wechselnder Intensität, geführt hatte. Dass die erste, noch nicht überarbeitete Fassung ihrer Memoiren mitunter wie ein rabiater Rundumschlag auf ihre Leser gewirkt haben muss, ist sicherlich auch auf die ungefilterten Tagebucheintragungen zurückzuführen. Paul von Zsolnay, der Almas Manuskript wohl als einer der ersten im Sommer 1947 zur Lektüre erhielt, schätzte die Memoiren zwar diplomatisch als »Elementarereignis« ein und sprach von einem »hemmungslosen Bekenntniswerk«, gleichwohl machte er der Autorin unmissverständlich klar, dass Teile des Textes zu überarbeiten seien, hauptsächlich wegen der »häufigen und für das Buch wesentlichen Ausführungen über rassenpolitische Probleme«[85]. Alma wurde offensichtlich erst durch Zsolnays vorsichtige Einwände bewusst, dass sie ihre Memoiren nicht ohne Redaktion veröffentlichen konnte und dass sie dieser Aufgabe allein nicht gewachsen war.

Was sich nun anschließt, ist eine nicht unbeträchtliche Zahl von Redakteuren, die sich zur Überarbeitung von Almas Manuskript anschickten und alle – bis auf einen – auf unterschiedliche Weise daran scheiterten. Da ist zunächst der 1898 geborene österreichische Schriftsteller Paul Frischauer, der zweifellos das Zeug dazu hatte, diese heikle Aufgabe behutsam, diskret und mit viel Einfühlungsvermögen durchzuführen. »Great Men's wife« oder »Wife of the Great« lauteten die Arbeitstitel des Buches noch im Jahr 1947. Die Zusammenarbeit nahm schon nach wenigen Monaten ein unrühmliches Ende. Paul Frischauer hatte in einem Exposé insbesondere die zahlreichen antisemitischen Ausfälle der Autorin kritisiert. Als Alma auf dieses Schreiben nicht reagierte, schickte er Ende November 1947 ein Telegramm, worin er sich erstaunt zeigte, »keine

Antworten auf meine Briefe«[86] erhalten zu haben. Damit hatte Frischauer den Bogen überspannt. Alma forderte ihn per Telegramm auf, alle Manuskripte und Bücher, die sie ihm geliehen hatte, August Hess auszuhändigen. Für seine bisherige Arbeit sollte Frischauer 800 Dollar erhalten. Offensichtlich hatte Frischauer den Fauxpas begangen und bei seiner Kritik nicht bedacht, dass Alma auf nichts anderes als die Bewunderung ihrer Leser aus war. »Was Dich zu einer unfreundlichen Haltung mir gegenüber veranlasst hat«, schrieb Frischauer Mitte Dezember 1947 an seine ehemalige Auftraggeberin, »ist mir unbekannt, (vielleicht ist es auch Dir unbekannt). Ich bitte Dich aber, die sehr scharfe Kritik, die ich in meinen kritischen Notizen zu Deinen Manuskripten gemacht habe, nicht persönlich gemeint zu nehmen. Sie sind der Niederschlag dessen, was gegen Dich eingewendet werden könnte, wenn die Manuskripte bleiben, wie sie sind. Ich will Dir die möglichen Einwände gegen Dich vor Augen führen: Es ist eine freundschaftliche Warnung vor dem, was über Dich gesagt werden kann, eine Warnung, die gut gemeint ist, wenn auch scharf formuliert.«[87] Zu einem kritischen Blick auf sich selbst, wie er hier gefordert wird, war Alma aber nicht fähig – ihre Geltungssucht ließ, so scheint es, auch in späteren Jahren nur anbetungsvolles Staunen als Haltung ihr gegenüber zu. Und so geriet das Memorienprojekt vorerst ins Stocken.

Erst in der zweiten Hälfte der fünfziger Jahre kam wieder Bewegung in Almas Unternehmen. Mit E. B. Ashton hatte sie einen zweiten Ghostwriter gefunden, der ein talentierter Schriftsteller und gefragter Übersetzer war und außerdem über hervorragende Kontakte zu amerikanischen und englischen Verlagen verfügte. Auch er war zweifellos der richtige Mann, um Almas Manuskript zu bearbeiten und die Publikation zu organisieren. Der Name Ashton war ein Pseudonym für den 1907 geborenen Ernst Basch. In seiner Heimatstadt München hatte er zunächst Jura studiert, musste aber 1933 sein Studium vor der Promotion abbrechen. Basch hatte eine Münchner Nazigröße in einem Zeitungsartikel angegriffen,

Deutschland nach der »Machtübernahme« verlassen und war in die Vereinigten Staaten emigriert. Nach dem Zweiten Weltkrieg war er hauptsächlich als Übersetzer tätig und übertrug beispielsweise Werke von Karl Jaspers, Gottfried Benn und Theodor W. Adorno ins Englische. Der Kontakt zwischen Alma und Ashton wurde von dessen Ehefrau Hertha Pauli eingefädelt, die Alma auf ihrer Flucht aus Europa kennen gelernt hatte. Am 1. August 1956 unterzeichneten Alma, Ashton sowie der Hutchinson-Verlag einen Buchvertrag für die englischsprachige Ausgabe der Erinnerungen.

Der neue Ghostwriter verschaffte sich zunächst einen Überblick über Almas Leben. Nach der Lektüre der Tagebücher und des Memoirenmanuskripts stand für Ashton fest, dass es zuallererst um eine strenge Zensur umfangreicher Passagen gehen müsse. Almas antisemitischen Ausfälle und die zahlreichen Angriffe auf noch lebende Personen konnten unmöglich veröffentlicht werden. Alma stimmte dem zu. *Ich muss Euch dringend bitten,* schrieb sie an Hertha Pauli, *alle Formulierungsgeschichten, die für die Beteiligten unangenehm sein könnten, weg zu lassen, wie ich Euch oft darum gebeten habe!* [...] *Ich meine da meine Mutter und meine Tochter u. Zsolnay. Ich will keine Ehrenbeleidigungsprozesse haben!*[88] Ashtons Bedenken, dass der Text ohne weitgehende Überarbeitung einer völligen Verzerrung gleichkäme, sind nicht von der Hand zu weisen: »Die Memoiren der Alma sind, so wie sie sind, gewiss kein Denkmal. Sie haben eher wegen der Uneinheitlichkeit die Kennzeichen eines unwillkürlichen Zerrbildes – und sie können und werden so keine angenehme Erinnerung hinterlassen. [...] Ich möchte nur noch erwähnen, dass die Wirkung ganz genialer Sätze und Erkenntnisse der Alma oft verloren geht, da die Anordnung und Einordnung falsch ist.« Er schlug Alma vor, mit Hilfe von Fragebögen, die sie beantworten sollte, zu einer neuen inhaltlichen Anordnung und Darstellung des Materials zu gelangen. »Ich sehe genau, wie das Buch auf- und umzubauen ist. Aber das kann ich nur mit der Zustimmung Almas und ihrer völligen Zusammenarbeit: Mit Kopf

Silvesterparty 1956 bei Alma in New York mit Anna Mahler (l.)
Susi Kertesz (2.v.l.), Alma (Mitte) und Ida Gebauer (2.v.r.).

und Herz!«[89] Damit umriss er letztlich ein groß angelegtes, arbeits-
und zeitintensives Projekt, das auch von Alma viel Engagement
verlangte. Zu diesem Gedankenaustausch zwischen Autorin und
Ghostwriter sollte es jedoch nicht kommen. Zwar beantwortete sie
ihm hin und wieder einige Fragen, Ashton merkte jedoch schnell,
dass Almas Informationen häufig unzuverlässig waren. Sie brachte
Jahreszahlen durcheinander, verwechselte Personen und nahm es
mit der Wahrheit nicht so genau, wenn ihr diese nicht gefiel. E.B.
Ashton war also bei der Umarbeitung der Memoiren weitgehend
auf sich gestellt. Darüber hinaus war Alma *seit einem Jahr schwer
krank*, wie sie am 20. August 1958 an Walter Gropius schrieb, *u.
konnte mich leider um dieses Buch nicht so kümmern, wie ich das hätte
tun sollen*[90]. Der exzessive Alkoholkonsum hatte über die Jahre
seine Spuren hinterlassen: Alma litt an einer Herzinsuffizienz und
hatte mehrere leichte Schlaganfälle, die aber, weil sie sich über lange
Zeit geweigert hatte, sich medizinisch untersuchen zu lassen, zu

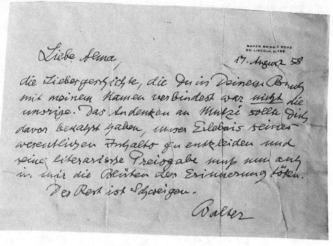

Abschiedsbrief von Walter Gropius an Alma, 17. August 1958

spät diagnostiziert wurden. *Seit Franz Werfel von mir gegangen ist,* schrieb sie am 5. Juni 1958 an Lion Feuchtwanger, *schleppte ich mich so hin, bis ich vor einem Jahr durch Aufregung eine Coronal-Thrombosis bekam – von den Folgen dieser wollen wir schweigen!*[91]

Als Almas Memoiren im Frühjahr 1958 unter dem Titel »And the Bridge is Love« in die Buchhandlungen kamen, waren die Reaktionen unterschiedlich. Paul von Zsolnay schrieb ihr Ende September 1958 mit diplomatischem Wohlwollen: »Die englische Ausgabe unterscheidet sich zwar vielfach von dem Manuskript, das Du mir seinerzeit zugänglich gemacht hast, aber der Eindruck, den es beim Lesen auf mich ausgeübt hat, ist unverändert stark und nachhaltend.«[92] Für andere wurde die Lektüre zum Ärgernis. Zu dieser Gruppe gehörte Walter Gropius. Durch eine stark verkürzte Darstellung der Beziehung von Alma und Gropius auf knapp zwei Seiten erhielt der Leser den Eindruck, dass die Vorgänge in Tobelbad für Alma nicht mehr waren als ein unbedeutender Flirt. Sie verlor kein Wort über ihre leidenschaftlichen Liebesbriefe, auch nicht darüber, dass sie sich schon nach kurzer Zeit innerlich für Gropius entschieden hatte. Knapp fünfzig Jahre später fühlte dieser sich in einem völlig falschen Licht dargestellt. Walter Gropius war nicht nur entsetzt über die mangelnde Sensibilität, er war auch enttäuscht und tief verletzt. Angewidert schrieb er seiner ehemaligen Frau am 17. August 1958 einen Abschiedsbrief: »Die Liebesgeschichte, die Du in Deinem Buch mit meinem Namen verbindest war nicht die unsrige. Das Andenken an Mutzi sollte Dich davor bewahrt haben, unser Erlebnis seines wesentlichen Inhalts zu entkleiden und seine literarische Preisgabe muß nun auch in mir die Blüten der Erinnerung töten. Der Rest ist Schweigen.«[93]

Als Alma Walter Gropius' Brief in den Händen hielt, wurde auch ihr klar, was sie angerichtet hatte. Sofort versuchte sie ihn zu beruhigen. Natürlich bezeichnete sie die Darstellung als einen bedauerlichen Irrtum und schob die Schuld auf Ashton und den Verlag. *Ich aber war für Dich bedacht u. verlangte vom Adapter, dass er den Verlag veranlassen sollte, alles was Dich betrifft – Dir zu schicken, damit Du es zensorierst. Erst durch Deinen jetzigen Brief weiß ich, dass dies nicht geschehen ist!*[94] Dass es sich bei dieser Erklärung um eine Ausrede handelte, war allzu offensichtlich. Alma rechtfertigte sich im April 1960 erneut: *Ich bitte Dich um Deine Verzeihung. Ich bin schuldloser als Du glaubst!* Wie so oft flüchtete sie sich in ihre Erinnerungen an Manon. *Dein und mein Kind hat mich restlos verstanden – es war zu viel, es war nicht erlaubt. Ich suche sie im Jenseits – jetzt bin ich mutterseelenallein! Du bist ein grosser Mensch u. auch das habe ich immer gewusst! Vergiss mich nicht – so wie ich Dich nie vergessen habe auch dann, wenn Du es am wenigsten erwartet hast.*[95] Almas Beschwichtigungsversuche hatten keinen Erfolg: Die Beziehung zwischen Gropius und ihr blieb fortan zerrüttet. Noch im Jahr 1968 gab Walter Gropius dem Journalisten Thilo Koch in einem Interview zu verstehen, dass Almas Lebensbeichte »ganz offensichtlich kein angenehmes Thema für ihn«[96] darstellte.

Für Almas Memoiren war ursprünglich auch eine deutsche

Übersetzung vorgesehen. Daran und an eine weitere Zusammenarbeit mit E. B. Ashton war nun nicht mehr zu denken. Dazu schienen die Reaktionen aus Almas engstem Umkreis zu verhalten und negativ. Und so musste eine weitere Überarbeitung des Projekts erfolgen. Der Co-Autor der deutschen Ausgabe wurde Willy Haas. Der Schriftsteller und Literaturkritiker war ein enger Freund Franz Werfels, den er während des Studiums in Prag kennen gelernt hatte. Von 1925 bis 1933 war er Herausgeber der renommierten Zeitschrift »Die literarische Welt«, und nach der Rückkehr aus der Emigration arbeitete er unter anderem als Redakteur und Kolumnist für die Hamburger Tageszeitung »Die Welt«. Seine literarische Qualifikation war unbestritten, und durch die enge Bindung an Franz Werfel schätzte er auch Alma sehr – kurzum: Willy Haas übernahm diese Aufgabe »mit großer Freude«[97]. E. B. Ashton, der die Übersetzung ursprünglich hätte übernehmen sollen, ließ sich jedoch nicht einfach abspeisen. Über einen Rechtsanwalt drohte er Alma mit einer Gerichtsklage, sollten Sätze aus der englischen Version ins Deutsche übertragen werden. Im Mai 1959 schrieb sie an Willy Haas: *Ich bat ›Herrn‹ Ashton zart mit den mir befreundeten bedeutenden Menschen umzugehen – aber ließ alles pos. aus und entwickelte alles negativ! Bitte lies es nicht. Er sagte, wenn ein Satz aus seinem Buch bei Dir vorkommt, klagt er mich!*[98] Und am 15. Mai hieß es sogar: *Ich bin an der Ashtonsache wirklich krank geworden!*[99]

Willy Haas arbeitete hingegen zu Almas Zufriedenheit, im Gegensatz zu Paul Frischauer und E. B. Ashton hatte er auch ihre Unterstützung. Haas schickte die fertigen Abschnitte des Buches regelmäßig nach New York oder wandte sich mit noch zu klärenden Fragen an Alma. Auch für ihn stand eine vorsichtige Glättung des Originaltextes im Mittelpunkt seiner Arbeit. Dies war mehr denn je auch in Almas Sinn, schließlich wollte sie mit ihren Memoiren keine weitere Ablehnung, wie sie Ashtons Version hervorgerufen hatte, erleben. *Zu schonen sind*, wie sie Haas Anfang Januar 1959 nachdrücklich bat, *Lebende und im Mittelpunkt des Geschehens ste-*

*Almas Ghostwriter Willy Haas. »Lasse bitte die
ganze Judenfrage in die Versenkung verschwinden.«*

*hende berühmte Menschen, wie z. B. Gropius, O. K. etc. Gropius ist
sehr scheu und wünscht nicht unsere Beziehung grell beleuchtet. Mach'
es, wie es Dir Dein Gefühl eingibt.* Und schließlich ein weiterer drin-
gender Appell: *Lasse bitte die ganze Judenfrage in die Versenkung
verschwinden.*[100]

Bereits kurze Zeit nach Erscheinen von »Mein Leben« im Jahr
1960 im S. Fischer Verlag setzten denn auch Spekulationen über
das Ausmaß der Überarbeitung ein, die hauptsächlich durch das
Vorwort von Willy Haas genährt wurden. »Immerhin waren bei der
Herausgabe Rücksichten zu nehmen«, deutete er an. »Sie hatte viele
hellsichtige Urteile gefällt, doch auch manche irrtümliche und gefährliche. Hier war eine vorläufige Auswahl zu treffen.«[101] Durch
diese Anspielungen wurde nur unzureichend kaschiert, was aufmerksame Zeitgenossen längst vermuteten, dass nämlich »Mein Leben« ein in weiten Teilen gereinigtes Buch darstellte, das mit der
Realität nicht viel zu tun hatte. Almas »Ausführungen über rassen-

politische Probleme«, wie Paul von Zsolnay ihren Antisemitismus vornehm beschrieben hatte, waren komplett verschwunden. In »Mein Leben« dominiert das Private, und Alma erscheint als die stets verführerische, bis zur Selbstaufgabe der Kunst dienende und von allen ihren Männern abgöttisch geliebte, sinnliche Muse. »Die deutsche Version war so begehrt«, erinnerte sich Albrecht Joseph, »dass sie wie Pornographie unter der Theke verkauft wurde.«[102] Schlimmer noch: Der bloße Name Alma wurde zum Synonym für eine Zweideutigkeit, die die Hörer kichern ließ. Plötzlich rangierte »Mein Leben« im Dunstkreis Josephine Mutzenbachers. Die Autorin war mit dieser Wahrnehmung ihres Buches alles andere als zufrieden. Ihrem ehemaligen Schwiegersohn Ernst Krenek gegenüber beteuerte sie, *ich wollte ja nur das Philosophische da drinnen haben in dem Buch, nicht das Persönliche.* Als Krenek diese Anekdote Theodor W. Adorno erzählte, entgegnete dieser süffisant: »Na, da ist mir die Pornographie schon lieber!«[103]

Eine späte Liebe

Eine der häufig übersehenen Konstanten in Almas vor allem durch ihre vielfältigen Verbindungen zu Männern gekennzeichneten Leben war die Beziehung zu Oskar Kokoschka. Zwar war die Trennung im Jahr 1915 die Konsequenz aus einer für beide nicht mehr lebbaren, leidenschaftlichen Hassliebe gewesen, einen endgültigen Bruch hatte es aber nie gegeben; hin und wieder hatten sie einander geschrieben, und in Almas Tagebüchern tauchen, wie schon zitiert, periodisch Reflexionen über Oskar Kokoschka und seine Bedeutung für ihr Leben auf. Und nach Franz Werfels Tod sollte sich der briefliche Kontakt zwischen ihnen – das zeigt ein Blick in die unveröffentlichte Korrespondenz Kokoschkas – intensivieren und eine bemerkenswerte Spätblüte erleben. *Ich fasse – ich begreife es nie,* schrieb sie ihm im Frühjahr 1946, *dass wir uns je trennen konnten!*

Da wir füreinander geschaffen waren![104] Alma flüchtete sich zunehmend in ihre Erinnerungen an die gemeinsamen Jahre mit Kokoschka. Schöne sowie eher bedrückende Ereignisse erstanden so
zu neuem Leben. *Es ist furchtbar*, klagte sie Ende September 1946,
*dass unser Kind damals nicht auf die Welt kam. Nicht nur wir – auch
diese Welt darf darüber weinen …! Das hätte doch ein Genie sein müssen – AUS UNS BEIDEN KOMMEND! Alles ist vorbei – Du lebst
in einem mir fremden Leben – ich in dem Deinen, so bin ich die
Arme!*[105] An anderer Stelle versicherte sie Kokoschka, er sei *der
Inbegriff des Großen u. Schönen in meinem Leben! Ich lebe in Deinem
Zimmer – mit den Fächern […] und meinem Portrait (was ich mir in
Wien gerettet habe) nur von Deiner Kunst umgeben lebe ich!*[106] Ob-
wohl Alma Kokoschka oft versprach, ihn wieder sehen zu wollen,
ging sie einer Begegnung aus dem Weg. Als er sie im Jahr 1946 ein-
lud, ihn in London zu besuchen, sagte sie mit Hinweis auf ihre
Tochter ab: *Nach London will ich nicht kommen, weil Anna und
Familie mich ausbeuten, wozu ich keine Lust habe.*[107] Auch andere
Gelegenheiten ließ Alma verstreichen, so beispielsweise 1954 in
Rom, wo ein Treffen hätte stattfinden können. Kokoschka ließ nicht
locker und lud sie im darauf folgenden Jahr zu sich und seiner Frau
Olda nach Villeneuve ein. Alma wehrte wieder ab: *Leider sind wir
durch mehr als 3000 Meilen und durch manches andere getrennt!*[108]
Die Eifersucht auf Olda Kokoschka, hier reduziert zu *manches andere*, war eine weitere Barriere, die – wie Alma es wohl empfand –
ein Wiedersehen unmöglich machte. Der Hauptgrund war vermutlich jedoch ein anderer: Alma wollte Oskar Kokoschka nicht treffen,
da er sie nicht als alte Frau sehen sollte. Ihr war bewusst, dass sie
nicht mehr die Rolle der Verführerin, der Circe, der Femme fatale
ausfüllen konnte, als die Kokoschka sie kennen gelernt hatte. Aber
auch Oskar Kokoschka lebte in seinen Erinnerungen an Alma:
»Liebst Du mich auch noch? Zeige es mir mit einem deutlichen Zeichen, mit dem Griff, der mich aufweckt.«[109] Gelegentlich bat er sie,
ihm einen sinnlichen Brief zu schreiben, »weil ich wieder nach dem

puritanischen England zurückfliege, wo man ganz vergisst, einen Körper zu haben, der in einem zweiten Körper herumstossen wird und Blutlüstern ist wie eine Stierin, die den Mann zu sich nimmt und nicht mehr loslässt, bis er hin ist. Wo anders her könnte es mir denn auch so kommen, als von Der, die sich mir zuerst, als Erste geboten hat auf daß mir alles Glück, Elend, Schmerz, Wonne, Raserei und Verenden im Blutrausch gelehrt war. Du warst meine Lehrerin, Meisterin und ich habe Vielen das gleiche getan in treuer Nachfolge und im rechten Sinn kommend aus mir tief drinnen, wo Du sitzt mit offenen Schenkeln und den Wein aus der Traube presst!«[110] An anderer Stelle versprach er ihr: »Wenn ich einmal Zeit finde, dann mache ich eine lebensgroße Figur aus Holz von mir und Du sollst mich jede Nacht mit in Dein Bett nehmen. Die Figur soll auch ein Glied haben, wie Du es mir gemacht hast, damit Du Dich besser an mich erinnerst und durch Übung wieder Lust zum Wirklichwerden gewinnst. Einmal kommen wir wieder zusammen. Leb dafür, meine ungetreue Liebe, die es aus dem Leben, von mir weg zum Nichts drängt!«[111] Als Alma und Kokoschka derartige Briefe austauschten, hatte sie das achte und er das siebte Lebensjahrzehnt erreicht, und das letzte Treffen lag bereits über zwanzig Jahre zurück (sie hatten sich im Oktober 1927 zufällig in Venedig gesehen, ohne miteinander gesprochen zu haben). Dass sie sich nach Jahrzehnten der Trennung nicht vergessen konnten und sich selbst im vorgerückten Alter noch erotische Briefe schickten, war ein später Ausdruck ihrer bizarren Liebesbeziehung – einer »Amour fou«.

Finale

Am 31. August 1959 wurde Alma Mahler-Werfel achtzig Jahre alt. Unzählige Glückwunschtelegramme aus der ganzen Welt trafen ein, und Freunde und Bekannte gratulierten zum runden Jubiläum. Während der siebzigste Geburtstag noch groß begangen worden

Mutter und Tochter Anfang der sechziger Jahre in New York.
»Wenn ich dich gekannt hätte, wie ich dich jetzt kenne, hätte ich
dich nicht so schlecht behandelt.«

war, fielen die Feierlichkeiten zehn Jahre später bescheidener aus. Ihre körperlichen Gebrechen – das angegriffene Herz sowie mehrere leichte bis mittelschwere Schlaganfälle – machten sich nun immer deutlicher bemerkbar, darüber hinaus war sie fast taub. Anna kam von Los Angeles nach New York, um mit ihrer Mutter den Ehrentag zu verbringen. Im Ganzen machte Alma einen hinfälligen und beängstigend verwirrten Eindruck, beispielsweise fragte sie ihre Tochter, wer den Zweiten Weltkrieg gewonnen habe. Nun war nicht mehr von der Hand zu weisen, dass Alma ständiger Pflege bedurfte. Aber wer sollte sich um sie kümmern, zumal August Hess angekündigt hatte, New York verlassen zu wollen? Hess stand seit über fünfzehn Jahren in Almas Diensten, war selbst Ende fünfzig und wollte sich in Los Angeles zur Ruhe setzen. Er hatte New York nie etwas abgewinnen können, die quirlige Hektik der Metropole war ihm fremd geblieben. Darüber hinaus konnte sich Alma mit zunehmendem Alter immer weniger mit seinem aufbrausenden Temperament abfinden. Freunden gegenüber nannte sie ihn scherzhaft *meinen Mörder*[112], weil sie angeblich überzeugt war, dass er sie einmal unter die Erde bringen würde. Als August Hess sie verließ, soll er Albrecht Joseph zufolge ein reicher Mann gewesen sein. In Los Angeles erwarb er einige Apartmenthäuser, die er erfolgreich vermietete. Hinter vorgehaltener Hand tuschelte man damals, dass er so viel Geld unmöglich mit seiner Tätigkeit als Butler verdient haben könne. Alma war dafür bekannt, dass sie ihre Angestellten nicht gut bezahlte. Wahrscheinlich, so die Gerüchteküche, hatte er sich sein Schweigen versilbern lassen, schließlich hätte er über Werfels mutmaßliche Begierdetaufe oder über die sexuellen Bedürfnisse der alternden Alma einige peinliche Details berichten können. Hess sollte seinen Ruhestand allerdings nicht lange genießen – er starb bereits am 4. Oktober 1960 in Los Angeles. Alma musste sich nun nach einer anderen Betreuung umschauen. Mit einer wahren Flut von Telegrammen und Briefen forderte sie ihre langjährige Hausdame Ida Gebauer, die nach einer unglücklichen Ehe in Wien lebte, auf, zu ihr nach New York zu ziehen. »Als Mami sie brauchte, kam sie«, erinnerte sich Anna Mahler. »Sie war eine echte Leibeigene. In den letzten Jahren in New York wohnte sie mit Alma in der Wohnung und schlief nie; eine alte Frau mit starkem Charakter.«[113] Die über 60-jährige Ida kümmerte sich aufopferungsvoll um Alma und durchwachte mit ihr, die in den letzten Jahren ihres Lebens unter gravierenden Schlafstörungen litt, ganze Nächte. Dann sprachen die beiden Frauen über alte Zeiten, über Wien, Breitenstein und Venedig, über Manon und Franz Werfel, über Almas glückliche Kinderjahre in Plankenberg und über ihren geliebten Vater Emil Jakob Schindler. Immer stärker lebte Alma in der Vergangenheit.

Ihre Wohnung verließ Alma nur noch selten. Manchmal begab sie sich in eines ihrer Stammrestaurants und nahm eine kleine Mahlzeit sowie einige Gläser Champagner zu sich. Gelegentlich besuchte sie auch ein Konzert, oder sie ging in die Metropolitan

Opera. *Gestern war ich in der Generalprobe der II. Mahler unter Bernstein*, schrieb sie Anfang der sechziger Jahre an Gusti Arlt. *Das ist einmal wirklich ein genialer Dirigent … weil er ja ein sehr interessanter Componist ist!*[114] Leonard Bernstein, der begeistert von Mahlers Werk war und einigen Einfluss auf dessen Rezeption hatte, versäumte keine Gelegenheit, die Witwe Mahlers zu seinen Konzerten mit den New Yorker Philharmonikern einzuladen.

Zu den letzten Besuchern, die Alma empfing, gehörte 1963 der als ARD-Korrespondent in den USA tätige Journalist Thilo Koch, der durch die Lektüre von »Mein Leben« auf Alma aufmerksam geworden war. Er machte sich auf die Suche nach Mrs. Mahler-Werfel, fand sie schließlich und erhielt eine Einladung zum Kaffee. Thilo Kochs Beschreibung dieser Nachmittagsstunde ist ein bedrückendes Zeugnis der Einsamkeit einer alten Frau. Ein letztes Mal setzte sich Alma in Pose und führte eine ebenso eindrucksvolle wie bizarre Szene vor. »Als ich die richtige Tür gefunden hatte«, erinnert sich der Besucher, »öffnete eine Frau in mittleren Jahren. Das konnte nicht Alma sein. Diese Frau war anscheinend stumm, nickte aber verständnisinnig, als ich meinen Namen nannte. Sie öffnete eine Tür, und ich glaubte zu träumen. Das Zimmer war vollständig abgedunkelt, obwohl wir hellen Nachmittag hatten. Einige Lampen waren so aufgestellt, dass die Person im Mittelpunkt des Zimmers allein gut sichtbar wurde. Aber wiederum auch nicht zu gut. Diese Person saß in einem Sessel hinter einem Tisch, auf dem ihre schwerberingten Hände ruhten. Als ich mich zur Begrüßung näherte, hüllten mich Duftwolken eines schweren, süßen Parfums ein. Strahlende Augen blickten mir erwartungsvoll entgegen.« Koch konnte die Situation noch nicht einschätzen: Das Auftreten der »Stummen«, offensichtlich Ida Gebauer, sowie Almas Selbstinszenierung verunsicherten ihn. Während des Gespräches fiel ihm auf, dass Alma nie auf seine Fragen einging. Zwar nickte sie verständnisvoll und schaute ihr Gegenüber aufmerksam an, redete aber an ihm vorbei. Plötzlich begriff Thilo Koch, dass sie nicht antwortete, weil sie fast taub war. Während sein Unbehagen wuchs, breitete Alma ihre Geschichte aus, erzählte von Gustav Mahler und Franz Werfel und präsentierte ihre Schätze – Partituren, Bücher, Bilder. Koch: »Ich hätte gern zugehört, aber ihre Sätze brachen oft ab. Dann suchten ihre Hände und ihre Augen auf dem Tisch nach irgendeinem festen Punkt – und fanden keinen. Ich fühlte, wie irgendein Kloß in meinem Halse größer wurde.« Langsam realisierte Thilo Koch, dass er zum Betrachter eines morbiden Schauspiels geworden war. »Sie hatte das alles sorgfältig inszeniert. Vielleicht tagelang daran gearbeitet. An der Beleuchtung, an ihrem Make-up. Womöglich war sie wochenlang von niemandem besucht worden. Oder monatelang? Oder jahrelang?« Koch war enttäuscht und empfand Mitleid mit Alma. Die fast taube, ihre Monologe abspulende Gestalt, die er in der kleinen Wohnung in Manhattan vorfand, passte nicht zu dem Bild, das er sich von ihr gemacht hatte. Die makabre Szene wurde jedoch von beiden bis zur letzten Minute durchgehalten: Thilo Koch zwang sich, »ihre kalte Greisenhand zu küssen«[115], machte eine artige Verbeugung, und »die Stumme« entließ ihn ins helle Tageslicht.

Zu Beginn des Jahres 1964 wurden die Abstände, in denen Anna ihre Mutter in New York besuchte, immer kürzer. Oft und oft sagte Alma: *Wenn Mahler bei der Tür hereinkäme, würde ich mit ihm gehen!*[116] Zweifellos fühlte sie sich am Ende ihres Lebens wieder ganz als Frau Mahler und spann sich immer mehr in ihre Scheinwelt ein. Über Franz Werfel sprach sie nur noch selten. In dieser letzten Zeit sollten sich die beiden Frauen nahe kommen, vielleicht näher als je zuvor. Anna erinnerte sich an eine Äußerung Almas, die viel über das prekäre Mutter-Tochter-Verhältnis aussagt. *Wenn ich dich gekannt hätte, wie ich dich jetzt kenne, hätte ich dich nicht so schlecht behandelt.* Anna, die ihre Mutter fast ein Leben lang nur in ablehnender Geste erfahren hatte, war angesichts dieser späten Anerkennung zutiefst bestürzt. »Das hat mich so furchtbar schockiert, weil ich nicht wusste dass sie mich schlecht behandelte, und dass sie

Alma Mahler-Werfel 1963. »...jemand, der den Mozart noch gekannt hat.« (Darius Milhaud)

es bewusst tat. Sie sagte immer ›Ich kenne jeden immer sofort‹, und sie kannte mich schon geraume Zeit. Das ist schrecklich, finden Sie nicht? Ich dachte es wäre einfach ihr Naturell. Meine Tigermami eben, aber nein, sie machte es absichtlich und das war ein Schock.«[117] So mancher Zeitgenosse war verwundert, dass sich Alma am Ende ausgerechnet für Anna interessierte, an deren Leben sie über Jahrzehnte kaum Anteil genommen hatte. Anna traute dieser Wendung offensichtlich nicht ganz, wie sie Gusti Arlt in einem

Brief anvertraute: »Ja – es ist richtig, um so seniler Mami ist – um so mehr bewundert sie mich. Ich kann nicht behaupten, dass es mir jetzt sehr viel bedeutet. Ja, vor dreißig Jahren!«[118]

Als bei Alma eine Art Diabetes festgestellt wurde, wies sie diese Diagnose entschieden von sich. Diabetes sei, so Alma, eine jüdische Krankheit, deshalb könne sie sie gar nicht haben. Und so trank sie, gegen alle medizinischen Bedenken, täglich eine Flasche Bénédictine.

Das Ende ihres langen, vielgestaltigen Lebens war einsam – viele Freunde waren bereits gestorben, andere, wie Friedrich Torberg, waren wieder zurück nach Europa gegangen oder hatten sich enttäuscht von ihr zurückgezogen. Gustav Mahler war seit 53 Jahren tot, Franz Werfel hatte sie vor 19 Jahren verlassen. Der Tod kam nicht unerwartet. Alma war davon überzeugt, Kronprinz Rudolf von Österreich auf einem Berggipfel kennen gelernt zu haben. Und der Monarch wollte nun auch noch ein Kind von ihr haben. Als Anna die todkranke Mutter ein letztes Mal umarmen wollte, »hat sie mich weggestoßen und mich auf die Erde geworfen; sie wollte von niemandem Hilfe haben«[119]. Alma Mahler-Werfel starb am 11. Dezember 1964.

Epilog

»Mami ist soeben gestorben.«[1] Mit wenigen Worten informierte Anna Mahler Almas engste Freunde und Bekannte – darunter Gustave und Gusti Arlt sowie Adolf und Isolde Klarmann – vom Tod ihrer Mutter. Auch Friedrich Torberg in Wien wurde noch am Todestag benachrichtigt. Torberg reagierte, obwohl der Kontakt mit Alma in den zurückliegenden Jahren sehr viel lockerer geworden war, tief betroffen. Adolf Klarmann unterrichtete ihn kurze Zeit später über das Ende der gemeinsamen Freundin: »Alma habe ich Anfang Oktober zum letzten Mal gesehen. Es war bereits nach ihren letzten Schlaganfällen, von denen man körperlich nichts merkte, nur im Gesicht sah sie zum erstenmal wirklich wie eine Greisin aus. Weg waren die Löckchen, und die Augen schauten einen an, als ob sie eine Bestätigung haben wollten, daß sich nichts geändert habe. Sie phantasierte. […] Gegen Ende blieb sie klar und kämpfte schwer ums Leben, das sie ungern aufgab. Als ich sie im Sarg liegen sah, hatte ihr Gesicht nicht das gewohnte entspannte Lächeln Verschiedener, sondern eher den Ausdruck mißtrauischer Neugier, als ob sie sich gewundert hätte, wo sie eigentlich sei.«[2]

Am 13. Dezember 1964 – zwei Tage nach Almas Tod – fand in der »Frank E. Campbell Funeral Church« die Trauerfeier statt. Das Backsteingebäude an der Madison Avenue Ecke 81. Straße war der Stammsitz der 1898 gegründeten »Frank E. Campbell Burial and Cremation Company«, eines berühmten New Yorker Bestattungsinstituts. »Die Feier, bei Campbells bei offenem Sarg, war pathetisch«, erinnerte sich Adolf Klarmann. Hinter dem Sarg hing bezeichnenderweise kein Bild der Verstorbenen, sondern ein Gemälde, das ihren Vater Emil Jakob Schindler zeigte. Zahlreiche Blumenbuketts und Trauerkränze schienen den kleinen Raum nahezu auszufüllen. Alles in allem versprach die Trauerfeier an jenem Sonntagnachmittag einen würdigen Verlauf zu nehmen. Nur das Musikprogramm verlieh der Gedenkstunde eine peinliche Note. Adolf Klarmann: »Der musikalisch so Empfindlichen wurde auf dem Harmonium phantasielos Gounods Ave Maria vorgewinselt. Die Rede hielt Soma Morgenstern, von berühmten Namen, die sie bis ans Ende umschwärmt hatten, war nur der Dirigent Steinberg anwesend. – Nicht einmal die Arlts waren da, die wegen Nebels nicht landen konnten.«[3] Der 1890 in Ostgalizien geborene Kritiker, Romancier und Theaterautor Soma Morgenstern hatte Alma bereits in den zwanziger Jahren über Alban Berg kennen gelernt, aber erst Jahrzehnte später, am Ende ihres Lebens, waren sie sich in New York näher gekommen. In seiner kurzen Ansprache skizzierte er Almas Lebensstationen, erinnerte insbesondere an die Ehe mit Gustav Mahler und beschrieb mit persönlichen Worten sein letztes Treffen mit Alma – wenige Wochen vor ihrem Tod. »Ich fühlte, das war der letzte Abschied. Die Zeit der Trauer war nah.«[4]

Zwischen Ida »Schulli« Gebauer und Anna Mahler kam es bald nach der Trauerfeier zu Meinungsverschiedenheiten, wie und wo Alma bestattet werden sollte. Während Schulli behauptete, Alma hätte auf dem Grinzinger Friedhof ihre letzte Ruhestätte finden wollen, bevorzugte Anna eine Beisetzung in den Vereinigten Staaten. »Schulli ist natürlich wunderbar«, schrieb Anna über die Streitereien an Gusti Arlt, »aber wir wissen doch, dass sie auch wahnsinnig ist. [...] Ich weiss nicht warum wir Schullis Wien Patriotismus gar so ernst nehmen müssen.«[5] Als Anna allerdings merkte, dass sich auch Friedrich Torberg, Adolf Klarmann und Almas langjähriger Freund Franz Theodor Csokor für eine Beerdigung in Wien aussprachen, lenkte sie widerwillig ein. »Die Leiche fliegt per

PANAM anfang [!] Februar nach Wien«[6], ließ Klarmann Friedrich Torberg daraufhin wissen.

Alma Mahler-Werfel wurde am Montag, dem 8. Februar 1965 um 14 Uhr, an der Seite ihrer Tochter Manon beigesetzt. »Die Tumba-Gebete in der Kapelle des Grinzinger Friedhofs, wo die sterblichen Reste Alma Mahler-Werfels auf der Bahre ruhten, klangen inständiger denn je«, schrieb Hilde Spiel in der »Frankfurter Allgemeinen Zeitung«. »Wer sich zu der Totenfeier eingefunden hatte, kannte ihr Leben wie ein aufgeschlagenes Buch – jenes Buch, in dem sie sich selbst, ihre Männer und ihre Kinder rückhaltlos preisgegeben hatte. ›Herr‹, so lautete das Gebet, ›geh nicht ins Gericht mit Deiner Dienerin. Möge Dein Richtspruch nicht niederschmettern, vielmehr komme ihr Deine Gnade zu Hilfe und laß sie dem rächenden Gerichte entrinnen, da sie doch während ihres Lebens gezeichnet war mit dem Zeichen der Heiligen Dreifaltigkeit.‹«[7] Nach der Einsegnung spielten Mitglieder der Wiener Philharmoniker einen Satz aus einem Streichquartett von Mozart. »Der Trauerfeier wohnten zahlreiche Persönlichkeiten bei«[8], hieß es in der »Wiener Zeitung«. Hatte Alma sich über Jahre hinweg mit dem österreichischen Staat juristische Gefechte geliefert, erhielt sie nun doch die ihr gemäßen pompes funèbres. Ministerialrat Dr. Ludwig Kleinwächter vom Unterrichtsministerium, die Vorstände der Wiener Philharmoniker, der Architekt Clemens Holzmeister, der Dirigent Hans Swarowsky sowie Dr. Egon Hilbert, Direktor der Wiener Staatsoper, gaben ihr die letzte Ehre. Eigentlich hätte Almas langjähriger Freund Carl Zuckmayer die Trauerrede halten sollen, der allerdings in letzter Minute absagte. Im Dezember 1964 seien er und seine Frau Alice zwar gerade in New York gewesen, schrieb Zuckmayer an Albrecht Joseph, hätten Alma aber nicht mehr besucht, »da wir von den gemeinsamen Bekannten hörten, sie erkenne niemanden mehr und man solle sie in Ruh lassen«. Zuckmayer fährt fort: »Offen gesagt, [...] hätte ich ohnehin keine rechte Lust gehabt, sie nocheinmal wiederzusehen, – so sehr ich immer die Stärke und das Einmalige ihrer Persönlichkeit geschätzt und bewundert habe. Doch ist sie mir, bei allem Spass, den man an der Buntheit, Farbigkeit, Lebensbegabung, sogar an der Hemmungslosigkeit und Gewalttätigkeit dieser Natur haben konnte, durch dieses allzu hemmungslose Memoirenbuch, (dem allerdings etwas Gigantisches, nämlich an Taktlosigkeit und Verfälschungen, innewohnt), recht zuwider geworden. […] So hat die Nachricht von ihrem Tod bei uns zwar viel Erinnerung, gute, heitere, beklemmende, aber keine ausgesprochene Trauer hervorgerufen. Sie selbst hat früher oft gesagt: ›Ein Mensch hat zu sterben, solang er noch schön genug ist, dass man sich nicht vor der Leich graust‹, – und diejenigen hart kritisiert, die diesen Zeitpunkt überlebten. Nun – es war genug.« Und weiter: »Ich werde der Anna vorschlagen, den alten Csokor sprechen zu lassen, – er ist der Würdegreis von Wien, wird im September 80, Präsident des Oestr. PEN-Clubs usw, und lebt seit seinem 75. zum ersten Mal in seinem Leben ohne Geldsorgen – durch eine staatliche Ehrenrente und andere feste Zuwendungen […]. Sonst ist er unverändert, auch unverändert komisch (was die jüngere Generation garnicht mehr merkt, die glauben wir waren alle so), schreibt ununterbrochen Stücke, die nicht gespielt aber von subventionierten Verlagen gedruckt werden, sein Eichmann-Drama war rascher fertig als der Eichmann-Prozess. Er wohnt in der gleichen alten Muffbude, wie vor dem März 38.«[9] Franz Theodor Csokor erklärte sich in der Tat bereit und hielt schließlich die offizielle Traueransprache, in der er Alma als ebenbürtige Partnerin ihrer Männer bezeichnete – als »die Muse des Musikers, die Windsbraut des Malers, des Dichters Egeria«[10].

Die Nachricht vom Tod Alma Mahler-Werfels verbreitete sich in Windeseile, und alle großen amerikanischen und europäischen Tageszeitungen druckten in den folgenden Wochen Nachrufe ab. »Mrs. Mahler-Werfel betonte in ihrer Autobiographie, dass sie sich immer von Genies angezogen gefühlt habe, und Genies fühlten sich allem Anschein nach auch zu ihr hingezogen«[11], wie es launig in der

»New York Times« hieß. Auch die »Washington Post« veröffentlichte eine bemerkenswerte Würdigung: »Alma Mahler-Werfel, 85,
die nach eigenen Angaben mit zahlreichen bedeutenden Männern
zu Beginn des Jahrhunderts Liebesaffären hatte, war die Witwe des
Komponisten Gustav Mahler und galt zur Jahrhundertwende als
›das schönste Mädchen Wiens‹.«[12]

Dass Alma in vielen Nachrufen als Femme fatale dargestellt
und auf ihre Ehen und Liebesaffären reduziert wurde, daran war sie
nicht unschuldig. Spätestens mit der Veröffentlichung der beiden
Autobiographien hatte die Boulevardpresse Almas Leben als Thema
entdeckt, und die Protagonistin avancierte zum Kultobjekt. »Sie
liebte nur Genies«[13], war einer der vielen reißerischen Artikel über-
schrieben, ein anderer, nicht weniger publikumswirksam, »Alma
Werfel gestorben, Eine Galerie von Genies«[14]. Als Tom Lehrer, bis
dato Professor für Mathematik an der renommierten Harvard University und Gelegenheitskabarettist, einen dieser »saftigen, scharfen
und rassigen« Nachrufe las, war er sich sicher, dass »Almas Leben
der Stoff ist, aus dem Balladen sein sollten«[15]. Lehrers »Alma«
führte über Wochen die amerikanischen Hitparaden an:

The loveliest girl in Vienna
Was Alma, the smartest as well.
Once you picked her up on your antenna,
You'd never be free of her spell.

Her lovers were many and varied,
from the day she began her – beguine.
There were three famous ones whom she married,
And God knows how many between.

Alma, tell us,
All modern women are jealous.
Which of your magical wands
Got you Gustav and Walter and Franz?

The first one she married was Mahler,
Whose buddies all knew him as Gustav.
And each time he saw her he'd holler:
«Ach, that ist the Fraulein I must haff!»

Their marriage however was murder.
He'd scream to the heavens above,
»I'm writing *Das Lied von der Erde*,
And she only wants to make love.«

Alma, tell us,
All modern women are jealous.
You should have a statue in bronze
For bagging Gustav and Walter and Franz.

While married to Gus she met Gropius,
And soon she was swinging with Walter.
Gus died, and her teardrops were copious.
She cried all the way to the altar.

But he would work late at the Bauhaus,
And only came home now and then.
She said, «Vat am I running a chowhouse?»
It's time to change partners again.

Alma, tell us,
All modern women are jealous.
Though you didn't even use Ponds,
You got Gustav and Walter and Franz.

While married to Walt she'd met Werfel,
And he too was caught in her net.
He married her, but he was careful,
'Cause Alma was no Bernadette.

And that is the story of Alma,
Who knew how to receive and to give.
The body that reached her embalma
Was one that had known how to live.

Alma, tell us,
How can they help being jealous?
Ducks always envy the swans
Who get Gustav and Walter – you never did falter –
With Gustav and Walter and Franz.

Unter der Überschrift »Alma Mater« erschien am Valentinstag des Jahres 1982 in der »Washington Post« ein kurzes Interview mit Tom Lehrer. Sandy Rovner, die Autorin des Artikels, wollte wissen, warum der Alma-Song nicht in seinem aktuellen Programm enthalten sei. »›Oh‹, antwortete er, ›es gibt wohl so etwas wie einen Alma-Kult, aber bei den meisten Menschen bedürfe es doch zu vieler Erklärungen …‹ Also, das war es dann wohl mit Alma. Aber siehe da, wer hätte es gedacht, auf einem Pfeiler der Eisenbahnbrücke am Ende der Arizona Avenue und der Canal Road hat jemand auf die vielen, meist unleserlichen Graffitis gesprüht (und das pünktlich zum Valentinstag): ›Gustav Mahler ♥ Alma.‹

Ja sicher, Gustav Mahler liebte sie, aber das taten auch Walter Gropius, Franz Werfel und, wie Lehrer sagt, ›praktisch alle bedeutenden kreativen Männer in Mitteleuropa‹. Alma Schindler Mahler Gropius Werfel war, so könnte man sagen, die Liz Taylor des Bauhauses.«[16]

Im Laufe der Zeit wurde Alma »eine der Großen Liebenden aller Zeiten«, erinnerte sich Albrecht Joseph, »ein Überweib im Stil der Renaissance, eine Halbgöttin«[17]. Meldete Tom Lehrer – wenn auch augenzwinkernd – Zweifel an dieser Wahrnehmung an, parodierte der Wiener Feuilletonist Hans Weigel Almas Selbststilisierungen und führte diese ad absurdum: »Kreuder will mich heiraten. Ich bin unschlüssig. Ich habe meine Bedingung gestellt: Er muß das Komponieren aufgeben. Ich bin sehr elend. Aber ich will Klarheit. Igor Strawinsky sah bei mir ein Notenblatt. Er spielte das Stück, kniete dann nieder und verlangte einen Kuß. Die Komposition war von mir. Er sagte: ›So etwas habe ich noch nie gesehen.‹ Ich streichelte ihn. Kreuder wurde eifersüchtig und ging. In mir ist ein ungeheurer Protest gegen alle, die nicht vor mir niederknien. Ich muß mich von Kreuder trennen. Er weint seit Tagen unaufhörlich.«[18]

Was Hans Weigel mit der spitzen Feder des Satirikers persiflierte, nämlich Almas Autobiographie »Mein Leben«, war für Hans Wollschläger »hochtrabendes, bis zur Hirnrissigkeit konfuses Geschwätz«. Irritation machte sich breit: »Das sollte – wie plausiblel auch Kokoschkas oder Werfels – Gustav Mahlers nächster Nebenmensch gewesen sein, die ›tapfere Begleiterin auf allen meinen Wegen‹?«[19] Auch Albrecht Joseph, der Alma zweifellos gut gekannt hat, fühlte sich von manchem in Almas Memoiren peinlich berührt, gleichwohl nahm er die Autorin in Schutz: »Sie schrieb ihr grässliches Buch in einer Art Naivität, dachte, sie berichte einfach die Wahrheit. [...] Was auch immer sie tat, sagte, schrieb, war in ihren Augen richtig, weil sie es war, die das tat.« Dabei hielt sie sich für »die Muse großer Künstler, ohne es zu sein«, wie Albrecht Joseph zusammenfasste. »Natürlich war nicht sie es, die Mahler entdeckte, und sie konnte ihm nicht helfen, was er übrigens nicht brauchte und nicht erwartete. Kokoschka war bereits als einer der begabtesten jungen Maler bekannt, als er sich in sie verliebte, und nach dem Abbruch ihrer Beziehung blieb er weiter ein bedeutender Künstler. Abgesehen von der Tatsache, dass er sie in einigen seiner Bilder porträtierte, lässt sich kein Einfluss von ihr auf ihn nachweisen. Über Werfel und Alma gibt es viel zu sagen, aber auch er war wohlbekannt, ja sogar berühmt als einer der besten jungen Dichter, ehe er Alma kennen lernte. Ihre Ehe mit Gropius war kurz, und man kann sich nicht vorstellen, dass irgendwer behaupten könne, sie habe Einfluss auf das Bauhaus oder Gropius' Stil als Architekt gehabt.«[20]

Was bleibt also nun – vierzig Jahre nach ihrem Tod – von Alma Mahler-Werfel? Ist es wirklich nur das »bißchen Unterleib«? War sie lediglich »eine schillernde, zwischen Rosa und Giftgrün changierende Erscheinung«[21], wie Hans Wollschläger ätzte – gar ein Monstrum? Nein. Almas Lebensleistung bestand in der Komposition ihrer eigenen Legende. »Das sollte ihr Meisterwerk werden«, erinnerte Soma Morgenstern in seiner Trauerrede: »Sie war dreimal verheiratet. Vermählt war sie nur einmal. Vermählt mit ihrem Leben. Mit ihrem eigenen Leben. Dieses Leben hatte ihren Stil, ihren eigenen Wert, ihre Würde, ihre Großzügigkeit.«[22] Alma war bereits zu Lebzeiten ein Mythos, ein Denkmal ihrer selbst – eine Projektionsfläche, auf die Bewunderer wie Feinde Liebe und Hass, Verehrung und Ablehnung, Faszination und Abscheu spiegeln konnten. Dass viele Details in ihrem Lebensdrama dem Vergleich mit der Realität nicht standhalten, mehr noch, dass manche Episoden die Heldin in keinem guten Licht erscheinen lassen, ahnte und befürchtete wohl auch Friedrich Torberg. Als Alma ihrem Freund einmal ihr Tagebuch zu lesen gab, reagierte dieser deutlich verlegen: »Alma! Was soll ich dazu sagen?!« Torberg gelang es schließlich, sich mit Charme und Witz aus der delikaten Affäre zu ziehen. Ihm gebührt das Schlusswort. »Alma: Du bist der beste Partner den das Leben je gehabt hat, und ich glaube, daß man nicht Dir zu diesem Leben, sondern dem Leben zu Dir gratulieren müßte.«[23]

Dank

Bei meiner Arbeit habe ich manche Hilfe erfahren, für die ich herzlich Dank sagen möchte, insbesondere den Mitarbeiterinnen und Mitarbeitern der konsultierten Archive und Sammlungen. Zeitzeugen wie Prof. Johannes Trentini, Lady Isolde Radzinowicz (verwitwete Klarmann) und Katharine Scherman-Rosin gestatteten mir durch ihre Erinnerungen an Alma wichtige Blicke hinter die Kulissen. Paulus Manker und Peter Stephan Jungk danke ich sehr herzlich für gute Gespräche und Anregungen und dass sie mir teilweise unveröffentlichtes Interviewmaterial zur Verfügung stellten. Susanne Dornau hat die Übersetzungen englischsprachiger Zitate besorgt; auch ihr sei herzlich gedankt. Darüber hinaus möchte ich mich – aus ganz unterschiedlichen Gründen – bei Ruth W. Arlt, Antony Beaumont, Dr. Karl Corino, Dr. Maria-Magdalena Cyhlar, Lübbe Gerdes, Hermann Gieselbusch, Dr. Herta Haas, Wilfried und Ilona Hilmes, Dr. Annemarie Jaeggi, Prof. Dr. Eva Jaeggi, Thilo Koch, Anne König, Michel König, Dr. Hermann Köstler, Prof. Henry-Louis de La Grange, Maximilian Lautenschläger, Marina Mahler, Fred K. Prieberg, Erich Rietenauer, Dr. Thomas Schinköth, Prof. Dr. Guy Stern, Barbara und Stefan Weidle, Barbara Wenner, Susanne Zobl und Alma Zsolnay herzlich bedanken. Zuletzt gilt mein Dank den kritischen Lesern des werdenden Manuskripts; ganz besonders danke ich Herrn Peter Franzek für unzählige konstruktive und aufbauende Vorschläge und Anregungen.

Anmerkungen

Prolog

1 Hans Wollschläger, *Scharf angeschlossener Kettenschmerz. Gustav Mahlers Briefe an Alma*, in: Frankfurter Allgemeine Zeitung, 5.12.1995, S. L9.
2 Zit. nach: Ebd.
3 Zit. nach: *Ein Glück ohne Ruh. Die Briefe Gustav Mahlers an Alma*, hrsg. von Henry-Louis de La Grange und Günther Weiß, Berlin 1997, S. 128.
4 Claire Goll, *Ich verzeihe keinem. Eine literarische Chronique scandaleuse unserer Zeit*, Berlin 1987, S. 226.
5 Zit. nach: *Erinnerungen an Österreich, Gespräche mit österreichischen Emigranten. Ein Film von Rudolf Stoiber*, ORF 1978.
6 Gina Kaus, *Von Wien nach Hollywood*, Frankfurt/M. 1990, S. 55.
7 Elias Canetti, *Das Augenspiel. Lebensgeschichte 1931-1937*, Frankfurt/M. 1999, S. 52.
8 Goll, *Ich verzeihe keinem*, S. 229.
9 Ulrich Weinzierl, *Eine tolle Madame. Friedrich Torbergs Briefwechsel mit Alma Mahler-Werfel*, in: Frankfurter Allgemeine Zeitung, 6.10.1987.
10 Zit. nach: *Erinnerungen an Österreich, Gespräche mit österreichischen Emigranten. Ein Film von Rudolf Stoiber*, ORF 1978.
11 Interview mit Marietta Torberg, Videomitschnitt unbekannter Herkunft, Privatbesitz.
12 Zit. nach: *Ein Glück ohne Ruh*, S. 474.
13 Brassaï, *The Artist of My Life*, New York 1982, S. 73.
14 Paul Kammerer an AMW, undatiert, MWC.
15 Franz Werfel an AMW, 18.1.1918, FWC.
16 Franz Werfel an AMW, undatiert, FWC.
17 Ludwig Karpath an AMW, 13.5.1932, MWC.
18 Friedrich Torberg, *Die Erben der Tante Jolesch*, München 1996, S. 244.
19 Tagebucheintrag 13.8.1942, in: Erich Maria Remarque, *Das unbekannte Werk. Briefe und Tagebücher*, Band 5, Köln 1998, S. 368.

20 Eleonore Büning, *Immer diese Amazonen. Gehst Du zum Weib, vergiss den Taktstock*, in: Frankfurter Allgemeine Zeitung, 20.3.2004, S. 41.

21 Eva Weissweiler, *Komponistinnen vom Mittelalter bis zur Gegenwart. Eine Kultur- und Wirkungsgeschichte in Biographien und Werkbeispielen*, München 1999, S. 375f.

22 Berndt W. Wessling, *Alma. Gefährtin von Gustav Mahler, Oskar Kokoschka, Walter Gropius, Franz Werfel*, Düsseldorf 1983, S. 12.

23 Vgl.: *Tante Julchen und der ›Stürmer‹*, in: Der Spiegel, Nr. 38/1989, S. 220 bis 230.

24 AMW, *Mein Leben*, Frankfurt/M. 1960, S. 150 bzw. Françoise Giroud, *Alma Mahler oder die Kunst, geliebt zu werden*, München 2000, S. 174f.

25 AMW, Tgb., S. 196, 15.7.1927, MWC.

26 Zit. nach: Peter Stephan Jungk, *Franz Werfel. Eine Lebensgeschichte*, Frankfurt/M. 1987, S. 105.

27 Canetti, *Das Augenspiel*, S. 55.

28 Vgl.: Aus dem Besitz Alma Mahler-Werfel und Franz Werfel, Wien, 29.8. 1945, WSA, Bezirksgericht Döbling, Abwesenheitskuratel Alma Mahler-Werfel, 6 P 126/42, S. 81–135.

29 AMW, Tgb., S. 273f., MWC.

30 AMW, Der schimmernde Weg, S. 416, MWC.

Kindheit und Jugend (1879–1901)

1 Max Nordau, *Entartung*, Band 1, Berlin 1892, S. 17f.

2 Zit. nach: Heinrich Fuchs, *Emil Jakob Schindler*, Wien 1970, S. 20.

3 Anna Schindler an Carl Moll, undatiert, MWC.

4 Carl Moll, Mein Leben, S. 58, BB.

5 Marie Egner, zit. nach: Peter Weniger und Peter Müller, *Die Schule von Plankenberg. Emil Jakob Schindler und der österreichische Stimmungsimpressionismus*, Graz 1991, S. 21.

6 Carl Moll, Mein Leben, S. 65, BB.

7 AMW, Der schimmernde Weg, S. 5, MWC.

8 Ebd.

9 Ebd.

10 Ebd., S. 6.

11 Ebd., S. 7.

12 Ebd.

13 Ebd., S. 8.

14 Vgl.: Sylter Kurzeitung, 6.8.1892.

15 Carl Moll, Mein Leben, S. 96, BB.

16 AMW, Der schimmernde Weg, S. 8, MWC.

17 Ebd., S. 9.

18 Ebd.

19 Ebd.

20 Ebd.

21 AMW, Tgb., S. 34, undatiert, MWC.

22 Carl Moll, Mein Leben, S. 97, BB.

23 AMW, Der schimmernde Weg, S. 10, MWC.

24 Vgl. insbesondere: Hansjörg Krug, ›Alma, meine Alma‹. *Gustav Klimt und Alma Schindler*, in: Tobias G. Natter und Gerbert Frodl (Hrsg.), *Klimt und die Frauen*, Köln 2000, S. 38–42.

25 AMW, *Tagebuch-Suiten 1898–1902*, hrsg. von Antony Beaumont und Susanne Rode-Breymann, Frankfurt/M. 1997, S. 74, 6.7.1898.

26 Ebd., S. 69, 19.6.1898.

27 Ebd., S. 189, 14.2.1899.

28 Ebd., S. 205, 15.3.1899.

29 Carl Moll, Mein Leben, S. 123, BB.

30 AMW, *Tagebuch-Suiten*, S. 242, 25.4.1899.

31 Ebd., S. 242, 26.4.1899.

32 Ebd., S. 243, 27.4.1899.

33 Ebd., S. 244, 29.4.1899.

34 Ebd., S. 245, 1.5.1899.

35 Ebd., S. 251, 5.5.1899.

36 Ebd., S. 250, 4.5.1899.

37 Ebd., S. 260f., 15.5.1899.

38 Zit. nach: *Ein Glück ohne Ruh*, S. 473ff.

39 AMW, *Tagebuch-Suiten*, S. 262, 15.5.1899.

40 AMW, Der schimmernde Weg, S. 13, MWC.

41 AMW, *Tagebuch-Suiten*, S. 203, 12.3.1899.

42 Ebd., S. 343, 9.8.1899.

43 Ebd., S. 366, 6.9.1899.

44 Ebd., S. 511, 13.6.1900.

45 Ebd., S. 90, 2.8.1898.

46 Ebd., S. 188, 13.2.1899.

47 Ebd., S. 188, 14.2.1899.

48 Ebd., S. 104, 20.8.1898.

49 Vgl.: Nike Wagner, *Geist und Geschlecht. Karl Kraus und die Erotik der Wiener Moderne*, Frankfurt/M. 1982, S. 24.

50 AMW, Tgb., S. 32, undatiert, MWC.

51 Zu Almas musikalischem Werdegang: Susanne Rode-Breymann, *Die Komponistin Alma Mahler-Werfel*, Hannover 1999.

52 AMW, *Tagebuch-Suiten*, S. 149, 23. 11. 1898.

53 Ebd., S. 716, 15. 10. 1901.

54 Ebd., S. 11, 9. 2. 1898.

55 Ebd., S. 165, 21. 12. 1898.

56 Ebd., S. 539, 7. 8. 1900.

57 Ebd., S. 436, 23. 1. 1900.

58 Ebd., S. 451, 11. 2. 1900.

59 Ebd., S. 463f., 26. 2. 1900.

60 Ebd., S. 506, 22. 5. 1900.

61 Alexander von Zemlinsky an AMW, 09.08.1900, MWC.

62 AMW, *Tagebuch-Suiten*, S. 632, 4. 3. 1901.

63 Ebd., S. 569, 18. 10. 1900.

64 Ebd., S. 470, 10. 3. 1900.

65 Ebd., S. 569, 18. 10. 1900.

66 Ebd., S. 628, 24. 2. 1901.

67 Ebd., S. 654, 10. 4. 1901.

68 Ebd., S. 654, 11. 4. 1901.

69 Ebd., S. 656, 13. 4. 1901.

70 Ebd., S. 660, 21. 4. 1901.

71 Ebd., S. 667, 4. 5. 1901.

72 Ebd., S. 694, 28. 7. 1901.

73 Ebd., S. 693, 24. 7. 1901.

74 Ebd., S. 694, 28. 7. 1901.

75 Alexander von Zemlinsky an AMW, 22. 5. 1901, MWC.

76 AMW, *Tagebuch-Suiten*, S. 673, 25. 5. 1901.

77 Alexander von Zemlinsky an AMW, 27. 5. 1901, MWC.

78 AMW, *Tagebuch-Suiten*, S. 710, 24. 9. 1901.

79 Ebd., S. 713, 7. 10. 1901.

80 Ebd., S. 712, 4. 10. 1901.

81 Alexander von Zemlinsky an AMW, 2. 11. 1901, MWC.

82 Alexander von Zemlinsky an AMW, 4. 11. 1901, MWC.

83 Brigitte Hamann, *Hitlers Wien. Lehrjahre eines Diktators*, 2003, S. 410f.

84 Vgl.: Ebd., S. 417.

85 Houston Stewart Chamberlain, *Richard Wagner*, München 1919, S. 229.

86 AMW, *Tagebuch-Suiten*, S. 371, 22. 9. 1899.

87 Ebd., S. 316, 9. 7. 1899.

88 Albrecht Joseph, Werfel, Alma, Kokoschka, the actor George, S. 11, WMC.

89 Vgl.: *PTT. Persönlichkeitsstörungen, Theorie und Therapie*, Heft 3/2000.

90 Zit. nach: Sven Olaf Hoffmann und Annegret Eckhardt-Henn, *Von der Hysterie zur Histrionischen Persönlichkeitsstörung. Ein historischer und konzeptueller Überblick*, in: Ebd., S. 130.

91 Karl Jaspers, *Allgemeine Psychopathologie*, Berlin 1953, S. 370.

92 AMW, *Tagebuch-Suiten*, S. 469, 10. 3. 1900.

93 Interview Peter Stephan Jungk mit Anna Mahler, Videoaufzeichnung, Privatbesitz.

94 Ebd.

95 Walter Bräutigam, Hysterie, in: *Lexikon der Psychiatrie*, Berlin 1986, S. 341.

96 AMW, *Tagebuch-Suiten*, S. 204, 14. 3. 1898.

Mahler (1901–1911)

1 Vgl.: *Ein Glück ohne Ruh*, S. 49f.

2 AMW, *Tagebuch-Suiten*, S. 318, 11. 7. 1899.

3 Ebd., S. 723, 7. 11. 1901.

4 Ebd., S. 724, 7. 11. 1901.

5 AMW, *Gustav Mahler. Erinnerungen und Briefe*, Amsterdam 1940, S. 24.

6 AMW, *Tagebuch-Suiten*, S. 725, 8. 11. 1901.

7 Ebd., S. 727, 20. 11. 1901.

8 Ebd., S. 728, 28. 11. 1901.

9 AMW, *Erinnerungen und Briefe*, S. 29.

10 Ebd., S. 30.

11 AMW, *Tagebuch-Suiten*, S. 730, 2. 12. 1901.

12 Ebd., S. 731, 3. 12. 1901.

13 Ebd., S. 730, 1. 12. 1901.

14 Vgl.: Ebd., S. 738, 9. 12. 1901.

15 AMW, *Erinnerungen und Briefe*, S. 34.

16 AMW, *Tagebuch-Suiten*, S. 746f., 22. 12. 1901.

17 *Ein Glück ohne Ruh*, S. 93, 14. 12. 1901.

18 Ebd., S. 95, 15. 12. 1901.

19 Ebd., S. 85, 13. 12. 1901.

20 Ebd., S. 97, 15. 12. 1901.

21 Ebd., S. 100, 16. 12. 1901.

22 AMW, *Tagebuch-Suiten*, S. 740, 12. 12. 1901.

23 Ebd., S. 742, 16. 12. 1901.

24 Ebd., S. 732, 3. 12. 1901.

25 Ebd., S. 744f., 19. 12. 1901.

26 *Ein Glück ohne Ruh*, S. 104–111, 19. 12. 1901.

27 Kurt Blaukopf, *Gustav Mahler oder Der Zeitgenosse der Zukunft*, Wien 1969, S. 143.

28 AMW, *Tagebuch-Suiten*, S. 745, 20. 12. 1901.

29 Ebd., S. 745, 21. 12. 1901.

30 AMW, *Erinnerungen und Briefe*, S. 34.

31 AMW, *Tagebuch-Suiten*, S. 747, 23. 12. 1901.

32 Ebd., S. 749, 28. 12. 1901.

33 Ebd., S. 751, 1. 1. 1902.

34 Ebd.

35 Ebd., S. 751, 3. 1. 1902.

36 Ebd., S. 751, 4. 1. 1902.

37 Ebd., S. 751, 5. 1. 1902.

38 AMW, *Erinnerungen und Briefe*, S. 38.

39 Ebd., S. 39.

40 Zit. nach: *Ein Glück ohne Ruh*, S. 120.

41 Zit. nach: Ebd., S. 133.

42 AMW, *Erinnerungen und Briefe*, S. 58.

43 Ebd.

44 AMW, Tgb., S. 2, 10. 7. 1902, MWC.

45 Ebd., S. 3f., 13. 7. 1902.

46 Ebd., S. 4, 10. 8. 1902.

47 AMW, *Erinnerungen und Briefe*, S. 65f.

48 AMW, Tgb., S. 5, 25. 11. 1902, MWC.

49 Ebd., S. 5, 15. 12. 1902.

50 Ebd., S. 6, 8. 1. 1903.

51 Ebd., S. 7f., 20. 1. 1903.

52 AMW, *Erinnerungen und Briefe*, S. 85.

53 Ebd., S. 59.

54 AMW, Tgb., S. 6, 16. 12. 1902, MWC.

55 Vgl.: AMW, *Erinnerungen und Briefe*, S. 49.

56 Vgl.: Jens Malte Fischer, *Gustav Mahler. Der fremde Vertraute*, Wien 2003, S. 539f.

57 AMW, Tgb., S. 9, 15. 6. 1903, MWC.

58 AMW, *Erinnerungen und Briefe*, S. 78.

59 AMW, Tgb., S. 9, 25. 2. 1904, MWC.

60 Alexander von Zemlinsky an AMW, undatiert [Frühjahr 1904], MWC.

61 Alexander von Zemlinsky an AMW, undatiert [Anfang März 1905], MWC.

62 Alexander von Zemlinsky an AMW, undatiert [um 1906], MWC.

63 AMW, Tgb., S. 10, 10. 9. 1904, MWC.

64 Ebd., S. 11f., 5. 1. 1905.

65 Ebd., S. 16, 6. 7. 1905.

66 Ebd., S. 168, 4. 6. 1920.

67 Ebd., S. 15, 23. 1. 1905.

68 Interview Peter Stephan Jungk mit Anna Mahler, MKB.

69 AMW, *Erinnerungen und Briefe*, S. 135.

70 Vgl.: Fischer, *Gustav Mahler*, S. 653.

71 *Ein Glück ohne Ruh*, S. 313, 17.1.1907.

72 AMW, *Erinnerungen und Briefe*, S. 148f.

73 Die genauen Hintergründe für Mahlers Demission hat Fischer ausführlich dargestellt. Vgl.: Fischer, *Gustav Mahler*, S. 644f.

74 Vgl.: Ebd., S. 658f.

75 Zit. nach: *Ein Glück ohne Ruh*, S. 323.

76 AMW, *Erinnerungen und Briefe*, S. 153f.

77 Ebd., S. 155.

78 Ebd.

79 Zit. nach: *Ein Glück ohne Ruh*, S. 323.

80 AMW, Tgb., S. 171, 27.7.1920, MWC.

81 AMW, *Erinnerungen und Briefe*, S. 163.

82 Ebd., S. 160.

83 Zit. nach: Fischer, *Gustav Mahler*, S. 689.

84 AMW, *Erinnerungen und Briefe*, S. 164.

85 Ebd., S. 173.

86 AMW an Margarethe Hauptmann, 15.02.1908, SBB.

87 AMW, *Erinnerungen und Briefe*, S. 187.

88 Ebd., S. 191.

89 Herta Blaukopf (Hrsg.), *Gustav Mahler. Briefe*, Wien 1996, S. 381.

90 AMW, *Erinnerungen und Briefe*, S. 191.

91 Ebd., S. 191f.

92 Blaukopf, *Gustav Mahler. Briefe*, S. 398ff.

93 AMW, *Erinnerungen und Briefe*, S. 193.

94 Blaukopf, *Gustav Mahler. Briefe*, S. 395ff.

95 AMW, *Erinnerungen und Briefe*, S. 215.

96 Ebd.

97 Vgl.: Reginald Isaacs, *Walter Gropius. Der Mensch und sein Werk*, Band 1, Frankfurt/M. 1985, S. 98ff.

98 *Ein Glück ohne Ruh*, S. 432, 21.6.1910.

99 Ebd., S. 434, 25.6.1910.

100 Blaukopf, *Gustav Mahler. Briefe*, S. 410.

101 Ebd., S. 407.

102 AMW, *Erinnerungen und Briefe*, S. 215.

103 AMW an Walter Gropius, Sonntag [31.7.1910], BHA.

104 AMW, *Erinnerungen und Briefe*, S. 216.

105 AMW an Walter Gropius, undatiert, BHA.

106 Vgl.: Walter Gropius an AMW, Briefentwurf, Mittwoch [3.8.1910], BHA.

107 AMW, *Erinnerungen und Briefe*, S. 218.

108 AMW an Walter Gropius, undatiert, BHA.

109 AMW an Walter Gropius, Donnerstag [11.8.1910], BHA.

110 Anna Moll an Walter Gropius, undatiert [Sommer 1910], BHA.

111 Anna Moll an Walter Gropius, 18.8.1910, BHA.

112 AMW, Tgb., S. 171, 27.7.1920, MWC.

113 Vgl.: Jörg Rothkamm, *Wer komponierte die unter Alma Mahlers Namen ver-öffentlichten Lieder? Unbekannte Briefe der Komponistin zur Revision ihrer Werke im Jahre 1910*, in: Die Musikforschung, Heft 4/2000, S. 432–445.

114 Vgl.: AMW, *Erinnerungen und Briefe*, S. 216.

115 AMW an Walter Gropius, undatiert [vermutlich Mitte August 1910], BHA.

116 Vgl.: Jörg Rothkamm, *Gustav Mahlers Zehnte Symphonie. Entstehung, Analyse, Rezeption*, Frankfurt/M. 2003.

117 *Ein Glück ohne Ruh*, S. 446, August 1910.

118 Ebd., S. 449, 17.8.1910.

119 AMW an Walter Gropius, undatiert, BHA.

120 AMW an Walter Gropius, Dienstag [23.8.1910], BHA.

121 Zit. nach: Theodor Reik, *Dreißig Jahre mit Sigmund Freud*, München 1976, S. 115.

122 AMW, *Erinnerungen und Briefe*, S. 219.

123 *Ein Glück ohne Ruh*, S. 451, 27.8.1910.

124 AMW, *Erinnerungen und Briefe*, S. 223.

125 Anna Moll an Walter Gropius, undatiert [Sommer 1910], BHA.

126 Interview Peter Stephan Jungk mit Anna Mahler, Videoaufzeichnung, Privatbesitz.

127 AMW an Walter Gropius, 19.9.1910, zit. nach: Isaacs, *Walter Gropius*, Band 1, S. 103.

128 Interview Peter Stephan Jungk mit Anna Mahler, Videoaufzeichnung, Privatbesitz.

129 AMW an Walter Gropius, undatiert [Poststempel 12.10.1910], BHA.

130 AMW an Walter Gropius, 27.10.1910, zit. nach: Isaacs, *Walter Gropius*, Band 1, S. 104.

131 Anna Moll an Walter Gropius, undatiert [vermutlich 13.11.1910], BHA.

132 Blaukopf, *Gustav Mahler. Briefe*, S. 423.

133 AMW, *Erinnerungen und Briefe*, S. 232.

134 Zit. nach: Anton Neumayr, *Musik und Medizin*, Wien 1991, S. 228.

135 AMW an Walter Gropius, 25.3.1911, BHA.

136 AMW, *Erinnerungen und Briefe*, S. 243.

137 Ebd., S. 245.

138 Vgl.: Carl Moll, Mein Leben, S. 173, BB.

1 AMW, Der schimmernde Weg, S. 41, MWC.
2 Ebd.
3 Mitteilung von Prof. Guy Stern an den Autor, 26.2.2001.
4 Walter Gropius an AMW, undatiert, zit. nach: Isaacs, *Walter Gropius*, Band 1, S. 112.
5 Walter Gropius an AMW, 18.9.1911, zit. nach: Ebd. S. 113.
6 AMW, Der schimmernde Weg, S. 42, MWC.
7 Ebd.
8 Ebd., S. 39.
9 Zu Kammerers Biographie: Arthur Koestler, *Der Krötenküsser. Der Fall des Biologen Paul Kammerer*, Reinbek 1974.
10 AMW, Der schimmernde Weg, S. 44, MWC.
11 Paul Kammerer an AMW, 31.10.1911, MWC.
12 AMW, Der schimmernde Weg, S. 45f., MWC.
13 Ebd.
14 Ebd., S. 46.
15 Ebd., S. 45.
16 Krankenakte Margarethe Legler, SAF.
17 Mitteilung der Gedenkstätte Pirna-Sonnenstein an den Autor, April 2003.
18 Gutachten, 30.6.1912, in: Krankenakte Margarethe Legler, SAF.
19 Carl Moll, Mein Leben, S. 141, BB.
20 Wilhelm Legler an Geheimrat Schüle, 10.3.1912, in: Krankenakte Margarethe Legler, SAF.
21 AMW, Tgb., S. 243, 31.8.1930, MWC.
22 Ebd., S. 243f.
23 Zu Kokoschkas Biographie: Heinz Spielmann, *Oskar Kokoschka. Leben und Werk*, Köln 2003.
24 AMW, Der schimmernde Weg, S. 51, MWC.
25 Brassaï, *The Artist of My Life*, New York 1982, S. 73.
26 AMW, Der schimmernde Weg, S. 48, MWC.
27 Oskar Kokoschka an AMW, 15.4.1912, zit. nach: Oskar Kokoschka, *Briefe I. 1905–1919*, Düsseldorf 1984, S. 29f.
28 Oskar Kokoschka an AMW, 8.5.1913, zit. nach: Ebd., S. 107.
29 Oskar Kokoschka an AMW, undatiert [Ende Mai 1913], zit. nach: Ebd., S. 115.
30 AMW, Der schimmernde Weg, S. 50, MWC.
31 Oskar Kokoschka an AMW, 7.5.1912, zit. nach: Kokoschka, *Briefe I*, S. 37.
32 AMW, Der schimmernde Weg, S. 53, MWC.

33 Oskar Kokoschka an AMW, undatiert [Mai 1912], zit. nach: Kokoschka, *Briefe I*, S. 41.

34 Oskar Kokoschka an AMW, undatiert [Juni 1912], zit. nach: Ebd., S. 42.

35 AMW, Der schimmernde Weg, S. 58, MWC.

36 Oskar Kokoschka an AMW, 9.7.1912, zit. nach: Kokoschka, *Briefe I*, S. 44.

37 Vgl.: *Ein Glück ohne Ruh*, S. 440, 9.7.1910.

38 Vgl.: Michel König, *Ein Harmonium für Arnold Schönberg*, in: Arbeitskreis Harmonium der GdO, Heft 2, November 2000, S. 8–22.

39 Vgl.: WSA, Landgericht für Zivilrechtssachen, 48 T 163/47.

40 AMW, Der schimmernde Weg, S. 54, MWC.

41 AMW, Tgb., S. 168f., 4.6.1920, MWC.

42 Oskar Kokoschka an AMW, 14.5.1913, zit. nach: Kokoschka, *Briefe I*, S. 100.

43 Oskar Kokoschka, *Mein Leben*, München 1971, S. 34.

44 Oskar Kokoschka an AMW, undatiert [Herbst 1913], MWC.

45 Oskar Kokoschka an AMW, 25.7.1912, zit. nach: Kokoschka, *Briefe I*, S. 59.

46 Zit. nach: Alfred Weidinger, *Kokoschka und Alma Mahler. Dokumente einer leidenschaftlichen Begegnung*, München 1996, S. 10.

47 Kokoschka, *Mein Leben*, S. 132.

48 Oskar Kokoschka an AMW, 20.7.1912, zit. nach: Kokoschka, *Briefe I*, S. 53.

49 Oskar Kokoschka an AMW, 27.7.1912, zit. nach: Ebd., S. 59.

50 AMW, Der schimmernde Weg, S. 55, MWC.

51 AMW, 1913, Aus der Zeit meiner Liebe zu Oskar Kokoschka und der seinen zu mir, S. 43f., ZBZ.

52 Ebd., S. 44f.

53 Ebd., S. 20f.

54 Ebd., S. 46f.

55 Kokoschka, *Mein Leben*, S. 132.

56 Oskar Kokoschka an AMW, undatiert [Dezember 1912], zit. nach: Kokoschka, *Briefe I*, S. 67.

57 Oskar Kokoschka an AMW, 1.10.1912, MWC.

58 AMW, Der schimmernde Weg, S. 51, MWC.

59 Vgl.: *Katalog der Berliner Secession*, Nr. 26, Berlin 1913.

60 Oskar Kokoschka an AMW, undatiert [Mai 1913], zit. nach: Kokoschka, *Briefe I*, S. 102.

61 AMW, Der schimmernde Weg, S. 56, MWC.

62 AMW an Walter Gropius, 26.7.1913, BHA.

63 AMW, Der schimmernde Weg, S. 56, MWC.

64 Oskar Kokoschka an AMW, undatiert [Juli 1913], zit. nach: Kokoschka, *Briefe I*, S. 128.

65 Oskar Kokoschka an AMW, Juli 1913, zit. nach: Ebd., S. 127.

66 Oskar Kokoschka an AMW, undatiert [Juli 1913], MWC.

67 Oskar Kokoschka an AMW, 21.8.1913, zit. nach: Kokoschka, *Briefe I*, S. 135.

68 AMW, Der schimmernde Weg, S. 71, MWC.

69 Ernst Krenek, *Im Atem der Zeit. Erinnerungen an die Moderne*, München 1999, S. 413.

70 AMW, Der schimmernde Weg, S. 71, MWC.

71 Vgl.: Kokoschka, *Mein Leben*, S. 135.

72 Oskar Kokoschka an AMW, undatiert [6.3.1914], zit. nach: Kokoschka, *Briefe I*, S. 144.

73 Oskar Kokoschka an AMW, 10.5.1914, zit. nach: Ebd., S. 159f.

74 AMW, Tgb., S. 45, 17.5.1914, MWC.

75 AMW an Walter Gropius, 6.5.1914, zit. nach: Isaacs, *Walter Gropius*, Band 1, S. 115.

76 Oskar Kokoschka an AMW, undatiert [1914], MWC.

77 AMW, Tgb., S. 50, Juli 1914, MWC.

78 Ebd.

79 Oskar Kokoschka an AMW, 1.8.1914, zit. nach: Kokoschka, *Briefe I*, S. 178.

80 AMW, Tgb., S. 51f., undatiert [August 1914], MWC.

81 Oskar Kokoschka an AMW, 24.9.1914, zit. nach: Kokoschka, *Briefe I*, S. 180.

82 AMW, Tgb., S. 52, September 1914, MWC.

83 AMW an Walter Gropius, 4.9.1914, zit. nach: Isaacs, *Walter Gropius*, Band 1, S. 140.

84 AMW, Tgb., S. 55, 12.11.1914, MWC.

85 Ebd., S. 54, 6.10.1914.

86 Ebd., S. 54, 6.10.1914.

87 Ebd., S. 54, Ende Oktober 1914.

88 Ebd., S. 57, 17.11.1914.

89 Ebd., S. 58, undatiert [November/Dezember 1914].

Ehe auf Distanz (1915–1917)

1 Kokoschka, *Mein Leben*, S. 144.

2 Anna Mahler, zit. nach: Jungk, *Franz Werfel*, S. 106.

3 Oskar Kokoschka an AMW, 5.12.1914, zit. nach: Kokoschka, *Briefe I*, S. 185.

4 Kokoschka, *Mein Leben*, S. 145.

5 Oskar Kokoschka an AMW, 2.1.1915, zit. nach: Kokoschka, *Briefe I*, S. 188.

6 AMW an Walter Gropius, 31.12.1914, zit. nach: Isaacs, *Walter Gropius*, Band 1, S. 140.

7 Oskar Kokoschka an AMW, 7.1.1915, MWC.

8 Vgl.: Oskar Kokoschka an AMW, undatiert [Erste Hälfte Februar 1915], zit. nach: Kokoschka, *Briefe I*, S. 200.

9 Oskar Kokoschka an AMW, undatiert [Ende Januar 1915], zit. nach: Ebd., S. 196.

10 Oskar Kokoschka an AMW, undatiert [ca. 1.4.1915], zit. nach: Ebd., S. 216.

11 AMW, Tgb., S. 62–64, 22.2.1915, MWC.

12 Ebd., S. 63, 22.2.1915.

13 Ebd., S. 67f., 5.3.1915.

14 AMW an Walter Gropius, undatiert [Februar/März 1915], BHA.

15 Paul Kammerer an AMW, 20.3.1915, MWC.

16 AMW, Tgb., S. 69, Ende März 1915, MWC.

17 Ebd., S. 71f., 1.4.1915.

18 Ebd., S. 73, 6.4.1915.

19 Ebd., S. 74, 8.4.1915.

20 Ebd., S. 75, 9.4.1915.

21 Peter Altenberg, *Fechsung*, Berlin 1915, S. 231f.

22 Vgl.: Paul Kammerer an AMW, 24.3.1915, MWC.

23 AMW an Oskar Kokoschka, 17.4.1915, zit. nach: Weidinger, *Kokoschka und Alma Mahler*, S. 82.

24 Oskar Kokoschka an AMW, 24.[4.]1915, MWC.

25 AMW, Tgb., S. 76, 8.6.1915, MWC.

26 Interview Peter Stephan Jungk mit Anna Mahler, Videoaufzeichnung, Privatbesitz.

27 AMW an Walter Gropius, undatiert [Juni 1915], zit. nach: Isaacs, *Walter Gropius*, Band 1, S. 142.

28 AMW, Tgb., S. 76f., 18.6.1915, MWC.

29 AMW an Walter Gropius, undatiert [Mai/Juni 1915], zit. nach: Isaacs, *Walter Gropius*, Band 1, S. 142.

30 AMW an Walter Gropius, undatiert, BHA.

31 Vgl.: Standesamt Mitte von Berlin, Heiratsurkunde Nr. 411/1915.

32 AMW, Tgb., S. 80, 19.8.1915, MWC.

33 Adolf Loos an Herwarth Walden, 18.10.1915, zit. nach: Weidinger, *Kokoschka und Alma Mahler*, S. 86.

34 Kokoschka, *Mein Leben*, S. 130.

35 Ebd., S. 131.

36 AMW an Walter Gropius, undatiert, BHA.

37 AMW, Tgb., S. 80, 26.9.1915, MWC.

38 AMW an Walter Gropius, undatiert, BHA.

39 AMW an Walter Gropius, undatiert [vermutlich Ende September 1915], zit. nach: Isaacs, *Walter Gropius*, Band 1, S. 156f.

40 AMW an Walter Gropius, undatiert, BHA.

41 AMW an Walter Gropius, undatiert, BHA.

42 AMW an Walter Gropius, undatiert, BHA.

43 AMW an Walter Gropius, undatiert, BHA.

44 AMW an Walter Gropius, undatiert, BHA.

45 AMW an Walter Gropius, undatiert, BHA.

46 AMW an Walter Gropius, undatiert, BHA.

47 AMW an Margarethe Hauptmann, undatiert [Poststempel 9.2.1916], SBB.

48 AMW, Tgb., S. 86, 10.2.1916, MWC.

49 Ebd., S. 86, 4.3.1916.

50 Ebd., S. 87, 11.6.1916.

51 AMW an Walter Gropius, undatiert, zit. nach: Isaacs, *Walter Gropius*, Band 1, S. 160f.

52 AMW an Walter Gropius, undatiert, zit. nach: Ebd., S. 163.

53 AMW, Tgb., S. 87, 19.9.1916, MWC.

54 Ebd., S. 88, undatiert [Winter 1916/17].

55 Walter Gropius an Manon Gropius, undatiert, zit. nach: Isaacs, *Walter Gropius*, Band 1, S. 170.

56 AMW an Manon Gropius, Silvester 1916, zit. nach: Ebd., S. 170.

57 Vgl.: AMW an Margarethe Hauptmann, 13.11.1916, SBB.

58 AMW, Tgb., S. 88, undatiert [Winter 1916/17], MWC.

59 AMW an Walter Gropius, undatiert, [vermutlich Frühjahr/Sommer 1917], BHA.

60 AMW an Walter Gropius, undatiert [vermutlich Frühjahr/Sommer 1917], BHA.

61 Anna Mahler an Walter Gropius, undatiert [vermutlich Frühjahr/Sommer 1917], BHA.

62 AMW, Tgb., S. 96, undatiert [Oktober 1917], MWC.

63 Ebd., S. 97, November 1917.

1 Zu Werfels Biographie: Peter Stephan Jungk, *Franz Werfel. Eine Lebensgeschichte*, Frankfurt/M. 1987.

2 AMW, Tgb., S. 98f., November 1917, MWC.

3 Interview Peter Stephan Jungk mit Anna Mahler, Videoaufzeichnung, Privatbesitz.

4 AMW, Tgb., S. 105, undatiert [Dezember 1917], MWC.

5 AMW an Walter Gropius, undatiert, zit. nach: Isaacs, *Walter Gropius*, Band 1, S. 175.

6 AMW, Tgb., S. 107, undatiert, MWC.

7 Ebd., S. 109, 1.1.1918.

8 Ebd., S. 109, 5.1.1918.

9 Vgl.: Jungk, *Franz Werfel*, S. 87.

10 AMW, Tgb., S. 119, undatiert, MWC.

11 Geheimes Tagebuch, zit. nach: Franz Werfel, *Zwischen Oben und Unten*, München 1975, S. 634.

12 AMW, Tgb., S. 120, undatiert, MWC.

13 Ebd.

14 Franz Werfel an AMW, 2.8.1918, FWC.

15 AMW an Franz Werfel, undatiert, MWC.

16 AMW an Franz Werfel, undatiert, MWC.

17 AMW an Franz Werfel, undatiert, MWC.

18 Franz Werfel an AMW, undatiert, FWC.

19 AMW, Tgb., S. 114, 24.10.1918, MWC.

20 Ebd., S. 113f., 26.10.1918.

21 Ebd., S. 117, undatiert.

22 Ebd., S. 135, 1.2.1919.

23 Ebd., S. 136, 14.2.1919.

24 Milan Dubrovic, zit. nach: Jungk, *Franz Werfel*, S. 142.

25 AMW, Tgb., S. 136, 14.2.1919, MWC.

26 Ebd., S. 139, 15.3.1919.

27 Ebd., S. 142, 5.4.1919.

28 Ebd., S. 138a, 23.3.1919.

29 Ebd., S. 141, 27.3.1919.

30 Oskar Kokoschka an Hermine Moos, 20.8.1918, zit. nach: Kokoschka, *Briefe I*, S. 293.

31 Oskar Kokoschka an Hermine Moos, 6.4.1919, zit. nach: Ebd., S. 312.

32 Kokoschka, *Mein Leben*, S. 191.

33 Ebd., S. 192.

34 AMW, Tgb., S. 144, 1.5.1919, MWC.

35 Franz Werfel an AMW, undatiert [Mitte Mai 1919], FWC.

36 AMW, Tgb., S. 146, 3.7.1919, MWC.

37 Ebd., S. 147, 27.7.1919.

38 AMW an Walter Gropius, undatiert, BHA.

39 AMW, Tgb., S. 149, 15.9.1919, MWC.

40 Ebd., S. 149, 16.9.1919.

41 Ebd., S. 154, 11.11.1919.

42 Ebd., S. 168, 4.6.1920.

43 Ebd., S. 160, 5.3.1920.

44 Ebd., S. 161, 6.3.1920.

45 Franz Werfel an AMW, undatiert [Mitte März 1920], FWC.

46 Franz Werfel an AMW, undatiert [März 1920], FWC.

47 Vgl.: Jungk, *Franz Werfel*, S. 124.

48 AMW an Walter Gropius, undatiert [Ende März 1920], BHA.

49 AMW, Tgb., S. 167, 13.5.1920, MWC.

50 Ebd., S. 168, 4.6.1920.

51 Vgl.: Isaacs, *Walter Gropius*, Band 1, S. 248.

52 Franz Werfel an AMW, undatiert, FWC.

53 Franz Werfel an AMW, undatiert, FWC.

54 AMW, Tgb., S. 180, 21.2.1922, MWC.

54 Ebd., S. 173, undatiert [Juli 1920].

56 Krenek, *Im Atem der Zeit*, S. 393.

57 Interview Peter Stephan Jungk mit Anna Mahler, Videoaufzeichnung, Privatbesitz.

58 Ernst Krenek an Ernst Josef Krenek, undatiert [28.2.1922], WSB, Nachl. Ernst Krenek.

59 Krenek, *Im Atem der Zeit*, S. 379.

60 AMW, Tgb., S. 182, undatiert, MWC.

61 Krenek, *Im Atem der Zeit*, S. 394ff.

62 Ebd., S. 395.

63 Ebd., S. 420.

64 Ebd., S. 430.

65 Ebd., S. 423.

66 Ebd., S. 396.

67 Ebd., S. 432.

68 Ebd., S. 432.

69 Scheidungsurteil vom 28.8.1926, WSA, Scheidungsakte XXIII 722/25.

70 Krenek, *Im Atem der Zeit*, S. 394.

71 Vgl.: Jungk, *Franz Werfel*, S. 141.

72 Franz Werfel an AMW, undatiert, FWC.

73 AMW, Tgb., S. 185, 23.3.1923, MWC.

74 Ebd., S. 186, April 1923.

75 Wassily Kandinsky an Arnold Schönberg, 15.4.1923, zit. nach: *Wassily Kandinsky und Arnold Schönberg. Der Briefwechsel*, hrsg. von Jelena Hahl-Koch, Stuttgart 1993, S. 79.

76 Arnold Schönberg an Wassily Kandinsky, 19.4.1923, zit. nach: Ebd., S. 80.

77 Wassily Kandinsky an Arnold Schönberg, 24.4.1923, zit. nach: Ebd., S. 81.

78 Nina Kandinsky, *Kandinsky und ich*, München 1976, S. 193.

79 Ebd., S. 192.

80 Arnold Schönberg an AMW, 11.5.1923, MWC.

81 AMW, Tgb., S. 186, 21.9.1923, MWC.

82 Vgl.: Fritz Blaich, *Der schwarze Freitag. Inflation und Wirtschaftskrise*, München 1990, S. 29ff.

83 Krenek, *Im Atem der Zeit*, S. 414.

84 Interview Peter Stephan Jungk mit Anna Mahler, Videoaufzeichnung, Privatbesitz.

85 AMW an Emil Hertzka, undatiert [um 1919], WSB, Musiksammlung, Sammlung Universal Edition.

86 Krenek, *Im Atem der Zeit*, S. 456.

87 Ebd., S. 457.

88 Ebd.

89 Ebd., S. 458.

90 Vgl.: Jungk, *Franz Werfel*, S. 145ff.

91 Krenek, *Im Atem der Zeit*, S. 414.

92 Vgl.: Murray G. Hall, *Der Paul Zsolnay Verlag. Von der Gründung bis zur Rückkehr aus dem Exil*, Tübingen 1994.

93 Vgl.: Autorenvertrag AMW, 15.1.1925, PZV.

94 Krenek, *Im Atem der Zeit*, S. 459.

95 AMW, Tgb., S. 188, 22.1.1924, MWC.

96 Vgl.: Hall, *Der Paul Zsolnay Verlag*, S. 44.

97 Vgl.: Rothkamm, *Gustav Mahlers Zehnte Symphonie*, S. 207ff.

98 AMW an Willem Mengelberg, 7.10.1923, zit. nach: Robert Becqué, *Die Korrespondenz zwischen Alma Mahler und Willem Mengelberg über die niederländische Erstaufführung von zwei Sätzen der zehnten Symphonie*, in: Paul Op de Coul (Hrsg.), Fragment or Completion?, Proceedings of the Mahler X Symposium, Utrecht 1986, S. 221.

99 AMW, Tgb., S. 190f., 2.8.1924, MWC.

100 Ebd., S. 193, undatiert.

101 Vgl.: Rothkamm, *Gustav Mahlers Zehnte Symphonie*, S. 212.

102 Ernst Decsey, *Mahlers Zehnte und ›Die Fledermaus‹*, in: Neues 8 Uhr-Blatt, 13.10.1924, S. 6.

103 AMW, Tgb., S. 193, 9.11.1925, MWC.

104 Werfel hat diese Reise in seinem Tagebuch dokumentiert. Vgl.: Ägyptisches Tagebuch, zit. nach: Werfel, *Zwischen Oben und Unten*, S. 705–742.

105 Ebd., S. 739.

106 AMW, Tgb., S. 193, 9. 11. 1925, MWC.

107 Vgl.: Jungk, *Franz Werfel*, S. 164.

108 Vgl.: Verlag Ullstein an Franz Werfel, 5. 1. 1925, FWC.

109 Vgl.: Jungk, *Franz Werfel*, S. 166.

110 AMW, Der schimmernde Weg, undatiert, S. 298, MWC.

111 Vgl.: Jungk, *Franz Werfel*, S. 166.

112 Vgl.: Hall, *Der Paul Zsolnay Verlag*, S. 485ff.

113 Anna Mahler, zit. nach: Jungk, *Franz Werfel*, S. 107.

114 Ebd., S. 245.

115 Krenek, *Im Atem der Zeit*, S. 414.

116 Hans Mayer, zit. nach: Jungk, *Franz Werfel*, S. 173.

117 Milan Dubrovic, zit. nach: Jungk, *Franz Werfel*, S. 143f.

118 AMW, Tgb., S. 194, 14. 7. 1926, MWC.

119 Interview Peter Stephan Jungk mit Anna Mahler, Videoaufzeichnung, Privatbesitz.

120 AMW, Tgb., S. 196, 15. 7. 1927, MWC.

121 Ebd., S. 197, 15. 7. 1927.

122 Ebd., S. 205, 6. 10. 1927.

123 Ebd., S. 206, 13. 10. 1927.

124 Ebd., S. 208, 25. 12. 1927.

125 Ebd., S. 211, 4. 1. 1928.

126 Ebd., S. 217, 8. 2. 1928.

127 Ebd., S. 222, 2. 4. 1928.

128 Ebd., S. 224, undatiert [April 1928].

129 Ebd., S. 227, 3. 8. 1928.

130 Ebd., S. 228, 25. 8. 1928.

131 Ebd., S. 228, 7. 10. 1928.

132 Ebd., S. 230, 4. 3. 1929.

133 Ebd.

134 Mitteilung der Israelitischen Kultusgemeinde Wien, Rz. 258/1929

135 AMW, Tgb., S. 231f., 5. 7. 1929, MWC.

136 Ebd., S. 237, 14. 8. 1929.

137 Ebd., S. 237, 15. 8. 1929.

138 Ebd., S. 233, 19. 7. 1929.

139 Ebd., S. 239, 24. 8. 1929.

140 Vgl.: Hall, *Der Paul Zsolnay Verlag*, S. 488.

141 Felix Costa an AMW, 3. 8. 1929, MWC.

142 Paul von Zsolnay an August von Kral, 17. 1. 1930, PZV.

143 AMW, Der schimmernde Weg, S. 373, MWC.

144 Paul von Zsolnay an August von Kral, 17.1.1930, PZV.

145 AMW, Der schimmernde Weg, S. 368, MWC.

146 Ebd.

147 AMW, Tgb., S. 242, 8.8.1930, MWC.

148 Ebd., S. 242f., 19.8.1930.

149 Ebd., S. 243, 31.8.1930.

150 Interview des Autors mit Johannes Trentini.

151 AMW, Tgb., S. 247f., 28.11.1930, MWC.

Radikalisierung (1931–1938)

1 Zur Architektur der Villa Ast: Eduard Franz Sekler, *Josef Hofmann. Das architektonische Werk*, Salzburg 1982, S. 134ff. und S. 332ff.

2 Vgl.: Jungk, *Franz Werfel*, S. 196.

3 AMW, Tgb., S. 257, 29.3.1931, MWC.

4 Ebd.

5 Interview des Autors mit Johannes Trentini.

6 AMW, Tgb., S. 259, 26.5.1931, MWC.

7 Ebd., S. 262, 24.9.1931.

8 Vgl.: Hall, *Der Paul Zsolnay Verlag*, S. 488.

9 AMW, Tgb., S. 263, Dezember 1931, MWC.

10 Ebd.

11 Vgl.: Hall, *Der Paul Zsolnay Verlag*, S. 327f.

12 AMW, Tgb., S. 263, Dezember 1931, MWC.

13 Ebd., S. 264a, 20.3.1932.

14 Interview des Autors mit Johannes Trentini.

15 AMW, Tgb., S. 264a, 20.3.1932, MWC.

16 Zit. nach: Emmerich Tálos und Wolfgang Neugebauer (Hrsg.), *Austrofaschismus. Beiträge über Politik, Ökonomie und Kultur 1934–1938*, Wien 1984, S. 57.

17 Zit. nach: Klaus Berchtold, *Österreichische Parteiprogramme 1868–1966*, München 1967, S. 427.

18 AMW, Tgb., S. 265, 31.5.1932, MWC.

19 Ebd., S. 267f., Juli 1932.

20 Ebd., S. 266, 21.7.1932.

21 Ebd., S. 266f.

22 Ebd., S. 267, 6.8.1932.

23 Ebd., S. 268, 23.9.1932.

24 Zit. nach: Jungk, *Franz Werfel*, S. 154.

25 AMW, Tgb., S. 271, 15. 10. 1932, MWC.

26 Ebd., S. 270, 12. 10. 1932.

27 AMW an Margarethe Hauptmann, undatiert, SBB.

28 AMW an Gerhart Hauptmann, undatiert, SBB.

29 AMW, Tgb., S. 272, 16. 12. 1932, MWC.

30 Ebd., S. 273, 16. 12. 1932.

31 Ebd.

32 Ebd.

33 Ebd., S. 273b, 16. 12. 1932.

34 Ebd., S. 284, undatiert.

35 Klaus Mann, *Der Wendepunkt. Ein Lebensbericht*, München 1989, S. 370.

36 AMW, Tgb., S. 275, 5. 2. 1933, MWC.

37 Zu Hollnsteiners Biographie: Friedrich Buchmayr, *Der Priester in Almas Salon. Johannes Hollnsteiners Weg von der Elite des Ständestaates zum NS-Bibliothekar*, Weitra 2003.

38 Interview des Autors mit Johannes Trentini.

39 Ebd.

40 Dies geht beispielsweise aus Almas »Taschenkalender für das Jahr 1933« hervor, MWC.

41 Interview Peter Stephan Jungk mit Anna Mahler, Videoaufzeichnung, Privatbesitz.

42 Interview des Autors mit Johannes Trentini.

43 AMW, Tgb., S. 278, 5. 3. 1933, MWC.

44 Ebd., S. 277, undatiert.

45 Zit. nach: Inge Jens, *Dichter zwischen rechts und links*, Leipzig 1994, S. 240f.

46 Ebd., S. 244.

47 Vgl.: Lore B. Foltin, *Franz Werfel*, Stuttgart 1972, S. 75.

48 Jens, *Dichter zwischen rechts und links*, S. 255.

49 AMW, Tgb., S. 280, 2. 5. 1933, MWC.

50 Ebd., S. 281, 25. 6. 1933.

51 Canetti, *Das Augenspiel*, S. 52.

52 Ebd., S. 53.

53 Ebd., S. 54.

54 Ebd., S. 56.

55 Ebd., S. 54.

56 Ebd., S. 56.

57 AMW, Tgb., S. 278, 5. 3. 1933, MWC.

58 Ebd., S. 283, 24. 7. 1933.

59 Ebd.

60 Franz Werfel an AMW, undatiert, FWC.

61 Ebd.

62 AMW, Tgb., S. 286, 10. 10. 1933, MWC.

63 Interview des Autors mit Johannes Trentini.

64 AMW, Tgb., S. 286, 22. 10. 1933, MWC.

65 AMW, Der schimmernde Weg, S. 433, MWC.

66 AMW an Anton Rintelen, undatiert, ÖSA, Nachl. Anton Rintelen.

67 AMW an Walter Gropius, undatiert, BHA.

68 AMW, Tgb., S. 287, 16. 11. 1933, MWC.

69 Ebd., S. 288, 24. 12. 1933.

70 Ebd., S. 289, Februar 1934.

71 Vgl.: Hilde Spiel, *Glanz und Untergang. Wien 1866–1938*, München 1987, S. 220.

72 AMW an Anton Rintelen, 23. 2. 1933, ÖSA, Nachl. Anton Rintelen.

73 AMW, Tgb., S. 290f., 28. 3. 1934, MWC.

74 AMW, Der schimmernde Weg, S. 439, undatiert, MWC.

75 AMW, Tgb., S. 293, undatiert, MWC.

76 Ebd., S. 294, undatiert.

77 AMW an Anton Rintelen, undatiert, ÖSA, Nachl. Anton Rintelen.

78 AMW an Anton Rintelen, undatiert, ÖSA, Nachl. Anton Rintelen.

79 Manon Gropius an Walter Gropius, undatiert, BHA.

80 AMW an Anton Rintelen, undatiert (Donnerstag), ÖSA, Nachl. Anton Rintelen.

81 Manon Gropius an Walter Gropius, 10. 8. 1934, BHA.

82 Mitteilung von Katharine Scherman-Rosin an den Autor, 8. 2. 2001.

83 Interview des Autors mit Johannes Trentini.

84 Canetti, *Das Augenspiel*, S. 187.

85 Ebd.

86 Ebd., S. 188.

87 AMW, Tgb., S. 291f., 9. 3. 1935, MWC.

88 Vgl.: Totenbeschaubefund Manon Gropius, WSA.

89 AMW, Tgb., S. 292, undatiert, MWC.

90 Johannes Hollnsteiner an Walter Gropius, 25. 4. 1935, BHA.

91 Ebd.

92 Reginald R. Isaacs, *Walter Gropius. Der Mensch und sein Werk,* Band 2/I, Frankfurt/M. 1986, S. 740.

93 *Eine Tochter Alma Mahler-Werfels gestorben*, in: Neue Freie Presse, Abendblatt, 23. 4. 1935, S. 2.

94 *Manon Gropius-Werfel gestorben*, in: Neues Wiener Journal, 24. 4. 1935, S. 9.

95 Interview des Autors mit Johannes Trentini.

96 Canetti, *Das Augenspiel*, S. 189.

97 Ebd., S. 190.

98   Interview des Autors mit Erich Rietenauer.

99   Albrecht Joseph, zit. nach: *Baptism by Desire*, in: The New York Times, 29.4.1990, S. BR15.

100 Johannes Hollnsteiner, Leichenrede für Mutzi, MWC.

101 Bruno Walter an AMW, 22.4.1935, MWC.

102 Bruno Walter, *Thema und Variationen. Erinnerungen und Gedanken*, Frankfurt/Main 1960, S. 411.

103 AMW, Der schimmernde Weg, S. 442, undatiert, MWC.

104 Ludwig Karpath, *Manon Gropius. Ein Wort des Gedenkens*, in: Wiener Sonn- und Montags-Zeitung, 29.4.1935, S. 9.

105 Interview des Autors mit Johannes Trentini.

106 AMW, Tgb., S. 296, 31.7.1935, MWC.

107 Goll, *Ich verzeihe keinem*, S. 228.

108 AMW, Der schimmernde Weg, S. 444, März 1935, MWC.

109 Franz Werfel, *Die Harmonie des österreichischen Wesens*, in: Wiener Sonn- und Montags-Zeitung, 6.8.1934, S. 7.

110 Wilhelm Stefan [Willi Schlamm], *Franz Werfel oder Die nächste Bücherverbrennung*, in: Europäische Hefte, vereinigt mit Aufruf, 27.9.1934, S. 358.

111 AMW, Tgb., S. 294, undatiert, MWC.

112 Peter Stephan Jungk, *Fragmente, Momente, Minuten. Ein Besuch bei Elias Canetti*, in: Neue Rundschau, Heft 1/1995, S. 97.

113 Franz Werfel, *Herma von Schuschnigg †*, in: Wiener Sonn- und Montags-Zeitung, 15.7.1935, S. 1.

114 Arbeiterzeitung, 21.7.1935, zit. nach: Jungk, *Franz Werfel*, S. 406.

115 AMW, Tgb., S. 296, 31.7.1935, MWC.

116 Ebd., S. 297, 11.9.1935.

117 Canetti, *Das Augenspiel*, S. 189.

118 Johannes Hollnsteiner an AMW, 24.12.1935, MWC.

119 Vgl.: Landesgericht für Zivilrechtssachen an den Magistrat der Stadt Wien, 25.1.1937, in: WSA, HA-Akten, kleine Bestände, Schachtel 33-6.

120 Vgl.: WSA, Gerichtsregister 16 Cg/1936.

121 Fritz Wotruba, Autobiographische Aufzeichnungen 28.9.1946, Wotruba-Archiv Wien.

122 AMW, Tgb., S. 297, 5.2.1936, MWC.

123 Vgl. hierzu: Friedrich Buchmayr, *Exil in Österreich? Johannes Hollnsteiners Engagement für Thomas Mann*, in: Thomas Mann Jahrbuch, Band 13, Frankfurt/Main 2001, S. 147–163.

124 Thomas Mann, *Tagebücher. 1935–1936*, Hrsg. von Peter de Mendelssohn, Frankfurt/M. 1978, S. 289, 9.4.1936.

125 AMW, Tgb., S. 298, 22.4.1936, MWC.

126 *Alma Mahler-Werfel und Franz Werfel geben Rout zu Ehren Bruno Walters*, in: Neues Wiener Journal, 19.5.1936, S. 6.

127 Johannes Hollnsteiner an Kurt von Schuschnigg, 18.6.1935, Abschrift, MWC.

128 Ebd.

129 Felix Weingartner an AMW, 19.6.1936, Abschrift, ÖSA, GZ 694/36, S. 3446f.

130 AMW, Tgb., S. 299, 4.6.1936, MWC.

131 Anna Mahler, zit. nach Jungk, *Franz Werfel*, S. 244.

132 Interview Peter Stephan Jungk mit Anna Mahler, Videoaufzeichnung, Privatbesitz.

133 AMW, Tgb., S. 299, 19.9.1936, MWC.

134 Ebd., S. 300, 24.9.1936.

135 Ebd., S. 301, 6.4.1937.

136 Anna Mahler, zit. nach Jungk, *Franz Werfel*, S. 244.

137 AMW, Tgb., S. 301, 15.6.1937, MWC.

138 *Empfang bei Alma Mahler-Werfel und Franz Werfel*, in: Neues Wiener Journal, 13.6.1937, S. 5.

139 Vgl.: Interview Peter Stephan Jungk mit Gottfried Bermann-Fischer, MKB.

140 WSA, Meldezettel.

141 AMW, Tgb., S. 303, 11.7.1937, MWC.

142 Ebd., S. 305, 20.8.1937.

143 AMW, Der schimmernde Weg, S. 519, undatiert, MWC.

144 Vgl.: Interview Peter Stephan Jungk mit Anna Mahler, Videoaufzeichnung, Privatbesitz.

145 AMW, Tgb., S. 307, 26.11.1937, MWC.

Die unfreiwillige Flucht (1938–1940)

1 AMW, Tgb., S. 309, undatiert, MWC.

2 AMW, Der schimmernde Weg, S. 480, undatiert, MWC.

3 Ebd.

4 Ebd., S. 484, undatiert.

5 Ebd., S. 485, undatiert.

6 Ebd.

7 Ebd., S. 487, undatiert.

8 Ebd., S. 488, undatiert.

9 Ebd., S. 489, undatiert.

10 AMW, Tgb., S. 311, 3.6.1938, MWC.

11 Ebd., S. 312, 23.6.1938.

12 Johannes Hollnsteiner, Ein Österreicher erlebt den Nationalsozialismus, zit. nach: Buchmayr, *Der Priester in Almas Salon*, S. 183.

13 Politische Beurteilung, 1.4.1939, in: ÖSA, Gauakte Nr. 11725.

14 Bruno Walter an AMW, 19.4.1938, MWC.

15 Vereinzelte Tagebucheintragungen, zit. nach: Werfel, *Zwischen Oben und Unten*, S. 743.

16 AMW, Tgb., S. 313, 31.8.1938, MWC.

17 Ebd., S. 313, 1.9.1938.

18 Ebd., S. 314, 27.9.1938.

19 Interview Peter Stephan Jungk mit Marta Feuchtwanger, MKB.

20 AMW, Tgb., S. 314, 9.10.1938, MWC.

21 Ebd., S. 314f., 16.10.1938.

22 Reichspropagandaamt Wien an das Personalamt der NSDAP Wien, 5.10.1938, in: ÖSA, Gauakte Nr. 24470.

23 Personalamt der NSDAP Wien an das Reichspropagandaamt Wien, 4.12.1938, in: Ebd.

24 Stephan Lehner an die Geheime Staatspolizei Wien, 16.10.1940, in: ÖSA, Arisierungsakte Franz Werfel.

25 Friedrich Werner an Heinz Drewes, 30.3.1938, BAB, R 55/20583, S. 2.

26 Friedrich Werner an Heinz Drewes, 21.10.1938, ebd., S. 100.

27 Vgl.: AMW an Friedrich Werner, 2.2.1939, ebd., S. 152.

28 AMW, Der schimmernde Weg, S. 504, undatiert, MWC.

29 Friedrich Werner an Heinz Drewes, 13.12.1940, BAB, R 55/20583, S. 545.

30 Dr. Hopf an Dr. Leinveber, 16.1.1941, ebd., S. 548.

31 AMW, Tgb., S. 315, 28.11.1938, MWC.

32 Vgl.: Totenbeschaubefund Anna Moll, WSA.

33 AMW, Tgb., S. 315, 28.11.1938, MWC.

34 AMW, Der schimmernde Weg, S. 501, Dezember 1938, MWC.

35 AMW, Tgb., S. 337, undatiert, MWC.

36 Ebd., S. 319, 23.3.1939.

37 Ebd., S. 320, 16.4.1939.

38 AMW, *Erinnerungen und Briefe*, S. 5.

39 Thomas Mann, *Tagebücher. 1940–1943*, hrsg. von Peter de Mendelssohn, Frankfurt/M. 1982, S. 72, 9.5.1940.

40 Vgl.: Vorwort zu *Ein Glück ohne Ruh*, S. 10.

41 Vereinzelte Tagebucheintragungen, zit. nach: Werfel, *Zwischen Oben und Unten*, S. 744.

42 Ebd.

43 Vgl.: Ebd.

44 AMW, Tgb., S. 338, undatiert, MWC.

45 Ebd., S. 320, 11.11.1939.

46 Ebd., S. 340, undatiert.

47 Ebd.

48 Ebd., S. 344, undatiert.

49 Vgl.: Jungk, *Franz Werfel*, S. 276.

50 AMW, Tgb., S. 349, 24. 8. 1940, MWC.

51 Ebd.

52 Varian Fry, *Auslieferung auf Verlangen. Die Rettung deutscher Emigranten in Marseille 1940/41*, München 1986, S. 79.

53 Ebd., S. 81.

54 Ebd., S. 82.

55 Carl Zuckmayer an Albrecht Joseph, 16. 10. 1940, DLA.

56 AMW, Tgb., S. 351, undatiert, MWC.

57 Ebd., S. 352, undatiert.

58 Ebd., S. 351, undatiert.

59 Ebd., S. 352, undatiert.

60 Ebd., S. 353, undatiert.

61 Ebd., S. 324, undatiert.

In Sicherheit – und unglücklich (1940–1945)

1 AMW, Tgb., S. 324, undatiert, MWC.

2 Carl Zuckmayer an Albrecht Joseph, 16. 10. 1940, DLA.

3 Vgl.: Jungk, *Franz Werfel*, S. 285ff.

4 Albrecht Joseph, August Hess, WVB.

5 Ebd.

6 AMW, Tgb., S. 326, 12. 1. 1941, MWC.

7 Ebd., S. 325, 3. 1. 1941.

8 Ebd., S. 326, 14. 1. 1941.

9 Albrecht Joseph, Werfel, Alma, Kokoschka, the actor George, S. 39, WMC.

10 Albrecht Joseph, zit. nach: Jungk, *Franz Werfel*, S. 301.

11 Ebd.

12 Albrecht Joseph, Werfel, Alma, Kokoschka, the actor George, S. 22f., WMC.

13 Ebd., S. 25.

14 Ebd.

15 Albrecht Joseph, August Hess, WVB.

16 Albrecht Joseph, Werfel, Alma, Kokoschka, the actor George, S. 25, WMC.

17 AMW an Friedrich Torberg, 29. 10. 1941, zit. nach: Friedrich Torberg, *Liebste Freundin und Alma. Briefwechsel mit Alma Mahler-Werfel*, München 1987, S. 32.

18 Friedrich Torberg an AMW, 29. 5. 1942, zit. nach: Ebd., S. 57.

19 AMW an Friedrich Torberg, 8. 12. 1944, zit. nach: Ebd., S. 166.

20 Friedrich Torberg an AMW, 19. 12. 1944, zit. nach: Ebd., S. 169.

21 AMW an Friedrich Torberg, 20. 12. 1941, zit. nach: Ebd., S. 46.

22 AMW, Tgb., S. 356, 13. 3. 1942, MWC.

23 Thomas Mann, *Tagebücher. 1940–1943*, S. 412, 1. 4. 1942.

24 Ebd.

25 Albrecht Joseph, August Hess, WVB.

26 Thomas Mann, *Tagebücher. 1940–1943*, S. 412, 1. 4. 1942.

27 AMW, Tgb., S. 357, 28. 4. 1942, MWC.

28 Vgl.: Jungk, *Franz Werfel*, S. 297.

29 AMW, Tgb., S. 357, 23. 6. 1942, MWC.

30 Thomas Mann, *Tagebücher. 1940–1943*, S. 450, 11. 7. 1942.

31 AMW, Tgb., S. 358, 27. 7. 1942, MWC.

32 Albrecht Joseph, Werfel, Alma, Kokoschka, the actor George, S. 26f., WMC.

33 AMW, Tgb., S. 360, 25. 9. 1942, MWC.

34 Albrecht Joseph, Werfel, Alma, Kokoschka, the actor George, S. 26, WMC.

35 AMW an Carl Zuckmayer, 24. 8. 1942, zit. nach: Hans Wagener (Hrsg.), *Alice und Carl Zuckmayer – Alma und Franz Werfel. Briefwechsel*, in: Zuckmayer-Jahrbuch, Band 6, Göttingen 2003, S. 134.

36 Tagebucheintrag 13. 8. 1942, in: Remarque, *Das unbekannte Werk*, S. 368.

37 Erich Maria Remarque an AMW, undatiert, MWC.

38 Thomas Mann, *Tagebücher. 1940–1943*, S. 484, 11. 10. 1942.

39 AMW, Tgb., S. 359, Oktober 1942, MWC.

40 Ebd., S. 359, Oktober 1942.

41 AMW an Friedrich Torberg, 9. 2. 1943, zit. nach: Torberg, *Liebste Freundin*, S. 87.

42 AMW an Friedrich Torberg, 26. 2. 1943, zit. nach: Ebd., S. 91.

43 AMW, Tgb., S. 369, 31. 8. 1943, MWC.

44 AMW, Der schimmernde Weg, S. 575, September 1943, MWC.

45 AMW, Tgb., S. 372, 2. 10. 1943, MWC.

46 Ebd., S. 373, 21. 10. 1943.

47 Ebd., S. 374, 23. 11. 1943.

48 AMW an Lion Feuchtwanger, 2. 12. 1943, FML.

49 AMW, Tgb., S. 375, 14. 12. 1943, MWC.

50 Ebd., S. 376, 1. 1. 1944.

51 Anna Mahler an AMW, undatiert, MWC.

52 AMW, Tgb., S. 377, 21. 1. 1944, MWC.

53 AMW, Der schimmernde Weg, S. 584, 24. 7. 1944, MWC.

54 AMW an Friedrich Torberg, 14. 8. 1944, zit. nach: Torberg, *Liebste Freundin*, S. 116.

55 AMW an Friedrich Torberg, 31. 8. 1944, zit. nach: Ebd., S. 133.

56 AMW, Der schimmernde Weg, S. 600, April 1945, MWC.

57 Zeugenaussage Karl Sieber, WSA, LZRS, 21 Cg 294/1947.

58 Zeugenaussage Rosa Sieber, ebd.

59 AMW an Jacob Levine, 13.6.1945, Abschrift, MWC.

60 Johannes Hollnsteiner an AMW, 18.6.1945, MWC.

61 AMW, Tgb., S. 355, 20.7.1941, MWC.

62 Vgl.: Buchmayr, *Der Priester in Almas Salon*, S. 212ff.

63 AMW, Tgb., S. 355, 20.7.1941, MWC.

64 Johannes Hollnsteiner an AMW, 18.6.1945, MWC.

65 AMW an Johannes Hollnsteiner, 30.6.1946, zit. nach: Buchmayr, *Der Priester in Almas Salon*, S. 263.

66 AMW an Johannes Hollnsteiner, 3.7.1947, zit. nach: Ebd.

67 Nora Fürstin Starhemberg an AMW, 15.11.1941, MWC.

68 AMW an Johannes Hollnsteiner, 18.2.1955, zit. nach: Buchmayr, *Der Priester in Almas Salon*, S. 11.

69 Johannes Hollnsteiner an AMW, 23.5.1955, MWC.

70 AMW an Johannes Hollnsteiner, 2.7.1955, zit. nach: Buchmayr, *Der Priester in Almas Salon*, S. 13.

71 AMW an Johannes Hollnsteiner, 29.7.1955, zit. nach: Ebd.

72 Albrecht Joseph, Werfel, Alma, Kokoschka, the actor George, S. 35, WMC.

73 Thomas Mann, *Tagebücher. 1944–1.4.1946*, hrsg. von Inge Jens, Frankfurt/M. 1986, S. 246, 27.8.1945.

74 Albrecht Joseph, zit. nach: *Baptism by Desire*, in: The New York Times, 29.4.1990, S. BR15.

75 Albrecht Joseph, Werfel, Alma, Kokoschka, the actor George, S. 36f., WMC.

76 Ebd. S. 37.

77 Franz Werfel an Francis J. Rummel, 27.10.1942, Abschrift, FWC.

78 Cyrill Fischer an AMW, 15.12.1943, MWC.

79 Interview Peter Stephan Jungk mit Marta Feuchtwanger, MKB.

80 Adolf Klarmann, Notizbuch, KWC.

81 AMW, Leserbrief »An Werfels Grab«, in: Aufbau, 8.3.1946.

82 Georg Moenius an AMW, undatiert [März 1946], MWC.

83 Friedrich Torberg an AMW, 11.9.1955, MWC.

84 AMW an Friedrich Torberg, 16.9.1955, WSB, Nachl. Friedrich Torberg.

Abgesang (1945–1964)

1 Thomas Mann, *Tagebücher. 28.5.1946–31.12.1948*, hrsg. von Inge Jens, Frankfurt/M. 1989, S. 290, 25.7.1948.

2 Interview mit Marietta Torberg, Videomitschnitt unbekannter Herkunft, Privatbesitz.

3 AMW an Lion und Marta Feuchtwanger, 14.11.1945, FML.

4 Vgl.: Albrecht Joseph, August Hess, WVB.

5 Vgl.: Ebd.

6 AMW, undatiertes Tagebuchfragment, ÖNB.

7 AMW an Friedrich Torberg, 11.9.1946, zit. nach: Torberg, *Liebste Freundin*, S. 258.

8 AMW an Oskar Kokoschka, 20.11.1946, ZBZ.

9 Albine Werfel an Rudolf Monter, 12.11.1946, Abschrift, MWC.

10 AMW, Meine vielen Leben, Oktober 1946, S. 674, Privatbesitz.

11 AMW an Oskar Kokoschka, 6.2.1947, ZBZ.

12 AMW, Meine vielen Leben, Herbst 1947, S. 684, Privatbesitz.

13 AMW an Friedrich Weissenstein, 5.10.1956, Abschrift, MWC.

14 Aussage Legler, WSA, Landgericht für Zivilrechtssachen, 63 RK 1372/48.

15 Aussage Gebauer-Wagner, ebd.

16 Aussage Zsolnay, ebd.

17 Aussage Böckl, ebd.

18 Bruno Walter an AMW, 19.4.1948, MWC.

19 Bruno Walter an AMW, 31.4.1948, MWC.

20 Bruno Walter an AMW, 19.5.1948, MWC.

21 Wiener Philharmoniker an AMW, 9.7.1954, MWC.

22 AMW an Wiener Philharmoniker, 31.10.1954, Abschrift, MWC.

23 Bruno Walter an AMW, 23.5.1956, MWC.

24 AMW an Bruno Walter, undatiert, Abschrift, MWC.

25 AMW an Friedrich Torberg, 13.5.1948, zit. nach: Torberg, *Liebste Freundin*, S. 265.

26 Ein Exemplar dieses Katalogs befindet sich in der MWC.

27 Thomas Mann, *Tagebücher. 28.5.1946–31.12.1948*, S. 239, 22.3.1948.

28 AMW an Friedrich Torberg, 13.5.1948, zit. nach: Torberg, *Liebste Freundin*, S. 265.

29 Friedrich Torberg an AMW, 30.5.1948, zit. nach: Ebd., S. 266.

30 Anna Mahler an AMW, undatiert, MWC.

31 Albrecht Joseph, Werfel, Alma, Kokoschka, the actor George, S. 27, WMC.

32 Anna Mahler an AMW, undatiert, MWC.

33 AMW an Friedrich Torberg, 13.5.1948, zit. nach: Torberg, *Liebste Freundin*, S. 265.

34 Thomas Mann, *Tagebücher. 28.5.1946–31.12.1948*, S. 290, 28.7.1948.

35 AMW, Meine vielen Leben, Juli 1948, S. 691, Privatbesitz.

36 AMW an Arthur Atwater Kent, undatiert, Abschrift, MWC.

37 AMW an Friedrich Torberg, 23.6.1949, zit. nach: Torberg, *Liebste Freundin*, S. 269.

38 AMW an Friedrich Torberg, 14.5.1950, zit. nach: Ebd., S. 273.

39 AMW, Vorwort zu der Briefsammlung, S. 1, ÖNB.

40 Ebd., S. 5.

41 Ebd., S. 6.

42 Interview mit Marietta Torberg, Videomitschnitt unbekannter Herkunft, Privatbesitz.

43 Vgl.: Weidinger, *Kokoschka und Alma Mahler*, S. 73ff.

44 AMW, Zwischen zwei Kriegen, S. 27, MWC.

45 Ebd., S. 25.

46 Ebd., S. 60.

47 Ebd., S. 83f.

48 Thomas Mann, *Tagebücher. 28.5.1946–31.12.1948*, S. 115, 15.4.1947.

49 Vgl.: Bernhold Schmid, *Neues zum ›Doktor Faustus-Streit‹ zwischen Arnold Schönberg und Thomas Mann*, in: Augsburger Jahrbuch für Musikwissenschaft, Band 6 (1989), S. 149–179, sowie Bernhold Schmid, *Neues zum ›Doktor Faustus-Streit‹ zwischen Arnold Schönberg und Thomas Mann. Ein Nachtrag*, in: Augsburger Jahrbuch für Musikwissenschaft, Band 7 (1990), S. 177–192.

50 Zit. nach: Eberhard Freitag, *Arnold Schönberg in Selbstzeugnissen und Dokumenten*, Reinbek 1973, S. 152.

51 Thomas Mann, *Tagebücher. 28.5.1946–31.12.1948*, S. 226, 21.2.1948.

52 Ebd., S. 228, 24.2.1948.

53 Schönbergs Dankschreiben an Mann ist abgedruckt in: Schmid, *Neues zum ›Doktor Faustus-Streit‹. Ein Nachtrag*, S. 190.

54 Arnold Schönberg, in: Saturday Review of Literature, 1.1.1949, S. 22.

55 Ebd.

56 Thomas Mann, *Tagebücher. 28.5.1946–31.12.1948*, S. 339, 9.12.1948.

57 Albrecht Joseph, Werfel, Alma, Kokoschka, the actor George, S. 35, WMC.

58 Thomas Mann, *Tagebücher. 28.5.1946–31.12.1948*, S. 339, 10.12.1948.

59 Thomas Mann, in: Saturday Review of Literature, 1. Januar 1949, S. 22f.

60 Vgl.: Thomas Mann, *Tagebücher. 1949–1950*, hrsg. von Inge Jens, Frankfurt/M. 1991, S. 29, 3.3.1949.

61 Arnold Schönberg an AMW, 12.3.1949, MWC.

62 Willy Haas, in: Geburtstagsbuch für AMW, PSU. Eine elektronische Kopie des Geburtstagsbuches verdanke ich Frau Anne König.

63 Thomas Mann, ebd.

64 Albrecht Joseph, Werfel, Alma, Kokoschka, the actor George, S. 35, WMC.

65 Walter Gropius, in: Geburtstagsbuch für AMW, PSU.

66 Oskar Kokoschka, ebd.

67 Vgl.: Thomas Mann, *Tagebücher. 1949–1950*, S. 92, 30.8.1949.

68 Ebd., S. 98, 14.9.1949.

69 Arnold Schönberg an AMW, Mitteilung des Arnold-Schönberg-Centers Wien.

70 Thomas Mann, *Tagebücher. 1949–1950*, S. 270, 22.9.1950.

71 Ebd., S. 310, 20.12.1950.

72 AMW an Friedrich Torberg, 23.6.1949, zit. nach: Torberg, *Liebste Freundin*, S. 269f.

73 Vgl.: *Anna Mahler to be UCLA Art Lecturer*, in: Los Angeles Times, 27.9. 1951, S. A2.

74 Albrecht Joseph, Werfel, Alma, Kokoschka, the actor George, S. 17, WMC.

75 AMW an Gusti Arlt, 30.3.1954, Privatbesitz.

76 Interview Peter Stephan Jungk mit Anna Mahler, Videoaufzeichnung, Privatbesitz.

77 Ebd.

78 AMW an Gusti Arlt, 14.3.1951, Privatbesitz.

79 Zit. nach: Walter Slezak, *Wann geht der nächste Schwan?*, München 1964, S. 319.

80 AMW an Gustave und Gusti Arlt, undatiert, Privatbesitz.

81 AMW an Friedrich Torberg, 5.1.1945, zit. nach: Torberg, *Liebste Freundin*, S. 177.

82 AMW an Friedrich Torberg, 30.6.1945, zit. nach: Ebd., S. 219.

83 Ebd.

84 Thomas Mann, *Tagebücher. 1944–1.4.1946*, S. 228, 15.7.1945.

85 Paul von Zsolnay an AMW, 11.8.1947, MWC.

86 Paul Frischauer an AMW, 25.11.1947, MWC.

87 Paul Frischauer an AMW, 15.12.1947, MWC.

88 AMW an Hertha Pauli, undatiert, Abschrift, MWC.

89 E. B. Ashton, Einige Notizen zu den Memoiren der Alma Maria, MWC.

90 AMW an Walter Gropius, 20.8.1958, BHA.

91 AMW an Lion Feuchtwanger, 5.6.1958, FML.

92 Paul von Zsolnay an AMW, 22.9.1958, MWC.

93 Walter Gropius an AMW, 17.8.1958, Privatbesitz.

94 AMW an Walter Gropius, 20.8.1958, BHA.

95 AMW an Walter Gropius, 6.4.1960, BHA.

96 Thilo Koch, *Ähnlichkeit mit lebenden Personen ist beabsichtigt*, Reinbek 1972, S. 212.

97 Willy Haas an AMW, 24.9.1958, UPenn, Ms. coll. 10.

98 AMW an Willy Haas, undatiert [Mai 1959], ebd.

99 AMW an Willy Haas, 15.5.1959, ebd.

100 AMW an Willy Haas, 4.1.1959, ebd.

101 AMW, *Mein Leben*, S. 10, Vorwort von Willy Haas.

102 Albrecht Joseph, Werfel, Alma, Kokoschka, the actor George, S. 10, WMC.

103 Interview Peter Stephan Jungk mit Ernst Krenek, MKB.

104 AMW an Oskar Kokoschka, undatiert [Frühjahr 1946], ZBZ.

105 AMW an Oskar Kokoschka, 25.9.1946, ZBZ.

106 AMW an Oskar Kokoschka, undatiert, ZBZ.

107 AMW an Oskar Kokoschka, 2.12.1946, ZBZ.

108 AMW an Oskar Kokoschka, 28.5.1955, ZBZ.

109 Oskar Kokoschka an AMW, 24.8.1956, ZBZ.

110 Oskar Kokoschka an AMW, 5.10.[1949], ZBZ.

111 Oskar Kokoschka an AMW, 7.6.1951, ZBZ.

112 Albrecht Joseph, August Hess, WVB.

113 Interview Peter Stephan Jungk mit Anna Mahler, MKB.

114 AMW an Gusti Arlt, undatiert, Privatbesitz.

115 Koch, *Ähnlichkeit mit lebenden Personen*, S. 208f.

116 Interview Peter Stephan Jungk mit Anna Mahler, MKB.

117 Ebd.

118 Anna Mahler an Gusti Arlt, undatiert, Privatbesitz.

119 Anna Mahler, zit. nach: *Mich hat auch der Mensch ungemein interessiert, der hinter dieser Musik steht*, in: Österreichische Musikzeitschrift, Jahrgang 45, Heft 1, S. 20.

Epilog

1 Anna Mahler an Gustave und Gusti Arlt, Telegramm, Privatbesitz.

2 Adolf Klarmann an Friedrich Torberg, 24.12.1964, WSB, Nachl. Friedrich Torberg.

3 Ebd.

4 Soma Morgenstern, Nachruf auf Alma Mahler, S. 4, DBF.

5 Anna Mahler an Gusti Arlt, undatiert, Privatbesitz.

6 Adolf Klarmann an Friedrich Torberg, 24.12.1964, WSB, Nachl. Friedrich Torberg.

7 Hilde Spiel, *Die Heimkehr*, in: Frankfurter Allgemeine Zeitung, 10.2.1965.

8 *Alma Mahler-Werfel beigesetzt*, in: Wiener Zeitung, 9.2.1965, S. 5.

9 Carl Zuckmayer an Albrecht Joseph, 19.1.1965, Abschrift, DLA.

10 Hilde Spiel, *Die Heimkehr*, in: Frankfurter Allgemeine Zeitung, 10.2.1965.

11 The New York Times, International Edition, 14.12.1964, S. 6.

12 The Washington Post, 13.12.1964, S. B12.

13 Zeitungsartikel unbekannter Herkunft, Privatbesitz.

14 John Rosenfield, *Alma Werfel gestorben. Eine Galerie von Genies*, in: Dallas Morning News, 9.1.1965.

15 Zitiert nach der CD: Tom Lehrer, That Was The Year That Was, aufgenommen im Juli 1965 in San Francisco, Reprise Records.

16 Sandy Rovner, *Alma Mater*, in: The Washington Post, 14.2.1982, S. A1.

17 Albrecht Joseph, Werfel, Alma, Kokoschka, the actor George, S. 10, WMC.

18 Hans Weigel, *Alma Mater und Söhne*, in: *Ad absurdum. Parodien dieses Jahrhunderts*, hrsg. von Elisabeth Pablé, München 1968, S. 137f.

19 Hans Wollschläger, *Scharf angeschlossener Kettenschmerz*, S. L9.

20 Albrecht Joseph, Werfel, Alma, Kokoschka, the actor George, S. 9f., WMC.

21 Hans Wollschläger, *Scharf angeschlossener Kettenschmerz*, S. L9.

22 Soma Morgenstern, Nachruf auf Alma Mahler, S. 2, DBF.

23 Friedrich Torberg an AMW, 10.7.1943, zit. nach: Torberg, *Liebste Freundin*, S. 99f.

Quellen

Archive und Sammlungen

Bauhaus-Archiv Berlin, Museum für Gestaltung (BHA)
  Nachlass Walter Gropius
Bundesarchiv Berlin (BAB)
  R 55/20583
Deutsche Bibliothek Frankfurt am Main, Deutsches Exilarchiv 1933–1945
  (DBF)
  Nachlass Soma Morgenstern
Deutsches Literaturarchiv Marbach am Neckar, Handschriftenabteilung
  (DLA)
  Nachlass Carl Zuckmayer
Israelitische Kultusgemeinde Wien
  Rz. 258/1929
Mechitaristenkloster Wien, Bibliothek, Depositum Peter Stephan Jungk
  (MKB)
  Interview Peter Stephan Jungk mit Gottfried Bermann-Fischer
  (Abschrift)
  Interview Peter Stephan Jungk mit Marta Feuchtwanger (Abschrift)
  Interview Peter Stephan Jungk mit Ernst Krenek (Abschrift)
  Interview Peter Stephan Jungk mit Anna Mahler (Abschrift)
Österreichische Galerie Belvedere, Bibliothek (BB)
  Carl Moll, Mein Leben (Typoskript)
Österreichische Nationalbibliothek Wien, Handschriftenabteilung (ÖNB)
  Nachlass Hertha Pauli und E. B. Ashton
Österreichisches Staatsarchiv Wien (ÖSA)
  Arisierungsakte Franz Werfel
  Bundesministerium für Unterricht/Bundestheaterverband, Direktion
  Wiener Staatsoper, GZ 693/36
  Gauleitung Wien, Gauakte Nr. 24470 (Alma Mahler-Werfel)

Gauleitung Wien, Gauakte Nr. 11725 (Johannes Hollnsteiner)
Nachlass Anton Rintelen

Paul Zsolnay Verlag, Archiv (PZV)
Verlagskorrespondenz
Vertragsmappe Alma Mahler-Werfel

Pennsylvania State University Libraries (PSU)
Geburtstagsbuch für Alma Mahler-Werfel

Privatbesitz
Teilnachlass Gustave und Gusti Arlt
Alma Mahler-Werfel, Meine vielen Leben (Typoskript)
Interview Peter Stephan Jungk mit Anna Mahler, Videoaufzeichnung.

Staatsarchiv Freiburg/Breisgau (SAF)
Bestand B 821/2, Krankenakte Margarethe Legler

Staatsbibliothek zu Berlin, Preußischer Kulturbesitz (SBB)
Nachlass Gerhart und Margarethe Hauptmann

Stadt- und Landesarchiv Wien (WSA)
Bezirksgericht Döbling, Abwesenheitskuratel Alma Mahler-Werfel,
6 P 126/42
Gerichtsregister 16 Cg/1936
HA-Akten, kleine Bestände, Schachtel 33-6
Landgericht für Zivilrechtssachen, 21 Cg 294/1947
Landgericht für Zivilrechtssachen, 63 RK 1372/48
Meldeunterlagen Manon Gropius
Meldeunterlagen Alma Mahler-Werfel
Meldeunterlagen Franz Werfel
Scheidungsakte XXIII 722/25
Totenbeschaubefund Manon Gropius
Totenbeschaubefund Anna Moll

Stadt- und Landesbibliothek Wien (WSB)
Nachlass Ernst Krenek
Nachlass Friedrich Torberg

Stadt- und Landesbibliothek Wien, Musikabteilung
Depositum der Universal Edition AG, Korrespondenz mit
Alma Mahler-Werfel

Standesamt Mitte von Berlin
Heiratsurkunde Nr. 411/1915

University of California in Los Angeles, Charles E. Young Research
Library (UCLA)
Franz-Werfel-Collection (FWC)
William-Melnitz-Collection (WMC)

University of Pennsylvania in Philadelphia, Van Pelt-Dietrich Library Center
(UPenn)
    Klarmann-Werfel-Collection (KWC)
    Mahler-Werfel-Collection (MWC)
    Ms. coll. 10
University of Southern California, Feuchtwanger Memorial Library (FML)
    Nachlass Marta und Lion Feuchtwanger
Verein der Freunde zur Erhaltung und Betreuung des künstlerischen Nachlasses von Fritz Wotruba, Wien
    Nachlass Fritz Wotruba
Weidle-Verlag Bonn (WVB)
    Albrecht Joseph, August Hess (Typoskript)
Zentralbibliothek Zürich (ZBZ)
    Nachlass Oskar Kokoschka

Interviews

Die nachfolgenden Damen und Herren standen für Interviews, Einschätzungen und Stellungnahmen zur Verfügung:
    Leon Askin (Wien)
    Dr. Maria-Magdalena Cyhlar (Wien)
    Dr. Herta Haas (Hamburg)
    Lady Isolde Radzinowicz (Haverford/USA)
    Erich Rietenauer (Wien)
    Katharine Scherman-Rosin (New York/USA)
    Prof. Dr. Guy Stern (Detroit/USA)
    Prof. Johannes B. Trentini (Innsbruck)
    Alma Zsolnay (Wien)

Literatur

Abels, Norbert: *Franz Werfel*, Reinbek bei Hamburg 1990.

Alma Mahler-Werfel beigesetzt, in: Wiener Zeitung, 9.2.1965, S. 5.

Altenberg, Peter: *Fechsung*, Berlin 1915.

Anna Mahler to be UCLA Art Lecturer, in: Los Angeles Times, 27.9.1951, S. A2.

Baptism by Desire, in: The New York Times, 29.4.1990, S. BR15.

Becqué, Robert: *Die Korrespondenz zwischen Alma Mahler und Willem Mengelberg über die niederländische Erstaufführung von zwei Sätzen der zehnten Symphonie*, in: Paul Op de Coul (Hrsg.), Fragment or Completion? Proceedings of the Mahler X Symposium, Utrecht 1986, S. 217–239.

Berchtold, Klaus: *Österreichische Parteiprogramme 1868–1966*, München 1967.

Berger, Hilde: *Ob es Haß ist, solche Liebe? Oskar Kokoschka und Alma Mahler*, Wien 1999.

Blaich, Fritz: *Der schwarze Freitag. Inflation und Wirtschaftskrise*, München 1990.

Blaukopf, Herta (Hrsg.): *Gustav Mahler. Briefe*, Wien 1996.

Blaukopf, Kurt: *Gustav Mahler oder Der Zeitgenosse der Zukunft*, Wien 1969.

Brassaï: *The Artist of My Life*, New York 1982.

Buchmayr, Friedrich: *Der Priester in Almas Salon. Johannes Hollnsteiners Weg von der Elite des Ständestaates zum NS-Bibliothekar*, Weitra 2003.

Buchmayr, Friedrich: *Exil in Österreich? Johannes Hollnsteiners Engagement für Thomas Mann*, in: Thomas Mann Jahrbuch, Band 13, Frankfurt/M. 2001, S. 147–163.

Büning, Eleonore: *Immer diese Amazonen. Gehst Du zum Weib, vergiss den Taktstock*, in: Frankfurter Allgemeine Zeitung, 20.3.2004, S. 41.

Canetti, Elias: *Das Augenspiel. Lebensgeschichte 1931–1937*, Frankfurt/M. 1999.

Chamberlain, Houston Stewart: *Richard Wagner*, München 1919.

Dubrovic, Milan: *Veruntreute Geschichte*, Wien 1985.

Ein Glück ohne Ruh. Die Briefe Gustav Mahlers an Alma, hrsg. von Henry-Louis de La Grange und Günther Weiß, Berlin 1997.

Empfang bei Alma Mahler-Werfel und Franz Werfel, in: Neues Wiener Journal, 13.6.1937, S. 5.

Fischer, Jens Malte: *Gustav Mahler. Der fremde Vertraute*, Wien 2003.

Fischer, Jens Malte: *Jahrhundertdämmerung. Ansichten eines anderen Fin de siècle*, Wien 2000.

Foltin, Lore B.: *Franz Werfel*, Stuttgart 1972.

Freitag, Eberhard: *Arnold Schönberg in Selbstzeugnissen und Dokumenten*, Reinbek 1973.

Fry, Varian: *Auslieferung auf Verlangen. Die Rettung deutscher Emigranten in Marseille 1940/41*, München 1986.

Fuchs, Heinrich: *Emil Jakob Schindler*, Wien 1970.

Giroud, Françoise: *Alma Mahler oder die Kunst, geliebt zu werden*, München 2000.

Goll, Claire: *Ich verzeihe keinem. Eine literarische Chronique scandaleuse unserer Zeit*, Berlin 1987.

Gustav Mahler. Briefe 1879–1911, hrsg. von Alma Maria Mahler, Wien 1925.

Hall, Murray G.: *Der Paul Zsolnay Verlag. Von der Gründung bis zur Rückkehr aus dem Exil*, Tübingen 1994.

Hamann, Brigitte: *Hitlers Wien. Lehrjahre eines Diktators*, München 2003.

Hilmes, Oliver: *Im Fadenkreuz. Politische Gustav-Mahler-Rezeption 1919–1945. Eine Studie über den Zusammenhang von Antisemitismus und Kritik an der Moderne*, Frankfurt/M. 2003.

Hoffmann, Sven Olaf und Annegret Eckhardt-Henn: *Von der Hysterie zur Histrionischen Persönlichkeitsstörung. Ein historischer und konzeptueller Überblick*, in: Persönlichkeitsstörungen, Theorie und Therapie, Heft 3/2000, S. 128–137.

Isaacs, Reginald, *Walter Gropius. Der Mensch und sein Werk*, Frankfurt/M. 1985.

Jaspers, Karl: *Allgemeine Psychopathologie*, Berlin 1953.

Jens, Inge: *Dichter zwischen rechts und links*, Leipzig 1994.

Jungk, Peter Stephan: *Alma Maria Mahler-Werfel. Einfluss und Wirkung*, in: Wolfgang Nehring und Hans Wagener (Hrsg.), *Franz Werfel im Exil*, Bonn 1992, S. 21–31.

Jungk, Peter Stephan: *Fragmente, Momente, Minuten. Ein Besuch bei Elias Canetti*, in: Neue Rundschau, Heft 1/1995.

Jungk, Peter Stephan: *Franz Werfel. Eine Lebensgeschichte*, Frankfurt/M. 1987.

Kandinsky, Nina: *Kandinsky und ich*, München 1976.

Karpath, Ludwig: *Manon Gropius. Ein Wort des Gedenkens*, in: Wiener Sonn- und Montags-Zeitung, 29.4.1935, S. 9.

Kaus, Gina: *Von Wien nach Hollywood*, Frankfurt/M. 1990.

Keegan, Susanne: *The Bride of the Wind. The Life of Alma Mahler*, New York 1992.

Koch, Thilo: *Ähnlichkeit mit lebenden Personen ist beabsichtigt*, Reinbek 1972.

König, Michel: *Ein Harmonium für Arnold Schönberg*, in: Arbeitskreis Harmonium der GdO, Heft 2, November 2000, S. 8–22.

Kokoschka, Oskar: *Briefe I. 1905–1919*, Düsseldorf 1984.

Kokoschka, Oskar: *Mein Leben*, München 1971.

Krenek, Ernst: *Im Atem der Zeit. Erinnerungen an die Moderne*, München 1999.

La Grange, Henry-Louis de: *Gustav Mahler. Chronique d'une vie*, Vol. I, 1860 bis 1900, Paris 1979.

La Grange, Henry-Louis de: *Gustav Mahler. Chronique d'une vie*, Vol. II, L'âge d'or de Vienne 1900–1907, Paris 1983.

La Grange, Henry-Louis de: *Gustav Mahler. Chronique d'une vie*, Vol. III, Le génie foudroyé 1907–1911, Paris 1984.

Lexikon der Psychiatrie, Berlin 1986.

Maderegger, Sylvia: *Die Juden im österreichischen Ständestaat 1934–1938*, Wien 1973.

Mahler-Werfel, Alma: *And the Bridge is Love*, London 1958.

Mahler-Werfel, Alma: *Gustav Mahler. Erinnerungen und Briefe*, Amsterdam 1940.

Mahler-Werfel, Alma: *Mein Leben*, Frankfurt/M. 1960.

Mahler-Werfel, Alma: *Tagebuch-Suiten 1898–1902*, hrsg. von Antony Beaumont und Susanne Rode-Breymann, Frankfurt/M. 1997.

Mann, Katia: *Meine ungeschriebenen Memoiren*, Frankfurt/M. 1995.

Mann, Klaus: *Der Wendepunkt. Ein Lebensbericht*, München 1989.

Mann, Thomas, *Tagebücher. 1935–1936*, hrsg. von Peter de Mendelssohn, Frankfurt/M. 1978.

Mann, Thomas: *Tagebücher. 1940–1943*, hrsg. von Peter de Mendelssohn, Frankfurt/M. 1982.

Mann, Thomas: *Tagebücher. 1944–1.4.1946*, hrsg. von Inge Jens, Frankfurt/M. 1986.

Mann, Thomas: *Tagebücher. 28.5.1946–31.12.1948*, hrsg. von Inge Jens, Frankfurt/M. 1989.

Mann, Thomas: *Tagebücher. 1949–1950*, hrsg. von Inge Jens, Frankfurt/M. 1991.

Manon Gropius-Werfel gestorben, in: Neues Wiener Journal, 24.4.1935, S. 9.

Martner, Knud (Hrsg.): *Gustav Mahler im Konzertsaal. Eine Dokumentation seiner Konzerttätigkeit 1870–1911*, Kopenhagen 1985.

Mentzos, Stavros: *Hysterie. Zur Psychodynamik unbewusster Inszenierungen*, Frankfurt/M. 1986.

Monson, Karen: *Alma Mahler-Werfel. Die unbezähmbare Muse*, München 1985.

Natter, Tobias G. und Gerbert Frodl (Hrsg.): *Klimt und die Frauen*, Köln 2000.

Neumayr, Anton: *Musik und Medizin*, Wien 1991.

461

Nordau, Max: *Entartung*, Band 1, Berlin 1892.

Reik, Theodor: *Dreißig Jahre mit Sigmund Freud*, München 1976.

Reinhardt, Gottfried: *Der Liebhaber. Erinnerungen an Max Reinhardt*, München 1973.

Remarque, Erich Maria: *Das unbekannte Werk. Briefe und Tagebücher*, Band 5, Köln 1998.

Rode-Breymann, Susanne: *Die Komponistin Alma Mahler-Werfel*, Hannover 1999.

Rosenfield, John: *Alma Werfel gestorben. Eine Galerie von Genies*, in: Dallas Morning News, 9.1.1965.

Rothkamm, Jörg: *Gustav Mahlers Zehnte Symphonie. Entstehung, Analyse, Rezeption*, Frankfurt/M. 2003.

Rothkamm, Jörg: *Wer komponierte die unter Alma Mahlers Namen veröffentlichten Lieder? Unbekannte Briefe der Komponistin zur Revision ihrer Werke im Jahre 1910*, in: Die Musikforschung, Heft 4/2000, S. 432–445.

Rovner, Sandy: *Alma Mater*, in: The Washington Post, 14.2.1982, S. A1.

Schmid, Bernhold: *Neues zum ›Doktor Faustus-Streit‹ zwischen Arnold Schönberg und Thomas Mann*, in: Augsburger Jahrbuch für Musikwissenschaft, Band 6 (1989), S. 149–179.

Schmid, Bernhold: *Neues zum ›Doktor Faustus-Streit‹ zwischen Arnold Schönberg und Thomas Mann. Ein Nachtrag*, in: Augsburger Jahrbuch für Musikwissenschaft, Band 7 (1990), S. 177–192.

Seele, Astrid: *Alma Mahler-Werfel*, Reinbek bei Hamburg 2001.

Sekler, Eduard Franz: *Josef Hofmann. Das architektonische Werk*, Salzburg 1982.

Slezak, Walter: *Wann geht der nächste Schwan?*, München 1964.

Sorell, Walter: *Three Women. Lives of Sex and Genius*, London 1977.

Spiel, Hilde: *Die Heimkehr*, in: Frankfurter Allgemeine Zeitung, 10.2.1965.

Spiel, Hilde: *Glanz und Untergang. Wien 1866–1938*, München 1987.

Stefan, Paul: *Gustav Mahler*, Wien 1920.

Stefan, Wilhelm [d.i. Willi Schlamm]: *Franz Werfel oder Die nächste Bücherverbrennung*, in: Europäische Hefte, vereinigt mit Aufruf, 27.9.1934, S. 358 bis 360.

Tálos, Emmerich und Wolfgang Neugebauer (Hrsg.): *Austrofaschismus. Beiträge über Politik, Ökonomie und Kultur 1934–1938*, Wien 1984.

Tante Julchen und der ›Stürmer‹, in: Der Spiegel, Nr. 38/1989, S. 220–230.

Torberg, Friedrich: *Die Erben der Tante Jolesch*, München 1996.

Torberg, Friedrich: *Liebste Freundin und Alma. Briefwechsel mit Alma Mahler-Werfel*, München 1987.

Wagener, Hans (Hrsg.): *Alice und Carl Zuckmayer – Alma und Franz Werfel. Briefwechsel*, in: Zuckmayer-Jahrbuch, Band 6, Göttingen 2003, S. 89 bis 218.

Wagner, Nike: *Geist und Geschlecht. Karl Kraus und die Erotik der Wiener Moderne*, Frankfurt/M. 1982.

Walter, Bruno: *Thema und Variationen. Erinnerungen und Gedanken*, Frankfurt/M. 1960.

Wassily Kandinsky und Arnold Schönberg. Der Briefwechsel, hrsg. von Jelena Hahl-Koch, Stuttgart 1993.

Weidinger, Alfred: *Kokoschka und Alma Mahler. Dokumente einer leidenschaftlichen Begegnung*, München 1996.

Weigel, Hans: *Alma Mater und Söhne*, in: *Ad absurdum. Parodien dieses Jahrhunderts*, hrsg. von Elisabeth Pablé, München 1968, S. 136–138.

Weinzierl, Ulrich: *Eine tolle Madame. Friedrich Torbergs Briefwechsel mit Alma Mahler-Werfel*, in: Frankfurter Allgemeine Zeitung, 6. 10. 1987.

Weissweiler, Eva: *Komponistinnen vom Mittelalter bis zur Gegenwart. Eine Kultur- und Wirkungsgeschichte in Biographien und Werkbeispielen*, München 1999.

Weniger, Peter und Peter Müller: *Die Schule von Plankenberg. Emil Jakob Schindler und der österreichische Stimmungsimpressionismus*, Graz 1991.

Werfel, Franz: *Die Harmonie des österreichischen Wesens*, in: Wiener Sonn- und Montags-Zeitung, 6. 8. 1934, S. 7.

Werfel, Franz: *Herma von Schuschnigg †*, in: Wiener Sonn- und Montags-Zeitung, 15. 7. 1935, S. 1.

Werfel, Franz: *Zwischen Oben und Unten*, München 1975.

Wessling, Berndt Wilhelm: *Alma. Gefährtin von Gustav Mahler, Oskar Kokoschka, Walter Gropius, Franz Werfel*, Düsseldorf 1983.

Wollschläger, Hans: *Scharf angeschlossener Kettenschmerz. Gustav Mahlers Briefe an Alma*, in: Frankfurter Allgemeine Zeitung, 5. 12. 1995, S. L9.

Zuckerkandl, Berta: *Ich erlebte fünfzig Jahre Weltgeschichte*, Stockholm 1939.

Zuckerkandl, Berta: *Österreich intim. Erinnerungen 1892–1942*, Frankfurt/M. 1970.

Zuckmayer, Carl: *Als wär's ein Stück von mir*, Frankfurt/M. 1966.

Personenregister

467

Bildnachweis

Archiv für Kunst und Geschichte, Berlin
39, 81, 97 oben und unten, 118, 133, 141, 147, 152, 161, 165 unten, 185, 186, 292

Maria-Magdalena Cyhlar, Wien
267

DIZ – Dokumentations- und Informationszentrum München GmbH
290

Oliver Hilmes, Berlin
266, 309, 387, 390, 398

Interfoto, München
49, 62, 110, 112

Paulus Manker, Wien
26, 48, 60, 88, 89, 120, 127, 165 oben, 229, 237, 249, 260, 270, 271, 298, 318, 322, 323, 331, 371, 373

Moderne Bauformen 1913, S. 1ff.
234, 236, 289

The New York Times
320

Österreichische Galerie Belvedere, Wien
365

University of Pennsylvania in Philadelphia, Van Pelt-Dietrich Library Center
32, 33, 91, 145, 171, 174, 193, 197, 198, 205, 213 links und rechts, 218, 219, 222, 223, 226, 227, 232, 246, 262, 333, 335 oben und unten, 348, 355, 358, 363, 388, 389, 397, 401, 405, 409

Weidle-Verlag, Bonn
325

Nicht alle Copyright-Inhaber konnten ermittelt werden, deren Urheberrechte werden hiermit vorsorglich und ausdrücklich anerkannt.